Petra Durst-Benning

DIE AMERIKANERIN

Petra Durst-Benning

DIE AMERIKANERIN

Roman

Ullstein

Der Ullstein Verlag ist ein Unternehmen
der Econ Ullstein List Verlag GmbH & Co. KG, München

© 2002 by Econ Ullstein List Verlag GmbH & Co. KG, München
Alle Rechte vorbehalten
Satz: Dörlemann Satz, Lemförde
Gesetzt aus der Minion
Druck und Verarbeitung: GGP Media GmbH, Pößneck
Printed in Germany 2002
ISBN 3 550 08365 3

Für Mimi –
this one's for you!

PROLOG

Lauscha im Thüringer Wald, März 1910

»Glänzender Reigen, gläserne Welt,
gib meiner Sehnsucht Sinn.
Begehrliche Zärtlichkeit,
die süßes Versprechen hält,
zeig den Weg zu mir hin.«

Noch spät am Abend saß Marie an ihrem Arbeitsplatz, dem Bolg. Vor sich hatte sie auf der rechten Seite eine Kiste mit Glasrohlingen und zur Linken das Nagelbrett, auf dem fertig geblasene Kugeln darauf warteten, zu einem der anderen Arbeitsplätze getragen und dort versilbert und bemalt zu werden. Obwohl Marie die Müdigkeit schon in den Knochen steckte, verspürte sie ein leichtes Hochgefühl, während sie sich auf ihre Tätigkeit konzentrierte. Nicht mehr so heftig wie damals, als sie, Marie Steinmann, mit gerade mal siebzehn Jahren den Lauschaer Männern das Privileg des Glasblasens genommen hatte. Aber es war noch da und es flackerte auch jedes Mal auf, wenn sie beobachtete, mit welcher Selbstverständlichkeit sich inzwischen ihre Nichte Anna an den Bolg setzte und mit sicherem Griff den Gashahn öffnete.

Eine Frau als Glasbläserin? Das war in Lauscha nichts Neues mehr, jetzt hockten sogar in der Kunstglasbläserschule junge Mädchen und Burschen einträchtig nebeneinander. Marie lächelte. Zwanzig Jahre – anderswo nicht mehr als ein mildes Räuspern im belegten Rachen der Zeitschreibung, in Lauscha waren es Lichtjahre.

Zschschsch... – wie altbekannt das Geräusch!»Die Flamme muss singen, wenn das Glas gelingen soll.« Noch heute klangen ihr die Worte ihres Vaters im Ohr. Und wieder einmal fragte sie sich, was wohl Joost zu alldem sagen würde: Sie eine Glasbläserin, Johanna eine Geschäftsfrau, und dazwischen Tausende Kugeln Christbaumschmuck.

9

Marie reckte sich. Sie drehte die Flamme aus und stand seufzend von ihrem Hocker auf. Es war an der Zeit, zu Bett zu gehen.

Es geschah völlig unvorbereitet. Jemand stülpte ihr plötzlich von hinten etwas über den Kopf. Ihre Nase wurde gestoßen, ihr rechtes Ohr dabei schmerzhaft zusammengedrückt. Sie drehte sich hin und her, doch das Gefühl der Enge blieb. »Was soll das?«, rief sie erschrocken. Ihre Worte hörten sich seltsam dumpf an, als ob sich ein kleines Kind einen Blechtopf vors Gesicht hielt. Nur, über ihrem Kopf befand sich kein Topf, sondern etwas Gläsernes. Eine riesengroße Käseglocke, durch ihren Atem milchig trübe beschlagen.

Was war das für ein dummer Scherz? Waren die Zwillinge Johannes und Anna mit ihren sechzehn Jahren nicht längst zu erwachsen für solche Neckereien?

Verärgert wollte Marie das Glasding selbst abnehmen, doch ihre Handinnenflächen waren feucht und rutschten immer wieder an der glatten Wandung ab. Sie hatte die perfekte Wölbung einer Kugel und war so warm, als wäre sie eben erst einer Flamme entronnen.

Die Glasfläche warf Maries heißen Atem zurück.

Es war eine Glaskugel! Deren Öffnung, obwohl perfekt abgeschnitten, dort in Maries Fleisch zu schneiden begann, wo ihr Hals in den Oberkörper überging. Vergeblich versuchte sie, zwei Finger in die Öffnung zu bekommen. Wie ein Saugnapf saß die Kugel auf ihr, luftdicht abgeschottet durch die Schwellung der Haut, die sich bereits gegen die eindringende Glaskante zur Wehr setzte.

Panik stieg in Marie auf. Kein Scherz, sondern auf Leben und Tod! Ihr Atem kam nun stoßweise, in kleinen feuchten Wölkchen, die an dem Glas kleben blieben. Die Luft wurde weniger, je mehr sie mit dem Kopf wackelte und die Kugel abzuschütteln versuchte. Ihre Angst schmeckte auf der Zunge metallisch wie ein kupferner Pfennig. Sie wollte ihre Lippen anfeuchten und stellte fest, dass sie keine Spucke mehr hatte. »Hilfe! Warum helft ihr mir nicht?«, dröhnte ihre Stimme von weit her.

Im nächsten Moment fand sich Marie außerhalb der Glaskugel wieder. Sie wollte schon erleichtert aufatmen, als sie sich hinter dem Glas entdeckte. Drinnen? Draußen? Sie war immer noch gefangen, ihre Augen hinter dem Glas überdimensional groß wie die eines Frosches. Ihre Wangen, die sich aufbliesen wie die Kiemen eines Fisches. Lachhaft. Pathetisch. Armselig. Schweiß rann ihr über die fahle Stirn und hinunter bis zum Hals, ohne dass ein kalter Tropfen den gläsernen Gefängniswänden entrinnen konnte.

Luft! Sie brauchte Luft zum Atmen. Ein lautes Summen schwirrte um ihren Kopf, wurde noch lauter. Sie wollte sich die Ohren zuhalten und hatte doch wieder nur Glas in der Hand.

Plötzlich ahnte sie, dass sie ersticken würde.

Sie schrie und schrie und schrie ...

Im nächsten Moment fand sie sich aufrecht sitzend wieder, ihr Nachthemd von Schweiß getränkt, Magnus' Arm um ihre Schulter, seine beruhigenden Worte im Ohr.

Ein Traum. Alles war nur ein Traum. Dennoch dauerte es lange, bis sich Maries Atem beruhigt hatte und sie ihre Hand von ihrem noch immer engen Hals nehmen konnte.

Es war fünf Uhr morgens.

Matt legte sie sich wieder zurück, nicht sicher, ob sie noch einmal einschlafen wollte.

Magnus schaute sie mit besorgter Miene an.

Um kein Gespräch anfangen zu müssen, schloss Marie die Augen. Was für eine tolle Art, seinen Geburtstag zu beginnen!

*

»Marie! Ich hätte nicht gedacht, Sie heute bei mir begrüßen zu dürfen.« Alois Sawatzkys Verbeugung war vollendet. »Ich wünsche Ihnen von Herzen nur das Beste zu Ihrem Freudentag.« Er half ihr aus dem Mantel und hängte ihn an einem wackligen Haken hinter der Tür auf.

»Dass Sie sich meinen Geburtstag gemerkt haben …« Sie strich ein paar Regentropfen aus ihrer Stirn. Die feuchten Stellen an ihren Ärmeln, wo der Regen durch den Mantel gedrungen war, schienen sie nicht zu stören.

Der Buchhändler hatte noch nie erlebt, dass sie mit einem Regenschirm gekommen wäre. Der Aufwand, diesen zu tragen, war Marie Steinmann scheinbar lästiger, als nass zu werden.

»Bedauerlicherweise ist das Wetter heute alles andere als einem Festtag gemäß. Gibt es etwas Unangenehmeres als diesen beharrlichen Märzregen?«

»Das ist leider nicht das Einzige, was heute wenig an einen Festtag erinnert«, bemerkte Marie seufzend. »Am besten warne ich Sie gleich vor: Meine Laune lässt heute sehr zu wünschen übrig.«

Sawatzky hob fragend die Augenbrauen. Da sie ihre letzte Bemerkung nicht weiter ausführte, sagte er: »Was halten Sie von einem Glas Tee? Ich habe gerade frischen aufgebrüht.«

»Schaden kann er auf keinen Fall.« Ohne Umstände ließ sich Marie in einen der abgewetzten Ledersessel fallen, die er für seine Kunden aufgestellt hatte. Schmunzelnd bemerkte Sawatzky, dass sie selbst an ihrem Geburtstag ihre übliche Arbeitskluft trug. Mit ihren Beinkleidern hätte Marie Steinmann jedem Enfant terrible der Berliner oder Münchner Kunstwelt Konkurrenz gemacht – doch interessanterweise schienen sich die Leute hier an ihrem Aufzug weniger zu stören als an ihrem Beruf. Oder war es einfach so, dass man sich bei Marie Steinmann über nichts mehr wunderte?

Gekonnt balancierte er zwei Gläser Tee durch die schmalen

Gänge, ohne auch nur einmal an einem der mannshohen Bücherstapel anzuecken. Nachdem er ein Glas auf dem Tischchen vor Marie abgestellt hatte, setzte er sich ihr aufseufzend gegenüber. Seine Arthrose hatte ihn am Morgen so geplagt, dass er mit dem Gedanken gespielt hatte, seinen Laden heute geschlossen zu lassen. Nun war er froh, seiner Schwäche nicht nachgegeben zu haben. Schon lange war Marie mehr als eine gute Kundin. Im Laufe der neunzehn Jahre, die sie sich nun kannten, war sie für ihn so etwas wie eine jüngere Schwester geworden, die er nie gehabt hatte.

Bedächtig rührte er in seinem Tee, und Marie tat es ihm gleich. Eine Zeit lang war nur das Klirren der kleiner werdenden Kandisbrocken zu hören.

In diesem Teil des Raumes, wo es genauso gemütlich war wie im Rest des Ladens, konnte ein Kunde ein Buch anlesen oder es einfach nur durchblättern. Hier traf man sich außerdem in angeregter Runde, um sich an Goethe und Schiller zu ergötzen, aber auch, um hitzig über die Werke neuer, junger Dichter zu diskutieren. Ja, Alois Sawatzkys Diskussionszirkel hatte in Intellektuellenkreisen weit über Sonneberg hinaus einen guten Ruf. Dasselbe galt für sein Bücherangebot, das in Umfang wie Qualität manche großstädtische Buchhandlung in den Schatten stellen konnte.

»Sie sehen etwas müde aus«, bemerkte er nun über den Rand seines Glases hinweg. »Haben Sie Ihren Geburtstag etwa schon vorgefeiert? Heißt es nicht, das brächte Unglück?«

Marie winkte ab. »Ein bisschen Unglück würde ich gern in Kauf nehmen, wenn es Hand in Hand mit etwas Abwechslung ginge. Davon abgesehen, dass Johanna und die anderen darauf bestanden haben, dass ich mir freinehme, ist heute ein Tag wie jeder andere.«

Wieder einmal wunderte er sich über den Mangel an Leichtigkeit bei der jungen Frau. Wie viel lieber hätte er es ge-

13

sehen, Marie Steinmann hätte sich heute feiern lassen! Hätte ihre dunkelbraunen Haare zu Locken aufgedreht, ein hübsches Kleid angezogen und sich von einem Herzallerliebsten ausführen lassen, statt hier mit ihm altem Mann zu sitzen!

»Das müssen wir dringend ändern!« Er stand auf und verschwand erneut in den Tiefen seines Ladens. Im nächsten Moment kam er mit einer Flasche und zwei Gläsern zurück. »Es ist zwar erst früher Nachmittag, aber darf ich Sie trotzdem auf einen Sherry einladen?«

Ohne Maries Antwort abzuwarten, schenkte er je zwei Fingerbreit der goldbraunen Flüssigkeit ein. Wo Tee nicht mehr half, hatte Sherry bisher selten versagt.

»Auf Ihr Wohl!«

Immerhin nahm sie ihr Glas auf.

»Und auf Ihres«, prostete sie zurück.

Dann beugte er sich ihr entgegen. »So. Und jetzt erzählen Sie mir, was Sie auf dem Herzen haben. Und kommen Sie mir bloß nicht damit, dass alles in Ordnung wäre!«

Marie verzog den Mund. »Eigentlich ist es das schon. Im Grunde ist es lachhaft, aber …« Sie zögerte noch einen Moment, doch dann erzählte sie ihm ihren Traum.

»Ich habe wirklich geglaubt, ich müsste ersticken«, endete sie. Sie wirkte noch immer erschüttert. »Dem armen Magnus ist der Schrecken durch Mark und Bein gefahren, so laut habe ich geschrien!« Sie stieß die Luft aus. »Gott sei Dank *war* alles nur ein Traum. Mir ist immer noch ganz unheimlich zumute, wenn ich nur daran denke.«

Sawatzky kratzte sich am Kopf. »Sigmund Freud würde seine wahre Freude an Ihnen haben«, sagte er trocken.

Marie blickte den Buchhändler schräg an. »Kommen Sie mir bitte nicht schon wieder mit diesem Herrn Freud und seinem Unterbewusstsein! Warum, so frage ich mich, kann der Mensch nicht etwas wirklich Sinnvolles entdecken?« Die Ironie triefte nur so aus jedem Wort. Als Sawatzky nicht gleich antwortete, fuhr sie fort: »Dinge, die das Leben der Menschen erleichtern. Maschinen und so ...«

Seltsam, dass Marie stets so heftig reagierte, wenn er es wagte, die Rede auf den Psychoanalytiker zu bringen, dachte der Buchhändler nicht zum ersten Mal. Ansonsten war sie Menschen mit neuen Ideen gegenüber doch recht aufgeschlossen!

»Das Unterbewusstsein, so man sich dessen bewusst ist, kann durchaus geeignet sein, das Leben der Menschen zu erleichtern«, erwiderte er etwas schulmeisterlich. »Aber lassen wir das. Wir wollen doch an Ihrem Freudentag nicht streiten. Und wenn, dann nur konstruktiv.«

Er sprang auf. »Wissen Sie was? Sie suchen sich jetzt ein Buch aus, das Ihnen gefällt, und ich schenke es Ihnen!« Es wäre doch gelacht, wenn es ihm nicht gelänge, auf dieses verkniffene Frauengesicht wenigstens den Hauch eines Lächelns zu bringen! Auf ihr Zögern hin fügte er hinzu: »Es darf auch einer der teuren Bildbände sein, die Sie so lieben. Nein, nein, Proteste lasse ich heute nicht zu!« Abwehrend hob er beide Hände, da Marie prompt widersprechen wollte.

Zögerlich stand sie auf. Doch sie hatte die erste Reihe Bücher noch nicht durchgesehen, als sie sich zu Sawatzky umdrehte. »Es hat keinen Sinn.« Kopfschüttelnd ging sie zu ihrem Sessel zurück und setzte sich, die Tränen mühsam hinter den Lidern zurückhaltend. »Ich weiß auch nicht, was mit mir los ist. Ihnen so die Freude zu verderben ...«

Er schwieg.

Fast mutlos hob Marie schließlich den Kopf. »Es ist noch gar nicht so lange her, da habe ich geglaubt, in diesen Büchern würde ich die Welt entdecken. Jede Zeile habe ich verschlungen, jeden Bildband stundenlang studiert! Manchmal habe ich mich richtig verbunden gefühlt mit all den Malern und Schriftstellern. Aber hat es mir etwas gebracht? Weiterbilden wollte ich mich. Meine künstlerische Entwicklung fördern. Hah!« Im Grunde genommen hatte er schon seit längerem mit einem solchen Ausbruch gerechnet. Dass Marie Steinmann nicht glücklich war, konnte jeder Trottel erkennen. Trotzdem erschreckte ihn ihre Heftigkeit.

»Von wegen die Welt entdecken! Das tun andere. Ihr Sigmund Freud findet sein Unterbewusstsein, Franz Marc malt blaue Pferde, dieser Alfred Döblin, von dem Sie mir letzte Woche etwas zu lesen gegeben haben, schreibt über den Mord an einer Butterblume – wie kann man nur auf so eine verwegene Idee kommen?« Geradezu vorwurfsvoll starrte sie den Buchhändler an. »Und ich male Sternchen und Girlanden und Weihnachtsglocken auf Christbaumkugeln. Wie eh und je.« Sie schluckte hart. »Und das nicht einmal mehr gut.« Marie starrte vor sich hin.

Marie Steinmann. Die jüngste der drei Steinmann-Schwestern. Die erste Frau, die es gewagt hatte, sich an den Bolg zu setzen und Glas zu blasen. Während andere Lauschaer Frauen damit zufrieden waren, das zu tun, was seit Jahrhunderten in der Glasherstellung als ihre Aufgabe galt, nämlich Glasbläser zu heiraten und deren Glaswaren zu versilbern und zu bemalen, hatte sie sich als junges Mädchen heimlich an den Bolg ihres verstorbenen Vaters gesetzt und so lange in der Verborgenheit der Nacht das Handwerk geübt, bis sie es gemeistert hatte. Und danach hatte sie im Laufe der Zeit den schönsten Christbaumschmuck hergestellt, den Lauscha bis dahin gesehen hatte. Glaskugeln von einer Poesie, von einem Glanz und einer Kunstfertigkeit, dass sie selbst die dunkelste Hütte in der Heiligen Nacht zum Strahlen brachten. Der Neid und die Anfeindungen waren nicht ausgeblieben, der Erfolg jedoch auch nicht: Was als Familienunternehmen im kleinsten Sinne – mit Marie als Glasbläserin und ihren Schwestern Johanna und Ruth als Helferinnen – begonnen hatte, beschäftigte heute mehr als zwanzig Arbeiter. Zehntausende von Kugeln aus der Glasbläserei Steinmann-Maienbaum wurden alljährlich in die ganze Welt verschickt und ließen Kinderaugen glänzen. Während die meisten Lauschaer Glasbläser über die schlechte Wirtschaftslage und über zu wenige Aufträge klagten, konnte die »Weiberwirtschaft«, wie der Betrieb auch genannt wurde, dank Johannas Geschäftstüchtigkeit und Maries stetig sprudelnder Kreativität an Wachstum sogar noch zulegen. Auch Ruth, die mittlere der Schwestern, die der Liebe wegen vor vielen Jahren Lauscha in Richtung Amerika verlassen hatte, kümmerte sich nach wie vor um das Wohl des Glasbläserbetriebes, indem sie seine amerikanischen Geschäftsverbindungen pflegte.

Viele Lauschaer mussten zusehen, wie ihre Kinder in die Stadt zogen, um sich ihren Lebensunterhalt in den wie Pilze aus dem Boden schießenden Fabriken zu verdienen. Für die Zwillinge von Johanna und Peter Maienbaum hingegen gab es keinen Zweifel daran, dass sie bleiben und die Familientradition fortführen würden.

Als hätte sie Sawatzkys Gedankengänge verfolgt, sprach Marie weiter: »Natürlich bin ich froh und glücklich, dass sich unser Christbaumschmuck nach wie vor so gut verkauft. Gerade heutzutage … Aber es ist nur noch eine Frage der Zeit, bis die anderen merken, dass meine Fantasie aufgebraucht ist. Ständig fühle ich mich so müde, so leer! Finde alles so unsäglich gewöhnlich. Wann immer ich mir etwas Neues ausdenke, habe ich das Gefühl, dasselbe schon einmal gemalt zu haben. Am liebsten würde ich all die banalen Kritzeleien in den Papierkorb werfen, aber unser jährlicher Musterkatalog will schließlich bestückt werden! Und aus Amerika kommen auch ständig Anfragen nach neuen Entwürfen. Vor allem Woolworth drängt und drängt … Kann es sein, dass ich meinen Vorrat an Ideen aufgebraucht habe? All meine Kugeln entworfen?« Ihre Augen weiteten sich plötzlich vor Angst, als traue sie sich gerade zum ersten Mal, diesen Gedanken zu äußern.

Sawatzky schaute auf ihre angespannten Schultern, auf die schmale, trotzige Nase, die dunkelgrauen Augen, in denen tausend Funken unbemerkt verglühten. Aus dem Nichts tauchte das Bild einer anderen Marie vor ihm auf: Gerade einmal achtzehn Jahre war sie alt gewesen, schlank wie eine Elfe, die Stirn schon damals hoch, die Wangen schmal – und mit Augen, in denen jeder Mann nur allzu gern ertrunken wäre, wenn sie dies zugelassen hätte. Aber Marie hatte nur ihre Handwerkskunst im Kopf gehabt und sich von nichts und niemandem ablenken lassen. Die Erinnerung ließ ihn lächeln. Als er sie damals zum ersten Mal zu den Regalen mit den Büchern über die bildenden Künste geführt hatte, hatte sie nicht glauben wollen, dass so viele andere ihre Leidenschaft teilten.

»Das alles sollen Bücher über die Kunst sein?!«

Wie groß war ihre Gier gewesen! Alles Geld, das sie mit ihrem ersten Glasbläserauftrag verdient hatte, gab sie für seine Schätze aus. Mit einem riesigen Bücherstapel unter dem Arm und einem seligen Lächeln war sie erst nach Stunden von ihm gegangen, gefolgt von Magnus, dessen offene Bewunderung die junge Künstlerin nicht einmal bemerkt hatte.

Rein äußerlich hatte Marie sich kaum verändert, sie besaß immer noch ihre Jungmädchenfigur, ihr Jungmädchengesicht mit den großen Augen und den hohen Wangenknochen. Besorgt kaute Sawatzky auf seiner Unterlippe. Dass ein Künstler in ein unkreatives Loch fiel, war nichts Ungewöhnliches. Aber dass ein Bücherliebhaber seiner großen Liebe frei entsagte, war mehr als bedrohlich.

Plötzlich hatte er nicht übel Lust, aufzustehen und die junge Frau an den Schultern zu schütteln. Stattdessen sagte er:

»Was Ihnen fehlt, ist eine neue Quelle der Inspiration! Sie

18

sind einfach zu lange durch den Wald gelaufen. Haben zu lange das Gefieder der Meisen und Finken studiert. Und dass die Struktur von Tannenzapfen nicht für eine jahrzehntelange Interpretation geeignet ist, wundert mich auch nicht – *ich* persönlich konnte mit Naturbeobachtungen noch nie sehr viel anfangen!«

Marie runzelte die Stirn. Sie wurde nicht gern kritisiert, aber sie kannten sich lange und gut genug, dass der Buchhändler sich darüber hinwegsetzen konnte.

»Was Ihnen fehlt, liebe Marie, ist die Befruchtung durch andere künstlerische Kräfte! Niemand, auch die große Glasbläserin Marie Steinmann nicht« – er zwinkerte ihr zu, um seinen Worten den Spott zu nehmen –, »kann für alle Zeiten nur aus sich selbst schöpfen.«

Einer Eingebung folgend langte er hinter sich und holte von einem der Bücherberge ein schmales, abgegriffenes Bändchen herunter. Es war das Buch, das die Dichterin Else Lasker-Schüler ihrem verstorbenen Freund Peter Hille gewidmet hatte. Schon seit längerem hatte er vorgehabt, Marie an Elses Lyrik heranzuführen. Die Dichterin tat in ihren Gedichten und Geschichten mit ihrer Sprache nämlich genau das, was Marie mit ihrem Arbeitsmaterial anstrebte: es bis an die Grenzen seiner Belastbarkeit zu testen und zu verwenden.

Nach kurzem Blättern fand er die Stelle, die er gesucht hatte. Dennoch zögerte er. Würde sich Marie – in ihrer verschlossenen Stimmung – die nicht gerade leicht verdauliche, doppeldeutige Symbolik erschließen? In der Vergangenheit hatte sie ihn schon des Öfteren mit ihrem Einfühlungsvermögen für schwierige Texte verblüfft. Also war es einen Versuch wert, beschloss er und reichte ihr das aufgeschlagene Buch.

»Würden Sie so freundlich sein und dies für uns beide vorlesen?«

Unwillig beugte sie sich seinem Wunsch.

19

»… war ich aus der Stadt geflohen und sank erschöpft vor einem Felsen nieder und rastete einen Tropfen Leben lang, der war tiefer als tausend Jahre …«

Mit geschlossenen Augen lauschte der Buchhändler Maries Stimme, die sich an der eigenwilligen Wortwahl der rebellischen Dichterin rieb.

»… Und eine Stimme riss sich vom Gipfel des Felsens los und rief: ›Was geizt du mit dir!‹ Und ich schlug mein Auge empor und blühte auf, und mich herzte ein Glück, das mich auserlos.«

Maries Sehnsucht und die Poesie der Erzählung begann von Wort zu Wort zu einem Guss zu verschmelzen. Sawatzkys Herz klopfte heftig und bewegt.

»… Und vom Gestein zur Erde stieg ein Mann mit hartem Bart- und Haupthaar, aber seine Augen waren samtne Hügel …«

Der Buchhändler sah Marie eindringlich an. Würde sie es übertrieben finden, dass Else ihren Freund Peter mit Petrus, dem Felsen verglich? Diese Heroisierung hatte in Intellektuellenkreisen einige Diskussionen ausgelöst, doch Marie las über die Stelle hinweg, ohne einen Kommentar abzugeben.

»… die Nacht hatte meine Wege ausgelöscht, auch konnte ich mich nicht auf meinen Namen besinnen, heulende, hungrige Norde hatten ihn zerrissen. Und der mit dem Felsennamen nannte mich Tino. Und ich küsste den Glanz seiner gemeißelten Hand und ging ihm zur Seite.«

Der Buchhändler hatte seine Augen geschlossen. Als er sie wieder aufschlug, sah er, dass Marie Tränen über die Wangen liefen. Und er wusste, dass er seinen Text richtig gewählt hatte.

»Warum tun Sie mir das an? Warum quälen Sie mich so?«

Maries Blick war verzweifelt. Geräuschvoll zog sie die Nase hoch.

»So fühlen zu können! Nicht mehr zu wissen, *wo* man ist. *Wer* man ist. *… konnte ich mich nicht auf meinen Namen* *besinnen, heulende, hungrige Norde hatten ihn zerrissen«*, wiederholte sie die bewegenden Worte. »Und dennoch zu wissen, dass man auserkoren ist und seine Zeit nicht verschenken darf!« Ihre Augen glänzten. »*Ein Glück, das mich auserlos* – diese Frau darf sich wirklich glücklich schätzen.« Marie schwieg für einen Moment. Dann hob sie erneut an: »Aber was soll das alles mit mir zu tun haben? Ich habe keinen väterlichen Freund – von Ihnen abgesehen –, der mich dermaßen inspiriert. Und ich lebe auch nicht in einer Großstadt, führe kein aufregendes Leben. Wer oder was sollte mich also ›künstlerisch‹ befruchten? Ich sitze in meinem kleinen Dorf, mit Magnus an meiner Seite und mit meiner Familie, die auf mich und meine Entwürfe angewiesen ist.«

»Aber das liegt doch nur an Ihnen«, sagte Sawatzky mit mehr als einem Hauch Ungeduld. Und er konnte nicht umhin, etwas spröde anzufügen: »Auch Else hat sich erst von ihrem Elternhaus frei machen, hat in die Stadt fliehen müssen, wie Sie gerade eben selbst gelesen haben.«

Marie schaute gereizt auf. »Ich weiß, ich weiß, jeder muss seine eigenen Wege gehen. Jetzt erzählen Sie mir sicher gleich wieder von dieser Malerin, die es vorgezogen hat, als verkannte Malerin zu sterben, statt sich jemals einem Zeitgeist zu unterwerfen. Paula Modersohn-Becker war ihr Name, oder?« Sie hielt ihren Zeigefinger an die Stirn, als denke sie angestrengt nach. »Oder von einer jener Dichterinnen, die zwar nichts zu essen haben, dafür aber kompromisslose Gedichte schreiben.«

»Der Spott steht Ihnen nicht«, sagte der Buchhändler und schaute dabei angestrengt auf seine Schuhspitzen. »Ich …«

Sie ergriff seine Hand, bevor er weitersprechen konnte. »Entschuldigung. Es war nicht so gemeint, und das wissen Sie. Ich bin heute eine ziemlich dumme Kuh, das ist alles. Und eine undankbare noch dazu.« Sie biss sich auf die Lippen.

21

Halbwegs versöhnt schaute er wieder auf. »Sie hatten noch nie etwas für Vorbilder übrig, nicht wahr?«

Marie zuckte mit den Schultern. »Was würde mir ein Vorbild auch nutzen? In Lauscha habe ich noch keines gefunden. Ich *habe* mich doch schon längst von dem Leben unserer Väter und Mütter freigemacht! Darin sehe ich nichts Revolutionäres mehr. Was also sollte ich mit den Frauen von Welt, die Sie so gern anführen, gemeinsam haben?«

»Die Welt, zum Beispiel«, sagte er mit einer lässigen Handbewegung.

Marie lachte. »Wie Sie das sagen! Als ob die Welt ein Stück Kuchen wäre, nach dem man nur greifen muss, um es sich dann gabelweise zu Gemüte zu führen.«

Auch Sawatzky musste lachen. Dieser Vergleich war typisch für Marie. Er seufzte. »Ganz so einfach ist es nicht – Gott sei Dank, möchte ich anfügen! Aber glauben Sie nicht, dass es endlich an der Zeit wäre, Lauscha einmal zu verlassen? Wenigstens ein bisschen von der Welt zu sehen?« Am liebsten hätte er sie an ihren Traum erinnert und auf seine tiefere Bedeutung hingewiesen. Stattdessen sagte er: »Sehen Sie es doch einmal so: Jede von Ihnen geblasene Weihnachtskugel kommt in der Welt weiter als Sie – ist dieser Gedanke nicht ziemlich erschreckend?«

ERSTES BUCH

New York, drei Monate später

»Und als die Nacht zum Tag
und der Tag zum Traume wurde,
zerfielen alle Fragen
zu glitzerndem Staub.«

1

Schraft's war der beste Delikatessenladen der Stadt. Wem das Geld für einen Eintritt ins Paradies nicht reichte, der ergötzte sich an den ständig wechselnden Schaufensterauslagen, die in ihrer Kunstfertigkeit mit den besten Galerien der Stadt konkurrieren konnten. Mehr als ein Dutzend Mal pro Tag mussten die Reinemachefrauen nach draußen gehen, um Finger- und Nasenabdrücke von den Fensterscheiben zu wischen, so groß war die Sehnsucht der Passanten, dem Schlaraffenland so nahe wie möglich zu kommen. Kaum jemand, der es sich leisten konnte, dort einzukaufen – und manch einer, der es sich eigentlich nicht leisten konnte –, war standhaft genug, an der Drehtür vorbeizugehen und die ausschwärmenden Wohlgerüche zu ignorieren ... Nur ein kurzer Rundgang, eine winzige Kleinigkeit kaufen. Musste das nicht nach einem Tag anstrengender Arbeit erlaubt sein? Eine Ecke Käse. Oder drei handgerollte Trüffel. Oder eine Hand voll der dunkellila glänzenden Pflaumen. Meistens scheiterten solche bescheidenen Vorsätze schon wenige Schritte hinter der Drehtür, wo eine Vielfalt, die weltweit ihresgleichen suchte, darauf wartete, zu betören und zu verführen, und am Ende verließen die meisten das Geschäft mit einer prall gefüllten hellblauen Schraft's-Tüte.

Obst, Gemüse, Wurst, Käse, fertige Speisen – bei Schraft's gab es nahezu alles. In der Backwarenabteilung standen Körbe mit *Ficelles*, den dünnen französischen Weißbroten aus Sauerteig, neben süditalienischen *Biscotti*, daneben türmten sich mit Melasse tiefschwarz gefärbte Pumpernickel-Laibe. In der Käseabteilung hatte der Kunde die Wahl zwischen 80 Sorten, eine Ecke weiter konnte er zwischen Blue Point-, Chesapeake Bay- und Pine Island-Austern wählen. Um sich die Entscheidung leichter zu machen, konnte er sich gleich an Ort und Stelle entweder ein halbes Dutzend Austern – nur mit etwas Salz und Zitrone gewürzt – zu Gemüte führen oder eine Portion von Schraft's unvergleichlichem Oyster Stew genießen. Während die Sinne des Kunden noch damit beschäftigt waren, das Geschmackserlebnis der in Sahne, Butter und Rosmarin geschmorten Austern zu würdigen, wanderte sein Blick vielleicht schon zur fast zehn Meter langen Theke, hinter der sich kalte Platten mit Häppchen aneinander drängten. Ob für ein intimes Dinner für acht Personen oder eine Tafel für dreißig – kaum eine Gastgeberin konnte es sich leisten, nicht wenigstens für *einen* Gang Schraft's Häppchen einzuplanen. Die Spezialitäten des Delikatessenladens gehörten zu einem stilvollen Essen wie handgewebte Leinenservietten oder Tafelsilber von Tiffany.

Wer gut genug bei Kasse war, ließ sich sogar die ganze Feierlichkeit von den versierten Schraft's-Experten ausrichten, für die kein Aufwand zu groß, kein ausgefallener Wunsch des Gastgebers zu verwegen war. Drei Dutzend polnische Piroggen, gefüllt mit russischem Kaviar? Kein Problem, Madam! Ein Bankett für hundertdreißig Personen in fünf Stunden? Nicht unproblematisch, dennoch können Sie sich auf uns verlassen! Die Hektik, die nach solchen Aufträgen ausbrach, fand lediglich hinter den Kulissen statt, wo Köche sich um die Gasflammen stritten, Küchenjungen im Rekord Gemüse putzten und Weintrauben zupften. Die Ware, die nach solchen Schlachten ausgeliefert wurde, war stets von bester Qualität und mit einer Sorgfalt zubereitet, als hätten die Köche die ganze Woche lang nichts anderes getan.

Es war dieser Perfektionismus, der Wanda so faszinierte. Dass sie Teil dieser vollkommenen Maschinerie war, dass ihre Arbeit dazu beitrug, solche Leistungen zu vollbringen, erfüllte sie mit Stolz.

Natürlich hatte ihre Mutter die Nase gerümpft, als Wanda ihren Entschluss, als Servicedame bei Schraft's anzufangen, kundtat.

»Was ist Unehrenhaftes daran, Lebensmittel zu verkaufen?«, hatte Wanda von ihr wissen wollen, noch bevor Ruth einen Ton sagen konnte. Vielleicht hatte sie aber auch gar nichts sagen wollen. Vielleicht war ihr im tiefsten Herzen sogar gleich, womit Wanda ihre Tage verbrachte. Wanda zog es jedoch vor, sich vorzustellen, dass Ruth unter ihrem Entschluss litt.

»Es ist gar nichts Unehrenhaftes daran, Lebensmittel zu verkaufen. Es ist genauso wenig unehrenhaft wie das Zubereiten von Lebensmitteln«, hatte Ruth erklärt. »Ich frage mich, warum du nicht gleich Köchin wirst.«

»Was nicht ist, kann ja noch werden«, hatte Wanda erwidert. Ein bisschen ärgerte es sie schon, dass ihre Mutter nicht so schockiert über ihre neue Arbeitsstelle war, wie sie es sich vorgestellt hatte.

Sie zog sich ein letztes Mal die blütenweiße, gestärkte Schürze zurecht – demonstrativ hatte sie sie schon zu Hause umgebunden, statt dies wie die anderen Servicedamen erst im Laden zu tun – und schaute erwartungsvoll in Richtung Tür.

Nun arbeitete sie schon seit zweieinhalb Wochen hier. Bisher war jeder Tag wie eine große Wundertüte gewesen – man wusste morgens nie, was einen erwartete. Und was das Beste war: Mason Schraft schien mit ihr zufrieden zu sein. Gesagt hatte er zwar noch nichts, aber wann immer er an ihrer Theke vorbeikam, nickte er ihr freundlich zu, während er manche ihrer Kolleginnen nicht einmal eines Blickes würdigte. Lag das daran, dass sie weniger unter der Hektik litt als die meisten anderen Mädchen? Dass sie im größten Trubel die Übersicht behielt und nicht einmal in ihren ersten Tagen einen Fehler beim Aufnehmen der Bestellungen, beim Bedienen und Kassieren gemacht hatte? Oder besser noch: Hatten sich womöglich Kunden lobend über ihre Beratung geäußert? Davon, dass sie, Wanda Miles, aus einem der elegantesten Haushalte von ganz Manhattan stammte, konnten ihre Kunden nur profitieren, oder etwa nicht? Dass ihre Mutter eine der angesehensten Gastgeberinnen und selbst Kundin von Schraft's war, legte doch ausreichend Zeugnis von Wandas Gespür für Kundenwünsche ab, oder etwa nicht? Wer konnte besser auf die wählerischen Damen der feinen Gesellschaft eingehen als jemand, der in deren Mitte aufgewachsen war?, hatte Wanda gegenüber Mister Schraft argumentiert, der befürchtet hatte, dass es den feinen Damen der Gesellschaft vielleicht gar nicht recht wäre, von ihr bedient zu werden. Doch letztendlich hatte er sich von Wandas Eifer breitschlagen lassen.

»Die Feste sind ja in dieser Saison so langweilig geworden! Kein Esprit mehr! Keine neuen Ideen! Ständig wird das wiedergekäut, was schon auf anderen Einladungen serviert wurde.« Monique Demoines, Frau von Charles Demoines, einem der einflussreichsten Broker vom Bankhaus Stanley Finch, fächerte sich theatralisch Luft zu. Fast angeekelt wanderte ihr Blick dabei über die Auslagen.

Wanda fuhr mit einem blitzsauberen Lappen über den Rand einer Platte mit gefüllten Eiern, um einen unsichtbaren Fussel zu entfernen. »Aber Gnädigste! Ich bin mir sicher, dass *Sie* nicht zu diesen Wiederkäuern gehören.«

Monique hielt in der Betrachtung ihrer perfekt lackierten Fingernägel inne. Bildete sie es sich ein, oder war Wandas Lächeln tatsächlich weniger beflissen, als sie es sonst bei

Schraft's gewöhnt war? Entdeckte sie gar einen Hauch Ironie darin?

»Genauso wenig wie deine Mutter«, erwiderte sie mit einem leichten Stirnrunzeln und seufzte. Dass die junge Miles neuerdings bei Schraft's arbeitete, daran hatte sie sich immer noch nicht gewöhnt. Gott sei Dank würde Minnie, ihre eigene Tochter, eher tot umfallen, als sich hier zehn Stunden am Tag die Füße in den Bauch zu stehen! Aber galt nicht auch Ruth Miles – mochte ihre Gastfreundschaft noch so legendär sein – als ein wenig exzentrisch? Für Monique war jede Frau, die einen Adelstitel mit in die Ehe brachte und dann auf diesen verzichtete, mehr als das! Nun ja, der Apfel fiel bekanntlich nicht weit vom Stamm … Mit einem Seufzen erinnerte sie sich schließlich daran, warum sie eigentlich gekommen war.

»Deine Mutter kann sicher auch ein Lied davon singen: Zu viele Partys, zu viele Gäste, und niemand weiß mehr die Anstrengungen einer wahrhaften Gastgeberin zu schätzen.« Sie machte eine wegwerfende Handbewegung. »Aber was nutzt das Jammern, sage ich immer. Tun muss man etwas! Tun!«

Wenn du keine anderen Sorgen hast, kannst du dich glücklich schätzen!, schoss es Wanda durch den Kopf. Laut sagte sie: »Es gibt Damen, die sind zur Gastgeberin geboren.« Sie straffte die Schultern. »Kann es sein, dass Sie sich für Ihre nächste Einladung etwas ganz Besonderes haben einfallen lassen? Dass sie womöglich schon einen kompletten Plan im Kopf haben? Sie wissen ja – wir bei Schraft's sind Ihnen bei der Umsetzung jederzeit behilflich.« *Wir bei Schraft's* – wunderbar!

Monique Demoines' Schultern strafften sich. Die kleine Miles kannte sich aus! Wahrscheinlich hatte Ruth ihrer Tochter von einer ihrer Einladungen vorgeschwärmt. Sie machte sich in Gedanken eine Notiz, die Gästeliste für das bevorstehende Fest um Wandas Eltern zu erweitern, doch dann fiel

29

ihr ein, dass sie vergeblich auf eine Einladung zu Ruths letzter Party gewartet hatte. Mit einem Wisch waren Stevens und Ruths Namen wieder ausradiert.

»Und ob ich einen Plan habe!«, sagte sie triumphierend. »Nicht nur im Kopf, sondern alles längst notiert. En détail, versteht sich.«

Monique begann in den Tiefen ihrer Handtasche zu kramen. Nach einiger Zeit schaute sie mit einem ungeduldigen Seufzer auf, einen Stapel zusammengefalteter Zettel in der Hand.

»Was ich vorhabe, wird ein kleines Beben unter meinen Gästen auslösen. Ja, ich gebe es zu: Ich möchte schockieren!« Sie spitzte ihre Lippen, als erwarte sie Wandas Widerspruch. Da dieser nicht kam, blätterte sie weiter in ihren Zetteln.

Wanda wartete geduldig.

»Natürlich will auch ich meine Gäste verwöhnen, aber in erster Linie möchte ich ihnen klarmachen, *wie* verwöhnt wir alle sind – nein, nein, ich nehme mich nicht aus! Wer kann sich denn bei all dem Überfluss noch an einer einzelnen Speise erfreuen? Sie als Gottes Gabe wahrnehmen?«

Sie machte eine weit ausholende Handbewegung, die Schraft's Delikatessentheken einschloss.

»Man kann sagen, ich wage mich an eine allegorische Umsetzung der Vertreibung aus dem Paradies.« Andächtig hob Monique den Blick nach oben, als erwarte sie für diesen Geistesblitz hier und jetzt Gottes Lob.

»Ein kulinarisches Gleichnis sozusagen.« Wanda nickte angestrengt. »Das wird Ihre Gäste sicher aufs Äußerste beeindrucken!« Du liebe Güte – das war selbst für Monique Demoines starker Tobak!

»Hier ist er!« Mit einem Siegerlächeln reichte Monique ein zusammengefaltetes Papier über die Theke. Doch bevor Wanda danach greifen konnte, zog Monique es nochmals zurück.

»Damit wir uns verstehen … Ich erwarte höchste Diskretion. Gerade bei dieser Einladung darf nicht das Geringste nach außen dringen. Wenn du erst siehst, was ich vorhabe, wirst du verstehen, was ich meine …« Hektisch schaute Monique über ihre Schulter, als rechne sie mit einer Schar von Hyänen, die nur darauf lauerten, von ihrem Ideenschatz als Gastgeberin zu stehlen.

Wanda legte ihren Zeigefinger an die Lippen. »Ich werde schweigen wie ein Grab. Und ich werde noch etwas tun: Ein so brisantes Unternehmen verlangt schließlich auch außergewöhnliche Maßnahmen unsererseits.« Sie winkte Monique ein wenig näher heran. »Ich werde Ihre Bestellung gleich bei den Köchen – ohne den Umweg durch unsere Auftragsabteilung – abgeben! Ich werde auch dafür sorgen, dass niemand einen Blick auf die fertigen Speisen erhaschen kann. Spione lauern schließlich überall …«, flüsterte sie. Hah, wenn Mister Schraft wüsste, wie zuvorkommend sie auf eine seiner wichtigsten Kundinnen einging! Als wagte nicht einmal *sie* es, einen Blick auf Moniques Bestellung zu werfen, steckte sie den zusammengefalteten Zettel unbesehen in ihre Schürzentasche und knöpfte diese dann zu.

»Ihre Gäste werden eine Überraschung erleben, die sie nie wieder vergessen!«

*

Am anderen Ende der Stadt, im Frachthafen, wo täglich Hunderte von Containern aus der ganzen Welt ausgeladen wurden, besiegelten zwei Männer ebenfalls ein Geschäft.

Während der kleinere, gedrungene Mann einen Umschlag in seine Jackentasche schob, schloss der größere der beiden mit einer energischen Bewegung seinen Attachékoffer.

»Ich bin sehr zufrieden mit Ihrer Arbeit, Mister Sojorno«, sagte er. »Ihre Vorbereitungen sind uns eine große Hilfe. Nicht jeder Lagervorsteher würde sich so … kooperativ verhalten. Mein Vater und ich gehen davon aus, dass dies auch zukünftig so bleiben wird.«

Kooperativ – was soll dieser Mist, fragte sich der Angesprochene. Sie hatten ihn in der Tasche und das wussten sie auch! Das Geld, das er für seine Dienste kassierte – auch wenn es ein erklecklicher Betrag war –, würde ihm hinter Gittern wenig helfen. Sich den Schweiß aus der Stirn wischend, schickte er ein kleines Stoßgebet gen Himmel zu Santa Lucia, auf dass es nie so weit kommen mochte. Dann schaute er sich nervös um.

»Ein Teil der Lieferung war schon …, na sagen wir einmal … ein wenig angeschlagen«, wisperte Sojorno. »Ich frage mich, was wäre, wenn die Luft einmal nicht ausreicht.«

Franco de Lucca runzelte die Stirn. »Nun, gewisse Transporte über so weite Strecken sind ein riskantes Geschäft, das wissen wir alle. Die klimatischen Transportbedingungen sind vor allem bei solchen … *Spezialitätenlieferungen* von entscheidender Wichtigkeit. Aber seien Sie unbesorgt. Unser Mann in Genua ist ein Meister seines Fachs. Solange sich auf der Überfahrt niemand von außen an den Containern zu schaffen macht, reicht drinnen die Luft zum Überleben aus.«

Der andere nickte. Was Franco de Lucca sagte, klang beruhigend.

»Wann dürfen wir mit dem nächsten Auftrag rechnen?«

»Anfang kommender Woche«, antwortete sein Gegenüber, während er seinen Kalender nach dem nächsten Termin durchblätterte.

»So bald schon? Ich dachte, Signore würde erst zurück nach Genua …«

»Ich habe Sie nicht zum Denken engagiert, Mister Sojorno! Sollten Sie Schwierigkeiten damit haben, lassen Sie es mich wissen«, unterbrach der Conte de Lucca ihn. Seine eisblauen Augen ließen Sojorno unruhig von einem Bein aufs andere treten. Wie ein Tier, das die Vormachtstellung eines anderen im Rudel akzeptiert, zog er dabei sein Genick ein, als wolle er sich noch kleiner, noch unwichtiger erscheinen lassen. Statt einer Antwort schüttelte er nur den Kopf.

Der Blick des Conte wurde wieder erträglicher. »Ich habe gewusst, dass wir uns auf Sie verlassen können.« Nun lächelte er sogar.

Warum muss der liebe Gott seine Gaben nur so ungerecht verteilen?, fragte sich Sojorno, der sich durch das Lächeln des anderen plötzlich wie ein Auserwählter fühlte. Der junge Graf besaß alles, was er selbst nicht hatte und sich sehnlichst wünschte: einen makellosen Körper, den ein römischer Bildhauer nur unter Aufbietung all seiner Künste hätte schaffen können, eine olivbraune Gesichtshaut, auf der am Morgen frische schwarze Bartstoppeln von Männlichkeit und Unbezähmbarkeit sprachen, und Augen, die glänzen konnten wie glühende Steine – oder so kalt funkeln wie gerade eben. Sein Mund und die Kinnpartie wiesen die Spur von Sensibilität und Weichheit auf, die Frauen dahinschmelzen ließ. *Madonna mia!*

»Ich werde den ganzen Sommer über in New York bleiben. Mein Vater ist der Ansicht, dass es angesichts der vielen Lieferungen nicht schaden kann, wenn einer von uns persönlich nach dem Rechten sieht«, sagte Conte de Lucca, während er seinen Kalender verstaute.

Sojorno gelang es nur schwer, den Blick von seinem Gesprächspartner zu lösen. Franco de Lucca war ihm gegenüber nicht zu Erklärungen verpflichtet. Dass er dies dennoch tat, adelte Sojorno auf gewisse Weise.

»Gehe ich recht in der Annahme, dass es sich bei den nächsten Lieferungen vermehrt um ›Spezialitätenlieferungen‹ handelt?« Vertraulich und mit einem Schuss Ironie nahm er das Wort auf, das sein Gegenüber benutzt hatte, als im nächsten Moment eine harte Hand seinen Adamsapfel gegen seine Luftröhre drückte.

»Dass wir uns verstehen, Sojorno – wir liefern italienischen Rotwein – mehr nicht!«

2

Die ersten zwei Tage auf dem Schiff verbrachte Marie in ihrer Kabine. Nicht, weil sie an Seekrankheit litt wie viele andere Passagiere, sondern weil sie stundenlang nichts anderes tat, als in dem englischen Wörterbuch zu lesen, das Sawatzky ihr geschenkt hatte. Lediglich zu den Mahlzeiten ging sie in den Speisesaal, verließ diesen jedoch wieder, bevor der Letzte sein Besteck aus der Hand gelegt hatte. Wenn sie fleißig Vokabeln lernte, würde sie bei ihrer Ankunft in New York wenigstens ein paar Brocken verstehen, rechtfertigte sie ihr Einsiedlerdasein. Obwohl der Sinn und Zweck ihrer Reise auch – oder sogar vor allem – darin lag, fremde Menschen kennen zu lernen, war ihr im Moment gar nicht danach zumute. Sie musste ehrlich zugeben, dass ihr nach gar nichts zumute war und dass sie ihren Entschluss, ihre Schwester Ruth in Amerika zu besuchen, zutiefst bereute. Was mache ich hier eigentlich?, fragte sie sich, während sie mit gesenktem Kopf durch die schmalen Flure in den Unterleib des Schiffes huschte. Wie viel lieber würde sie stattdessen an ihrem Bolg sitzen und Glas blasen! Oder es zumindest versuchen …

Kaum hatte sie den Gedanken, gegebenenfalls einmal nach Amerika fahren zu wollen, Anfang April zum ersten Male ausgesprochen, hatte sie damit einen Stein ins Rollen gebracht, der nicht mehr aufzuhalten war: Statt auf Widerstand seitens ihrer Familie zu stoßen, hatten Johanna und Peter sie nämlich spontan zu der Reise ermutigt. Sie hätte schon lange eine Belohnung für ihre harte Arbeit verdient, sagten sie. Und ein bisschen frischer Wind um die Ohren würde ihr nur gut tun. Aber wer soll meine Arbeit machen?, hatte Marie eingeworfen. Johanna hatte nur abgewinkt: Ein paar Wochen würden sie gut ohne sie zurechtkommen, vor allem, wenn sie ihre Reise in die flauen Sommermonate legte. Es würde völlig ausreichen, wenn sie irgendwann im Herbst zurückkäme, für die Erstellung des neuen Kataloges hatten sie schließlich bis nächsten Februar Zeit. Als Marie die hohen Kosten einer so langen Reise anführte, hatte Peter sie stirnrunzelnd gefragt, ob sie ihr dickes Sparbuch eines Tages mit ins Grab nehmen wolle. Außerdem würde sie bei Ruth doch freie Kost und Logis haben.

So war Marie gar nichts anderes übrig geblieben, als sich mit der Idee, Lauscha für einige Zeit zu verlassen, ernsthaft anzufreunden.

Magnus hatte sich wie meist aus der Diskussion herausgehalten. Wenn er im Stillen darauf gehofft hatte, Marie würde ihn zum Mitkommen auffordern, so ließ er sich seine Enttäuschung nicht anmerken, als dies nicht geschah.

Wenn Marie ehrlich war, war die Aussicht, seinem treu ergebenen Hundeblick für ein Weilchen entfliehen zu können, für sie mindestens so verführerisch gewesen wie die Aussicht auf New York mit seinen großstädtischen Abwechslungen. Und so war sie allein nach Coburg aufs Amt gegangen, um sich einen Reisepass ausstellen zu lassen.

Doch nun, allein in der Enge ihrer Kabine, konnte Marie nicht mehr verstehen, wie sie jemals so gemein hatte denken können. Sie kam sich vor wie jemand, der sich umdreht und plötzlich seinen Schatten vermisst.

Mit dem Wörterbuch unterm Arm ging sie in einen der Aufenthaltsräume, die für die Passagiere der zweiten Klasse vorgesehen waren. Sie wählte ein Sofa in der hintersten Ecke des Raumes und ließ sich dort mit dem Gesicht zur Wand nieder. Vielleicht würde hier die Sehnsucht nach der Heimat weniger präsent sein.

Sie war gerade dabei zu lernen, wie man nach einer Wegbeschreibung fragte und was man zu sagen hatte, wenn man sich verlaufen hatte, nämlich »*Excuse me, Sir, but I lost my way*«, als sie ein leinengestärktes Rascheln vernahm, dem ein Plumps aufs Sofapolster neben ihr folgte.

Was für ein Tölpel setzte sich, ohne sie zu fragen ...

Ärgerlich schaute Marie auf und blickte in ein rundes, strahlendes Gesicht.

Eine schneeweiße, pummelige Hand streckte sich ihr entgegen.

»Entschuldigen Sie meine Manieren – ich habe mich Ihnen ja noch gar nicht vorgestellt! Mein Name ist Georgina Schatzmann, aber Sie dürfen mich ruhig Gorgi nennen – das tun nämlich alle. Ich bin auf dem Weg zur Hochzeit meiner Schwester, und wenn meine bisherigen Beobachtungen mich nicht täuschen, dann sind Sie und ich die beiden einzigen allein reisenden Damen an Bord. Da wäre es doch nett, wenn wir uns ein wenig näher kennen lernen würden, habe ich mir gedacht und mir die Augen nach Ihnen ausgeguckt.« Sie kicherte. »Aber jetzt habe ich Sie ja gefunden, nicht wahr?«

Leider!, ging es Marie durch den Kopf. Während sie noch über eine höfliche, aber bestimmte Abfuhr nachgrübelte, redete die andere unbekümmert weiter.

»Vielleicht halten Sie mich für ein wenig aufdringlich, aber ich habe so schreckliches Reisefieber, müssen Sie wissen! Die Reise, die Hochzeit, New York – ich habe das Gefühl, als müsste ich vor Aufregung platzen!«

Als Marie in das runde Gesicht ihrer Nachbarin schaute, schien ihr diese Gefahr gar nicht so abwegig: Die Augen weit aufgerissen, blinzelte Georgina Schatzmann, genannt Gorgi, sie unter flatternden Lidern an. Ihre von feinen Äderchen durchzogenen Wangen hoben und senkten sich wie ein Mahlwerk, nicht ganz weiße Zähne kauten gleichzeitig auf einer ausgeprägten Unterlippe. Alles zusammen sah fast schon tragikomisch aus.

»Ich heiße Marie Steinmann und ich bin auch auf dem Weg zu meiner Schwester. Allerdings ist diese schon seit Ewigkeiten verheiratet«, hörte Marie sich sagen.

»Das gibt's doch nicht! Steinmann und Schatzmann – sogar unsere Namen ähneln sich!« Gorgi schüttelte den Kopf. »Wenn das nichts zu bedeuten hat …«

Zur Freude der anderen nickte Marie heftig. Das bedeutete, dass sie ihre Englischlektüre in den Wind schreiben konnte!

In der Tat erwies sich Georgina Schatzmann fortan als so anhänglich wie ein Hündchen, das froh war, endlich ein Zuhause gefunden zu haben: Zur Essenszeit platzierte sie sich so vor Maries Kabine, dass diese nicht anders konnte, als mit ihr in den Speisesaal zu gehen. Auch zwischen den Mahlzeiten gelang es Gorgi immer wieder, Marie in einem der Aufenthaltsräume aufzuspüren. Nach dem dritten Tag gab sich Marie angesichts von so viel Beharrlichkeit geschlagen: Wenn sie die Zeit auf dem Schiff schon nicht in Ruhe verbringen konnte, dann wollte sie wenigstens das Beste aus der erzwungenen Gesellschaft machen. Und so fragte sie Gorgi, die von Beruf Lehrerin war, ob sie nicht bereit wäre, Marie Vokabeln abzufragen. Freudig stimmte diese zu.

Dank Gorgis drolliger Art, für schwierige Wörter Eselsbrücken zu bauen, machten Maries Englischstudien schon bald erstaunliche Fortschritte. Sich in einer fremden Sprache unterhalten zu müssen, andere Menschen nicht zu verstehen – davor hatte sie die meiste Angst gehabt. Doch nun sah es fast danach aus, als hätte sie sogar eine besondere Begabung für die englische Sprache. Zumindest behauptete Gorgi das nach einer Weile und schlug im selben Moment vor, zum vertraulichen »Du« überzugehen – wo sie doch nun schon auf gewisse Art Freundinnen waren.

Warum nicht, antwortete Marie schulterzuckend –

schließlich war diese Anrede in Amerika ohnehin gang und gäbe!

Von da an wurden ihre Gespräche etwas vertraulicher. Als Gorgi erfuhr, dass Marie eine Glasbläserin war, die Christbaumschmuck herstellte, kannte ihre Begeisterung keine Grenzen mehr.

»Steinmann-Baumschmuck – warum bin ich nicht gleich auf diese Verbindung gekommen! Deine Glaskugeln hängen nämlich jedes Jahr an unserem Weihnachtsbaum! Ganz besonders liebe ich die kleinen silbrigen Zapfen und Nüsse, meine Mutter jedoch mag eher die großen Figuren wie die Weihnachtsmänner und Engel. Und so streiten wir jedes Mal, wo welches Teil hingehängt wird.« Sie lachte ihr herzliches Lachen, während ihre Augen noch runder wurden. »Jedes Jahr nach dem ersten Advent gehen wir bei uns in Nürnberg ins Kaufhaus am Rathaus und schauen, was es Neues an Steinmann-Schmuck gibt. Natürlich kaufen wir jedes Mal ein paar Teile! Aber sag, wie um alles in der Welt kommst du nur auf diese vielen schönen Ideen?«

Marie lächelte. »Die meisten Ideen bekomme ich einfach geschenkt«, offenbarte sie freimütig. »Ich muss nur durch den Wald laufen, einen Spaziergang entlang der Lausche machen – das ist ein kleiner Fluss bei uns zu Hause – und dabei eine besonders geformte Blüte entdecken, und schon möchte ich sie in Glas verwandeln.«

»Wie du das sagst ...« Gorgis Augen glänzten bewundernd. »Als ob du eine Zauberin wärst.«

Marie lächelte dünn. »Aber eine, die ihre Zauberkraft verloren hat.«

Als sie Gorgis Stirnrunzeln sah, sagte sie hastig: »Genug über zu Hause gesprochen! Warum zeigst du mir nicht, welche Kleider du für den Aufenthalt in der Großstadt gekauft hast?«

Sie konnte und sie wollte nicht über ihre Glasbläserei

sprechen. Sie wollte nicht einmal an die letzten Wochen denken, die sie am Bolg verbracht hatte. Wie eine Anfängerin war sie sich dabei vorgekommen! Hatte den Rohling in ihrer Hand angeschaut, als wäre es ein Ding aus einem anderen Universum. Keine Bewegung war dabei wie selbstverständlich aus ihrem Handgelenk geflossen, keine neue Form entstanden. Während sie runde Kugeln blies, um nicht ganz untätig dazusitzen, war ihre Panik gewachsen – bis zu dem Punkt, da sie fluchtartig den Raum verließ. Später hatte sie den anderen erzählt, es wäre die Suppe vom Vorabend gewesen, die sie nicht vertragen hatte. Wem hätte sie sagen sollen, dass sie ihre eigene Unzulänglichkeit keinen Moment länger ertragen konnte?

Mit geheucheltem Interesse schaute sie sich nun Gorgis neue Kleider an. Doch sosehr sie sich auch bemühte, sie konnte an dem unförmigen, mausgrauen Zeltkleid, das Gorgi zur Hochzeit ihrer Schwester tragen wollte, nichts Schönes finden. Spontan kramte sie eine ihrer selbstgefertigten Glasperlenketten aus der Tasche und hielt sie in den Kleiderausschnitt.

»Schau mal, wie der graue Stoff zusammen mit deiner Perlenkette plötzlich glänzt! Das ist ja die reinste Zauberei!« Hingebungsvoll berührte Gorgi das Schmuckstück.

»Nein, nur Glas«, gab Marie lächelnd zurück. »Ich schenke sie dir!«

Gorgi bedankte sich mit einer wuchtigen Umarmung.

Dann wollte Marie wissen, wie es dazu gekommen war, dass gerade Georgina die Reise antreten durfte und nicht einer ihrer beiden älteren Brüder, von denen sie so viel erzählte, oder ihre Eltern selbst.

Gorgi grinste. »Mutter hätte schon gewollt … Aber Vater glaubt, ohne ihn würde die Eisenwarenhandlung keinen Tag überleben. Und meine Brüder hat Mutter nicht schicken wollen. Wahrscheinlich befürchtet sie, auf die Frage, wie es in Amerika war, lediglich ein gebrummtes ›Ganz nett‹ zu hören zu bekommen. Während sie bei mir sichergehen kann, dass ich mindestens eine Woche brauchen werde, um ihr alles zu erzählen!«

»Eine Woche? Ob das reicht?« Skeptisch hob Marie die Brauen.

Statt ihr den Scherz übel zu nehmen, prustete Gorgi los.

Eigentlich machte es ziemlich viel Spaß, mit Gorgi zusammen zu sein, stellte Marie beinahe erstaunt fest.

»Es hört sich so an, als sei deine Familie sehr nett«, sagte sie.

»Ist sie auch«, erwiderte Georgina. »Trotzdem bin ich froh, sie für eine Weile nicht zu sehen. Diese ewig besorgten Blicke, nur weil immer noch kein Ehemann für mich in Sicht ist! Was kann ich denn dafür, dass der liebe Gott mich mit mehr Fülle als Anmut ausgestattet hat?« Hilflos ließ sie ihre plumpen Arme auf ihre ebenso plumpen Schenkel fallen.

»Wenn ich so schlank und hübsch wäre wie du, wäre ich auch schon längst verheiratet!«, seufzte sie.

»Bin ich doch gar nicht!«, konterte Marie.

»Wieso? Ich dachte, du und dieser Magnus …?«

»Wir leben zwar zusammen unter einem Dach, aber verheiratet sind wir nicht. Ich weiß, dass sich das seltsam anhört, und das ist es mit Sicherheit auch«, fügte sie in Anbetracht von Gorgis irritiertem Gesichtsausdruck hinzu. »Aber irgendwie hat sich eine Hochzeit zwischen uns nicht ergeben. Ich … hatte nie das Bedürfnis, Magnus zu heiraten.«

Gorgis Blick wurde nur noch verwunderter. »So etwas habe ich noch nicht gehört! Da müssen sich doch eure Nachbarn die Mäuler zerreißen, oder? Also, wenn ich einen hätte – ich würde schneller Ja sagen, als er bis drei zählen kann! Aber wer weiß, vielleicht finde ich ja in Amerika einen, der mich liebt.« Sie schloss für einen Moment die Augen, und ihr sonst so bewegtes Gesicht wurde still. »Weißt du, darauf freue ich mich am meisten: Endlich einmal nicht die dicke Georgina Schatzmann zu sein, die keinen Mann abkriegt. Sondern durch die Straßen von New York gehen zu können und dabei einfach nur eine Frau zu sein, die Spaß haben will! Eine x-beliebige Frau.«

Nachdenklich schaute Marie ihre neue Freundin an. Gorgi wusste genau, was sie von ihrer Reise erwartete. Wenn sie das nur auch von sich behaupten könnte!

Ehe die beiden Frauen sich versahen, näherte sich die Überfahrt ihrem Ende. »Wahrscheinlich liegt die ganze Hudsonbucht im Nebel«, hatte Gorgi am Vorabend ihrer Ankunft geunkt, doch der Morgen des fünfzehnten Juni war so klar, als hätte ihn jemand mit einem weichen Tuch blank poliert. Schon vor dem Frühstück gingen sie gemeinsam an Deck, jede eine Decke gegen die Morgenkälte über die Schultern geworfen. Zu ihrem Erstaunen trafen sie dort auf eine stattliche Anzahl Passagiere – alle wollten zu den Ersten gehören, die einen Blick auf die große Stadt werfen konnten.

Marie war komisch zumute. Spontan wünschte sie sich, die Schiffsfahrt würde noch ein wenig andauern. Als die ersten dunklen Umrisse am Horizont das Ende des Ozeans ankündigten, war sie froh, Gorgi mit ihrem enthusiastischen Gesichtsausdruck neben sich zu haben.

… nur eine Frau sein, die Spaß haben will.

Konnte das genauso für sie gelten?

Auch auf dem Immigranten-Deck unter ihnen drängte sich Schulter an Schulter. Zwölf Tage lang waren die Menschen wie Vieh im Bauch des Schiffes zusammengepfercht gewesen – ohne Frischluft, ohne ausreichende Nahrung –, nun rückte ihre neue Heimat unaufhaltsam näher. Was kommen sollte, war Beginn und Ende zugleich, Abschied und Ankunft. Erwartungsvolle Anspannung vibrierte in der kalten Morgenluft.

Plötzlich kam Bewegung in die Versammelten.

»Da ist sie!« – »Da ist sie!«

»Schaut alle nach links!«

»Schnell, kommt hier herüber, sonst verpasst ihr sie!«

Aufgeregte Rufe waren zu hören, Hände fuchtelten in der Luft, Finger zeigten alle in dieselbe Richtung, als ob dort jemand stünde, den sie kannten und der sie begrüßen wollte. Binnen einer Minute drängten sich alle auf der linken Seite des Decks, sodass man das Gefühl bekommen konnte, der Schiffsleib würde sich schräg legen.

»Die Lady of Liberty! Schau, wie sie ihre goldene Fackel zum Gruß in die Höhe reckt!« Aufgeregt puffte Gorgi Marie in die Seite, ohne ihren Blick von der berühmtesten Statue der Welt zu nehmen. Ihre Umrisse glitzerten scharfkantig in der Morgenluft, und den Blick zur alten Heimat gerichtet, kündete sie verheißungsvoll von der Freiheit in der Neuen Welt.

Als von Marie keine Reaktion kam, drehte Gorgi sich zu ihr um. »Was ist, warum weinst du denn?«

Marie schüttelte den Kopf, nicht sicher, ob sie einen Ton herausbringen würde.

»Hör auf, du Heulsuse! Sonst fange ich auch noch an«, drohte Gorgi scherzhaft und knuffte Marie abermals in die Rippen. »Freu dich doch an diesem Anblick! Es kommt schließlich nicht alle Tage vor, dass man so grandios begrüßt wird!«

»Das ist es ja«, schniefte Marie. »Ich habe das Gefühl, noch nie in meinem Leben etwas so Schönes gesehen zu haben.«

Gorgi legte Marie einen Arm um die Schulter. Sie grinste spitzbübisch. »Warte ab – das ist erst der Anfang!«

3

Nur ein paar Schritte von dem Ort entfernt, wo in New York Geld gemacht und wieder verloren wurde, lag die Brooklyn Bar. Sie wurde vor allem von hemdsärmeligen Bankern und Brokern frequentiert. Manchmal lud einer von ihnen seine Sekretärin ein mitzukommen, doch alles in allem sah man nur wenig weibliche Gäste. Auf diesen Umstand bildete sich der Besitzer der Bar, Mickey Johnson, ziemlich viel ein. »Wo können Männer heutzutage noch ungestört einen über den Durst trinken? Schließlich ist kein Ort mehr vor den Frauen sicher!«, lamentierte er des Öfteren. Wenn er einen Rock durch seine schmuddelige Tür kommen sah, bedachte er dessen Trägerin in der Regel mit einem unfreundlichen Blick.

Ganz gleich, ob an einem Tag Geld gemacht oder verloren worden war – gegen Abend war Mickeys Tresen stets so voll, dass die Gläser Bier, die der Ire in Windeseile zapfte, von den Gästen weitergereicht werden mussten – das Serviermädchen wäre einfach nicht mehr durchgekommen. Und ganz gleich, ob es ein guter oder ein schlechter Tag gewesen war, bei Mickey war es stets unglaublich laut, der Alkoholkonsum beträchtlich und der Zigarettenqualm dichter als der Nebel, der allmorgendlich über der Bucht hing. Jemand, der nur zufällig hier vorbeikam und, angelockt von den vielen Besuchern, beschloss, auf ein Bier hineinzugehen, hätte nie zu unterscheiden vermocht, welche Art von Tag die New Yorker Börse gesehen hatte. Mickey jedoch brüstete sich damit, dies allein am Schweißgeruch der Männer feststellen zu können: Freudige Erregung roch anders als nervenzehrendes Durchhalten oder gar panischer Angstschweiß.

Harold Stein hatte gerade den ersten Schluck Scotch getrunken, als er Wanda durch die Tür kommen sah. Seit sie angefangen hatte zu arbeiten, hatten sie es sich zur Gewohnheit gemacht, sich jeden Mittwoch nach Geschäftsschluss hier zu treffen. Meistens war er jedoch eine Stunde früher da als sie.

Mit hoch gerecktem Kinn, die Augen stur geradeaus, bahnte sie sich einen Weg durch die wild gestikulierenden Männer. Obwohl sie eisiger dreinschaute als eine nahende Schlechtwetterfront, war ihr die Bewunderung eines jeden einzelnen Mannes im Raum sicher, die von Mickey inklusive. Kaum sah er Wanda an seiner Theke vorbeirauschen, ließ er seine Biergläser stehen und schenkte Anislikör in ein hohes, schmales Glas, das er sodann dem nächstbesten Gast reichte. »Weitergeben! Der Lady dahinten!«, befahl er und verfolgte den Weg des Glases mit Argusaugen.

Wie kam es nur, dass Wanda Menschen für sich einnehmen konnte, ohne etwas dafür tun zu müssen?, wunderte sich Harold nicht zum ersten Mal. Charme allein reichte dafür nicht aus, Schönheit auch nicht – obwohl Wanda beides im Übermaß besaß. War es ihr Lachen, das so gelöst und einzigartig klang, dass sich alle im Raum danach umdrehten? Ihre Art, alles, auch die kleinsten Dinge des täglichen Lebens, mit Begeisterung zu tun? Für Harold war es eine Gabe, für die er noch keine Bezeichnung gefunden hatte und um die er sie manchmal – besonders dann, wenn er einem schwierigen Kunden gegenübersaß – beneidete. Für Wanda wäre es sicher ein Leichtes gewesen, den Schweinezüchter aus Oregon von der Investition in Silver International zu überzeugen – er jedoch hatte den misstrauischen Ochsen trotz größter Bemühungen ohne Abschluss gehen lassen müssen.

Aus dem Augenwinkel heraus registrierte Harold die begehrlichen Blicke der anderen Gäste, als Wanda auf die schmale Bank ihm gegenüber rutschte. Diese weißblonden Haare nur einmal kurz berühren zu dürfen! Den Duft nach Jugend und Pfirsich aus der Nähe zu verspüren! Einen Arm um die schlanke, biegsame Taille zu legen oder mit einem Finger die elegante Linie ihres Nackens nachzufahren – die

Luft in Mickeys Bar war plötzlich mit einer anderen Sehnsucht erfüllt als der nach der nächsten Börsenhausse.

Noch halb im Stehen nahm Wanda einen Schluck vom Anislikör, der kurz vor ihr den Tisch erreicht hatte. Ihr Blick war düster und verschlossen.

Dass ihre alberne weiße Schürze nicht über ihrem Arm hing, registrierte Harold sofort. Und das, obwohl sie direkt von der Arbeit kam? Es fiel ihm nicht schwer, sich den Rest zusammenzureimen. Nun, ihr betörendes Lachen würde er heute gewiss nicht hören!

»Und was war es diesmal?«, fragte er. »Ich gehe doch recht in der Annahme, dass deine Zeit bei Schraft's abgelaufen ist?«

Wanda runzelte die Stirn. »Woher …« Doch statt ihre Frage auszuformulieren, stieß sie hervor: »Die Schweinsfüße von Monique Demoines!«

»Die *was*?«

»Eine verwechselte Bestellung. Nein, eigentlich stimmt das gar nicht. Hätte Monique nicht so einen Zinnober um ihr Fest gemacht und –« Wanda winkte geringschätzig ab. »Wie die sich aufgeführt hat, lachhaft war das, lachhaft! Alles nur wegen eines Missverständnisses.«

Ihr Gehabe konnte nicht darüber hinwegtäuschen, dass sie eine tiefe Demütigung erfahren hatte – zu verletzt war dafür ihr Blick, zu verbissen ihr Mund.

Harold hob die Brauen. Der letzte Job, den Wanda verloren hatte, war der bei »Arts and Artists« gewesen, einer modernen und äußerst schicken Kunstgalerie. Wenn er sich richtig erinnerte, war auch dort ein »Missverständnis« der Grund für ihren Rausschmiss gewesen: Als sie – gerade erst zwei Wochen im Dienst – einen heruntergekommenen Typen dabei erwischte, wie er Skulpturen in eine Tasche packte, hatte sie ihn für einen Dieb gehalten und Zeter und Mordio geschrien. Dass just in diesem Moment zwei Polizisten an der Galerie vorbeiliefen, die den Kerl trotz dessen lautstarker Proteste gleich mit aufs Revier nahmen, war Wandas Untergang gewesen: Der vermeintliche Dieb hatte sich als ein bekannter Bildhauer herausgestellt, der in Absprache mit dem Galeristen seine eigenen Kunstwerke hatte austauschen wollen.

Wandas Augen funkelten, ob vor Wut oder zurückgehaltener Tränen konnte Harold nicht mit Bestimmtheit sagen.

»Ach, Harry, es ist so gemein!«, platzte sie heraus. »Mason Schraft hat sich nicht einmal die Zeit genommen, sich meine Version anzuhören! Eins sage ich dir: Die haben mich das letzte Mal gesehen. Lieber verhungere ich, als dass ich dort auch nur ein Stückchen Kuchen kaufe!« Zur Bekräftigung ihrer Worte kippte sie den Anislikör in einem Schluck hinunter.

»Schinken oder Salami – eine Verwechslung ist doch kein Grund für eine Kündigung!«, versuchte Harold die ganze Sache herunterzuspielen. Dann sah er sie skeptisch an. »Schweinsfüße – hattest du nicht etwas von Schweinsfüßen gesagt?«

»Na ja, ganz so banal war die Angelegenheit nun auch wieder nicht«, sagte Wanda gedehnt. Hingebungsvoll widmete sie sich der Betrachtung ihres Likörglases. Kurz darauf gurgelte schon wieder ein unterdrücktes Lachen in ihrer Kehle, und sie erzählte Harold von Moniques geheimnisvollem Getue und dem kleinen Zettel, den Wanda sofort zu den Köchen gebracht hatte. Und von den sechs Dutzend Schweinsfüßen, dem Bottich mit Bauchlappen und der Pfanne Gekröse, die daraufhin zubereitet worden waren. Und davon, dass Wanda die Kasserollen und Servierplatten eigenhändig dekoriert und abgedeckt hatte, um den Überraschungseffekt nur ja nicht zu gefährden.

»Das glaube ich nicht!« Harold beugte sich näher zu Wanda. »Sag, dass du mich auf den Arm nimmst! Dir muss doch aufgefallen sein, dass da etwas nicht stimmt!«

Sie wich vor seiner Heftigkeit zurück. »Natürlich fand ich die Bestellung eigenartig!«, verteidigte sie sich. »Aber nachdem Monique zuvor von einer kulinarischen Vertreibung aus dem Paradies gefaselt hatte, dachte ich mir, dass Schweinsfüße dazu bestens geeignet wären. Und außerdem: Woher hätte ich wissen sollen, dass es sich bei *diesem* Wisch um ihre wöchentliche Almosenlieferung für die Obdachlosenküche im East-End handelte? Ihre Auflistung von Speisen für ihre Gäste hingegen, die allesamt mit Tintenfischtusche schwarz eingefärbt werden sollten, habe ich doch gar nicht zu Gesicht bekommen!« Sie kicherte nervös. »Die Augen von Moniques Gästen hätte ich sehen wollen!«

Harold konnte nicht mitlachen. »Du bist unmöglich! Warum bist du nicht sofort zu Schraft gegangen, wenn du den leisesten Zweifel hattest?«

»Auf die Idee bin ich gar nicht gekommen«, gab sie schulterzuckend zu. »Wenn du Monique und ihresgleichen so gut kennen würdest wie ich, dann würdest du mir diese Frage gar nicht stellen. Denen ist nämlich alles zuzutrauen!«

Er schüttelte den Kopf. Auf der einen Seite tat Wanda gern so, als läge ihr nicht das Geringste daran, zu den so genannten »Oberen Zehntausend« zu gehören. Auf der anderen Seite nutzte sie dieses Privileg schamlos aus: Statt einfach nur das zu tun, was ihr aufgetragen wurde, handelte sie eigenmächtig und ohne über die Konsequenzen ihres Tuns nachzudenken. So charmant dieses Verhalten bei einer Frau sein konnte – weder an Schraft's Delikatessentheke noch an einem anderen Arbeitsplatz war es gefragt.

Wanda seufzte laut und heftig. »Ach Harold, es ist so ungerecht! Warum müssen solche Dinge immer mir passieren? Ich habe mir nichts sehnlicher gewünscht, als dass es diesmal klappt.« Sie sank in sich zusammen. Weggeblasen war ihre Nonchalance, sie wirkte nur noch verletzlich und jung.

»Mason Schraft soll zum Teufel gehen! Dieser Banause hat dich doch gar nicht verdient!«, hörte Harold sich heftig sagen. Warum lasse ich mich eigentlich immer wieder von ihr um den kleinen Finger wickeln?, fragte er sich, während er Wandas Hand hielt und tröstend auf sie einsprach.

Schon bald nachdem sie sich auf dem alljährlichen Frühlingsball, zu dem sein Arbeitgeber – das Bankhaus Stanley Finch – seine besten Kunden einlud und zu dem auch Steven Miles mit seiner Familie gekommen war, kennen gelernt hatten, hatte Harold sich geschworen, Wanda gegenüber strenger zu sein als der Rest der Welt. Dass sie sich von Kindesbeinen an aufgrund ihrer Schönheit und ihres Charmes über viele Gesetze hatte hinwegsetzen können, war ihm bald klar gewesen, nachdem er sie zusammen mit ihren Eltern erlebt hatte. Wenn er bei ihr landen wollte, durfte er es ihr nicht leicht machen. Kein einfacher Vorsatz, denn er musste nur in ihr perfektes Gesicht schauen, und schon hatte er das Bedürfnis, ihr die Welt zu Füßen zu legen. Aber daran, dass sie nun schon die vierte Arbeitsstelle verloren hatte, konnte auch er nichts ändern.

»Vielleicht soll es einfach nicht sein«, sagte er jetzt. »Vielleicht bist du einfach nicht für solche Jobs geeignet!« Er rüttelte ein wenig an ihrem Arm. »Jede deiner Kolleginnen hätte die Bestellung Mister Schraft gezeigt, du aber hast eigenmächtig gehandelt. Wie das nun einmal deine Art ist. Und genau das ist dir zum Verhängnis geworden. Nicht zum ersten Mal, wie ich anfügen möchte. Ich erinnere dich nur an ›Arts and Artists‹ und an …«

»Schon gut, schon gut. Du brauchst mir nicht jedes meiner Missgeschicke aufzuzählen«, unterbrach sie ihn eisig. »Ich hasse es, wenn du dich anhörst wie mein Vater.«

Für Harold kam ihre Bemerkung einem Kompliment nahe. Es gab nur wenige Männer, die er so verehrte wie Steven Miles. Einmal so reich zu werden wie dieser und so viel Einfluss zu haben war sein erklärtes Lebensziel.

Ohne sich um Wandas eingeschnappte Miene zu kümmern, sagte er: »Deine Eltern sind sicher nicht böse, wenn du die Idee mit dem Arbeiten endgültig aufgibst. Und wenn wir erst einmal verheiratet sind, verdiene ich genug für uns beide. Liebes – es gibt doch so viele andere Dinge, mit denen sich eine Frau beschäftigen kann! Vor allem, wenn sie so charmant und klug ist wie du.« Er nickte ihr aufmunternd zu.

Sie zog ihre Hand weg. »Dir wäre es wohl am liebsten, ich würde so wie meine Mutter das Nichtstun zur Kunst erheben! Aber da muss ich dich enttäuschen. Ich will etwas Sinnvolles mit meinem Leben anstellen!«, rief sie heftig.

Prompt drehten sich ein paar Köpfe zu ihnen um.

»Warum soll mir nicht gelingen, was Abertausenden von Näherinnen, Zimmermädchen oder Kinderfrauen alltäglich gelingt, nämlich einer Arbeit nachzugehen? Bin ich etwa dümmer als sie?«

»Das behauptet doch keiner. Aber warum weigerst du dich, den großen und entscheidenden Unterschied zwischen dir und diesen Frauen zu erkennen?«

»Und der wäre?«, fragte sie misstrauisch.

Harold zuckte beiläufig mit den Schultern. »Sie *müssen* arbeiten, du nicht!« Sie kennen nichts anderes, haben von Kindesbeinen an schuften müssen, hätte er noch hinzufügen können, doch ein Blick in ihr verzweifeltes Gesicht ließ ihn schweigen.

»Aber deshalb kann ich doch nicht mein Leben lang sinnlos zu Hause herumsitzen!«

»Ich für meinen Teil hätte gegen das süße Nichtstun nichts einzuwenden!«, erwiderte er grinsend. Als er feststellen musste, dass sich ihre Miene schon wieder verdüsterte, wechselte er rasch das Thema. »Übrigens, täusche ich mich oder sollte heute nicht deine Tante aus Deutschland ankommen?«

»Heute Abend um sechs. Wenn du jedoch glaubst, ich würde mich jetzt dem Projekt ›Landpomeranze in New York‹ widmen, dann hast du dich getäuscht. Soll doch Mutter ihrer Schwester die Stadt zeigen – ich werde mich ganz gewiss nicht darum reißen. Nach allem, was ich von dieser Marie gehört habe, kommt sie mir ziemlich verschroben vor.« Wanda runzelte die Stirn. »Oder wie würdest du jemanden nennen, der sein Leben lang noch nicht aus seinem Dorf herausgekommen ist?«

Harold lachte. »Ich sehe, du hast dir dein Urteil über deine deutsche Tante schon gebildet.«

Wanda winkte ab. »Wahrscheinlich werde ich gar keine Zeit für sie haben, schließlich muss ich mir neue Arbeit suchen.«

Nach einem Blick auf ihre Uhr schlug sie die Hand vor den Mund. »Jetzt bin ich schon zu spät! Ich hätte vor einer Viertelstunde beim Friseur sein sollen.« Sie hatte kaum ausgesprochen, als sie sich schon über Harold beugte und ihm einen Abschiedskuss auf die Wange drückte.

»Friseur? Wird nicht von dir erwartet, dass du zur Ankunft deiner Tante zu Hause bist?«, fragte Harold erstaunt.

Wanda zog eine Grimasse. »Und wenn schon. Wahrscheinlich hat längst irgendeine Klatschbase – womöglich Monique selbst – meine Mutter von der Sache bei Schraft's in Kenntnis gesetzt«, sagte sie spöttisch. »Ob es nun ein oder zwei Donnerwetter geben wird …« Sie zuckte leichthin mit den Schultern. »Vielen Dank dafür, dass du mir so geduldig zugehört hast.«

Und weg war sie.

4

»Ich kann es immer noch nicht glauben, dass du wirklich da bist!« Ruth drückte Maries Arm, während sie gemeinsam darauf warteten, dass der Chauffeur ihr Gepäck hinter der Sitzbank seines Wagens verstaute.

»Mir geht es nicht anders.« Nervös schaute Marie sich um: der Hafen, ihr Schiff, die »Mauretania«, auf dem Weg nach

Ellis Island, die Wolkenkratzer, die aus der Nähe betrachtet noch viel höher waren … Dazu der Chauffeur und Ruth. Vor allem Ruth. Alles fremd.

»Du siehst wunderbar aus«, entfuhr es Marie. Fast andächtig strich sie über den Ärmel von Ruths Kostüm aus tiefblauer Seide.

Im ersten Moment hätte sie ihre Schwester fast nicht wieder erkannt. Natürlich hatten sie sich ab und an Fotografien geschickt, aber kein Bild der Welt hätte sie auf die Eleganz vorbereiten können, die Ruth mit ihren achtunddreißig Jahren ausstrahlte. Ihre Aufmachung war so schlicht wie edel – nichts erinnerte mehr an das junge Mädchen von einst, das sich lieber eine Glasperlenkette zu viel als zu wenig umgehängt hatte.

»Mir geht es ja auch wunderbar.« Selbst Ruths Lachen hatte eine elegante Note. »Aber keine Sorge, ab morgen werden wir uns ausschließlich um dich und dein Wohlergehen kümmern.« Stirnrunzelnd zupfte sie an Maries Kleid. »Als Erstes werden wir dich neu einkleiden – deine alten Sachen kann man ja wirklich nicht mehr ansehen. Wahrscheinlich muss ich sogar froh sein, dass du nicht eine deiner berüchtigten Hosen angezogen hast!«

Während Marie hinter ihrer Schwester in das Auto stieg, beschloss sie verschämt, für sich zu behalten, dass sie ihr Kleid extra für New York gekauft hatte. Hinausgeworfenes Geld!

Langsam fuhr der Wagen an. Marie starrte aus dem Fenster. »Ich bin in New York – ist das nicht verrückt?« Sie lachte ausgelassen.

»Und das hättest du schon viel früher sein können. Die Finger habe ich mir wund geschrieben, um eine von euch beiden hier herüberzulocken, aber hat es etwas gebracht?!« Ruths Empörung war nur zum Teil gespielt.

Marie wollte Ruths Hände am liebsten gar nicht mehr loslassen. »Meine Güte, wie viele Jahre haben wir uns nicht gesehen?«

»Wanda war gerade ein Jahr alt, oder … ach verflixt, ich bin so aufgeregt, dass ich nicht klar denken kann!«, rief Ruth und strich sich eine Träne aus dem Augenwinkel.

»Siebzehn Jahre sind seitdem vergangen, kannst du dir das vorstellen? Mir kommt es vor, als redeten wir von einem anderen Leben.«

Nun stiegen auch Marie die Tränen in die Augen.

»Du weißt doch, wie es bei uns daheim ist: Immer viel zu tun, immer ein Paar Hände zu wenig!«, schniefte sie. »Aber jetzt bin ich ja hier. Und ich bin so froh darüber!« New York verschwamm vor ihren Augen.

Nichts hatte sie auf die Innigkeit dieses Augenblicks vorbereitet. So seltsam es klang, aber die große Wiedersehensfreude war für Marie fast eine Überraschung. Natürlich liebte sie ihre Schwester, doch sie waren schon als junge Mädchen zu verschieden gewesen, als dass es mehr als die üblichen familiären Gemeinsamkeiten zwischen ihnen gegeben hätte – Ruth war ihren Weg gegangen und Marie einen anderen, soweit das in ihrer häuslichen Enge möglich gewesen war.

»Davon abgesehen hättest ja auch *du* uns besuchen können!«, sagte sie, nachdem sie ihre Tränen getrocknet hatte. Erschrocken wich sie gleich darauf zurück, als ein anderer Wagen bis auf Haaresbreite an den ihren herankam.

Für einen kurzen Moment verdunkelte sich Ruths Miene. »Du weißt doch, dass das nicht so ohne weiteres möglich war. Dafür verging kein Tag, an dem ich nicht an euch gedacht habe! Aber jetzt erzähl: Wie war die Überfahrt?«

Marie erzählte von Gorgi und davon, dass sie diese während ihres Aufenthaltes einmal besuchen wollte.

Ruth schien sich jedoch nicht besonders für Maries Reisebekanntschaft zu interessieren. »Und die Einreise lief ohne Komplikationen ab?«

Marie nickte. »Die Beamten sahen zwar ziemlich streng aus, und einer von ihnen hat sogar meine Handtasche durchwühlt. Aber das war's auch schon. Danach durfte ich durch die Schranke gehen.« Sie lachte kurz auf. »Du hättest einmal die Immigranten sehen sollen, wie aufgeregt die waren! Kaum waren wir an der Freiheitsstatue vorbei, haben sie nichts anderes mehr getan, als sich gegenseitig aufgeregt in die Augen zu starren. Gorgi hat mir erzählt, dass sie panische Angst vor einer Augenkrankheit haben. ›Trachoma‹ oder so ähnlich – wer daran leidet, wird zurückgeschickt. Hast du davon schon gehört?«

Ruth nickte. »Es ist schon recht, dass sie genau kontrollieren, wer ins Land kommt. Ansteckende Krankheiten können wir nämlich nicht gebrauchen. Du musst dir vorstellen, dass jeden Tag mehr als elftausend Leute hier ankommen! Jeder nur ein Bündel Lumpen unter dem Arm, und alle erwarten sie Wohlstand und Reichtum! Dafür ist die ganze Prozedur in der Einwanderungsbehörde doch ein Klacks. Nach vier bis fünf Stunden ist alles vorbei und die neue Welt wartet!«

»Hast du damals auch über Ellis Island einwandern müssen?«, fragte Marie neugierig. Ihr fiel plötzlich auf, dass sie über die näheren Umstände von Ruths Ausreise ziemlich wenig wusste.

»Um Gottes willen, nein!« Ruth winkte ab. »Zum einen kamen damals ja nicht so viele Menschen wie heute. Und zum anderen hatte ich doch meine Papiere …« Unwillkürlich begann sie zu flüstern, obwohl der Taxifahrer gewiss kein Deutsch verstand.

Marie kicherte. »Freifrau Ruthwicka von Lausche – es hat dich doch sicher der Schlag getroffen, als du gesehen hast, dass Stevens Passfälscher dich geadelt hatte, oder?«

Ruth grinste und ähnelte für einen Moment wieder dem abenteuerlustigen jungen Mädchen, das vor vielen Jahren bei Nacht und Nebel Lauscha und ihren Mann verlassen hatte.

Marie wusste heute noch nicht genau, woran Ruths Ehe mit Thomas Heimer, einem Glasbläsersohn, letztendlich gescheitert war – Ruth war anfänglich so verliebt gewesen! Doch eines Tages war sie mit Sack und Pack und ihrer drei Monate alten Tochter Wanda in ihr Elternhaus zurückgekehrt. »Zu dem gehe ich nie mehr!«, hatte sie hervorgestoßen und darüber hinaus keine weitere Erklärung abgegeben. Johanna und Marie war nichts anderes übrig geblieben, als das zu akzeptieren.

»Der Titel hat mir jedenfalls nicht geschadet«, sagte Ruth nun. »Du kannst dir nicht vorstellen, wie zuvorkommend die Leute mich von Anfang an behandelt haben! Was natürlich auch daran lag, dass ich in Stevens Begleitung war. Trotzdem …« Ihr Blick wurde nachdenklich. »Wohl war mir nicht mit den gefälschten Papieren. Im ersten Jahr war es ganz schlimm. Wann immer es an der Tür klingelte, habe ich gedacht: Jetzt kommen sie und holen dich!« Sie seufzte. »Als Thomas dann endlich der Scheidung zustimmte und Steven und ich heiraten konnten, fiel mir ein ganzer Felsbrocken vom Herzen! Seit ich Stevens Frau bin, fühle ich mich wie ein anderer Mensch.«

»Seltsam – irgendwie habe ich damals ziemlich wenig von alldem mitbekommen«, antwortete Marie beschämt.

Ruth lachte nur. »Und das findest du seltsam? Du hast doch Tag und Nacht nichts anderes im Kopf gehabt als deine Christbaumkugeln!« Dann zeigte sie aus dem Autofenster. »Schau, nun kreuzen wir die Avenue of the Americas. Jetzt dauert es nicht mehr lange, bis wir da sind.« In kurzen Worten erklärte sie Marie das System der vertikal verlaufenden Avenues und der horizontalen Straßen, das aus dem Hexenkessel Manhattan ein überschaubares Dorf machte.

»Ach, ich kann es kaum erwarten, dir alles zu zeigen!«, rief sie aus. »Warte nur ab, was ich mir alles für dich ausgedacht habe. Wir werden jede gemeinsame Stunde genießen!«

Maries Verblüffung war groß, als das Taxi inmitten einer der Straßenfluchten hielt. »*Hier* wohnst du?«

»Unser Apartment liegt im obersten Stockwerk«, erwiderte Ruth mit Stolz in der Stimme, während sie mit dem Zeigefinger vage auf die Spitze eines schlanken Wolkenkratzers vor ihnen zeigte. »Jetzt sag bloß, du hast auch nicht mitbekommen, dass wir vor einem Jahr umgezogen sind!«

»Doch, doch, aber ich habe gedacht, jemand, der so wohlhabend ist wie dein Steven, würde in einem Haus wohnen ...«

»Falsch!«, trumpfte Ruth auf. »Wer richtig viel Geld hat, zieht heutzutage in die Fifth Avenue. Schon jetzt kann ich mir nicht mehr vorstellen, jemals woanders gelebt zu haben! Steven und ich gehörten zu den Ersten, die erkannt haben, welche Vorteile es bringt, wenn man mitten in der Stadt wohnt: Für ein Apartment brauchst du weniger Angestellte, hast es näher zum Einkaufen oder in die Oper, musst dich um keinen Garten kümmern ... Ich sage dir: Es dauert nicht mehr lange, dann werden *alle* ihre Häuser verlassen! Schon heute wird unsere Avenue die *Millionaires Row* genannt, also die Straße der Millionäre.« Sie schnipste mit den Fingern, und der Taxifahrer folgte ihr mit Maries Gepäck durch das elegante Portal. Marie trottete hinterher – und blieb im nächsten Moment wie vom Blitz getroffen stehen.

»Das gibt's doch nicht!« Fassungslos schaute sie sich um.

Hunderte Quadratmeter roter Marmorboden wurden von goldgesprenkelten schwarzen Granitbänken gesäumt, hinter denen riesige Palmen wuchsen. Über die komplette Rückwand der Eingangshalle zog sich ein Aquarium, in dem Fische in allen Regenbogenfarben zwischen Korallen und bizarren Pflanzen ihre Runden drehten. Während Marie fast damit rechnete, dass ihr im nächsten Moment ein Papagei auf die Schulter geflogen kam, öffnete ein Page die Tür zum Fahrstuhl. Eher zögerlich folgte Marie ihrer Schwester in den vierecktigen Messingkäfig, der gleich darauf nach oben zu gleiten begann.

»Na, das ist doch was, oder?« Ruths Augen funkelten amüsiert. »So etwas bekommst du weder in Paris noch in London zu sehen. Apartmenthäuser dieser Art sind eine New Yorker Erfindung. Ich kann es kaum erwarten, dir mein kleines Reich zu zeigen.«

Marie verspürte einen leichten Schwindel, doch sie schob dies auf die rasante Fahrt im Fahrstuhl.

Ruths und Stevens Apartment war nicht weniger luxuriös als die imposante Eingangshalle. Ein langer Flur führte links und rechts in ein Meer von geräumigen Zimmern, allesamt mit feinsten Mahagonimöbeln, chinesischen Teppichen und gefütterten Seidenvorhängen ausgestattet. Das Gästezimmer samt angrenzendem Badezimmer, das Marie bewohnen sollte, war von der Decke bis zum Teppichboden in einem pastellfarbenen Grün gehalten. Auf der Frisierkommode lag ein nagelneues Set aus Kamm, Bürste und Spiegel, daneben ein ganzes Arsenal an Töpfchen und Tiegeln, deren Anblick allein Marie nervös machte. Probeweise setzte sie sich auf das riesige Bett, ehe ihr Blick auf einen Stapel Damenzeitschriften auf ihrem Nachttisch fiel. Die Art, in der sie fächerförmig ausgebreitet waren, erinnerte mehr an ein Kunstwerk als an Lesestoff. Du meine Güte – wen glaubte Ruth zu Besuch zu haben? Eine Operndiva?!

Marie wusch sich nur kurz Gesicht und Hände – eine »maid« würde ihr Gepäck auspacken, hatte Ruth gesagt –, dann machte sie sich auf die Suche nach ihrer Schwester.

Während das Geräusch ihrer Schritte von den fast knöchelhohen Teppichen, die die ganze Länge des Flurs bedeckten, aufgesaugt wurde, musste Marie unwillkürlich daran denken, wie Ruth in ihrer Jugend die Treppenstiege in ihrem Haus mit Bienenwachs auf Hochglanz gebracht hatte.

Nach dem frühen Tod ihrer Mutter hatten die drei Schwestern sich die Arbeiten im Haus und in der Werkstatt aufgeteilt – Ruth war für das Kochen und einen Großteil der Hausarbeit zuständig gewesen, und so hatte man sie selten ohne einen Putzlumpen oder ein Kartoffelmesser in der Hand gesehen. Sie hatte nie über die viele und meist beschwerliche Arbeit gejammert, aber schon als junges Mädchen hatte sie davon geträumt, einmal einen Prinzen kennen zu lernen, der sie in sein Schloss entführen würde. Damals hatten Johanna und Marie Ruths Gerede für Hirngespinste gehalten. Die Erinnerung ließ Marie lächeln. Wer hätte je gedacht, dass Ruths Schloss einmal in der Fifth Avenue in New York liegen würde …

Vorsichtig linste Marie durch die nächste Tür auf der rechten Seite. Noch eine Art gute Stube, diesmal in Rottönen gehalten, doch wie bei den drei Zimmern, in die sie zuvor schon geschaut hatte, war auch hier alles dunkel und verlassen. Zu ihrer Erleichterung hörte sie jedoch nebenan Geschirr klappern und auch den Geruch von Kaffee glaubte sie wahrzunehmen. Ruths Salon, endlich! Doch als Marie die nächste Tür öffnete, stand sie in einer winzigen Küche, wo eine Köchin mit roten Wangen mehrere Töpfe auf dem Herd beaufsichtigte.

»Hello, my name is Lou-Ann. Can I help you?«, fragte sie, während sie im selben Moment eine Kasserolle schwungvoll vom Herd zum Abkühlen auf eine Marmorplatte hievte. Ohne innezuhalten ging sie zum Fenster und öffnete es, damit der Suppengeruch abziehen konnte. Als Nächstes zog sie ein Blech mit Keksen aus dem Ofen, die den Duft verströmten, den Marie schon im Nebenzimmer wahrgenommen hatte. Suppe und Siedfleisch, Kekse und Kaffee – all diese Gerüche wirkten auf einmal so anheimelnd auf Marie, dass sie sich nichts mehr wünschte, als mit einem Keks in der Hand und einem Glas Milch einen Moment lang hier bei Lou-Ann sitzen bleiben zu können.

Im letzten Zimmer am Ende des Ganges aber wartete Ruth schon ungeduldig mit Tee und Kuchen auf sie.

»Da bist du ja endlich! Ich dachte schon, du wärst vor lauter Müdigkeit eingeschlafen. Keine Sorge, du kommst noch bald genug ins Bett. Steven hat mir versprochen, früher aus dem Büro zu kommen, damit wir zeitig das Abendessen einnehmen können. Er kann es kaum erwarten, dich endlich zu sehen!«

»Ich freue mich auch auf ihn – dein Steven ist ein wirklich feiner Kerl!«, erwiderte Marie. »Ich glaube, das letzte Mal habe ich ihn bei der Einweihung des Lagers in Sonneberg gesehen.«

Im Gegensatz zu Ruth war Steven anfänglich – als er noch für Franklin Woolworth gearbeitet hatte – jedes Jahr nach Thüringen gekommen. Später dann, während seiner Tätigkeit in der Firma seines Vaters, nur noch in längeren Abständen. Nie hatte er es versäumt, auf einen Besuch bei Ruths Schwestern vorbeizuschauen, obwohl ihre geschäftlichen Beziehungen – die Steinmanns produzierten Christbaumschmuck sowohl für die Woolworth-Läden als auch für das Großhandelsunternehmen Miles – dies nicht zwingend erfordert hätten.

»Aber vor allem freue ich mich auf Wanda! Dass aus dem kleinen Wildfang von früher längst eine junge Frau geworden ist, kann ich mir noch gar nicht vorstellen. Wo steckt sie eigentlich?«

Ruth seufzte. »Das weiß der Himmel, wo sich dieses Mädchen wieder herumtreibt. Bei ihrer Arbeit ist sie jedenfalls nicht. Sie wurde nämlich heute erst von ihrem Chef …, ach, lassen wir das. Sag mir lieber, wie du meine Wohnung findest!« Sie machte eine allumfassende Geste.

»Fantastisch natürlich! Was ich bisher gesehen habe, ist einfach … grandios. Ich kann's kaum erwarten, bis du mir alle Zimmer zeigst! Hier könnte man glatt eine ganze Hand voll Lauschaer Hütten unterkriegen«, erwiderte Marie. Seltsam, dachte sie gleichzeitig, dass Ruth nicht weiter über ihre Tochter sprechen wollte. Damals, als junge Mutter, hatte sie nichts anderes getan und war Marie, die nicht verstehen konnte, was es stundenlang über einen Säugling zu reden gab, damit ziemlich auf die Nerven gegangen.

»Dein Salon ist ganz besonders elegant. Er ist so völlig anders!« Marie wies in Richtung der flächigen schwarzen Möbel, deren einziger Schmuck Intarsienarbeiten waren. Hie und da stand eine verträumte Mädchenbüste, eine marmorne Nackte mit wallenden Haaren oder eine Elfe aus Bronze.

»Du hast wohl gedacht, ich würde mir ein Puppenstübchen mit Rüschen und Spitzengardinen einrichten!«, erwiderte Ruth gespielt entrüstet. »Komm, ich zeige dir etwas, worauf ich wirklich stolz bin.« Sie ging zu einem Tisch, unter dessen Glasplatte ein ganzes Arsenal an Schmetterlingen, Libellen, Frauenköpfen und Pfauenfedern auf schwarzem Samt funkelte.

»Das sind meine Schätze. Natürlich würde mir Steven jederzeit wertvolle Juwelen schenken, aber ich bevorzuge es, solche modischen Stücke zu tragen. Ich finde sie so viel origineller als die ewig gleichen Perlengehänge oder Diamantcolliers!« Sie lachte. »Du müsstest einmal sehen, was für lange Hälse meine Freundinnen manchmal machen, um herauszufinden, ob eine meiner Broschen echt oder falsch ist.« Sie hielt eine dunkelgrau glänzende Hornisse in die Höhe. »Wirkt sie nicht besonders echt? Sie ist von René Lalique. Und diese Schlange hier, ich finde, sie hat etwas sehr Erotisches. Sie stammt aus einer Werkstatt, die …«

Während Ruth ein Schmuckstück nach dem anderen in die Hand nahm und vorführte, wurde Marie immer unbehaglicher zumute. Die Künstler, mit deren Namen Ruth um sich warf, kannte sie nur aus den Büchern von Sawatzky. Dass es tatsächlich Leute gab, die sich solche Stücke leisten konnten, und dass ihre eigene Schwester dazugehörte, hatte sie bisher nicht realisiert. Ruth kam ihr auf einmal so schrecklich fremd vor! Und das Apartment, auf das sie so stolz war, wirkte eher wie ein Museum als wie das Zuhause einer Familie – was sie natürlich Ruth gegenüber nicht erwähnen würde.

Was würde wohl Gorgi zu dem Ganzen hier sagen?, fragte sich Marie und lieferte die Antwort gleich hinterher: Gorgi hätte wahrscheinlich längst ein ganzes Blech Kaffeekekse vertilgt, statt lediglich an einem zu knabbern, wie Ruth es tat.

»Hallo, ist da wer? Mutter, Tante Marie – seid ihr schon da?«, ertönte es plötzlich draußen auf dem Flur.

Schwungvoll wurde die Tür zu Ruths Salon aufgerissen, und im Türrahmen stand eine schlanke, hoch gewachsene junge Frau mit Haaren, die … Ein Grinsen huschte über Maries Gesicht.

»Wanda!« Ruth schlug die Hand vor den Mund, und ihre Augen waren vor Schreck geweitet. »Um Himmels willen, was hast du getan?«

Weggeblasen war jegliche Souveränität, ihre Stimme klang grell wie die eines Marktweibes.

Mit hochgezogenen Augenbrauen lächelte Wanda ihre Mutter an.

»Meinst du meine neue Frisur?« Sie deutete auf ihren silberblonden Schopf, der gerade einmal bis knapp über die Ohren reichte. »Ist sie nicht aufregend geworden? So schick und gerade richtig für den kommenden Sommer! Während ihr alle fürchterlich schwitzen werdet, wird mir ein frischer Wind um die Ohren blasen.«

Erst in diesem Moment schien sie sich des Gastes bewusst zu werden und wandte sich Marie zu.

»Tante Marie, ich freue mich, dich kennen zu lernen«, sagte sie mit gespielt artiger Höflichkeit. Steif streckte sie ihre Hand aus.

Maries von Hornhaut und Schwielen gehärtete Finger griffen nach der weichen Mädchenhand.

Ihre Blicke trafen sich. Aus Wandas wasserblauen Augen sprühten Funken wie bei einer Wunderkerze, herausfordernd und amüsiert, als lache sie heimlich über einen Witz.

Kleines Luder! Mit übertriebener Heftigkeit schüttelte Marie Wandas Hand.

»Keine Angst, ich beiße nur in den seltensten Fällen.«

5

Warum hatte er es nicht geschafft, eine Stunde früher ins Casa Verde zu kommen! Ärgerlich schaute Franco zur Theke, um die sich die Gäste inzwischen in Dreierreihen drängelten. Wie gewöhnlich um diese Zeit war das *Ristorante* völlig überfüllt – Schichtwechsel in den umliegenden Kleiderfabriken. Obwohl längst alle Tische besetzt waren, ging ständig die Tür auf, und es strömten noch mehr Italiener herein, die das letzte Drittel ihrer Zehnstundenschicht mit Visionen von einem Teller dampfender Pasta, einem Glas Wein und einem Lächeln von Giuseppa, der Tochter des Wirts, hinter sich gebracht hatten.

Resigniert lehnte sich Franco zurück. Bei diesem Andrang sah es nicht danach aus, als ob Paolo in der nächsten halben Stunde Zeit für ihn finden würde. Dabei hatte er sich vorgenommen, heute noch mindestens drei weitere Wirte zu besuchen!

Ein Johlen am Nachbartisch, wo für drei Neuankömmlinge unter umständlichem Stühlerücken Platz geschaffen wurde, ließ Franco aufschauen. Erst beim zweiten Hinsehen erkannte er, dass es allesamt Wirte aus umliegenden *Ristorantes* waren. Und sie alle waren Kunden von ihm. Eine Art Stammtisch also, auch das noch! Nun würde es nicht mehr lange dauern, bis ihm die nächste Beschwerde serviert wurde – als ob er davon heute nicht schon genug zu hören bekommen hätte!

Demonstrativ setzte Franco eine abweisende Miene auf, als ihm plötzlich eine heiße Woge Knoblauch direkt in die Nase stieg. Im nächsten Moment stellte Giuseppa einen Teller Pasta vor ihm ab. Um beschäftigt zu wirken, vergrub er seine Gabel darin, obwohl er nicht im Geringsten hungrig war.

Am Nebentisch wurde jeder Krug Wein, den Giuseppa brachte, mit Getöse gefeiert.

Auch gut – wenn sie sich betranken, würden sie ihn wenigstens in Ruhe lassen.

Franco ließ die Gabel sinken. Er war müde. Noch nie war ihm ein Aufenthalt in New York so anstrengend vorgekommen wie dieses Mal. Wohin er auch kam – überall gab es nichts als Probleme, darin glich der heutige Tag den vorangegangenen aufs Haar. Und jeder erwartete, dass er einem Zauberer gleich die Lösung für das jeweilige Ärgernis aus der Tasche zog.

Schon im ersten *Ristorante*, das er am späten Vormittag aufgesucht hatte, war es losgegangen: Silvester Forza, der Wirt, hatte sich geweigert, zwei der fünf an ihn vermittelten Hilfskräfte einzustellen, weil sie ihm zu alt waren. Franco hatte die beiden daraufhin rufen lassen und festgestellt, dass sie gerade einmal Anfang dreißig sein konnten. Was wollte Silvester? Kinder?! Gereizt hatte Franco angeführt, dass es der alte Conte bestimmt nicht gern sehen würde, wenn Silvester einen Aufstand machte wie eine Jungfrau in der Hochzeitsnacht. Und ob es irgendwo jemanden gäbe, der günstigere Arbeitskräfte vermittelte? Was Silvester natürlich hatte verneinen müssen.

Kurz danach hatte Franco die nächste Hiobsbotschaft zu hören bekommen: Ausgerechnet Michele Garello, dem fünf der besseren Restaurants gehörten, waren gleich drei der an ihn vermittelten Burschen nach der ersten Woche davongelaufen. Garello hatte nicht viele Worte gemacht: Entweder er bekam mit der nächsten Lieferung Ersatz für die drei oder er wollte sein Geld zurück. »Sag deinem Vater, wenn's sein muss, such ich mir meine Leute eben hier aus! Die paar Dollar Lohn, die ich dann mehr zahlen muss, machen mich auch nicht arm«, hatte er hinzugefügt.

Verflucht! Dem alten Conte hätte er das sicher nicht ins Gesicht gesagt!

Auch bei Francos nächsten Kunden hatte nicht gerade eitel Sonnenschein geherrscht: Der eine hatte über zu hohe Abnahmemengen geklagt und behauptet, seine Kundschaft würde mehr aus Biertrinkern bestehen. Natürlich war es ihm nur um einen Preisnachlass gegangen, denn kaum hatte Franco einen solchen eingeräumt, waren die Biertrinker plötzlich kein Thema mehr gewesen. Der nächste Wirt hatte Probleme mit seiner städtischen Ausschankgenehmigung. Ob Franco nicht ein gutes Wort für ihn einlegen … Doch Franco hatte nur abgewinkt. »Zahl regelmäßig deine Abgaben, dann bekommst du auch die Ausschankgenehmigung wieder. Außerdem: Was sollte ich als Ausländer bei einer städtischen Behörde ausrichten?« Nur weil er einen Adelstitel besaß, glaubten die Leute, man würde ihm überall einen roten Teppich auslegen!

Franco hielt die Gabel so fest umklammert, dass seine Knöchel weiß wurden. Morgen war es Zeit für das wöchentliche Telefonat mit seinem Vater. Er wusste schon jetzt, was er zu hören bekommen würde: *Lass dir von den Leuten nicht auf der Nase herumtanzen! Zeig allen, dass mit einem de Lucca nicht zu spaßen ist* … Angewidert schob Franco den Nudelteller von sich. Als ob es allein damit getan war, dass er den starken Mann markierte!

»Was ist? Schmecken dir Mamas Spagetti nicht?« Mit

einem Stirnrunzeln ließ sich Giuseppa auf den Stuhl ihm gegenüber plumpsen.

»Deine Mutter ist eine der besten Köchinnen der ganzen Stadt!« Um seinen Worten Nachdruck zu verleihen, schaufelte Franco erneut Pasta in seinen Mund. Giuseppa und ihre Mutter hatten schließlich mit seinem Ärger nichts zu tun.

»Ich könnte dir auch etwas anderes bringen ...«

Warum dieser ängstliche Blick? Hatte er ihr jemals etwas getan? Stirnrunzelnd schüttelte Franco den Kopf. »Um Gottes willen, bitte nicht!«

Vor Paolo hatte er schon ein halbes Dutzend Kunden besucht. Überall war ihm etwas zum Essen vorgesetzt worden – wahrscheinlich glaubten die *Patrones*, ihre Anliegen würden ihm leichter hinuntergehen, wenn er sie mit einer Gabel Thunfisch, einem Stück Pizza oder einem Löffel Zabaionecreme einnahm!

Giuseppa gab sich einen Ruck. »Dann geh ich mal wieder. Papa lässt ausrichten, dass er in einer Viertelstunde zu dir kommt. Ich kann dir ja in der Zwischenzeit noch ein Glas Wein bringen.«

»Danke nein, ich habe noch!« Er deutete auf sein halb volles Glas.

»Vielleicht ist es nur sein eigener Wein, den er satt hat! Du solltest dem Conte einen Chiantiwein anbieten! Ich wette, dazu würde er sicher nicht Nein sagen!«, rief einer der Männer am Nachbartisch Giuseppa hinterher. Sofort bekam er von seinem Nebenmann einen Stoß in die Rippen.

Das Gelächter, das folgte, hatte einen nervösen Unterton.

Der vorlaute Sprecher war Solverino Mauro, wie Franco feststellte. Ebenfalls ein Kunde, wenn auch nicht einer seiner besten. Erst vor zwei Tagen hatte Franco in Begleitung von vier seiner Wachmänner Schulden bei Solverino eintreiben müssen, die noch von der letzten Weinlieferung stammten.

Wie Tiere, die eine interessante Witterung aufnehmen, schauten nun auch andere Gäste zu Franco hinüber, manche eher ängstlich, andere fast schon ehrfürchtig, einige wenige auch spöttisch – hier im Viertel gab es kaum jemanden, der ihn nicht kannte. Jeder wollte wissen, wie der Sohn des mächtigen Conte de Lucca auf eine solche Provokation reagierte.

Franco warf Solverino einen kühlen Blick zu. »An deiner Stelle würde ich das Maul nicht so voll nehmen. Oder hast du unsere hübsche Unterhaltung vor zwei Tagen schon vergessen?« Erst als einer seiner Männer etwas fester zugepackt hatte, war Solverino bereit gewesen zu zahlen.

Beschwichtigend hob der Mann die Hände und grinste verlegen.

»Solverino hat doch keine Ahnung von Wein!«, rief ein anderer Mann Franco zu. »Sonst würde er wissen, dass der *Rossese di Dolceacqua* der Familie Lucca seinem Namen alle Ehre macht ...« Aufmerksamkeit heischend schaute er in die Runde, bevor er losprustete: »... er enthält nämlich ausgesprochen viel Wasser!«

Lautes Grölen folgte.

»Was ist? Habt ihr nichts anderes zu tun, als mit eurem Geschwätz meine Gäste zu belästigen?«, fuhr Paolo dazwischen. »Vielleicht sollte ich dasselbe einmal in euren Läden tun.«

Mit einem Stöhnen setzte er sich auf den Stuhl, den seine Tochter gerade erst freigemacht hatte. »Was für eine Bande! Wenn sie etwas getrunken haben, werden sie zu dummen Jungen. Gibt es schlimmere Gäste als Gastwirte?«

Dumme Jungen! Von wegen. Franco knirschte mit den Zähnen. »Lass uns über deine neue Order sprechen. Ich habe heute noch andere Termine.«

Als Franco in dieser Nacht in das Apartment zurückkam, das sein Vater im letzten Jahr gekauft hatte, fühlte er sich, als hätte er eine Woche in einem sizilianischen Steinbruch verbracht. Sein Kreuz tat weh und seine Wangenmuskeln waren so verhärtet, dass es ihm nicht gelang, sie zu entspannen.

Es war eine laue Nacht. Trotz seiner Müdigkeit verspürte Franco kein Bedürfnis nach seinem Bett. Stattdessen zündete er sich eine Zigarette an und ging hinaus auf den schmalen Balkon, der die ganze Länge des Apartments einnahm. Obwohl es im zweitobersten Stockwerk eines achtzehnstöckigen Hauses lag, hatte es keine besondere Aussicht zu bieten: Zur Rechten sah man ein Stück vom Hafen, zur Linken die Rückwand einer Druckerei, aus deren Kamin wie in jeder Nacht stinkender Rauch quoll. Franco nahm an, dass dort eine Tageszeitung gedruckt wurde, auch wenn es keine der großen sein konnte.

Er starrte auf das glühende Ende seiner Zigarette.

Zu Hause in Genua würde längst die nächtliche Sinfonie der Grillen begonnen haben, deren Schnarren von den lauen Winden, die vom Meer kamen, in die Höhe gehoben und in den letzten Winkel des Palazzos getragen wurde. Das schwache Sichellicht des Mondes würde den grünen Marmorfliesen des Innenhofes einen silbernen Schimmer verleihen. Von den Weinbergen würde ein süßer Duft wehen und verheißungsvoll von den Beeren schwärmen, die an den Rebstöcken genährt wurden.

Der Zigarettenrauch verlor seine Würze. Franco hatte einen modrigen Geschmack auf der Zunge wie von einer verfaulten Zitrone.

Bei keinem seiner vorherigen Besuche in New York war es vorgekommen, dass jemand den Wein, den seine Familie anbaute, kritisierte! Dass dies einer wagen würde, hätte er nicht für möglich gehalten.

Er warf seine Zigarette in hohem Bogen vom Balkon. Es musste etwas geschehen! Er konnte nicht zulassen, dass die jahrhundertealte Winzertradition seiner Familie beschädigt wurde.

Was sein Vater zu diesem Vorfall sagen würde, konnte er sich lebhaft vorstellen:

Du musst härter durchgreifen. Solchen Schwätzern gehört das Maul gestopft, bevor sie auch nur Mamma mia sagen können! Wären unsere Vorfahren alle so gutmütige Trottel gewesen wie mein Sohn, hätte unsere Familie keine vierhundert Jahre Bestand gehabt. Willst du der erste Conte de Lucca sein, der unseren guten Ruf in Gefahr bringt?

Und so weiter. Und so weiter.

Franco lachte bitter auf. Auf den Gedanken, dass man den Ruf der Familie auch damit sichern konnte, *Qualitätswein* anzubauen, würde sein Vater nicht kommen! Nein, der alte Conte hatte seine eigenen Methoden. Obwohl sie ihm oft zuwider waren, musste Franco zugeben, dass sie – auf ihre Art – funktionierten: Obwohl Ligurien von Natur aus kein ausgesprochenes Weinbaugebiet war wie beispielsweise die Lombardei oder die Gegend rund um Venedig, gab es in ganz Italien keine Familie, die mehr Wein nach Amerika exportierte. Es hatte damit zu tun, dass der Conte alles an Rebensaft aufkaufte, was angeboten wurde – auf Qualität wurde dabei weniger geachtet, solange der Preis stimmte.

»Wein wird nur dann gut, wenn der liebe Gott Sonne und Regen im richtigen Maß schenkt!«, klangen Franco auf einmal die Worte seiner Großmutter Graziella im Ohr. Die Erinnerung an die zierliche, elegante Frau ließ ihn lächeln. Von Kindesbeinen an hatte sie ihn mit in die Weinberge genommen. Als kleiner Bub war er an ihrer Hand gegangen, aber die letzten Jahre, als sie nicht mehr so gut zu Fuß gewesen war, geschah es umgekehrt. Da hatte er ihren rechten Arm gestützt, während sie links einen Gehstock zu Hilfe

67

nahm, dessen oberes Ende sie in Form einer Weintraube hatte versilbern lassen.

Nicht sein Vater hatte ihm die Liebe zur Winzerei mitgegeben – es war Großmutter Graziella gewesen!

Sonne und Regen im richtigen Maß, und wenn der liebe Gott besonders gut zu dir ist, dann schenkt er dir noch eine Winzerin dazu, deren Liebe die Trauben besser wachsen lässt als jede noch so moderne Kultivierungsart! Die Liebe einer Frau lässt jedes winzige Pflänzchen gedeihen. Nichts ist stärker, mein Junge.

Die Liebe einer Frau …

Um Francos Herz ballte sich eine Faust zusammen.

Wenn man sie verlor, verkümmerte jedes bisschen Leben, das in einem steckte.

Und plötzlich war er erneut weit weg in Zeit und Raum.

Es war vor vielen Jahren gewesen. Franco war Anfang zwanzig und hatte sein Studium der Wirtschaftswissenschaften in Rom eben beendet, als *sie* ihm im wahrsten Sinne des Wortes über den Weg lief: Er kam gerade aus der Administration der Universität, hatte dort letzte Formalitäten erledigt, als er mit Serena Val'Dobbio zusammenstieß. Sie war als eine der ersten Frauen zum Studium an der ehrwürdigen Akademie zugelassen worden und auf dem Weg zur Anmeldung. Nach nur wenigen Minuten in ihrer Gegenwart war es um Franco geschehen und er wusste: Serena war die Frau, mit der er den Rest seines Lebens verbringen wollte. Auch sie schien ihn zu mögen, und so trafen sie sich, wann immer ihre Seminare es zuließen. Er erzählte ihr von seinen Plänen, nach Beendigung seines Studiums eine neue Rebsorte anbauen zu wollen. Und von den Versuchen, die er mit Kreuzungen machen wollte. Sie hörte ihm zu und gestand ihm, dass sie zwar von Wein nichts verstünde, aber zu Hause für die Pflege des Gemüsegartens zuständig sei. Und dass man sich im Dorf erzählte, Serenas Tomaten würden nur deshalb besonders gut wachsen, weil sie bei der Gartenarbeit ständig ein Liedchen auf den Lippen hatte. Francos Herz machte einen Hüpfer. Bilder erstanden unvermittelt vor seinem inneren Auge, schön und verheißungsvoll ... Er und Serena Hand in Hand inmitten der Weinberge. *Die Liebe einer Frau lässt jedes Pflänzchen gedeihen.*

Und dann war es für ihn an der Zeit, nach Genua zurückzukehren. Unter heftigen Treueschwüren verabschiedeten sie sich mit dem Versprechen, sich in Serenas Semesterferien wiederzusehen.

Die Briefe zwischen Genua und Rom flatterten nur so hin und her. Aus Angst, die italienische Post könnte den einen oder anderen davon verlieren, nummerierten sie jeden Brief. Tagsüber war Franco der harte Geschäftsmann, den sein Vater sich wünschte – seine Pläne mit der neuen Weinsorte hatte er wegen eines Streiks der Hafenarbeiter, den es zu schlichten galt, erst einmal hintanstellen müssen –, doch abends in seinem Zimmer im elterlichen Palazzo schrieb er Gedichte für Serena. Von der Liebe schrieb er, von der schmerzlichen, alles verzehrenden Liebe. Und von seinen Plänen, später mit ihr aus dem Palazzo Lucca das beste Weingut aller Zeiten zu machen.

Sein Vater aber, der Conte, hatte die Schwärmereien seines Sohnes für eine Wildfremde nicht gern gesehen. Für eine nicht standesgemäße Fremde. Für die Tochter eines Bäckermeisters aus Palermo. Er hatte entsprechende Schritte unternommen.

Und Franco war jung gewesen und beeinflussbar ...

Sosehr Franco nun sein inneres Auge bemühte – Serenas Gesicht war verblasst, die Erinnerung an sie tat nicht mehr weh.

Keiner anderen Frau war es seitdem gelungen, sein Herz

zu erobern. Abenteuer hatte es genug gegeben, doch sie stillten lediglich seinen körperlichen Hunger.

Franco spürte einen Anflug von Erbitterung. Was war aus dem jungen Mann geworden, der versucht hatte, das Genueser Mondlicht auf Briefpapier zu bannen? Der Stunden mit dem Studium botanischer Bücher verbracht hatte, um herauszufinden, wie man den Cinque Terre oder den Colli di Luna – zwei Weißweine, die schon seit Urzeiten von seiner Familie angebaut wurden – mit anderen Sorten kreuzen konnte, um mehr Frucht, mehr Tiefe in den Wein zu bekommen?

War es eigentlich noch sein eigenes Leben, das er führte? Oder war er nur noch der verlängerte Arm seines Vaters?

6

Während der nächsten Tage kam es Marie vor, als sei sie in einen Wirbelsturm geraten und wüsste nicht mehr, wo oben und unten war. Ruth und sie waren ständig unterwegs, Pausen zwischen ihren Unternehmungen waren selten.

»Du bist doch nicht hierher gekommen, um in der guten Stube zu sitzen. Wie ich dich kenne, willst du einen Koffer voller neuer Eindrücke mit nach Lauscha nehmen, die allesamt in deine Glasbläserei einfließen werden. Und nächstes Jahr dürfen wir uns dann hoffentlich auf eine *New-York-Kollektion* freuen!«

Marie, die schon fast vergessen hatte, wie sich ein Gasbrenner in der Hand anfühlte, nickte beklommen.

»Hoffen wir, dass du Recht hast«, sagte sie dumpf. Bisher hatte nichts sie zu einer neuen Idee inspiriert.

Ihre Nichte bekam sie nur selten zu sehen.

Einmal hatte sie mit ihnen einkaufen gehen wollen, doch Ruth hatte sich geweigert, ihre Tochter mitzunehmen, solange diese ihre kurzen Haare nicht unter einem Hut versteckte. Wanda wollte jedoch ihren neuen Haarschnitt nicht »verschandeln«, und so war aus dem gemeinsamen Ausflug nichts geworden. Marie wusste nicht, ob sie darüber traurig sein sollte.

Ein paar Tage später traten sie dann doch zu dritt ihren Einkaufsbummel an – Ruth schien sich mit Wandas hutlosem Auftreten abgefunden zu haben. Doch der Frieden bröckelte schon bei der Frage, in welches Geschäft man gehen sollte und in welches nicht: Was Ruth schick fand, hielt Wanda für altmodisch. Beim Einkaufen ging das Gezanke weiter, es gab kaum ein Kleidungsstück, das Mutter und Tochter unisono gutgeheißen hätten. Marie hielt sich aus solchen Disputen heraus – nicht, dass ihr modisches Urteil gefragt gewesen wäre! Als sie vorschlug, in die Herrenabteilung zu gehen, um dort nach neuen Hosen zu schauen – sie konnte schließlich Vaters uralte Beinkleider nicht mehr ewig tragen –, fing sie von beiden einen entsetzten Blick ein.

So reserviert Wanda ihr gegenüber war und so patzig ihrer Mutter gegenüber, so liebenswert konnte sie bei Fremden sein: Die Verkäuferinnen rissen sich förmlich darum, die junge Frau zu bedienen, und brachten Dutzende von Kleidern, Schuhschachteln und anderen Dingen zu deren Begutachtung herbei. Marie kam es vor, als wollte Wanda Ruth und ihr damit zeigen: Schaut, so freundlich könnte ich zu euch auch sein, wenn ich nur wollte, und sie hatte das Gefühl, dass hinter Wandas Widerspenstigkeit mehr steckte als lediglich die jugendliche Lust zu Aufruhr und Protest. Doch Ruth nahm sie mit ihren Unternehmungen dermaßen in Beschlag, dass sich bisher keine Gelegenheit geboten hatte, einmal etwas mit Wanda allein zu unternehmen und dabei herauszufinden, warum diese glaubte, ständig ihre Abwehrstacheln aufrichten zu müssen.

Wenn sie nicht gerade einkaufen gingen – was Marie sehr

anstrengend fand –, zeigte Ruth ihr die Stadt. In New York ging beides Hand in Hand, das lernte Marie schnell: Da war die Fifth Avenue mit Hunderten von Geschäften, der Times Square, wo sich ein Theaterhaus ans andere drängte, allesamt beleuchtet von glitzernden Reklameschildern, etwas weiter südlich lag das größte Kaufhaus der Welt, Macy's genannt, und wieder ein paar Ecken weiter das Metropolitan Museum. Um sich dieses anzuschauen, würde noch Zeit genug bleiben, vertröstete Ruth sie jedes Mal, wenn sie an dem eindrucksvollen Portal vorbeikamen.

Während es ihre Schwester auf schnellstem Wege in die Geschäfte zog, hätte Marie den ganzen Tag draußen vor den Wolkenkratzern stehen können, in denen die Läden untergebracht waren.

»Weißt du«, gestand sie Ruth einmal, »eigentlich fand ich deine Schwärmerei über Hochhäuser in deinen ersten Briefen immer ziemlich seltsam. Was ist schon so Besonderes an einem Haus, auch wenn es groß ist, habe ich mich gefragt. Aber jetzt kann ich dich verstehen! Diese Riesen sind wirklich unglaublich.« Sie machte eine Handbewegung, die den ganzen Straßenzug mit einschloss. »Seit dem Bau der gotischen Kathedralen vor mehr als achthundert Jahren hat es keine so großen Gebäude gegeben, das muss man sich einmal vorstellen!«

Mit glänzenden Augen starrten sie in die Höhe, während Ruth Marie erklärte, dass sich hinter jeder schillernden Fassade eine ganze Stadt mit Postamt, Anwälten, Geschäften, Schuhmachern und allem anderen befand, was man zum Leben brauchte.

Natürlich gingen sie auch in eines der Kaufhäuser von Woolworth – schließlich war er der Erste gewesen, der Maries Christbaumkugeln nach Amerika gebracht hatte. Marie wollte sich unbedingt an eine der berühmten Theken setzen und bei einem Eisbecher dem Treiben der Käufer zuschauen, doch Ruth rümpfte die Nase – ihr war die Umgebung zu unfein. Erst als Marie sie daran erinnerte, dass sie durch Woolworth ihren Steven kennen gelernt hatte und daher nichts, was mit dem Mann zusammenhing, unfein sein konnte, willigte Ruth lachend ein.

»Wer weiß – vielleicht finden wir sogar einen zweiten Steven für dich?«, sagte sie augenzwinkernd, doch Marie winkte nur ab.

Ruth erklärte ihr, dass zur Weihnachtszeit in der ganzen unteren Etage Tische mit Christbaumschmuck aus Lauscha stünden. Kugeln, Engel, Weihnachtsmänner, dekoriert auf rotem Samt, warteten darauf, von potenziellen Käufern in die Hand und mit nach Hause genommen zu werden.

»Stell dir vor: Letztes Jahr soll es zu regelrechten Rangeleien an den Tischen gekommen sein, weil jeder deine silbernen Engel haben wollte! Sogar die Zeitungen haben darüber berichtet. Mit Foto!«, erinnerte sich Ruth lachend. »Es waren einfach nicht genug Engel da. Dabei hat Johanna Mister Woolworth ausdrücklich zu einer größeren Order geraten. Tja, manchmal verrechnet sich eben auch ein Genie wie er.«

Trotz Ruths ausführlichen Schilderungen fiel es Marie schwer, sich ihre Christbaumkugeln hier vorzustellen: Für sie hatte das, was sie tagtäglich zu Hause an ihrem Bolg tat, nichts mit dem ganzen Trubel um sie herum zu tun.

Manchmal trafen sie sich mittags mit Steven zum Lunch in Restaurants mit wohlklingenden Namen wie »Babette«, »Delmonico« oder »Mamma Leone«. Daran, dass man zum Essen in ein Restaurant ging, obwohl man es nur ein paar Schritte nach Hause gehabt hätte, musste Marie sich erst gewöhnen. Wie an das Essen überhaupt: Krabben, Hummer, pochierte Hühnerbrüstchen und allerlei andere seltsame Dinge, von denen man nicht satt wurde. Viel lieber hätte sie sich mit Ruth zu Hause an den Küchentisch gesetzt und sich von Lou-Ann ein paar Eier oder Kartoffeln kochen lassen – schlichte Hausmannskost, wie die Köchin sie für sich selbst und die beiden Zimmermädchen zubereitete. Und beim Essen hätten sie sich dann unterhalten können. Über die alten Zeiten. Und über die neuen. Doch das war immer erst abends möglich, wenn sie ins Apartment zurückkamen, vollgepackt mit Päckchen, Taschen und Tüten. Dann trafen sie sich allerdings nicht in der Küche, die Ruth nur selten betrat, sondern wie am ersten Abend in ihrem Salon, bei Tee und ein paar Keksen.

Meist war es dabei so, dass Ruth fragte und Marie erzählte. Ruths Hauptinteresse galt natürlich Johanna und Peter und deren Zwillingen.

»Anna sieht auf allen Fotos, die Johanna mir geschickt hat, sehr streng aus – ist sie das denn wirklich?«, wollte Ruth wissen.

»Streng? Ich weiß nicht …« Marie zuckte mit den Schultern. »Als streng würde ich sie nicht bezeichnen. Ein wenig verbissen vielleicht. Wenn das überhaupt möglich ist, dann ist Anna noch besessener, als ich es in jungen Jahren war. Manchmal komme ich morgens in die Werkstatt, und dann sitzt sie da und hat die ganze Nacht hindurch an einem ihrer Entwürfe gearbeitet!«

Ruth schaute etwas befremdet – so viel Arbeitseifer war ihr schon immer suspekt gewesen. Dann fragte sie nach Magnus. Und danach, ob er Marie immer noch wie ein Hündchen hinterherlief – Ruth hatte noch nie viel von Maries Lebensgefährten gehalten. Sie wollte wissen, wer alles in der Werkstatt arbeitete und wie er sich dabei anstellte, ob das neue Lager in Sonneberg tatsächlich so viele Vorteile bot und so weiter. »Erinnerst du dich noch an unsere erste Produktion für Woolworth? Das ganze Haus war bis unter die Decke mit Kartons vollgepfropft! Wir konnten uns kaum noch bewegen«, sagte sie lachend.

Marie antwortete auf all ihre Fragen nach bestem Wissen und Gewissen, dennoch musste sie manchmal passen, ob es sich nun um geschäftliche Dinge oder einfach nur um Dorftratsch handelte.

»Bist immer noch meine kleine Marie, die nichts anderes im Kopf hat als das Glasblasen.« Melancholisch lächelte Ruth ihre Schwester an. Dann strich sie ihr in einer seltenen zärtlichen Geste über den Kopf. »Umso mehr freue ich mich über deinen Besuch. Dass Johanna einmal kommt, hätte ich ja erwartet. Aber du ...«

»Mir ging es nicht so gut in letzter Zeit«, murmelte Marie. »Tapetenwechsel war nötig, so nennt man es wohl.«

Obwohl sie Ruths fragenden Blick sah, holte sie nicht weiter aus. Was hätte sie auch sagen sollen? Dass sie sich so ausgetrocknet fühlte wie ein Dörrapfel? Dass sie Angst hatte, auch nur an ihren Bolg zu Hause zu denken? Ihre Schwester gehörte zwar zu ihren größten Bewunderern, dennoch hatte sie mit ihr noch nie über ihre Glasbläserei und über künstlerische Fragen sprechen können. Stattdessen sagte sie:

»Deinem ehemaligen Schwiegervater geht es übrigens auch nicht so gut. Es heißt, er liege im Sterben.«

Ruths Miene verdüsterte sich augenblicklich.

»Interessiert es dich denn gar nicht, wie es Thomas und seiner Familie geht?«, fragte Marie nach einer Weile, als das Schweigen zwischen ihnen immer länger wurde.

»Wenn du es genau wissen willst: Nein!« Ruth rückte energisch mit dem Stuhl nach hinten. »Mir wäre es ehrlich gesagt recht, wenn du erst gar nicht die Rede auf sie bringen würdest. Von mir aus könnte die ganze Bande von heute auf morgen sterben – es wäre mir gleich!«

Marie sah verwirrt auf. »Aber Ruth – das ist doch *auch* ein Teil deines Lebens! Und außerdem: Thomas ist Wandas Vater.«

Im nächsten Moment packte Ruth sie hart am Handgelenk.

»Und wenn es tausendmal so ist – sag das nie wieder, hörst du? Vor allem nicht, wenn Wanda in der Nähe ist. Steven ist der einzige Vater, den Wanda je hatte.«

»Schon recht, schon recht …« Marie winkte ab. »Ich werde mich hüten, noch einen Ton über die Vergangenheit zu sagen«, fügte sie pikiert hinzu.

»Versteh mich nicht falsch«, beschwichtigte Ruth sie, »es sind wirklich nur die Heimers, von denen ich nichts mehr wissen will. Auch wenn es lange her ist – mein Leid von damals kann ich einfach nicht vergessen. Das verstehst du doch, oder?«

Ganz so einfach wollte Marie es ihrer Schwester nicht machen. »Schon – trotzdem finde ich es seltsam, dass du Wanda nie von ihrem wirklichen Vater erzählt hast. Irgendwie hat sie doch ein Recht darauf zu erfahren, wo sie herkommt, oder? Sie würde Steven deshalb doch nicht weniger lieben.«

Sie an Wandas Stelle würde es jedenfalls wissen wollen, wenn sie die Tochter eines der besten Glasbläser von ganz Lauscha wäre!

»Oder schämst du dich womöglich wegen deiner Scheidung? Dass Ehen geschieden werden, ist doch gar nicht mehr so selten. Sogar die Freifrau von Thüringen hat sich …«

Ruth schüttelte vehement den Kopf. »Darum geht es nicht. Wenn Wanda wüsste, dass Steven nicht ihr leiblicher Vater ist, würde das alles nur noch komplizierter machen, glaub mir. Von wegen ›ein Recht darauf haben‹, so etwas wäre Wasser auf Wandas Mühlen!« Sie seufzte tief. »Manchmal weiß ich wirklich nicht mehr weiter mit ihr. Meine Tochter beharrt ständig auf ihren Rechten, aber wehe, man verlangt von ihr, auch die Pflichten einzuhalten! Davon will sie nichts hören! In diesem Punkt ähnelt sie ihrem Vater ungemein.«

»Hah – jetzt hast *du* aber Thomas genannt und nicht ich!«, triumphierte Marie.

»Und eher schneide ich mir die Zunge ab, als dass es nochmals passiert!«, gab Ruth grinsend zurück. »Und was Wanda angeht: Vielleicht wird sie ja wieder ein wenig umgänglicher, wenn sie und Harold erst einmal verheiratet sind.« Sie biss sich auf die Unterlippe. »Wenn es nur schon so weit wäre … Allerdings bin ich mir ziemlich sicher, dass die beiden über einen Kuss noch nicht hinaus sind. Nicht, dass ich Wanda zu mehr ermutigen wollte, versteh mich bitte nicht falsch! Aber ich wundere mich ein bisschen, dass die beiden so geschwisterlich zueinander sind. Wenn ich so zurückdenke, wie es mir damals mit … Thomas ergangen ist … Ich hatte es kaum erwarten können, endlich in seinen Armen zu liegen. Na ja, und als sich dann Wanda ankündigte, hat es mit der Hochzeit nicht schnell genug gehen können …« Sie lächelte versonnen.

»Vielleicht ist dieser Harold einfach nicht der Mann ihrer Träume«, sagte Marie und musste an Magnus denken. Auch sie hatte noch nie viel empfunden, wenn er sie in den Arm nahm, und wenn sie sich ihm hingab, dann meistens ihm zuliebe. »Vielleicht ist es auch so, dass manche Frauen weniger erotisch veranlagt sind als andere.«

Ruth warf Marie einen skeptischen Blick zu. »Wie dem auch sei, ich hoffe, dass Harold Wanda bald einen Antrag macht! Er muss sich zwar beruflich erst noch etablieren, sagt Steven. Doch meiner Ansicht nach könnte sie keinen Besseren kriegen.«

»Ruth!«, sagte Marie entsetzt. »Das hört sich ja an, als könntest du nicht erwarten, deine Tochter loszuwerden! Wanda ist gerade einmal achtzehn Jahre alt – ist das nicht ziemlich jung zum Heiraten?«

»Worauf soll sie warten?«, antwortete Ruth. »Darauf, dem Falschen zu begegnen und denselben Fehler zu begehen wie ich? Oder als alte Jungfer bei einer kräftezehrenden Sklavenarbeit zu versauern? Stell dir vor, dieses Frühjahr kam sie doch tatsächlich mit der Idee daher, Krankenschwester zu werden! Ich habe geglaubt, nicht richtig zu hören. Meine

Wanda im blutverschmierten Kittel? Gott sei Dank hat sich durch eine meiner Freundinnen kurz darauf eine Stelle in einer Galerie für sie ergeben.« Sie schüttelte heftig den Kopf. »Krankenschwester – als ob sich ein Mann ernsthaft für solch ein verhärmtes, abgearbeitetes Wesen interessieren würde!«

»Aber wenn es ihr Wunsch ist, anderen Menschen zu helfen? Solltest du dich nicht darüber freuen? Wenn sie erst einmal für ein Weilchen Bettpfannen geleert und eitrige Verbände gewechselt hat, verliert die Arbeit wahrscheinlich von selbst ihren Reiz. Durch eure ewigen Verbote stachelt ihr Wanda doch erst so richtig an.«

»Was für ein Blödsinn! Es hält sie doch niemand davon ab, Bedürftigen zu helfen. Auch ich gehe einmal wöchentlich ins Krankenhaus und lese den Kranken etwas vor. Wie oft habe ich sie schon gefragt, ob sie mitkommen will! Aber das heißt noch lange nicht, dass sie einen Beruf daraus machen soll!«

»Wenn deine Tochter auch nur ein wenig von dir und deinem Dickkopf hat, wirst du es schwer haben, aus ihr das Salonpüppchen zu machen, welches dir anscheinend als ideale Tochter vorschwebt«, sagte Marie ironisch. Sie gab Ruth einen kleinen Schubs. »Und jetzt lass uns nochmals meine Vokabeln von gestern durchgehen, ich will mich später nämlich an das nächste Kapitel in meinem Englischbuch machen.«

Ruth stöhnte. »Nicht schon wieder! Können wir unsere Übungsstunde nicht ausnahmsweise ausfallen lassen? Du sprichst doch schon ganz wunderbar!«

»Aber ich will auch alles verstehen! Und daran hapert es eben immer noch«, erwiderte Marie und schlug stoisch ihr Wörterbuch auf.

*

Den ganzen Tag hatte sie sich die Hacken abgelaufen. Eine Sekretärinnenstelle ganz in der Nähe von Harolds Bank – Wanda hatte sich schon ausgemalt, wie sie sich jeden Mittag zum Essen treffen würden. Eine andere Stelle war bei der städtischen Schulbehörde frei gewesen, wo sie für die Ausgabe von Büchern an bedürftige Kinder zuständig gewesen wäre. Als Letztes dann eine Stelle als Rezeptionistin im Waldorf Astoria – alles vergeblich. Kaum hatten die Herren in den grauen Anzügen die Verbindung zwischen ihrem Namen und Miles Enterprises hergestellt, war sie ihnen augenblicklich zu jung gewesen. Oder die Stelle war plötzlich schon vergeben. Lediglich im Waldorf Astoria hatte man ihr klipp und klar gesagt, dass man mit »jungen Damen aus ihrem Umfeld« keine guten Erfahrungen gemacht habe – diese hätten vor allem mit den an- und abreisenden Gästen geflirtet, statt sich der Arbeit zu widmen. Wanda hatte es sich erspart zu erwidern, dass sie ihre Arbeit sehr wohl ernst nehmen würde, wenn man sie nur ließe!

Nach diesem frustrierenden, ergebnislosen Tag waren nun ihre Knöchel geschwollen, ihre Beine schmerzten, und die Wut in ihrem Bauch tat auch weh. Am liebsten hätte sie sich für den Rest des Abends in ihrem Zimmer verkrochen. Andererseits bekam sie Tante Marie sowieso schon sehr wenig zu sehen – so wie Mutter sie in Beschlag nahm! Und Hunger hatte sie auch. Also saß sie verstimmt mit ihren Eltern und Tante Marie am Abendbrottisch, wo Lou-Ann mit glänzenden Augen einen eigens auf Maries Wunsch und nach deren Angaben gekochten Kartoffelauflauf servierte. Während ihre Mutter argwöhnisch die knusprige Käsehaube beäugte und schützend ihre Hand über den Teller hielt, bevor Lou-Ann mehr als ein Löffelchen darauftun konnte, ließ sich Wanda gleich zwei Portionen geben. Nun, mal sehen, was man in Thüringen hinter den sieben Bergen so zu sich nahm.

»Schaut mal, was ich mir heute gekauft habe! Einen Stadtführer von New York! In Englisch.« Stolz zog Marie ein Buch aus ihrer Hosentasche und gab es Steven.

Noch immer wunderte sich Wanda, wie ihre Tante es geschafft hatte, gleich in der zweiten Woche Mutters Kleiderordnung zu umgehen, doch irgendwie war es ihr gelungen. Zumindest zu Hause trug sie Hosen und dazu enge, taillierte Oberteile, die geschnitten waren wie ein Herrenhemd, an der Knopfleiste entlang und an den Ärmelbündchen jedoch mit Rüschen verziert. In ihrer Beinkleidung sah Marie so verwegen aus, dass Wanda sich an die Geschichte der drei Musketiere erinnert fühlte. Gern hätte sie auch einmal …, doch das würde Mutter nie zulassen! Nicht bei ihr.

»Was für eine gute Idee! Eigentlich hättest du gleich von Anfang an einen *City Guide* haben sollen«, sagte ihr Vater und warf seiner Frau einen liebevollen Blick zu. »Ruths Kenntnisse, wo sich der beste Schuhladen und das eleganteste Bekleidungsgeschäft befinden, sind zwar in der Tat sehr umfangreich. Wenn es jedoch darum geht, das Baujahr und den Architekten eines Gebäudes zu benennen, muss meine geliebte Gattin meistens passen, nicht wahr?«

Ruth zuckte gleichgültig mit den Achseln. Wen interessierte so etwas?

»Also, ich glaube ja, dass die Autoren nur voneinander abschreiben. Von denen haben die meisten noch gar keinen Fuß in die Stadt gesetzt!«, sagte Wanda laut. Gleichzeitig ärgerte sie sich darüber, dass sie nicht daran gedacht hatte, der Tante solch einen Stadtführer zu schenken. Dann hätten sie vielleicht einen der darin erwähnten Ausflüge zusammen machen können.

Marie warf ihr einen fragenden Blick zu. »Meinst du? Ich finde das Buch sehr informativ. Vor allem den Abschnitt über die New Yorker Brücken – den habe ich natürlich als Erstes verschlungen! Wartet, ich zeige euch etwas.«

Die anderen am Tisch lachten – Maries Faszination bezüglich der New Yorker Brücken war inzwischen bekannt.

»Schaut, der Bau der Brooklyn Bridge!« Marie zeigte auf eine Fotografie, auf der ein Dutzend grinsender Arbeiter zwischen Drahtseilen herumturnten.

»Da steht, dass man 14000 Meilen Eisenkabel gebraucht hat! Und am Ende ist alles dreimal so teuer geworden wie geplant.«

»Steht auch in dem Buch, wie viele Arbeiter beim Bau der Brücke ums Leben gekommen sind?« Betont interessiert beugte sich Wanda über die Seite. »Und dass Tausende von armen Immigranten jahrzehntelang für gerade einmal zwei Dollar Tageslohn dafür haben schuften müssen?«

»Wanda!«, kam es mahnend von Ruth.

»Was heißt hier Wanda? Bist nicht du diejenige, die immer sagt, jedes Ding hätte zwei Seiten? Wo viel Licht ist, ist auch viel Schatten. Wo Reichtum ist, da ist auch Armut. Das gilt für New York doch im besonderen Maße. Ihr zeigt Tante Marie nur den Teil der Stadt, den sie eurer Meinung nach sehen soll. Wie kann sie sich da ein eigenes Bild machen?«

»Oje, jetzt kommst du wieder mit deinen sozialen Ansichten! Ich glaube kaum, dass Marie den weiten Weg hierher gemacht hat, um sich Armenviertel anzuschauen«, erwiderte Ruth kühl.

»Darum geht es nicht nur!«, rief Wanda aus. »Als Künstlerin will Tante Marie doch sicher mehr sehen als nur den Broadway mit seiner Huldigung an den Kommerz. Oder die Veranstaltungen im Madison Garden. Die wahre Kunst findet doch heutzutage längst woanders statt. Pandora sagt …«

»Bitte erspare uns die Ansichten deiner verrückten Tanzlehrerin zu diesem Thema«, unterbrach Steven sie knapp. Dann wandte er sich wieder Marie zu.

»In einem hat Wanda Recht«, er bedachte seine Tochter mit einem kurzen, ungnädigen Blick, »New York ist ein Gesamtkunstwerk. In einer Zeit, wo es keine neuen Welten mehr zu entdecken gibt, wird hier von Menschenhand eine Weltmetropole geschaffen. Es ist eine Gnade für jeden von uns, daran teilhaben zu dürfen.«

»So poetisch kenne ich dich gar nicht!« Marie gab Steven einen kleinen Knuff. »Erzähl weiter, es macht Spaß, dir zuzuhören.«

Warum konnte sich ihre Tante zur Abwechslung nicht einmal mit ihr unterhalten? Eingeschnappt widmete sich Wanda wieder ihrem Essen. Die Kartoffelpampe schmeckte eigentlich ganz gut.

Steven zeigte zum Fenster. »Dort draußen, in diesen Straßenschluchten, die teilweise so schmal sind, dass man die Sterne und den Mond nicht mehr sehen kann, gibt es täglich Tausende von Chancen. Ob man gewinnt oder verliert – das hat jeder selbst in der Hand. Für mich ist das die wahre Schönheit dieser Stadt.«

»Chancen!«, giftete Wanda, bevor Marie wieder diesen seligen Gesichtsausdruck bekommen konnte. »Du solltest nicht alles glauben, was Vater sagt. Wenn du nämlich jung und eine Frau bist, dann hast du so gut wie keine Chancen. Dann wird dir ständig nur gesagt, was du nicht darfst.«

Verwirrt schaute Marie sie an. »Wie meinst du das?«

»Wahrscheinlich spielt sie wieder auf ihre Arbeitssuche an. Musst du unseren Gast damit langweilen?«, wies Steven Wanda ungewohnt scharf zurecht.

Und Ruth fügte an: »Wie oft soll dir dein Vater noch Arbeit bei Miles Enterprises anbieten? Deine Aufsässigkeit wird allmählich wirklich albern.«

»Und wie oft soll ich euch noch sagen, dass ich nicht im elterlichen Unternehmen unterschlüpfen werde?«, äffte Wanda den Ton ihrer Mutter nach. Dann fügte sie mit normaler Stimme hinzu: »Vater ist in meinem Alter schließlich auch zu Woolworth gegangen und nicht zu seinem Vater!«

»Harold ist auch nicht begeistert von deinen Flausen«, tat Ruth kund, als hätte Wanda gar nichts gesagt. »Er hat sich schon darüber beklagt, dass er dich viel zu wenig zu sehen bekommt.«

»Blast nur alle in ein Rohr, Harold und ihr!«

Und so ging es hin und her. Mal wurde der Ton schärfer, mal kühlte er noch mehr ab. Nach einem besonders heftigen Wortwechsel schluchzte Ruth plötzlich auf.

»Ruth, Liebes, nicht weinen!« Mit großer Zärtlichkeit strich Steven seiner Frau die Tränen von den Wangen.

Sie hob ihm ihr Gesicht entgegen.

»Was haben wir nur falsch gemacht? Sie hat doch alles bekommen, oder etwa nicht?«, flüsterte sie mit tränenerstickter Stimme.

Wanda schluckte. Die beiden sprachen wieder einmal über sie, als wäre sie nicht da! Sogar Tante Marie ignorierten sie.

»Junge Menschen sind in dem Alter so. Zumindest heutzutage. Ich bin mir sicher, dass Wanda sich in angemessener Art für ihr Verhalten entschuldigen wird und …« Steven sprach in beruhigendem Ton auf Ruth ein.

Ruckartig schob Marie ihren Stuhl nach hinten.

»Jetzt reicht's! Ihr habt sicher nichts dagegen, wenn ich mich entschuldige. Diesen Zirkus hält doch kein Mensch aus.«

»Marie, so bleib doch!« Hilflos fuhr Ruth auf. »Ich kann nicht zulassen, dass Wanda nun auch noch dich vertreibt.«

»Wieso sie? *Ihr* stellt euch doch an, als ob sie die erste Frau sei, die arbeiten will.«

Kopfschüttelnd verharrte Marie in der Tür.

»Ich weiß gar nicht, wo euer Problem ist. Auf der einen Seite erzählst du mir ständig, dass New York die Stadt der tausend Möglichkeiten ist«, sagte sie zu Steven. »Aber wenn eure Tochter versucht, eine davon zu ergreifen, dann macht ihr ein Mordstheater! Du meine Güte – sie hat doch nicht vor, den Mond zu polieren! Sie will doch lediglich ein paar Blocks von hier entfernt irgendwo arbeiten gehen.«

Perplex starrte Wanda sie an – so kannte sie die deutsche Tante gar nicht!

Ruth runzelte die Stirn. »So einfach ist das alles nicht. Es gibt gewisse Konventionen, die …«

Marie lachte. »Konventionen! Als wir in Wandas Alter waren, waren uns die auch *furchtbar* wichtig!«, sagte sie ironisch. »Offenbar hast du vergessen, dass wir auch einmal jung waren …«

Kopfschüttelnd verließ sie den Raum.

7

»Stop, stop, meine Trampeltierchen. Wir machen Pause!« In die Hände klatschend scheuchte Pandora Wilkens ihre Schülerinnen in eine Ecke des Raumes, wo ein Tisch mit einer Wasserkaraffe stand.

»Ihr müsst trinken!«, rief sie. »Wasser ist ein Elixier des Lebens. Wasser und Luft, Luft und Wasser, merkt euch das!«

Marie hielt sich die Seite. »Ich kann nicht mehr, es sticht so fürchterlich«, keuchte sie. Ermattet ließ sie sich auf dem von Millionen Fußtritten abgewetzten Parkettboden nieder. Mit zittriger Hand stellte sie das Glas Wasser, das Wanda ihr reichte, neben sich ab.

Als Wanda sie am Morgen gefragt hatte, ob sie Lust habe, mit zu ihrer wöchentlichen Tanzstunde zu kommen, hatte sie ihre Nichte nicht vor den Kopf stoßen wollen. Es war das erste Mal, dass Wanda auf sie zugekommen war. Und so hatten sie sich gemeinsam auf den halbstündigen Marsch zum südlichsten Zipfel von Manhattan gemacht. Marie hatte nicht schlecht gestaunt, als Wanda vor einem heruntergekommenen Steinhaus anhielt, dessen Vorderfront wie von einem Korsett von drei steilen Eisentreppen ummantelt war.

Eine Tanzstunde – hier? Wo sollte hier ein Ballettsaal sein?

Wo die Kristallspiegel? Wo der Plüsch und Pomp? Schon beim Betreten des Umkleideraumes, der nicht mehr als eine bessere Besenkammer war, hatte Marie festgestellt, dass eine Tanzstunde bei Pandora Wilkens nichts mit der romantischen Vorstellung zu tun hatte, die sie sich von einem solchen Zeitvertreib feiner junger Damen gemacht hatte.

Mit dem Handrücken wischte sie sich jetzt den Schweiß von der Stirn.

»Warum muss unsere erste gemeinsame Unternehmung ausgerechnet aus solch einer Quälerei bestehen?«, stöhnte sie bei dem Versuch, wieder aufzustehen.

Wanda lachte. »Du atmest falsch, das ist dein Problem.«

»Wie kann man falsch atmen?«, presste Marie hervor. »Ich bin froh, dass ich überhaupt noch zum Atmen komme!« Was mache ich hier eigentlich, fragte sie sich dann, während sie schluckweise an dem abgestandenen Wasser nippte. Sie kam sich so fürchterlich deplatziert vor! Die »Trampeltierchen«, wie Pandora ihre Schülerinnen nannte, waren alle mindestens zehn Jahre jünger als Marie. Und keine keuchte wie ein altes Weib, das gleich aus den Latschen kippt. Hah – Latschen! Die hatten sie ausziehen müssen, sobald sie den Raum betraten. Wie ihre Strümpfe und ihre Korsetts auch – Wandas Lehrerin hatte ihre eigene Vorstellung von tanztauglicher Kleidung! Unauffällig schaute Marie zu ihr hinüber. Wenn man sie so stehen sah, konnte man nicht annehmen, dass sich hinter der kleinen Statur und dem fast pummeligen Körper ein so temperamentvoller Mensch verbarg. Pandoras puppenhaftes Gesicht und die blonden, krausen Locken erweckten ebenfalls eher den Eindruck, als würde sie am liebsten ein gemächliches Menuett tanzen. Doch von wegen! Gleich zu Beginn der Tanzstunde hatte sie eine Kostprobe ihres Könnens gegeben: Die Trampeltierchen hatten sich in einem Kreis aufstellen und dann niederknien müssen. Mit einem huldvollen Lächeln war Pandora in die Mitte getreten und hatte dem Klavierspieler in der Ecke –

er hieß Ivo und war Russe, hatte Wanda Marie zugeflüstert – ein Zeichen gegeben.

»Mein Tanz heißt ›Eskapade‹«, hatte Pandora noch verkündet, bevor sie und Ivo in einem Wirbel aus wilden Tönen und unglaublichen Verrenkungen aufgingen. Noch nie hatte Marie einen Menschen solche Bewegungen ausführen sehen! Sie waren fremd und jede Sitte verletzend. Regungslos hatte sie beobachtet, wie Pandora sich schließlich vor ihnen auf den Boden warf, als wäre sie von einem tödlichen Pfeil getroffen worden.

In einem Zug trank Wanda jetzt ihr Wasser aus.

»Ich rate dir, deinen Atem in den Griff zu bekommen«, sagte sie zu Marie und hielt ihren leeren Becher wie eine Trophäe in die Höhe. »Die Bewegungen gerade eben waren nur zum Aufwärmen. Im Anschluss an die Pause wird Pandora uns die heutige Aufgabe stellen.«

Marie seufzte. »Allmählich glaube ich, dein Vater hatte gar nicht so Unrecht, als er deine Tanzlehrerin als verrückt bezeichnete!«

»Stellt euch vor, es wäre tiefster Winter«, forderte Pandora, nachdem sie sich wieder in einem Kreis formiert hatten. »Euch ist schrecklich kalt, vielleicht habt ihr auch Hunger und keinen Platz zum Aufwärmen. Wie fühlt ihr euch dabei? Diesen Ausdruck will ich in eurem Tanz sehen. Also schließt die Augen und friert!«

Die Mädchen stöhnten.

»Warum ausgerechnet Winter?«, fragte eine junge Frau.

Pandora schaute missbilligend in ihre Richtung. »Dass wir schwitzen, brauchen wir uns ja wohl nicht erst vorzustellen, oder?«

Theatralisch wischte sie sich den Schweiß aus der Stirn.

Marie lachte wie alle anderen auch, doch wohl war ihr dabei nicht. Wie peinlich das Ganze war!

Doch als Ivo eine schwermütige Weise anschlug, war der Winter plötzlich gar nicht mehr so weit entfernt. Ivos Töne erzählten von Russland, von kaltem Wind und leer gefegter Steppe.

Ein erstes Schauern rann durch Maries Körper, doch zu einer Bewegung war sie nicht fähig.

»Mach die Augen zu«, ermahnte Pandora sie flüsternd im Vorbeigehen.

Mit geschlossenen Augen begann Marie plötzlich zu sehen. Eiskristalle, pulvrig aufgeplustert wie durch ein Mikroskop. Eine Fensterscheibe, der Holzrahmen verwittert, Finger, die kalte Linien malten. Maries rechte Hand ging unvermittelt in die Höhe, gefolgt von ihrer linken. Sanft beugte sich ihr Körper dabei nach vorn.

Eiskristalle!

Einer schöner als der andere. Kleine Welten, die bei der ersten Berührung zerflossen.

Wie in Trance begann Marie sich hin und her zu wiegen.

Einen nur festhalten können, einen nur!

Ihre Finger umklammerten die Luft, suchend, fordernd.

Schneller, sie musste schneller sein als das Eis, sie musste sich drehen, drehen …

Plötzlich war die Musik vorüber, und Pandora klatschte in die Hände.

»Sehr gut, meine Trampeltierchen! Tief durchatmen und die Arme schwenken«, befahl sie.

Benommen schlug Marie die Augen auf.

Pandora fragte eines der Mädchen, wie es ihr ergangen sei.

»Ich habe mir vorgestellt, ich laufe mit meiner Mutter im Januar durch die Stadt und habe meinen Mantel vergessen. Brrr, war das kalt!«

Die anderen lachten.

Pandora nickte der Nächsten zu.

»Ich dachte an die Eisbären im Zoo. Und daran, dass sie immer kaltes Wasser um sich haben müssen.«

»Und was hat sich unsere Besucherin vorgestellt?« Abrupt drehte sich die Lehrerin zu Marie um.

»Ich …« Verwirrt machte sie einen Schritt nach hinten.

»Keine Angst, das machen wir immer so«, raunte Wanda. Marie zögerte dennoch kurz. Warum eigentlich nicht?

»Ich habe mich an etwas erinnert, woran ich schon lange nicht mehr gedacht hatte. Und ich habe mich dabei wunderbar gefühlt!« Immer noch fassungslos schüttelte sie den Kopf. »Ich war ein junges Mädchen, gerade einmal so alt wie Wanda oder einige der anderen.« Marie blinzelte in die Runde. »Es war kurz vor Weihnachten, und ich habe mir den Kopf zerbrochen, womit ich meinen Schwestern zum Fest eine besondere Freude machen könnte. Doch mir wollte nichts einfallen – wir waren arm und hatten kein Geld für Geschenke«, fügte sie hinzu. »Eines Nachts stand ich an unserem zugefrorenen Fenster und schaute hinaus, als mein Blick auf die Eiskristalle fiel, die sich an der Scheibe gebildet hatten. So glänzend, so schön, so eiskalt!«

Sie lächelte versonnen.

»In jener Nacht habe ich mich zum ersten Mal an den Bolg gesetzt. Das ist der Arbeitsplatz der Glasbläser in meiner Heimat«, fuhr sie fort. »In jener Nacht habe ich meine erste gläserne Christbaumkugel geblasen und diese später mit Eiskristallen bemalt. Den Winter wollte ich einfangen, unbedingt!«

»Tante Marie ist eine sehr berühmte Glasbläserin«, fügte Wanda stolz hinzu. »Ihr Baumschmuck wird in der ganzen Welt verkauft. Wahrscheinlich hängen ihre Kugeln auch an euren Bäumen.«

Mit glänzenden Augen schauten die Mädchen Marie daraufhin an.

»Wie romantisch!«

»Und wie ging es dann weiter?«

»Was haben deine Schwestern zu der Überraschung gesagt?«

Lächelnd beantwortete Marie ihre Fragen, während Pandora stirnrunzelnd daneben stand.

»Und was hat Mutter in dieser Zeit gemacht?«, wollte
Wanda wissen, deren Augen noch glänzender als die der anderen Mädchen waren.

Maries Hochstimmung verschwand abrupt. *Deine Mutter
war hochschwanger mit dir – von einem Mann, dessen Namen
man heute in ihrer Gegenwart nicht einmal mehr nennen
darf!*

»Ruth hat ...«, krampfhaft suchte sie noch nach einer pas-
senden Antwort, als Pandora erneut in die Hände klatschte.

»Genug von Weihnachtsschmuck und solchen Geschichten!« Sie scheuchte ihre Schülerinnen auseinander. »Wir sind
schließlich des Tanzes wegen hier! Und deshalb werde ich euch
noch etwas vortanzen. Ein Kreis, bitte, marsch, marsch!«

Als sie später nach Hause gingen, fühlte sich Marie so gut wie
lange nicht mehr. Ihr kam es vor, als hätte das Tanzen riesige
Eisschollen in ihrem Innersten aufgebrochen. Wie weggeblasen war ihre Regungslosigkeit, ihre innere Erstarrung. Auf
einmal hätte sie die ganze Welt umarmen wollen! Stattdessen
hakte sie sich bei Wanda unter.

»Deine Pandora ist wirklich eine wahre Künstlerin!«

Von da an unternahm Marie öfter etwas mit Wanda. Sie
machten einen Spaziergang durch den Park, gingen Kaffee
trinken oder auch in eine Bibliothek, wo sie sich mit Wandas
Bücherausweis schwere Bildbände über Amerika holten. Einmal führte Wanda sie in einen Laden für Künstlerbedarf, den
Marie jedoch tief deprimiert wieder verließ: Nicht einmal der
Anblick der vielen Hundert Farben weckte in ihr die Lust,
selbst zu Stiften und Pinsel zu greifen. Im Gegenteil, sie war

froh, dass sie nicht malen musste! Sie erzählte Wanda, die ihr offensichtlich mit dem Besuch dieses Ladens eine Freude machen wollte, nichts von ihrer Aversion, doch sie war zutiefst beunruhigt.

Ruth beäugte diese Ausflüge eifersüchtig. Am liebsten hätte sie Marie ganz für sich behalten. Da dies jedoch nicht möglich schien, wollte sie zumindest einen Nutzen aus der ganzen Sache ziehen.

»Bitte versuche, Wanda von ihrer lächerlichen Arbeitsuche abzubringen – tu es mir zuliebe!«, flehte sie Marie an. »*Wir* mussten damals arbeiten, sie muss es nicht! Zumindest nicht für Geld – Arbeit für einen guten Zweck ist natürlich etwas anderes. Aber so, wie Wanda sich anstellt, könnten die Leute den Eindruck gewinnen, bei uns käme nicht genug Essen auf den Tisch! Wahrscheinlich zerreißen sie sich längst hinter unserem Rücken die Mäuler. Schlag ihr vor, sich einer wohltätigen Sache zu widmen! Stevens Nichte Dorothy zum Beispiel ...«

»Wenn sich die Gelegenheit ergibt, werde ich sehen, was sich machen lässt«, erwiderte Marie vage. Sie würde sich hüten, ins gleiche Horn zu blasen wie Ruth mit ihren Vorstellungen davon, was man in ihren Kreisen tat und was nicht! *Sie* stammte schließlich nicht aus diesen Kreisen, oder? Außerdem war es nicht so, dass sie und Wanda mit einem Schlag enge Vertraute geworden wären – Wanda hatte ihr bis heute noch nicht einmal ihren Verlobten vorgestellt. Sie unternahmen etwas zusammen, doch das hieß noch lange nicht, dass sie ihr Seelenleben voreinander ausbreiteten.

Zur nächsten Tanzstunde ging Marie wie selbstverständlich wieder mit. Der spielerische Tanz zu Ivos Klaviermusik hatte ihr Spaß gemacht, warum sollte sie sich nicht noch einmal darin versuchen?

Anfänglich dachte sie, die Aufgabe dieser Woche – Pandora las ein Gedicht über einen eingesperrten Panther vor, in den sie sich anschließend hineinfühlen sollten – würde ihr nicht liegen. Doch kaum schlug Ivo seine Melodie an, war Marie schon mitten in dem großen schwarzen Tier, fühlte seine Enge, seine Ohnmacht. Ihr Herz begann heftiger zu klopfen, ihre Arme und Beine bewegten sich aus eigenem Willen. Als die Musik endete, war sie froh, wieder in ihre eigene Haut schlüpfen zu können.

Später, nachdem sie sich umgezogen hatten, nahm Wanda Marie noch einmal mit zu der Tänzerin. Pandora war gerade dabei, das von ihren Schülerinnen eingesammelte Geld zu zählen, als Wanda sich räusperte.

»Es ist so … Marie, meine Tante, kommt doch … aus Deutschland«, sagte Wanda.

Erstaunt hob Marie die Augenbrauen. Was hatte das junge Mädchen jetzt wieder vor?

»Ja und?« Pandora steckte ein Bündel Geldscheine in das Kistchen vor ihr auf dem Tisch, dann begann sie, Münzen zu zählen.

»Und du hast einmal erzählt, dass deine Vorfahren auch aus Deutschland kommen und du ganz gut Deutsch sprichst«, fuhr Wanda fort. »Da habe ich mir gedacht, wir könnten doch einmal etwas zu dritt unternehmen! Vielleicht eine Tasse Kaffee trinken oder ein Eis essen … Dann könntet ihr euch auch mal über Deutschland unterhalten …«

Marie spürte, wie ihr die Röte ins Gesicht schoss. Wie peinlich!

»Wanda! Ich halte es für keine gute Idee, dass du …«

»Aber warum denn nicht? Das können wir gern machen«, unterbrach Pandora sie freundlich. Sie fuhrwerkte abermals mit einem kleinen Schlüssel im Schloss ihrer Geldschatulle herum und holte einen Schein heraus.

»Ich habe den ganzen Tag noch nichts gegessen und einen

Riesenhunger! Wenn ihr Lust habt, könnt ihr ja mitkommen. Aber ich warne euch – ich weiß noch nicht, wohin mein Appetit mich verschlagen wird!«

Mit großer Geste warf sie sich eine tiefrote Stola über die Schultern und marschierte los, ohne sich noch einmal nach Marie und Wanda umzudrehen.

Den beiden blieb nichts anderes übrig, als ihr zu folgen.

»Musste das sein? Ich komme mir vor wie ein Hündchen, das ausgeführt wird«, zischte Marie ihrer Nichte zu. Doch Wanda grinste nur.

Was folgte, war ein Rundgang – ein kulinarischer noch dazu – durch ein Marie bislang völlig unbekanntes New York: Zuerst führte Pandora sie in die East Side. Hier, wo mehr als 400 000 Juden lebten, wohnte auch ihre Familie, doch Pandora hatte nicht vor, sie zu besuchen. Stattdessen betrat sie ein kleines Restaurant, in dem gerade einmal drei Tische Platz hatten, und bestellte *Gefilte Fish*, grobkörniges Roggenbrot und *Schmear*, einen nach Senf schmeckenden Brotaufstrich.

Ausgehungert fiel Marie über das fremde, aber wohlschmeckende Essen her – bei Ruth hatte es wieder einmal nur Salat gegeben. Dass sie die einzigen Frauen in dem kleinen Raum waren und dass die Männer um sie herum ihre Schläfenhaare zu zwei Zöpfchen geflochten unter einer kleinen Haube trugen, störte sie nicht weiter. Die Lower East Side sei der am engsten bevölkerte Ort der Welt, offenbarte Pandora zwischen zwei Bissen. »Zumindest will das einer dieser schlauen Statistiker errechnet haben.« Sie zuckte mit den Schultern. »Ich weiß nur, dass es hinter den hohen Fassaden hier fürchterlich eng zugeht. Über zwanzig Menschen leben oft in einem Raum – kannst du dir das vorstellen? Ich bin jedenfalls froh, nicht mehr hier wohnen zu müssen.«

»Bei uns in Lauscha sieht's eigentlich nicht wesentlich anders aus. Viele Familien schlafen, essen und arbeiten in einem einzigen Raum.« Marie kicherte. »Diejenigen, die wie wir Christbaumkugeln herstellen, trifft man nie ohne Glitzerpuder im Gesicht und auf der Kleidung an, der feine Glasstaub setzt sich einfach überallhin.«

Pandora nickte wissend. »Das kenne ich auch, bei den Schneidern hier ist's nicht anders. Nur landen da die Stofffusseln in der Suppe und die Stecknadeln manchmal auch im Bett. Es heißt, dass in ganz New York über eine Million Juden leben, und die meisten kommen wie meine Familie aus Europa«, erklärte sie weiter.

Als der Kellner ihnen Nachschub anbot, hätte Marie zu einer weiteren Portion des Fisches nicht Nein gesagt. Doch Pandora winkte ab. »Das war nur die Vorspeise«, sagte sie geheimnisvoll und zahlte. Mit einem Ruck stand sie anschließend auf und war im nächsten Moment draußen auf der Straße.

Marie und Wanda schauten sich an und lachten. Dann rannten sie hinter Pandora her.

Einfach nur Spaß haben ... Plötzlich hatte Marie wieder den Vorsatz ihrer Reisebekanntschaft Gorgi im Ohr. Eigentlich war es doch ganz einfach!

Sie aßen klebrigen Reis aus kleinen Schüsseln in Chinatown, scharfen Gulasch in einem ungarischen Restaurant und Spagetti mit Muscheln in Little Italy. Die Vorstellung, dass sie wahrscheinlich die halbe Nacht damit verbringen würden, das unheilvolle Gemisch wieder von sich zu geben, erheiterte sie so, dass ihnen vor lauter Lachen Tränen über die Wangen liefen.

Wohin sie auch gingen – Pandora war überall bekannt. Und sie zog die Aufmerksamkeit der Leute auf sich wie ein Rad schlagender Pfau. In jedem Restaurant wurde sie mit Handschlag begrüßt, bekam ein Extra-Gläschen Wein oder einen Brotkorb hingestellt. Jeder schien sich über ihren Besuch zu freuen, was Marie nicht wunderte: Pandora hatte eine so fröhliche Ausstrahlung, dass sie einen mit ihrer guten Laune einfach mitriss. Dass sie mit ihr reden konnte, wie ihr der Schnabel gewachsen war – nämlich auf Deutsch –, fand Marie ebenfalls sehr angenehm.

»Dass es in New York so … gemütliche Ecken gibt, hätte ich nicht für möglich gehalten! Dieses Restaurant ist nicht größer als die Gasthöfe bei uns daheim«, sagte sie zwischen zwei Gabeln Spagetti. »Und jeder kennt hier jeden!«

Während sie über ihren Gläsern mit Rotwein kicherten, merkten sie nicht, dass sie die Blicke der Männer am Tresen auf sich zogen.

»Wer sind die drei?« Gebannt starrte Franco de Lucca zu Marie hinüber. Ihre Haare hatten sich während der Tanzstunde aus dem Knoten gelöst und umhüllten nun wie ein Cape ihre schmalen Schultern. Mit ihren hohen Wangenknochen, den grauen Augen, die keine Spur zu hell oder zu dunkel glänzten, und ihrer überaus schlanken Gestalt kam sie ihm aristokratischer vor als jede Contessa, die seine Mutter ihm im Versuch, ihren einzigen Sohn zu verheiraten, je vorgestellt hatte.

Irgendwie erinnerte sie ihn auch ein bisschen an Serena. Dieses arglose, fast kindliche Lachen, ohne eine Spur von Koketterie, dafür mit so viel Fröhlichkeit, die ihm fast fremd vorkam … Franco spürte einen Stich in seiner Brust. Er konnte sich nicht daran erinnern, wann er das letzte Mal so frei herausgelacht hatte.

Der Patrone des *Ristorante* erwiderte: »Die mit dem roten Schal ist Pandora, die verrückte Tänzerin. Wahrscheinlich sind die beiden anderen Hühner auch Tänzerinnen oder Malerinnen oder so etwas. Was ist, soll ich sie herbitten?« In seinem Eifer, Franco einen Gefallen tun zu können, war er schon um die Theke herumgelaufen.

Doch Franco schüttelte fast unmerklich den Kopf.

»Lass nur, ich habe jetzt keine Zeit, mein nächster Termin wartet schon. Sie sieht nicht aus wie eine Amerikanerin«, fügte er nachdenklich hinzu, die Augen weiter auf Marie gerichtet.

Enttäuscht ging der andere zurück zu seinem Spülbecken.

»Falls du es dir doch noch anders überlegst, musst du nur in eines dieser Künstlercafés im Village gehen. Dort ist Pandora und ihre Gefolgschaft regelmäßig anzutreffen.«

Franco machte eine wegwerfende Handbewegung, als wolle er sagen: Was gehen mich drei Hühner an? Gleichzeitig merkte er sich jedoch jedes Wort, das der andere gesagt hatte.

Jedes Stadtviertel, durch das Pandora sie führte, war wie eine kleine Welt für sich: Die Gesichter änderten sich, die Kleidung, sogar die Sprache. Während die Straßen oben in der Stadt, wo Ruth und Steven wohnten, von hohen Bäumen und Blumenbeeten gesäumt wurden, drängten sich im südlichen Teil die Straßenhändler mit ihren Karren. Hier gab es weniger Autos, dafür die U-Bahn, deren Höllenlärm aus den Schächten nach oben dröhnte, und Häuser mit Aufzügen und viele, viele Menschen.

Anfänglich machte Marie das Gewusel nervös, an manchen Orten sogar Angst, doch sehr schnell merkte sie, dass für die Menschen um sie herum das Gedränge völlig normal war. Fasziniert betrank sie sich an dem einzigartigen Cocktail, der New York hieß.

Es war bereits nach sieben Uhr abends – Ruth machte sich sicher schon Sorgen um Wanda und sie –, als die drei Frauen sich ermattet auf einer Bank unten im Hafen niederließen.

Marie konnte gerade noch dem Reflex widerstehen, ihre Schuhe auszuziehen, so sehr brannten ihre Füße. Ihre Augen waren rot vor lauter Gucken, ihre Kehle war staubig, und sie musste schon seit zwei Stunden dringend zur Toilette. Doch all das war nichts gegen den Spaß, den sie heute gehabt hatte.

»Wisst ihr eigentlich, dass ich heute mehr von der Stadt gesehen habe als in den ganzen Wochen zuvor?«

»Tja, du musst eben mit den richtigen Leuten unterwegs sein«, brüstete sich Wanda. »Ich glaube, Pandora weiß mehr über New York, als in allen Stadtführern zusammen steht!«

»Das stimmt allerdings!«, bestätigte Marie aus ganzem Herzen. »Aber sag: *Woher* weißt du das alles?«

»New York ist wie ein Dorf – und wenn du dein ganzes Leben hier verbracht hast …«, erwiderte Pandora beiläufig. Sie schien sich dennoch über das Kompliment zu freuen. »Ehrlich gesagt hat mir unser Ausflug auch viel Spaß gemacht! Mir kam es so vor, als würde auch ich alles zum ersten Mal sehen. Von mir aus können wir nächste Woche nach der Tanzstunde wieder losziehen.«

Wanda hockte mit glücklichem Gesicht dabei.

Eine Zeit lang schauten sie dem Treiben im Hafen zu. In kurzer Abfolge schipperten zwei Fischkutter, eine Fähre und etliche Transporter an ihnen vorbei. Weiter hinten im Hafenbecken näherte sich ein silbern glänzender Ozeanriese.

»Wie kann eine Stadt nur so viele verschiedene Gesichter haben«, wunderte sich Marie erneut. »In meinem Reiseführer steht, dass man New York einen ›Schmelztiegel‹ nennt, das ist doch sehr treffend, oder? Was ist – warum lachst du?«, fragte sie Pandora.

»Weil ich es lustig finde, dass nun schon die Reiseführer diesen Begriff übernommen haben. Den hat nämlich ein Freund von mir – Israel Zangwill – geprägt«, erklärte sie stolz. »Vor zwei Jahren hat er ein Theaterstück auf die Bühne gebracht, in dem es um einen russischen Musiker geht, der sich nichts sehnlicher wünscht, als eine Sinfonie zu schreiben, die New York in allen seinen Facetten einfängt. Israel lässt seinen jungen Russen auf einem Hochhausdach stehen und auf die Stadt hinunterschauen.«

Pandora stand auf, stieg auf die Bank und nahm eine dramatische Pose ein.

»Da unten liegt der große Schmelztiegel! Hört ihr sein Röhren und Blubbern? Seht ihr sein riesiges Maul, den Hafen, aus dem die menschliche Fracht zu Abertausenden hinausgespült wird auf die Straßen?«

Sie stieg wieder von der Bank, ohne sich um die verwunderten Blicke der Passanten zu kümmern.

»Genau das hat Israel seinen jungen Russen sagen lassen.« Sie zog ein Gesicht. »Sein Pech war, dass die New York Times sein Stück als romantischen Firlefanz verrissen hat. Und meins war es auch: Ich war nämlich seinerzeit als Bühnenarbeiterin bei ihm beschäftigt – ein kurzzeitiger akuter Geldmangel hatte mich dazu getrieben.« Sie seufzte. »Wenn ich so darüber nachdenke … eigentlich bin ich schon ziemlich viel herumgekommen. Das war, bevor ich endlich das Geld für meine Tanzschule zusammenhatte«, fügte sie erklärend hinzu.

»Und ich habe mich schon gewundert, wie du dir ganze Textpassagen aus einem Theaterstück merken kannst!«, sagte Marie. »Trotzdem – langsam wirst du mir unheimlich.«

Die drei standen von der Bank auf, und lachend hakte sich Pandora bei Wanda und Marie ein.

»Falls es dir ein Trost ist: Ich habe auch meine Schwächen. Eine davon ist die, dass ich mit Geld nicht sonderlich gut umgehen kann, was bedeutet, dass ich noch nicht einmal die Miete für diesen Monat zusammenhabe und ganz schön sparen muss. Deshalb schlage ich vor, dass wir auf dem Nachhauseweg noch ein schönes Glas Weißwein auf *eure* Kosten trinken!«

8

Es war Anfang Juli. Marie konnte nicht glauben, dass seit ihrer Ankunft in New York erst drei Wochen vergangen waren. Sie ging so in ihrer »New Yorker Routine« auf, wie sie ihren Tagesablauf nannte, als hätte sie niemals woanders gelebt.

Nach einem späten Frühstück, das Ruth und sie gemeinsam einnahmen, gingen sie meist erst einmal zum Shopping. Nicht immer waren es große Einkäufe wie ein Kleid oder ein Hut. Ruth konnte auch Stunden damit verbringen, aus zehn verschiedenen Hutbändern das schönste auszuwählen. Oder sich Dutzende von Seidenblumen anzustecken, um sich am Ende lediglich eine blassgraue Tüllrose einpacken zu lassen. Wie man so viel Zeit mit Dingen vertrödeln konnte, die man im Grunde gar nicht brauchte, wollte Marie nicht einleuchten. Doch Ruth hatte schon als junges Mädchen Ewigkeiten vor der großen Spiegelscherbe im Waschschuppen verbringen können, erinnerte sie sich. Zwei Blusenkragen zum Wechseln, ein paar selbst gemachte Glasperlenketten und eine Hand voll Haarbänder – aus mehr hatte Ruths Zierrat damals nicht bestanden. Aber wie viel Hingabe hatte sie schon damals auf ihr Aussehen verwendet! Und wie oft hatte sie damit Johanna und Marie fast zur Weißglut gebracht!

Einmal pro Woche hatte Ruth vormittags einen Termin beim Friseur. Sie bestand darauf, dass Marie sie begleitete und sich ihre Haare ebenfalls frisieren ließ. Obwohl sie anfänglich dagegen protestierte – zu Hause in Lauscha wäre sie nie auf den Gedanken gekommen, zum Friseur zu gehen, ganz abgesehen davon, dass es in Lauscha selbst gar keinen gab und man dafür nach Sonneberg laufen musste –, trotz ihres anfänglichen Protestes also musste Marie zugeben, dass die wohlriechenden Mittelchen, mit denen die Haare dort gewaschen und gepflegt wurden, Wirkung zeigten:

Noch nie hatten ihre Haare so schön geglänzt. Ihr einstmals etwas fahles Braun leuchtete nun warm wie Kaffee mit einem Löffelchen Sahne. Und dann war da noch dieses duftende Haarpuder, das sie wie ein Hauch Frühlingsluft den ganzen Tag begleitete ...

Die Nachmittage verbrachte Ruth in der Regel damit, Menüfolgen und Tischdekorationen für Einladungen zu planen. Meist handelte es sich bei ihren Gästen um wichtige Kunden von Miles Enterprises, Stevens Großhandelsunternehmen, manchmal auch um zuverlässige Lieferanten, die zu einem Besuch in der Stadt weilten. Steven war der Überzeugung, dass man Geschäftskontakte nirgendwo besser pflegen konnte als bei einem eleganten Dinner. Bei Ruth, einer geborenen Gastgeberin, lief er damit offene Türen ein. Ob es ein Essen in kleiner Runde oder ein Bankett für zwanzig Einkäufer war – sie ging jedes Mal völlig in ihrer Aufgabe auf.

Und so hatte Marie an den Nachmittagen Zeit für eigene Unternehmungen. Ruth wäre sicher entsetzt gewesen, wenn sie gewusst hätte, dass ihre Schwester dabei manchmal einfach nur durch die Straßen schlenderte und nichts anderes tat, als das besondere Parfüm der Stadt zu inhalieren. Oder dass sie Stunden auf einer Bank im Central Park damit verbringen konnte, Spaziergänger zu beobachten, die Sonne zu genießen, die die asphaltierten Wege mattschwarz glänzen ließ, und dem Vogelgezwitscher zu lauschen, das aus den riesigen, Schatten spendenden Kronen der Kastanienbäume herabschallte.

Zum ersten Mal in Maries Leben waren ihre Tage nicht bestimmt von dem strengen Arbeitsrhythmus der Glasbläserei: vormittags die Arbeit vor der Flamme, nach dem Mittagessen neue Kugeln entwerfen oder Zeichnungen für das Musterbuch anfertigen. Nun, da ihre Konzentration nicht einzig auf das Glasteil, das gerade in ihren Händen entstand, gerichtet war, tanzten ihre Gedanken auf und ab wie kleine Papierschiffe auf einem Weiher. Das Gefühl war ihr fremd und sie wusste noch nicht, ob es ihr wirklich gefiel. Aber sie ließ es zu. So wie sie auch alles andere an neuen Erfahrungen zuließ, ja geradezu mit offenen Armen begrüßte. Bei so viel neuen Eindrücken, das war Maries krampfhafte Hoffnung, würde ihre Fantasie gewiss wieder zu ihr zurückkommen.

Doch bisher ... nichts.

Manchmal musste sie an den schrecklichen Alptraum denken, der im weitesten Sinne der Auslöser für ihre Amerikareise gewesen war: sie unter einer Glaskugel, wie in einem gläsernen Gefängnis. Habe ich es womöglich mit hierher gebracht?, fragte sie sich.

War wieder einmal ein Tag vorübergegangen, ohne dass sie ihren Zeichenblock ausgepackt hatte, war sie froh, wenn Wanda für den nächsten Nachmittag einen gemeinsamen Ausflug vorschlug. Oder wenn sie zu Pandoras Tanzunterricht gingen. An diesen Tagen konnte sie das Gefühl, in sich selbst gefangen zu sein, eine Zeit lang vergessen.

Wanda, Pandora und sie hatten beschlossen, fortan nach jeder Tanzstunde auf eine Tasse Kaffee auszugehen.

Eines ihrer bevorzugten Cafés war das im Central Park, wo Pandora einen Kellner kannte, der ihnen, wann immer sein Chef nicht hinschaute, eine Extraportion Eis in den Becher tat oder kostenlos Kaffee nachschenkte. Außerdem verfügte dieses Café über eine Terrasse mit Sonnenschirmen und hübschen Eisenmöbeln, von denen aus man den halben Park überblicken konnte. Was konnte es Schöneres geben, als an einem Sommertag unter freiem Himmel eine Erfrischung zu genießen?

Sie saßen wieder einmal unter einem der gestreiften Sonnenschirme, als Wanda stolz verkündete: »Ab nächster Woche müsst ihr leider tagsüber auf meine Gesellschaft verzichten. Ich habe nämlich Arbeit gefunden!«

Sie nahm die Glückwünsche der beiden anderen entgegen, strahlte und erzählte dann, worum es sich bei ihrem neuen Posten handelte.

»Aufseherin in einer Mantelfabrik?!« Stirnrunzelnd ließ Pandora ihren Eislöffel sinken. »Aber Trampeltierchen – das kann doch nicht dein Ernst sein!«

»Und ob!« Wanda lachte. »Ich weiß, es ist nicht gerade die aufregendste Arbeit, aber ich muss schließlich froh sein, überhaupt etwas bekommen zu haben. Und heißt es nicht, man soll aus allem das Beste machen?« Unbekümmert schob sie ihre Haare, die wie ein silberner Helm ihr Gesicht einrahmten, zurecht.

Sie hatte schon damit gerechnet, dass Pandora die Nase rümpfen würde. »Warum fängst du nicht bei mir an zu arbeiten? Als meine Assistentin sozusagen«, hatte sie Wanda vor nicht allzu langer Zeit angeboten. Beide hatten jedoch gewusst, dass außer einem guten Willen nichts hinter diesem Angebot steckte: Pandora hatte selten genug Geld, ihre Miete zu zahlen, geschweige denn das Gehalt einer Assistentin!

»Das Beste machen?«, wiederholte Pandora jetzt konsterniert. »Aus einem Job als Sklaventreiberin? Weißt du denn nicht, wie es in diesen Fabriken zugeht? Die armen Mädchen und Frauen müssen Hunderte von Stunden in der Woche arbeiten und bekommen gerade einmal ein paar Dollar dafür. Der Lärm ihrer Nähmaschinen ist ohrenbetäubend, das Tempo, mit dem sie die schweren Stoffe zusammennähen, so schnell, dass sie sich dabei immer wieder versehentlich den Finger durchnähen. Fenster und Türen werden verschlossen, damit die Näherinnen nur ja keinen Blick nach draußen werfen oder gar eine unnötige Pause einlegen«, zählte Pandora an den Fingern ihrer linken Hand ab.

»*Alle* Fabriken werden doch nicht gleich schlecht sein, oder?«, fragte Marie betreten.

»So stand es jedenfalls letzten November ausführlich in den Zeitungen. 15 000 Näherinnen sind damals in einen Streik getreten wegen der schlechten Bedingungen. Es war der größte Streik von Frauen, den es je gegeben hat. Die Fabrikbesitzer waren so entsetzt, dass sie sogar Schlägertrupps angeheuert haben, die die Frauen einschüchtern sollten. Doch die hielten tapfer aus: Drei Wochen lang standen sie in Eis und Schneematsch vor dem Fabriktor. Aus Spaß haben die das sicher nicht getan. Das musst du doch auch gelesen haben!« Kopfschüttelnd wandte sich Pandora wieder Wanda zu.

»Schon«, sagte die gedehnt und rutschte auf der Bank nach vorn. »Aber es heißt doch, es habe sich nach diesem Streik vieles zum Besseren geändert. Als Kontrolleurin kann ich doch auch dafür sorgen, dass diese Verbesserungen eingehalten werden.«

Pandora schüttelte den Kopf. »Und wenn es so wäre – was ich sehr bezweifle! –, ich weigere mich, mit solchen Sklaventreibern zu tun zu haben. So einer könnte mir hundert Dollar für eine Tanzvorführung bieten – ich würde ablehnen!«

Wanda seufzte tief. »Trotzdem, es bleibt mir nichts anderes übrig, als mir die ganze Sache wenigstens einmal anzuschauen. Wer weiß? Vielleicht kann ich den Arbeiterinnen sogar helfen? Ich habe mir jedenfalls vorgenommen, diesmal alles richtig zu machen.«

Als sie Marie zustimmend nicken sah, fühlte sie sich schon wieder ein wenig leichter. Alles würde, alles *musste* gut gehen. Warum hatte sie sich nur von Pandoras Worten so beeindrucken lassen? Nicht, dass Harolds Reaktion wesentlich besser gewesen wäre: Ob sie jetzt die Seiten gewechselt habe und ins Proletariat übergetreten wäre, hatte er sie gefragt. Was für ein Blödsinn!

Das Eis in der silbernen Schale vor ihr war während des Wortwechsels zu einem rosafarbenen See zusammengeschmolzen. Mit neuem Elan begann Wanda diesen nun auszulöffeln.

»Bei meinen letzten Arbeitsstellen hat stets eine unglückliche Verquickung von Zufällen zu meiner Entlassung geführt. Aber meine Pechsträhne kann ja nicht ewig anhalten, oder?«

Wieder sah sie Marie heftig nicken. Pandora verzog nur den Mund.

»Diesmal wird alles gut werden, das ahne ich!«

*

Während Marie bei Wanda immer das Gefühl hatte, nur das zu sehen zu bekommen, was diese bereit war preiszugeben, war sie bei der Tänzerin davon überzeugt, dass ihr keine einzige Regung verborgen blieb: Pandora Wilkens war ein einziges Feuerwerk von guten Gefühlen. Noch nie hatte Marie einen Menschen getroffen, der das Leben mit einer solchen Leichtigkeit anging. Konnte schon Wanda im Umgang mit Fremden beträchtlichen Charme entwickeln, so war Pandora die wahre Meisterin in diesem Fach. Sie hatte zwar fast nie Geld, doch an Spaß mangelte es ihr trotzdem nicht. Immer fand sich jemand – darunter auch Marie und Wanda –, der gern für Pandoras Ausgaben aufkam.

Und so war es für Marie eine Selbstverständlichkeit, dass sie die Eintrittskarten für das Metropolitan Museum bezahlte, vor allem, da es sie viel Überredungskraft gekostet hatte, Pandora zum Mitgehen zu bewegen. Ihre Leidenschaften lagen eher bei den jungen, wilden Künstlern, hatte die Tänzerin erklärt.

Doch als sie in den Saal kamen, der den alten niederländischen Meistern gewidmet war, verschwand ihre gelangweilte Miene. Rembrandt, Breughel, Jan Steen, Vermeer –

wie ein Schmetterling huschte Pandora von einem Kunstwerk zum nächsten, nippte hier, trank dort. Immer tiefer tauchte sie ein in das Meer von Goldtönen und Sonnenstrahlen, von dunklen Schatten und hellen Umrissen. Ihre Augen bekamen einen glasigen Schimmer wie nach zu viel Rotwein, und immer wieder stieß sie Freudenjuchzer aus.

Marie, die ehrfurchtsvoll vor den Bildern stand, die sie bisher nur aus den Kunstbüchern kannte, schaute erschrocken zu, als Pandora anfing, sich vor einem Frauenporträt von Peter Paul Rubens hin- und herzuwiegen. Sie würde doch nicht hier zu tanzen beginnen?!

»Schau dir nur diesen Rücken an! Wie in Gold getaucht. Und diese blonden Haare! Schon ein bisschen schütter für eine so junge Frau, dennoch … so … *lustvoll* gemalt! Als ob er jede Strähne innig liebt. Der hat genau das gemalt, was er gesehen hat: jede Falte, jeden Fleischwulst. Unglaublich! Man will anfassen, fühlen … diese weiche, kremige Haut. Und dieser breite Popo – ziemlich erotisch, findest du nicht?« Sie lachte laut auf. »Die Gute hat ganz schön ausgeprägte Hüften, nicht wahr? Aber manche Männer finden ja gerade so etwas sehr reizvoll.«

»Ich glaube, damals war es Mode, etwas fülliger zu sein.« Marie lächelte. Rubens ein lüsterner alter Herr? Was würde wohl Herr Sawatzky zu Pandoras eigenwilligen Ansichten sagen? Sie trat näher an die Messingtafel heran, die unter dem Bild hing.

»Da steht, dass er das Bild nach seinen Reisen nach Spanien und Italien gemalt hat und dass die Einflüsse, die er …«

»Wen interessiert denn das!«, unterbrach Pandora sie. »Das ist doch alles schon mehr als dreihundert Jahre her. Für mich ist nur wichtig, was ich heute, hier und jetzt, empfinde!« Tänzerisch drehte sie sich einmal um ihre Achse.

»Jetzt schau nicht so entsetzt!« Pandora war Maries Blick nicht entgangen. »Zugegeben, ich hätte auch nicht gedacht, dass ich diese alten Schinken so inspirierend finden würde. Aber deshalb muss ich doch nicht niederknien und sie anbeten, oder?«

Marie schaute immer noch zweifelnd. »Ehrlich gesagt, wecken diese Bilder in mir genau dieses Gefühl: Ich will mich still hinsetzen und sie anbeten.«

Pandora tätschelte ihr den Arm. »Zu viel Ehrfurcht tut niemandem gut! Sieh mich an: Musik, Dichtung, Malerei – nur wenn ich mich von einem Meister seines Fachs inspirieren lasse, kann ich so gut sein, wie ich bin«, sagte sie selbstgefällig. »Ohne Inspiration würde ich immer noch den Schwanensee auf Spitze tanzen und die jungen Leiber meiner Schülerinnen mit altmodischen Ballettübungen quälen. Offenheit und Inspiration sind Schwestern der Kunst – ohne sie kann nichts Neues geschaffen werden.«

Arm in Arm steuerten sie kurz darauf das Café des Museums an. Als der Kellner zwei Gläser Weißwein vor sie hingestellt hatte, beugte sich Marie plötzlich nach vorn. Bevor sie es sich wieder anders überlegen konnte, schwappte alles aus ihr heraus. Zu lange hatte sie die quälenden Gedanken bei sich behalten. Sie musste endlich darüber reden, über ihre innere Lähmung, das Gefühl, unbrauchbar zu sein wie ein leer gefischter Teich.

Pandora hörte mit unbeweglicher Miene zu, nahm nur hin und wieder einen Schluck Wein.

»Seit ich hier bin, warte ich darauf, dass mich ›die Muse küsst‹! Die Stadt, die vielen Menschen und neuen Eindrücke – verflixt noch mal, das muss doch irgendetwas in mir auslösen!« Marie warf die Hände in die Höhe. »Von wegen! Ich will nicht einmal an die Glasbläserei denken! Das geht inzwischen so weit, dass alles, was mit zu Hause zu tun hat, für mich wie ein rotes Tuch ist. Ich bekomme Panikanfälle, wenn ich daran denke, dass ich nach dieser Reise zurück an meinen Bolg und da weitermachen muss, wo ich aufgehört habe.« Als Pandora immer noch schwieg, erzählte sie ihr schließlich sogar von ihrem Alptraum. Erschöpft und traurig lehnte sie sich dann zurück.

»Was ist? Hat meine Unfähigkeit dir die Sprache verschlagen?«

»Blödsinn! Du brauchst gar nicht weiterzusprechen!«, sagte Pandora. »Ich weiß genau, wie es dir geht. Oder besser gesagt: Ich weiß es nicht, weil ich in der glücklichen Lage bin, noch nie eine solche Blockade erlebt zu haben. Ich würde sterben, wenn ich nicht tanzen könnte!«, rief sie so laut, dass sich einige Köpfe nach ihr umdrehten. Sie bedachte die anderen Gäste mit einem gnädigen Lächeln. »Aber ich kenne so viele Künstler, die auch schon einmal durch dieses Tal der Tränen mussten: Maler, Dichter, Musiker, Bühnenkünstler – such dir einen aus!«

Wie immer, wenn sie sprach, halfen ihre Hände heftig dabei mit.

»Ich sag dir eines: Es nutzt gar nichts, wenn du krampfhaft versuchst, dich auf deine Arbeit zu konzentrieren. Du musst ausgehen, Spaß haben, interessante Leute kennen lernen. Und vor allem …« – sie hob einen Zeigefinger – »vor allem solltest du mit ein paar Leuten reden, die sich mit Haut und Haaren ihrer Kunst verschrieben haben. Diese Hampelmänner, die du in den Theatern am Times Square zu hören und sehen bekommst, kann man nämlich weiß Gott nicht Künstler nennen, auch wenn deine verehrte Schwester das anders sieht! Das Gleiche gilt für die Galerien in der Fifth Avenue. Kommerz ist das, mehr nicht.« Sie winkte ab.

»Du hast Glück, weißt du das?«, sagte sie dann. »Heute Nachmittag gibt meine beste Freundin, Sherlain, eine Lesung. Sie ist eine der großartigsten Dichterinnen, die unser

Land je gesehen hat! Ich habe schon etliche ihrer Gedichte in einen Tanz verwandelt. Wenn ich auch zugeben muss, dass ihre Stücke für meinen Geschmack ein wenig zu ... düster sind. Doch authentisch sind sie allemal. Am besten, wir gehen gleich los.« Rasch rückte sie ihren Stuhl nach hinten. »Herumsitzen und grübeln hat noch keinem geholfen. Also, worauf wartest du noch?«

»Jetzt? Eine Dichterlesung? Ich weiß nicht ... Eigentlich wollte meine Schwester ...«

Ruth hatte vorgeschlagen, alte Fotografien anzuschauen. Als sie am Vorabend mit einem Stapel Fotoalben angekommen war, hatte Marie zuerst gar nicht glauben wollen, dass diese Unmenge an Bildern aus Lauscha stammte. Sicher, ob es ein Geburtstag der Zwillinge oder die Einweihung des neuen Lagers in Sonneberg gewesen war – Johanna hatte häufig einen Fotografen bestellt, um wichtige Ereignisse festzuhalten, und offenbar hatte sie jedesmal auch ein paar Bilder nach Amerika geschickt. Einmal hatte Johanna sogar darauf bestanden, dass ein Fotograf Marie bei der Arbeit am Bolg fotografierte. Der Mann hatte nicht schlecht geflucht, weil ihm die Ausleuchtung wegen der Gasflamme so viel Mühe bereitete. Am Ende war das Bild doch gelungen, und Johanna hatte zu Maries Verlegenheit darauf bestanden, es ans Ende des Musterkataloges zu setzen. »*Frauenhände erschaffen hier filigrane, gläserne Kunst*«, hatte sie unter das Bild drucken lassen. Den Kunden schien es gefallen zu haben – in jenem Jahr war ihr Auftragsbuch besonders dick gefüllt gewesen!

Marie lächelte. Eigentlich hatte sie sich darauf gefreut, wieder einmal in alten Erinnerungen zu kramen. Andererseits: Wenn Pandora schon so nett war und ihr zuliebe –

Sie schnappte ihre Jacke. Die Fotoalben liefen schließlich nicht davon.

»Auf zur wahren Kunst!«

Es war kurz nach ein Uhr mittags, als Wanda endlich vor dem Tor der Mantelfabrik ankam. Eigentlich hätte sie schon Punkt ein Uhr da sein sollen, jedenfalls hatte das Mister Helmstedt, ihr zukünftiger Chef, so gewollt. Doch zuerst war Wanda einen Block zu früh nach Osten abgebogen und hatte wieder ein Stück zurückgehen müssen. Als sie dann endlich im richtigen Viertel war, hatte sie sich nicht mehr genau daran erinnert, wo die Fabrik lag, und war eine Zeit lang zwischen den Gebäuden, von denen kaum eines eine Hausnummer trug, herumgeirrt. Erhitzt und durstig hatte sie schließlich von weitem das riesige Eckhaus, in dem die Mantelfabrikation untergebracht war, wiedererkannt. Ihre Handtasche unter den Arm geklemmt, war sie darauf zugerannt.

Hoffentlich nimmt Mister Helmstedt mir meine Verspätung nicht übel, dachte sie bang und wunderte sich im selben Moment, dass noch so viele andere Frauen vor dem Tor der Fabrik standen. Waren die womöglich alle für ein Uhr bestellt?

»Streik?!« Verwirrt starrte Wanda von einem glühenden Augenpaar zum nächsten. »Aber heute ist doch mein erster Arbeitstag!«

Die Frauen, die ihre Bemerkung gehört hatten, lachten.

»Das kannst du vergessen!«, sagte eine, die mit verschränkten Armen vor dem Tor stand. Sie war offensichtlich die Anführerin und sprach mit so starkem Akzent, dass Wanda Mühe hatte, ihre Worte zu verstehen.

»Wir vom Bund deutscher sozialistischer Arbeiterinnen organisieren diesen Streik. Und wir werden eine Niederlage wie beim letzten Mal nicht dulden!«, schrie sie Wanda ins Gesicht, als hätte diese die Niederlage zu verantworten gehabt.

Unwillkürlich trat Wanda einen Schritt zurück, wurde

aber im nächsten Moment schon wieder unsanft nach vorn geschubst.

Das durfte doch nicht wahr sein!

Erst allmählich begriff sie, was das verschlossene Tor und die aufgebrachte Frauenmenge für sie bedeutete: Drinnen würde ihr zukünftiger Chef vergeblich auf sie warten, sie konnte ihren neuen Arbeitsplatz nicht antreten.

Aufgeregt kneteten ihre Finger den braunen Stoff ihres Kleides. Wie viel Sorgfalt hatte sie darauf verwendet, das schlichte Leinenkleid auszusuchen! Sie hatte nicht zu aufgeputzt wirken wollen. Gleichzeitig wollte sie jedoch den Eindruck vermeiden, sich mit den Arbeiterinnen zu verbrüdern – als Aufseherin sollte sie schließlich eine Art Respektsperson sein.

Und nun? Alles umsonst? Ein weiteres Kleid, das Mutter den Armen und Bedürftigen schenken konnte?

Ab in den Lumpensack – der Gedanke kam ihr auf einmal so komisch vor, dass sie lachen musste. Laut, schrill und hysterisch.

Wütend starrte die Anführerin sie an. »Solche wie du haben Schuld, wenn unser Arbeitskampf vergeblich geführt wird. Weil euch die Ernsthaftigkeit fehlt!« Sie bohrte einen harten Zeigefinger in Wandas Brust, noch bevor diese ausweichen konnte.

Doch Wanda hörte sie gar nicht. Tränen liefen ihr übers Gesicht, sie konnte nicht mehr aufhören zu lachen. Wenn Harold das hören würde ... Er würde glauben, sie hätte sich das ausgedacht.

Ein paar der Umstehenden ließen sich anstecken von ihrem Lachen, das mehr Verzweiflung bedeutete als Heiterkeit. Sie alle hatten Familien daheim, Kinder, und sie wussten nicht, wie sie diese in den kommenden Wochen satt kriegen sollten. Konnte man es ihnen übel nehmen, dass sie Angst vor der eigenen Courage hatten?

»Lacht ihr nur!«, giftete die Anführerin. »Als ob es einen Grund zum Lachen gäbe! Wir sind im Streik, vergesst das nicht! Aber wenn ihr unsere Ziele verraten wollt, dann genießt weiterhin das süße Leben! Geht abends ins Kino! Verschwendet euer Geld für billigen Tand. Lasst euch von irgendwelchen Männern schöne Worte ins Ohr flüstern!«

Unsicher, fast ängstlich reagierten die Zuhörerinnen auf diesen Ausbruch. Warum sollte es ein Verbrechen sein, sich nach vierzehn Stunden Arbeit ein winziges Vergnügen zu gönnen?

Aus dem Augenwinkel registrierte Wanda die Blicke. Einen Moment lang vermischten sich Hochachtung vor diesen mutigen Frauen und große Sympathie für sie in ihrem Innersten. Doch sie war selbst zu aufgewühlt, was ihre eigene Situation betraf, und so erlosch jedes Mitgefühl sofort wieder.

Derweil fuhr die Anführerin mit ihrer Agitation fort: »Wer es ernst meint mit unserem Kampf, der soll sich in Solidarität üben!«

Kleine Spucketropfen landeten in Wandas Gesicht, auf ihrem braunen Kleid.

»Deshalb sage ich euch: Besucht die Versammlungen der sozialistischen Arbeiterinnen. Und lasst euch nicht weiter mit Zuckerstangen und Tanzweisen abspeisen, wenn ihr Tolstoi haben könnt!«

Hier und da klatschte eine der Frauen.

Streitsüchtig funkelte die Anführerin Wanda an.

»Was willst du eigentlich hier?«, fragte sie leise. »Du gehörst doch gar nicht hierher!«

Wanda wischte sich die letzte Träne aus dem Gesicht. Ihr Anfall von Heiterkeit hatte sich in Luft aufgelöst und mit ihm ihre Träume von selbst verdientem Geld und Verantwortung.

»Ich weiß zwar nicht im Einzelnen, worum es bei eurer

Sache geht, und vielleicht hast du auch Recht, wenn du sagst, dass ich nicht hierher gehöre«, gab sie zu.

Ein dumpfer Schmerz durchfuhr sie, zusammen mit der Frage: Wohin gehöre ich denn eigentlich?

»Aber eines weiß ich gewiss: Nämlich dass mit deiner freudlosen, verbiesterten Art kein Blumentopf zu gewinnen ist! Wenn du den Frauen das Lachen verbieten willst, dann kannst du ihnen gleichzeitig das Atmen verbieten.«

Abschätzig musterte sie ihr Gegenüber.

Ein leises Raunen erhob sich unter den umstehenden Frauen.

Zufrieden stellte Wanda fest, dass es der Anführerin die Sprache verschlagen hatte.

Sie hob erneut an: »Mit deinen Verboten bist du nicht viel besser als diejenigen, gegen die sich dein Kampf richtet! Das ist zumindest meine Meinung. Wenn etwas Spaß macht, ist man doch mit viel mehr Eifer dabei, oder?«

Abrupt wandte sie sich um und ging hoch erhobenen Hauptes durch die Menge.

»Dann mach's doch besser als die da vorn!«, rief eine Frauenstimme von weiter hinten.

»Ja, warum schließt du dich uns nicht an? Eine mit großer Klappe können wir immer gebrauchen. Und ein bisschen Spaß sowieso.«

Ein paar Frauen lachten.

Wandas Mund war auf einmal ganz trocken, ihre Zunge klebte beinahe am Gaumen fest. Sollte sie …? Sie hatte doch gar keine Ahnung von Streiks und solchen Dingen …

»Lasst das Baby in Ruhe. Dass die kneift, sehe ich mit einem Blick!«, schrie eine der älteren Frauen.

Und Wanda schlich davon wie ein Hund mit eingezogenem Schwanz.

Eine weitere Hoffnung zu Grabe getragen.

Ihr Weg führte sie über Geröll und Schutt, immer wieder musste Marie ihren Rock anheben, damit er nicht an einem besonders großen Steinbrocken hängen blieb. Mit Hosen hätte ich nicht solche Mühe, ging es ihr durch den Kopf, während sie mit gemischten Gefühlen hinter Pandora herstakste, die wie immer vorneweg lief. Obwohl es nicht nach Fisch, sondern eher nach Schmieröl und Qualm roch, sagten ihr vereinzelte Möwen am Himmel, dass sie in der Nähe des Wassers sein mussten. Ansonsten hatte sie völlig die Orientierung verloren. Hier gab es keine Geschäfte oder Restaurants, keine Wohnhäuser und spielenden Kinder auf der Straße, sondern lediglich riesige Lagerhallen, zwischen denen sie nun schon seit einer halben Stunde umherirrten.

»Bist du dir sicher, dass die Lesung in dieser verlassenen Gegend stattfindet?«, fragte Marie schließlich. Allein würde sie von hier nie mehr nach Hause finden, dessen war sie gewiss!

Pandora drehte sich zu ihr um. »Die Lust am Abenteuer schon verloren, meine Liebe?«

Unverdrossen marschierte sie weiter.

»In einem Dichtercafé kann schließlich jeder ein Buch in die Hand nehmen. Aber tröste dich, gleich haben wir es geschafft.«

Marie zog die Augenbrauen hoch. Auf einmal wünschte sie sich, Wanda wäre mitgekommen. Aber ihre Nichte hatte Arbeiterinnen zu beaufsichtigen. Bei dem Gedanken huschte ein Lächeln über ihr Gesicht. Wahrscheinlich fühlte sich Wanda mindestens so unwohl wie sie, nur würde sie es niemals zugeben!

In der Lagerhalle war es noch heißer als draußen in der grellen Julisonne. Die Luft unter dem Blechdach war abgestanden und schwül. Sofort begannen Maries Haare im Nacken zu kleben.

Sie schaute sich um, während Pandora loszog, um etwas zu trinken zu holen.

Der Ort, an dem die Lesung stattfinden sollte, war eine einzige große Rumpelkammer: Auf der einen Seite türmten sich Berge von alten Stühlen und Tischen auf, die davon erzählten, dass der Raum in früheren Zeiten schon einmal als Versammlungsort gedient haben musste. Auf der anderen Seite stapelten sich zusammengefaltete Kartons, Blechkanister und verrostete Eisengestänge, auf deren ursprüngliche Bedeutung sich Marie keinen Reim machen konnte. Der Boden war verschmutzt mit dem Kot von Tauben, die jedes Mal aufgeregt unter dem Blechdach aufflatterten, wenn die Tür aufging. Das geschah relativ häufig – Marie schätzte, dass ungefähr fünfzig Personen anwesend waren.

»Wo bin ich hier nur hingeraten?«, murmelte sie, als sie Pandora wieder auf sich zukommen sah. Erstaunt deutete sie auf die beiden Gläser in Pandoras Hand. »Wo hast du denn die her? Kannst du zaubern?«

Die Tänzerin winkte ab. »Lass uns nicht über diese Bruchbude hier reden. Dass sie zu Sherlains Gesamtkunstwerk gehört, wirst du später schon noch merken. Und du siehst ja: Ganz unzivilisiert geht es hier auch nicht zu!«

Während Marie an dem kühlen Weißwein nippte, erzählte Pandora ihr von der Dichterin. Hatte Marie bis dahin geglaubt, die Tänzerin sei eine exzentrische Persönlichkeit, wurde sie bald eines Besseren belehrt. Gegen Sherlain war Pandora ein Lämmchen!

Sherlain hatte im Alter von vierundzwanzig Jahren nicht nur ihren Mann und ihren siebenjährigen Sohn verlassen, sondern mit ihrer ganzen irischen Familie gebrochen. Als Ausdruck ihres Widerwillens gegen die von der irischen Kirche auferlegten strengen Lebensnormen mit ihrer »lustfeindlichen, verlogenen Doppelmoral«, wie Sherlain schimpfte, hatte sie außerdem von einem Tag auf den anderen begonnen, englisch zu sprechen. Von diesem Zeitpunkt an war kein irisches Wort mehr über ihre Lippen gekommen. Der Bann durch die Familie hatte nicht auf sich warten lassen: Sherlains Vater hatte jedem, ob Mutter, Cousine oder Onkel, verboten, auch nur einen Satz mit Sherlain zu wechseln. Für ihren Sohn galt dasselbe. Auch *über* sie zu sprechen war untersagt. Es war, als hätte es sie nie gegeben.

»Ziemlich strenge Sitten, findest du nicht?« Marie runzelte die Stirn. »Wie kommt deine Freundin nun allein zurecht?«

»Es geht so«, antwortete Pandora schulterzuckend und erzählte weiter.

Nach ihrem Ausstieg aus der Gesellschaft hatten Armut und finanzielle Unsicherheit nicht auf sich warten lassen: Sherlain hauste in einem feuchten Kellerloch, das nicht einmal ein Fenster hatte. Es gab Wochen, in denen die Dichterin vor lauter Hunger so schwach war, dass sie nicht mehr von ihrer Pritsche aufstehen konnte. Freunde brachten ihr dann Lebensmittel, die sie allerdings nur sehr widerwillig annahm.

»Aber warum das alles? Sie hätte doch auch mit Mann und Kind Gedichte schreiben können!«, rief Marie entgeistert.

Pandora schüttelte nur den Kopf.

Sherlain sah sich als eine keltische Göttin. Ihre Abkehr von der irischen Kirche ging Hand in Hand mit einer Hinwendung zu den alten keltischen Riten ihres Heimatlandes. Heidnischen Riten, wie Pandora hinzufügte.

»Natürlich ist es eine Art Flucht vor gesellschaftlichen Normen«, konstatierte sie nüchtern. »Aber für Sherlain ist das Wort die Erlösung. Manchmal schreibt sie nächtelang durch, ohne zu schlafen, und am Ende kommt gerade einmal ein Gedicht heraus.«

Marie hob die Brauen. »Ich will ja nichts gegen deine

Freundin sagen … Aber ob ich wirklich von ihr etwas lernen kann, was mir in meiner jetzigen Blockade weiterhilft?«

»Das musst du selbst entscheiden«, antwortete Pandora gleichmütig.

Im vorderen Teil des Raumes kam nun Bewegung in die Menge.

»Es scheint, als ginge es gleich los. Komm, lass uns auch nach vorn gehen!«

Im Geiste hatte Marie diese Sherlain schon in eine der Schachteln gepackt, in die sonst je sechs Christbaumkugeln kamen, und ein Etikett mit der Aufschrift »Eine Verrückte« daraufgeklebt. Doch da fiel ihr etwas ein: Manches, was Pandora über ihre Freundin gesagt hatte, ähnelte dem, was Alois Sawatzky ihr über die deutsche Dichterin Lasker-Schüler erzählt hatte: Auch die lebte in Armut, hatte mit der Gesellschaft gebrochen und richtete sich nur noch nach »kosmischen« oder ähnlichen Gesetzen. Irgendetwas Besonderes musste also schon an solchen verrückten Frauen sein …

Ein Paukenschlag riss sie aus ihren Gedanken. Was war das?

Vier junge Burschen, allesamt in weiße Kutten gekleidet, stellten Dutzende von Kerzen in einem Kreis auf und zündeten sie an. Auf einmal war die Stimmung in der Halle so spannungsgeladen wie kurz vor einem Gewitter. Ein Schauer lief durch Maries Körper.

In ein wallendes seidenes Kleid gewandet, kam die Dichterin herein. Rostrote Haare, die glühten, als hätte sie jemand entzündet, hingen ihr den Rücken hinab – keine Spange, keine Nadel nirgendwo. Ein weiterer Paukenschlag folgte, und die vier Jünglinge machten eine tiefe Verbeugung.

Marie schluckte. Sie hatte sich eigentlich vorgenommen, sich nicht von dieser komischen Dichterin beeindrucken zu lassen, doch kaum hatte sich Sherlain im Kreis der Kerzen niedergelassen, war es um sie geschehen.

Was für eine Frau! Was für eine seltsame Kraft ging von ihr aus! Plötzlich tauchte das Wort Göttin in Maries Kopf auf.

Sherlain zündete sich eine Zigarette an. Doch statt den Rauch genussvoll zu inhalieren, spie sie ihn angeekelt wieder aus. Unvermittelt, zwischen zwei Zügen und ohne einen Satz der Begrüßung, ohne ein Wort über den seltsamen Veranstaltungsort zu verlieren, fing die Irin an, einen Text von einem Zettel abzulesen. Leise, ganz leise kamen die ersten Worte, sodass manch einer im Hintergrund sie gar nicht hören konnte. Doch schon nach wenigen Sätzen wurde sie lauter.

>... *seven summers, seven sins*
hell above me, sweet haven below
my memory lost in glorious mercy
my shell empowered with lust ...«

Ein weiterer Schauer, prickelnd und beunruhigend, fuhr über Maries Rücken, als sie sich mit geschlossenen Augen der Poesie der fremden Sprache hingab. Welches Glück war in jedem gejauchzten I und E zu hören und welche Traurigkeit in den einsam-düsteren Us und Os! Sherlains Stimme änderte sich ständig, mal war sie weich, dann wieder hart. Sie war wie ein Musiker, der seinem Instrument Töne entlockte, die gar nicht dafür vorgesehen waren.

Obwohl Marie nicht jedes Wort verstand und sich den Sinn des Gedichts nur zusammenreimen konnte, hatte sie das Gefühl, noch nie so gut ... gehört zu haben.

>... *dazzle, moon, dazzle*
for me and for all
to follow thou!«

Mit einem Peitschenknall beendete die Dichterin ihre Ode. Die Zigarette verglühte neben ihr auf dem Boden.

Benommen, als hätte sie sich zu schnell und zu lange im Kreis gedreht, stand Marie da. Den meisten anderen Zuhörern schien es nicht anders zu gehen: verwirrte Blicke nach vorn, Kopfschütteln, Augenreiben, als ob sie erst aufwachen mussten. Dann setzten Applaus und Bravo-Rufe ein.

»Ich war dabei, als sie das Gedicht verfasst hat – das war vielleicht eine Nacht!«, schrie Pandora Marie ins Ohr. Ihre Wangen waren gerötet. »Die sieben Sommer stehen für Sherlains Zeit als Mutter. Die Hölle über ihr für die Übermacht der katholischen Kirche. Und der Hafen beziehungsweise der Himmel – ein Wortspiel, hast du es erkannt? – für die sinnliche Lust einer Göttin, deren Muschel …«

Marie winkte genervt ab. Nun erging es ihr wie Pandora nachmittags im Museum: Sie wollte keine Erklärungen. Sie wollte nur … fühlen. Ihr war es inzwischen auch gleichgültig, dass die Lesung in einer Müllhalde stattfand – der Kontrast zwischen der hässlichen Umgebung und der Schönheit von Sherlains Worten war sogar ein besonderer Stimulus, erkannte sie.

Marie wollte mehr.

Mehr von diesem fremden Elixier, das sie für kurze Zeit die eigene Unzulänglichkeit vergessen ließ.

Es war ein reiner Zufall, der Franco an diesem Nachmittag in die Nähe der Lagerhallen brachte. Mochte er im Nachhinein auch die Götter nennen, von höherer Gewalt und Bestimmung reden – es war doch nicht mehr als eine zufällige Fügung.

Von der Lesung hatte er nichts gewusst. Keiner von seinen Leuten wusste etwas davon, denn niemand hatte den Lagervorsteher um Erlaubnis gefragt, niemand die Halle offiziell gemietet. Sie gehörte zum Eigentum der Familie de Lucca wie ein halbes Dutzend andere Hallen im Frachthafen von New York. Im Gegensatz zu anderen wurde sie jedoch nicht genutzt. Weder für die Lagerung des importierten Weines, bevor er in die vielen italienischen Restaurants der Stadt floss, noch für jene anderen dunklen Zwecke. Sie stand seit langer Zeit schon leer. Zumindest hatte Franco das angenommen.

Er war gerade dabei, mit dem Besitzer eines angrenzenden Lagerraumes über dessen Kaufpreis zu verhandeln, als aus der besagten Halle eigentümlicher Lärm zu ihnen drang.

Wahrscheinlich Obdachlose, die betrunken Radau machen, urteilte Francos Wachmann grimmig und rannte los, um Verstärkung zu holen.

Franco, der andere Hallenbesitzer und drei Wachmänner wollten gerade mit Knüppeln bewaffnet durch das hintere Hallentor stürmen, als von drinnen eine raue Frauenstimme zu ihnen drang.

> *»I give you my blood*
> *sweet lamb of mine*
> *to still your thirst*
> *to strengthen your spine ...«*

Perplex wies Franco seine Männer mit einer Handbewegung an, stehen zu bleiben. Gedichte? Hier?

Allein betrat er das düstere Innere, der bittersüßen Poesie folgend.

> *»No killing will follow*
> *I promise you so*
> *my love will be stronger*
> *my love will come through ...«*

Je näher er kam, desto stärker zogen ihn die Verse in ihren Bann. Er verstand nicht jedes Wort, aber dass es um Liebe ging, wusste er. Um die tiefste, die innigste Liebe, die ein Mensch für einen anderen empfinden konnte, eine Liebe, für die man sein Leben geben wollte.

Liebe, die jede Dunkelheit überdauert ... Hastig wischte sich Franco den Schweiß von der Stirn. Ein leichter Schwindel überfiel ihn. Ob es an der Schwüle lag oder an der schlechten Luft, wusste er nicht. Er nahm nicht die seltsamen Personen wahr, die mit einem Weinglas in der Hand in seiner Halle standen, und dachte auch nicht an seine Männer, die immer noch hinten am Tor auf ein Zeichen von ihm warteten. Er hörte nur die rauchsilberne Stimme.

> *»Please help me, you devilish fawn*
> *to get the night over*
> *to last love till dawn ...«*

Im nächsten Moment brach der Applaus los.

»Bravo!«

»Grandios!«

»We love thou!«

Franco klatschte mit, bis seine Handflächen brannten.

Die Worte der Dichterin hatten etwas in ihm angerührt, von dem er geglaubt hatte, dass es längst zu Stein erstarrt war. Selbst wenn er gewollt hätte, wäre es ihm unmöglich gewesen, sich gegen das eigentümliche Gefühl in seiner Brust zu wehren.

Und dann sah er sie.

Keine zehn Meter von ihm entfernt stand die Fremde, an die er in der letzten Zeit immer wieder hatte denken müssen. Seit er sie das erste Mal in Giuseppe Brunis Trattoria gesehen hatte, war sie ihm nicht mehr aus dem Kopf gegangen. Ihre Schönheit. Ihre Anmut. Ihr Lächeln. Mehr als einmal hatte er bereut, sie damals nicht sofort angesprochen zu haben.

Und nun musste er sie ausgerechnet hier und jetzt treffen!

Wie beim letzten Mal war wieder die Tänzerin mit der roten Stola an ihrer Seite.

Schlafwandlerisch ging Franco auf die Fremde zu.

Ihre Wangen waren gerötet wie nach einem langen, erholsamen Schlaf. In ihren Augen glänzten Tränen.

Sie sah so verletzlich aus!

Das Toben der Menge, ihre Bravo-Rufe waren nicht mehr als ein leises Summen in Francos Ohren.

Sie bemerkte ihn nicht gleich, sondern gestikulierte wild mit den Händen in Richtung der Dichterin. Im nächsten Moment machte sie einen Schritt zur Seite – und trat ihm dabei auf den Fuß.

»Hoppla!« Kichernd fuhr sie herum. »Entschuldigung, ich wollte nicht …«

Ihre Lider flatterten nervös, als ihre Blicke sich trafen. Erstaunt, fast schreckhaft schlug sie die Hand vor den Mund.

Ihre Gesichter waren keine Handbreit voneinander entfernt. Von nahem war sie noch schöner. Nicht ganz so jung, wie Franco geglaubt hatte, aber mit Augen, tiefer als jeder Bergsee und inniger als jede Umarmung.

Noch immer hielt sie die Hand vor den Mund, und ihre Augen blickten verwundert.

Wie von fremden Kräften gesteuert, langte Franco nach ihrer Hand und führte sie in andächtiger Langsamkeit an seinen Mund. Küsste erst ihren kleinen Finger, dann den nächsten, dann den nächsten. Erst als er auch die Handinnenfläche geküsst hatte, gab er sie wieder frei.

»Es ist doch gar nichts geschehen«, murmelte er wider besseres Wissen.

10

»Warum siehst du nicht ein, dass es einfach nicht sein soll, Liebes?« Stirnrunzelnd schaute Ruth von ihrem Schreibblock auf. »In den Sommermonaten kann man keine Arbeit finden, das weiß doch jeder. Dass du dir die Hacken abläufst, ändert daran auch nichts.«

Wanda schaute zu, wie Ruth einen Stapel Namenskarten immer wieder neu auf einem großen Bogen Papier platzierte.

»Und was soll im Herbst anders sein? Es liegt doch nicht am Wetter, dass ich einen Reinfall nach dem anderen erlebe!«

Den ganzen Vormittag hatte Wanda krampfhaft versucht, einen geschäftigen Eindruck zu vermitteln, aber schließlich war sie doch zu Ruth ins Esszimmer gegangen. Marie war wer weiß wo unterwegs, Harold in seiner Bank, zum Einkaufen hatte sie keine Lust – was blieb ihr also anderes übrig? Mehr um zu provozieren und weniger aus ehrlichem Interesse hatte sie ihre Mutter gefragt, was sie von ihrer Idee hielt, sich als Botschaftsangestellte für ein fremdes Land zu bewerben. Die Antwort war ein schlichtes »Gar nichts« gewesen, worauf der Hinweis folgte, dass sämtliche Botschaften stets zum Jahresanfang Stellen ausschrieben und nicht zur Jahresmitte.

Ruth schien nun mit der Verteilung der Namenskarten auf ihrem Papier zufrieden zu sein. Sie lächelte ihre Tochter an.

»Warum hilfst du mir nicht ein bisschen bei der Planung von Maries Ehrenfest? Marie würde sich sicher darüber freuen.«

Wanda zog ein Gesicht. »Ach, Mutter, wir wissen doch beide, dass niemand ein solches Fest besser plant als du! Wahrscheinlich hast du längst jedes Detail von den Servietten bis hin zur Musikfolge auf einer deiner Listen festgehalten.«

Mit Genugtuung sah sie, wie eine leichte Röte Ruths Wangen überzog. Ertappt! Aus lauter Mitleid wollte Mutter sie an ihren »heiligen« Vorbereitungen beteiligen – so weit war es schon gekommen.

»Außerdem scheint es Marie sowieso ziemlich gleichgültig zu sein, was wir tun«, fügte sie bissig hinzu.

Ruth schürzte die Lippen. »Ganz Unrecht hast du leider nicht – seit sie diesen italienischen Grafen kennt, kann man froh sein, sie überhaupt noch zu Gesicht zu bekommen.«

»Ha! Am Ende erscheint sie gar nicht zu ihrem Fest, wo dieser Franco doch auch nicht kommen kann – vielleicht solltest du ihre Abwesenheit gleich in deine Sitzordnung einplanen«, stichelte Wanda weiter. Dass Maries neuer Freund es gewagt hatte, eine Einladung von New Yorks ungekrönter Gastgeberkönigin auszuschlagen, hatte ihrer Mutter sehr missfallen.

Prompt hoben sich Ruths Augenbrauen zu zwei hohen Bögen. »Da ringe ich mich Marie zuliebe durch, einen völlig Unbekannten einzuladen, und was ist der Dank?«

Wanda seufzte mitfühlend. »Und das bei jemandem, dessen Name weder auf der A-Liste auftaucht noch sonst irgendwie einzustufen ist.«

»Recht hast du, meine Liebe. Mit den besten Leuten der Stadt hätte dieser Franco einen Abend lang verkehren dürfen. Aber wenn ihm seine Geschäfte wichtiger sind, bitte schön!«

Wanda grinste in sich hinein. Mutter merkte es gar nicht, wenn man sie mit ihrem Standesdünkel aufzog. Sie beschloss, noch einen draufzusetzen.

»Womöglich ist er gar kein Adliger, sondern ein Betrüger und kommt nur deshalb nicht zu uns, weil er fürchtet, entlarvt zu werden.«

»Ich bitte dich, Wanda! Mach mir keine Angst!«, sagte Ruth. »Dass von unseren Bekannten keiner einen Conte de Lucca kennt, will ja nichts heißen – allzu viele Italiener verkehren nun einmal nicht in unseren Kreisen. Und eins sage ich dir: Ich bekomme diesen Franco schon noch zu Gesicht! Seine *wichtigen* Geschäftstermine werden ja nicht ständig mit unseren Einladungen zusammenfallen.«

Gerade als Wanda das Gespräch langweilig wurde, winkte ihre Mutter sie näher zu sich. »Wehe, du verrätst auch nur ein Wort von dem, was ich dir jetzt sage!«, drohte sie spielerisch.

Wanda schüttelte den Kopf, während sie auf ihrem Stuhl nach vorn rutschte.

»Vorausgesetzt, dieser Mann ist, wer er vorgibt zu sein, dann bin ich über Maries Liaison gar nicht so böse. So … gelöst und schwärmerisch habe ich sie noch nie erlebt! Und dann ihre Augen, wenn sie von diesem Franco erzählt, dieses Strahlen von innen heraus – ich glaube, mein Schwesterherz hat es zum ersten Mal in ihrem Leben richtig erwischt! Aber ist es denn ein Wunder? Ein italienischer Conte …«

»Er sieht wirklich sehr gut aus«, musste Wanda zugeben. Sie hatte Franco einmal kurz zu sehen bekommen, als er Marie abgeholt hatte. Um ehrlich zu sein, hatte die attraktive Erscheinung des Italieners sie einen Moment lang derart aus der Fassung gebracht, dass sie nicht mehr als ein gestottertes »Good evening« über die Lippen gebracht hatte. Zugegeben, ihre Tante war nicht unattraktiv – mit ihren feinen, etwas herben Gesichtszügen und den langen Beinen in Männerhosen –, aber sie war immerhin schon ziemlich alt! Dass sich solch ein toller Mann für sie interessieren würde, hätte Wanda nicht für möglich gehalten.

»Gegen Franco de Lucca sieht Harold aus wie fader Kaffeesatz«, seufzte sie nun.

»Wanda! So etwas sagt man nicht«, mahnte Ruth. »Marie sei ihr schöner Italiener gegönnt! Ich war schon immer der Ansicht, dass Magnus nicht der Richtige für sie ist. Und Johanna hat in ihren letzten Briefen vor Maries Anreise etwas Ähnliches angedeutet.« Hastig schaute Ruth sich um, als wolle sie sichergehen, dass nicht plötzlich Marie im Türrahmen erschien.

»Was denn?« Es kam selten vor, dass ihre Mutter Vertraulichkeiten mit ihr austauschte.

Ruth seufzte viel sagend. »Marie leide an Schwermut, sei sich dessen aber nicht bewusst, hat Johanna geschrieben. Natürlich habe ich mich erst einmal gefragt, woher mein Schwesterherz Schwermut so genau diagnostizieren kann! Für Johanna ist nämlich jeder, der nicht zwölf Stunden pro Tag arbeitet, nicht wohlauf, musst du wissen. Aber nachdem ich Marie dann hier erlebt habe, musste ich Johanna zustimmen: Einen sehr glücklichen Eindruck hat unsere Kleine bei ihrer Ankunft wirklich nicht gemacht.«

Wanda zuckte mit den Schultern. »Aber das hatte sich doch schon vor diesem Franco gebessert, findest du nicht?« Sie wollte es nicht aussprechen, aber sie war überzeugt davon, dass Marie vor allem ihre gemeinsamen Ausflüge mit Pandora gut getan hatten. Andere Künstler zu treffen, mit denen sie über ihre Ideen reden konnte, war genau das, was Marie gefehlt hatte.

»Das wäre ja noch schöner, wenn sie in unserer Obhut nicht ein wenig aufgeblüht wäre!«, rief Ruth mit gespieltem Entsetzen.

Wanda grinste. Es war angenehm, so mit Mutter zu reden. Nun tat es ihr sogar Leid, sie zuvor auf den Arm genommen zu haben.

»Ein bisschen Verliebtheit hat noch niemandem geschadet. Obwohl es mich schon wundert, wie schnell sie Magnus vergessen hat! Das ist eigentlich gar nicht ihre Art«, wunderte sich Ruth laut. »Marie war dem anderen Geschlecht gegenüber immer sehr gleichgültig. Ich erinnere mich an den ersten Tanz in den Mai, den wir nach dem Tod unseres Vaters besuchten ... Was haben sich die Burschen bemüht, sie auf die Tanzfläche zu kriegen! Doch Marie hat jeden davongewinkt. Zuerst habe ich geglaubt, ihr wäre keiner gut genug, aber irgendwann merkte ich, dass sie sich in der Gegenwart der Jungen einfach nur langweilte. Sie fand es spannender, Glas zu blasen. Kleider, Frisuren, Schmuck – so etwas hat sie nie interessiert, weil sie den Männern gar nicht gefallen wollte.« Ruth schwieg für einen Moment, in Erinnerungen versunken. »Wenn ich so darüber nachdenke ... Marie als junges Mädchen und du heute – ihr seid euch ziemlich ähnlich. Was Harold angeht, gehst du mit deinen weiblichen Reizen auch allzu sparsam um. Kein Wunder, dass er dir immer noch keinen Antrag gemacht hat! Wenn ich daran denke, wie es mir damals mit deinem Vater ergangen ist …« Sie seufzte. »Was haben wir miteinander geschäkert, verliebte Blicke getauscht, heimlich getuschelt … Tja, und dann bin ich mit ihm aus lauter Liebe um die halbe Welt gereist!«

Zuerst wollte Wanda wegen Ruths Bemerkung über Harold protestieren, doch dann sagte sie: »Erzählst du mir noch einmal, wie du damals mutterseelenallein bei Nacht und Nebel von Lauscha weggegangen bist?« Wanda liebte diese Geschichte, und Ruth liebte es, sie zu erzählen. Danach war sie meist in solch einer beseelten Stimmung, dass man alles von ihr haben konnte. Doch heute ließ sie sich nicht auf Wandas Ablenkungsmanöver ein.

»Nein, nein, genug geredet! Ich muss mich an die Getränkefolge machen. Und für dich hätte ich ebenfalls eine gute Idee! Warum holst du dir nicht auch Papier und Federhalter?«

Dienstbeflissen schaute Wanda auf. »Und dann?«

»… könntest du den Brief an Tante Johanna schreiben, der schon seit Wochen überfällig ist. Von deiner Cousine Anna bekomme ich alle sechs Wochen ein paar nette Zeilen«, fügte Ruth noch hinzu.

Wanda verzog den Mund. Nach allem war ihr zumute, nur nicht danach, ihrer hinterwäldlerischen Verwandtschaft in Thüringen, die nicht einmal ein Telefon besaß, zu schreiben!

»Und wenn Marie heute zurückkommt, werde ich sie ebenfalls zum Schreiben anhalten. Fünf Wochen ist sie nun schon da, und keine Zeile hat sie denen zu Hause geschrieben – ein Unding ist das!«, empörte sich Ruth.

Auf einmal hatte Wanda es eilig. Wenn ihre Mutter sich erst einmal in Rage redete, hagelte es am Ende meist nur unsinnige Verbote.

»Tut mir Leid, aber in dreißig Minuten beginnt meine Tanzstunde. Wenn ich mich jetzt nicht beeile, verpasse ich noch den Anfang und muss trotzdem die ganze Stunde zahlen!«

Sie raffte ihren Rock zusammen und war schon halb zur Tür hinaus, bevor Ruth einen Einwand vorbringen konnte.

»Vielleicht treffe ich sogar Marie bei Pandora! Dann kann ich sie daran erinnern, dass übermorgen unser Fest stattfindet.«

*

»Du hast *was* nicht?« Wandas Stimme kippte fast über.

»Die Miete bezahlt. Ich hab's einfach vergessen.« Gleichgültig wischte Pandora Wandas Empörung weg. »Man könnte es auch einen kleinen finanziellen Engpass nennen. So etwas kann doch mal passieren! Dir natürlich nicht, für solche Banalitäten hast du ja Daddy, nicht wahr?«

Wanda bemühte sich, Pandoras Angriff zu ignorieren. Sie zeigte auf die riesigen Gepäckbündel, die sich an der Hausmauer im Innenhof von Pandoras ehemaligem Tanzstudio türmten. »Und nun?«

Die Tanzlehrerin zuckte mit den Schultern.

Als Pandora verkündet hatte, dass die Tanzstunde im Freien stattfinden würde, hatte Wanda sich im ersten Moment nichts Böses dabei gedacht. Eine von Pandoras Übungen, wahrscheinlich sollten sie heute das Spiel von Straßenkindern im Tanz ausdrücken, hatte sie geglaubt. Erst als sie und die anderen nach der Tanzstunde – die für Pandoras Verhältnisse im übrigen mehr als konventionell ausgefallen war – sich im Waschraum hatten erfrischen wollen und Pandora ihnen erklärt hatte, dieser würde gerade renoviert, war sie stutzig geworden: Renovierungen in dieser elenden Bruchbude?!

Während die anderen ungewaschen nach Hause getrottet

waren, hatte Wanda sich notdürftig mit ihrem Taschentuch den Schweiß von der Stirn gewischt.

Wie ein Häufchen Elend saß Pandora nun auf einem der Bündel, die ihr ganzes Hab und Gut darstellten. Ihre Überheblichkeit schien verraucht.

»Bisher hat sich in letzter Minute immer etwas ergeben«, sagte sie mit dünner Stimme. »Ich habe doch so viele Freunde!«

Wanda nickte. Und wenn es darauf ankam, war keiner von denen zur Stelle!

Sie drehte sich zur Seite und öffnete verstohlen den Bügel ihrer Handtasche. Nachdem sie den Inhalt ihres Portemonnaies überprüft hatte, ging sie zu Pandora hinüber.

»Steh auf, du lahme Ente! Und lass dir von einem Trampeltierchen sagen, wie es weitergeht. Jetzt hilft nur ein Drei-Schritte-Plan.«

In Pandoras Blick blitzte ein schwacher Hoffnungsschimmer auf.

»Erstens werden wir die ganzen Sachen wieder vor dein Studio tragen. Es tut deinem Ruf gewiss nicht gut, wenn du wie eine Landstreicherin auf der Straße gesehen wirst.« Wanda schulterte bereits eines der Bündel.

»Glaubst du, daran habe ich noch nicht gedacht? Ich weiß doch, wie es in den Köpfen der Spießer zugeht. Sie fragen sich, warum sie mich als Tänzerin ernst nehmen sollen, wenn ich es nicht einmal schaffe, meine Miete zu zahlen! Dass man als Künstlerin sozusagen in einer anderen Welt lebt, können die sich ja nicht vorstellen«, sagte Pandora, während sie sich an einem Stapel Hutschachteln zu schaffen machte.

Wanda verzog das Gesicht. Das hörte sich schon wieder ganz nach der alten Pandora an!

»Zweitens werde ich mit deinem Vermieter sprechen und ihm die Miete für den laufenden Monat sowie die für August geben.«

»Das kann ich doch nicht annehmen!«, widersprach Pandora, hatte jedoch im selben Moment schon ihre Hutschachteln auf dem Treppenabsatz abgestellt.

Wanda spürte einen Anflug von Ärger. Sie wurde das Gefühl nicht los, dass Pandora nur auf einen gutmütigen Trottel wie sie gewartet hatte. Nun ja, und wenn es so war! Einer musste sich dieses unorganisierten Weibsbildes schließlich annehmen.

»Und drittens ...« – sie pausierte, bis Pandora, die gerade einen ledernen Koffer aufhob, zu ihr hinüberschaute – »drittens werde ich eine Tanzvorführung für dich organisieren, damit wieder Geld in deine Kasse kommt.«

11

Es war drückend heiß. Die Luft flimmerte über den Straßen, die Mauern der Häuser hatten sich bis Mittag wie glühende Bettziegel erhitzt, und die Bäume zwischen den Häuserfluchten verloren aus Wassermangel ihre Blätter wie sonst erst im Herbst.

An einem solchen Tag gab es eigentlich nur einen Platz, wo man seine Zeit einigermaßen angenehm verbringen konnte – nämlich am Wasser, sagte sich Franco und entführte Marie nach Coney Island.

Wie er es sich erhofft hatte, war Marie vom ersten Moment an verzaubert von der besonderen Atmosphäre des Vergnügungsparks. Sie verbrachten Stunden damit, Karussell zu fahren, sich von einer Magierin die Zukunft vorhersagen zu lassen – »*Glückliche Stunden stehen in euren Sternen*«, als hätten sie das nicht selbst gewusst! –, Eis zu essen und Hand in Hand barfuß am Strand zu spazieren, um sie herum glückliche Menschen mit glücklichen Gesichtern. Doch niemand war glücklicher als er, Franco.

Sie waren ein schönes Paar. Immer wieder starrten andere Besucher zu ihnen herüber. Noch nie hatte Franco die Aufmerksamkeit von Fremden derart genossen. »Schaut nur alle her!«, hätte er jedem zurufen wollen. »Schaut und bewundert die schönste Frau auf Gottes Erde. Aber bleibt ihr fern, denn sie ist mein!«

Als es dunkel wurde, trieb der Glanz der Abertausenden von Lichtern im Luna-Park Marie die Tränen in die Augen. Ihren Kopf an Francos nach Tabak duftende Brust gelehnt, erzählte sie ihm von Lauscha und irgendwelchen Flammen der Glasbläser – sie kannte das englische Wort dafür nicht –, die allnächtlich wie Glühwürmchen aus den Fenstern der Hütten nach draußen leuchteten. Eifersüchtig registrierte er die Melancholie in ihrer Stimme. Woher rührte sie? Dachte sie an jemand Bestimmten in ihrer Heimat? Doch schon im nächsten Moment küsste sie ihn und war wieder seine anbetungswürdige Marie. Er drückte sie noch fester an sich.

»Es gibt eine Art von Zauber, den man nur mit dem eigenen Zuhause verbindet. Bei uns in Genua findet zum Beispiel jedes Jahr in der Mitte des Sommers ein Feuerwerk statt. Es ist mindestens so groß wie das Feuerwerk zum Jahreswechsel und es wird von Schiffen abgeschossen, die im Hafenbecken vor Anker liegen. Wenn dann tausend Sterne gleichzeitig explodieren, sieht das Meer wie verzaubert aus. Von unserem Palazzo aus hat man eine wundervolle Sicht, man sieht jede Sternschnuppe, die ins Wasser fällt.« Franco deutete mit der Hand auf das Meer vor ihnen, dessen Wasser in der Dämmerung bräunlich schimmerte. Wie viel blauer, wie viel lieblicher waren die Gewässer in seiner Heimat!

Marie lächelte. »Das hört sich wunderschön an. Erzähl weiter.«

»Als Junge habe ich mir nichts sehnlicher gewünscht, als endlich erwachsen genug zu sein, um so lange aufbleiben zu dürfen, bis das Feuerwerk abgeschossen wird. ›Bin ich dieses

Jahr endlich groß genug?‹, habe ich meine Mutter jeden Sommer gefragt, doch vergeblich. Es ist Tradition, dass in dieser Nacht eine große Feier in unserem Haus stattfindet – ein Kind hätte da ihrer Ansicht nach nur gestört. Doch meine Großmutter Graziella hatte ein Herz. Wie so oft!« Die Erinnerung ließ ihn lächeln. »Kurz vor dem Feuerwerk kam sie regelmäßig in mein Zimmer, weckte mich und nahm mich heimlich mit nach oben in ihre Räume. Gemeinsam standen wir dann am Fenster und schauten zu, wie die Sonne und der Mond verbrannten. Danach hat sie mich wieder zu Bett gebracht, mir ein Bonbon zugesteckt und ist zu dem Fest zurückgegangen, als wäre nichts gewesen.«

»Deine Großmutter muss eine sehr gute und liebe Frau gewesen sein«, sagte Marie.

»Und eine kluge obendrein!« Franco seufzte. »Was würde ich für ihr Wissen über Wein geben! Sie brauchte einen Rebstock im Frühjahr nur anzuschauen, um zu wissen, ob man im Herbst eine gute Ernte von ihm erwarten konnte. Als ich noch ganz klein war, habe ich geglaubt, allein durch die Kraft ihrer Berührung würde sie die Reben zum Tragen bringen! *Mamma mia,* ihr lag die Winzerei wirklich im Blut!«

Marie gab ihm einen kleinen Schubs. »Das gilt doch für dich genauso! Ich habe noch niemanden kennen gelernt, der so begeistert über Wein reden kann wie du.«

»Langweile ich dich mit meinen Geschichten? Wenn das so ist, musst du es mir sagen. Ich will nicht …«

»Pssst!« Sie küsste ihn. »Ich liebe deine Geschichten. Wenn ich dir zuhöre, habe ich das Gefühl, mir erschließt sich eine ganz neue Welt. Und obwohl diese Welt fremd für mich ist, kommt sie mir bekannt vor. Dieses … Weitergeben einer Leidenschaft von Generation zu Generation – das ist doch in meiner Familie nicht anders! Bei uns ist es die Glasbläserei, bei euch die Winzerei.« Sie lachte glücklich. »Kein Wunder, dass wir uns so gut verstehen!«

Franco stimmte in ihr Lachen ein, doch tief drinnen spürte er eine Beklommenheit, die er nicht abschütteln konnte. Wie gern hätte er die Leichtigkeit, mit der Marie Gemeinsamkeiten zwischen ihnen feststellte, geteilt! Doch sie machte ihm damit nur aufs Neue bewusst, wie weit er sich in Wahrheit schon von seinen ursprünglichen Träumen verabschiedet hatte, auch wenn er ihr gegenüber etwas anderes vorgab. Zurück blieb ein tiefes Sehnen, in das sich jeden Tag, den er Marie länger kannte, mehr Hoffnung mischte. Er und sie gemeinsam, ihre Liebe so stark, dass sie Berge versetzen konnte – an diesen Gedanken klammerte er sich. Er war seine Erlösung.

Später am Abend saßen sie in einem der vielen Restaurants über einer riesigen Schüssel mit nach Knoblauch duftenden Muscheln, als Marie über den Tisch langte und Francos Hand ergriff.

»Vielen Dank für diesen wunderschönen Tag! Ich … ich habe das Gefühl, in einem Wunderland zu sein, das ganz weit weg ist von New York … und von dem Rest der Welt. Es ist so märchenhaft …« Hilflos hob sie die Arme. Wie sollte sie ihr Glück in Worte fassen?

»Ich dachte, für dich gäbe es nichts Märchenhafteres als New York«, neckte er sie.

»Schon. Aber du musst doch zugeben, dass die Stadt auch ziemlich anstrengend ist.« Marie warf einer lauernden Möwe ein Stück Weißbrot zu.

Franco zuckte mit den Schultern. »Für mich ist höchstens meine Arbeit anstrengend, für private Vergnügungen bleibt mir leider nicht viel Zeit, *mia cara*.«

Marie stöhnte. »Musstest du das sagen? Ich habe auch so schon ein schlechtes Gewissen, weil ich ständig unterwegs bin. Vergnügungssüchtig – so würde meine Schwester Johanna mich nennen! Ich weiß, ich müsste auch einmal einen Abend lang bei Ruth und Steven bleiben.« Ein Seufzer folgte. »Aber immer wenn ich mir das vorgenommen habe, kommen entweder Pandora oder Sherlain vorbei und schlagen etwas schrecklich Aufregendes vor! Und dann kann ich nicht Nein sagen. Es macht mir einfach Spaß, mit all den Künstlern zu reden und zu diskutieren! Dass ich, Marie Steinmann aus Lauscha, einmal im New Yorker Künstlerviertel sitzen und über den Expressionismus diskutieren würde, hätte ich mir in meinen wildesten Träumen nicht ausgemalt! Und jetzt sitze ich hier mit dir ...«

Auf einmal tat ihr das Herz weh vor lauter Liebe für diesen Mann.

»Musst du mich im selben Atemzug mit all den Verrückten nennen?«, brummte er. »Mir ist nicht wohl bei dem Gedanken, dass du so viel Zeit in Greenwich Village verbringst. Die Sorge, dass dir etwas zustoßen könnte ...«

»Was sollte mir ausgerechnet dort passieren?«, fragte sie lachend. Franco war das Künstlerviertel zu verwirrend, das wusste sie. Es gab nicht *den einen* Geruch, *die eine* Sorte Mensch wie in Little Italy oder in Chinatown. Dort erklang ein Mischmasch aus Englisch, Jiddisch, Russisch und Deutsch auf den Straßen, und alles war eng und heruntergekommen. Aber eben auch überschaubar. Marie bemühte sich um einen beruhigenden Ton.

»Es wird nicht umsonst ein Dorf genannt. Jeder kennt jeden, und gerade deshalb fühle ich mich wohler als in Ruths Apartmenthaus mit seiner verwaisten Eingangshalle und den endlos langen, einsamen Gängen!«

Als er nichts erwiderte, sagte sie: »Außerdem weißt du ganz genau, warum ich die Nähe zu all den Künstlern suche.« Sie machte ein unglückliches Gesicht. »Ach Franco – was ist nur los mit mir? Noch nie in meinem Leben war ich so glücklich wie jetzt – warum aber kann ich dieses schöne Gefühl nicht auf meinen Zeichenblock bannen?!«

»Nicht weinen, *mia cara*. Ich kann nicht zusehen, wie du dich quälst.« Er beugte sich über den Tisch zu ihr hinüber. »Deine Freundinnen schleppen dich von einer Veranstaltung zur nächsten, als wärst du ein Kurgast, der zuerst seinen Kopf und dann seine Hände kurieren muss!«

Seine Bemerkung entlockte ihr ein kleines Lächeln.

»Du bist doch nicht krank! Trotzdem tut Pandora so, als ob sie dich therapieren müsste! Wenn ich nur an diesen Free Speech Evening denke, den sie uns letzte Woche eingebrockt hat! Mir ist heute noch schleierhaft, welchen Sinn das gehabt haben soll.« Er verdrehte die Augen. »Die haben die Themen so schnell gewechselt, wie eine Bergziege von einem Felsbrocken zum anderen springt: die Gleichberechtigung der Frauen, die russische Revolution, Tolstoi, die freie Liebe …«

»Was hast du gegen die freie Liebe?«, antwortete Marie mit einem dünnen Lächeln. Zärtlich strich sie ihm eine verschwitzte Haarsträhne aus dem Gesicht. Sie wollte sich nicht mit Franco streiten.

»Und dann der Ausflug vorletzte Woche mit diesem Fotografen Harrison – den habe ich Pandora immer noch nicht verziehen!« Franco ballte eine Hand zur Faust.

»Aber warum? Fandest du es nicht auch interessant, einmal die düstere Seite der Stadt kennen zu lernen und nicht ewig in all dem Jugendstilglanz zu schwelgen?«

»Die düstere Seite der Stadt? Davon braucht mir kein dahergelaufener Fotograf etwas zu erzählen! Und dann diese schrecklichen Fotos, die er macht! Glaubst du, die Menschen, die zusammengepfercht wie Tiere hausen, lassen sich gern von ihm fotografieren? Von wegen künstlerisch wertvoll! Der macht doch mit dem Elend der Leute ein gutes Geschäft.« Wütend scheuchte Franco eine besonders dreiste Möwe fort, die sich am Tischrand niederlassen wollte. »Dass du nach diesem Ausflug in die Slums tagelang Alpträume hattest, ist wohl auch *künstlerisch wertvoll*!«

»Die Bilder dieser armen Seelen werde ich mein Leben lang mit mir tragen.« Marie wich seinem dunklen Blick aus. Eigentlich wollte sie dieses Gespräch nicht mehr weiterführen, dennoch fühlte sie sich verpflichtet, hinzuzufügen: »Harrison sagt, es waren Männer und Frauen, die diese Slums gebaut haben, also müssen auch Männer und Frauen sie wieder beseitigen! Ich wünsche mir so sehr, dass es gelingen wird!«

»Dieser Harrison und all die anderen nehmen sich so furchtbar wichtig! Jeder will ach so bedeutend sein!«, höhnte Franco.

»Aber es ist doch gut, wenn Menschen etwas verändern wollen, oder?«

»Was verändern sie denn, *mia cara*? Die sitzen in ihren Diskutierrunden, und draußen dreht sich die Welt immer schneller und schneller. Und keiner von denen merkt etwas davon!«

Betroffen schaute Marie auf den Berg schwarzer Muschelschalen, der sich auf ihrem Teller türmte.

»In deinen Augen ist das, was diese Menschen tun, vielleicht nichts Besonderes. Doch ich für meinen Teil habe noch nie jemanden so tanzen sehen wie Pandora. Und ich habe noch nie so anrührende Gedichte gehört wie die von Sherlain. Du selbst hast gesagt, dass sie dir gefallen! Wenn ich mit den Leuten in Greenwich Village zusammen bin, ist das wie eine Art Familie: Jeder hat seine ureigene Passion, und darin sind wir alle verbunden. Das müsstest du doch verstehen!«, rief sie verzweifelt. »Dass ich zurzeit meine Kunst nicht ausüben kann, akzeptieren sie auch. Keiner guckt mich deswegen schräg an. Und jeder meint, ich müsse nur genügend neue Inspirationen sammeln, dann würde alles wieder in Fluss geraten.«

»Glaubst du, ein Rebstock würde mehr Früchte tragen, wenn ich mich vor ihn hinsetze und ihn tagein, tagaus beschwöre? Ist es nicht besser, ihn in Ruhe wachsen zu lassen?«

Fragend hob Franco ihr Kinn an, doch Marie antwortete ihm nicht. »Dieses krampfhafte Suchen ist der falsche Weg, glaube mir! Warum genießt du nicht einfach das Leben? So wie heute. Manche Dinge kann man einfach nicht erzwingen, man muss ihnen ihren Lauf lassen.«

Marie zerkrümelte ein weiteres Stück Brot und warf es den lauernden Möwen zu. Ein heftiges Picken um die begehrten Krumen folgte. Vielleicht hatte Franco Recht. Trotzdem sträubte sich etwas in ihr, ihm einfach nachzugeben.

»Ich habe noch nie in meinem Leben eine Freundin gehabt. Daheim in Lauscha hatte ich gar keine Zeit für Freundschaften, mein Leben lang habe ich nur gearbeitet.« Sie machte ein nachdenkliches Gesicht. »Vielleicht ist es auch so, dass die Frauen bei uns im Dorf mich für ein seltsames Wesen halten.«

Sie lachte auf. Eine Frau, die wie ein Mann von früh bis spät an ihrem Bolg saß – die konnte den anderen ja nicht ganz geheuer sein!

»Aber hier habe ich plötzlich zwei, und wenn man Wanda dazuzählt, sogar drei Freundinnen. Sie mögen mich und ich mag sie. Und jede ist auf ihre Art mindestens so … schrullig wie ich! Doch hier findet niemand etwas dabei, wenn eine Frau ihren eigenen Weg geht! Das ist für mich eine völlig neue Erfahrung! In Lauscha war ich doch immer die Außenseiterin, auch wenn sich die Leute inzwischen an meinen Beruf gewöhnt haben.«

Franco erwiderte nichts. Einen Moment lang hing jeder seinen Gedanken nach.

Wie konnte sie ihm nur klarmachen, dass es keinen Grund gab, eifersüchtig auf Pandora oder irgendeinen anderen Menschen zu sein? Nichts glich dem Gefühl, das sie für ihn empfand! Noch nie war sie so verliebt gewesen, so schrecklich kindisch verliebt, dass sie seine Hand am liebsten nicht mehr losgelassen hätte. Dass sie sich zwingen musste, ihn nicht unablässig mit großen Augen anzuhimmeln. Dass sie seinen Mund, diese festen, männlichen Lippen am liebsten ständig geküsst hätte. Dass sie …

Franco ärgerte sich. So kam er bei ihr nicht weiter. Dabei wusste er ganz genau, was ihre Kreativität wieder zum Sprudeln bringen würde: seine Liebe. Seine Hände auf ihrem Körper, seine Küsse auf ihrer nackten Haut. Leidenschaftliche Nächte, in denen er sie zur Frau machen würde. Aber noch musste er sein Begehren zügeln – Marie war nicht wie Sherlain oder eine dieser anderen Frauen, die sich jedem Dahergelaufenen hingaben. Natürlich wusste er, dass sie keine Jungfrau mehr war – sie selbst hatte ihm von diesem Mann namens Magnus erzählt. Viel konnte er ihr jedoch nicht bedeutet haben, dafür war ihr Ton zu gleichgültig gewesen. Ihm kam es stattdessen so vor, als ob die Kunst bisher ihr einziger Liebhaber gewesen war. Marie hatte etwas so Unschuldiges, so Unberührtes an sich …

Wie damals Serena.

Er räusperte sich. »Verzeih mir, wenn ich dich gekränkt haben sollte. Mir kommt es nur manchmal so vor, als ob du dich mehr für diese Frauen interessierst als für mich! Was weißt du denn schon über mich?« In einer hilflosen Geste hob er die Hände.

»Ich weiß zum Beispiel, dass du mein schöner Italiener bist. Mein eifersüchtiger, schöner Italiener.« Neckisch küsste Marie erst seinen kleinen Finger, dann die restlichen. »Und ich weiß, dass ganze Schiffsbäuche mit Wein-Containern der Familie de Lucca gefüllt werden. Dass jährlich Tausende von Fässern von Genua nach Amerika verschifft werden und dass du deren Auslieferung überwachen musst, obwohl du dich viel lieber nur um eure Weinberge kümmern würdest.«

Wie eine gelehrige Schülerin zählte sie ihm Punkt für Punkt auf.

»Und ich weiß, dass ich noch nie in einen Mann so verliebt war wie in dich«, flüsterte sie rau.

Für einen Moment versanken sie in den Augen des anderen. Doch dann trat ein Kellner an ihren Tisch und fragte, ob er noch etwas bringen solle. Franco verlangte nach der Rechnung, und der Kellner ging, um sie zu holen.

»Wein so weit zu verschicken – lohnt sich das denn?«, fragte Marie. »Ich meine …« Sie lachte verlegen, als sie Francos unsichere Miene sah. »… die Amerikaner bauen doch sicher ihren eigenen Wein an, oder?« Erst als sie ausgesprochen hatte, kam ihr der Gedanke, dass Franco ihre Frage vielleicht unhöflich finden konnte.

»Die Amerikaner schon, aber die hiesigen Italiener nicht«, antwortete Franco, während er nach seinem Portemonnaie kramte. »Bei Überseegeschäften muss man sich geschickt anstellen, muss wissen, welchen Markt man bearbeiten will. Wir liefern beispielsweise nur an unsere Landsleute«, erklärte Franco. »Weißt du übrigens, dass hier mehr Italiener leben als in Rom? Es heißt sogar, New York habe mehr italienische Bürger als Genua, Florenz und Venedig zusammen!«

Marie runzelte die Stirn und wollte ihn fragen, warum das so war, doch sie kam nicht dazu.

»Italien ist arm. Den wenigsten Menschen geht es so gut wie meiner Familie. Du weißt ja selbst, dass es in Europa kaum Fabriken gibt. Wovon sollen die Menschen also leben? Wer kein Land besitzt …« Franco zuckte mit den Schultern. »Jeder, der hier ankommt, hat sehr viel dafür auf sich genommen. Manche Familien sparen viele Jahre, um wenigstens einen Sohn nach Amerika schicken zu können. Sie alle glauben, hier liege das Glück auf der Straße!« Er schüttelte den Kopf. »Nun, ganz so ist es nicht, wie wir wissen, aber den meisten Italienern geht es gar nicht so schlecht hier.«

Plötzlich leuchtete Francos Gesicht auf. »Lass mich dir doch auch einmal *mein* New York zeigen, damit du ein paar von meinen Landsleuten kennen lernst! Nächstes Wochenende gibt es in der Mulberry Street ein großes Fest zu Ehren von San Rocco, unserem Schutzpatron – ich könnte dich Sonntagmittag abholen.«

»Ein Fest zu Ehren eines Schutzpatrons, wie romantisch sich das anhört … Ich komme gern mit!« Im nächsten Moment verschwand Maries Lächeln. »Dann ist auch Ruths Fest vorüber, und ich kann wieder über meine Zeit verfügen, wie ich will.« Sie zog eine Grimasse. »Morgen will sie mit mir und Wanda ein *Ballkleid* kaufen gehen! Das wird sicher wieder den ganzen Tag in Anspruch nehmen. Du siehst, ich komme einfach nicht zum Ausspannen!«

Franco lachte. »Wie kann eine so schöne Frau wie du nur so uneitel sein? Am liebsten würde ich deiner Schwester sagen, sie soll dir zehn Ballkleider kaufen! Aber sie müssen einer Königin würdig sein.« In seinen Augen funkelte Besitzerstolz, als er über ihre Haare strich. »Wie die feinste Genueser Seide. Wehe, du lässt deine Haare jemals abschneiden, wie deine Nichte es getan hat. Du würdest eine Todsünde begehen!«

Marie spürte, dass ihr wieder einmal die Röte ins Gesicht schoss. Komplimente zu hören, daran hatte sie sich immer noch nicht gewöhnt. Sie seufzte.

»Dass Ruth so viel Trara wegen mir macht, gefällt mir trotzdem nicht. Wenn du wenigstens dabei sein könntest! Kannst du deinen Geschäftstermin nicht doch auf einen anderen Tag legen?«

Seine Miene verdunkelte sich.

»Du weißt, wie gern ich das tun würde. Aber am Samstagabend kommt die ›Malinka‹ an. Ich muss unbedingt dabei sein, wenn sie entladen wird. Beim letzten Mal hat es einen Zwischenfall gegeben, der … Mein Vater …« Er biss sich auf die Unterlippe. »Es gibt Dinge, die nicht ganz einfach zu erklären sind. Um nicht zu sagen –«

Marie ergriff seine Hand. »Du brauchst nichts weiter zu erklären. Die Arbeit geht vor, das verstehe ich doch. Dafür gehört der Sonntag uns beiden, nicht wahr?«, sagte sie in bemüht leichtem Ton. Sie wollte nicht, dass er ihr gegenüber ein schlechtes Gewissen hatte, nur weil er einmal keine Zeit für sie hatte. Wo es doch mehr als einen Abend gab, an dem sie ihn wegen einer Lesung, einer Vernissage oder einfach wegen eines Abends mit ihren Freundinnen versetzt hatte!

Als der Kellner erneut an ihren Tisch trat und Franco die Rechnung beglich, verspürte Marie einen Hauch von Erleichterung. Sie wusste zwar nicht warum, aber das Gespräch mit Franco war ziemlich anstrengend gewesen. Erst seine Klagen, sie würde zu viel Zeit mit ihren Künstlerfreunden verbringen, dann ihre indiskrete Frage nach den Geschäften seiner Familie … Seltsam war das. Dabei hatte sie noch nie für einen anderen Menschen so leidenschaftlich empfunden.

Ein panikartiges Gefühl breitete sich in ihr aus, als sie an Francos Arm in Richtung Ausgang des Vergnügungsparks schlenderte. Nein, sie wollte nicht in den noch immer glutheißen Asphaltdschungel der Stadt eintauchen. Sie wollte mit Franco allein sein, weit weg von allen Fragen, nur er und sie und ihre leidenschaftliche Zuneigung wie eine frische Brise zwischen ihnen.

12

Trotz ihrer Vorbehalte gegenüber dem Ball, der ihr zu Ehren gegeben wurde, amüsierte sich Marie prächtig: Ruths Gäste waren sehr nett, wenn auch etwas steif, die Musik war wundervoll, der Saal, den Ruth im obersten Stockwerk des Apartmenthauses für diesen Abend gemietet hatte, ein Traum.

Schon die Vorbereitungen waren vergnüglich gewesen: Ruth hatte speziell für diesen Tag einen französischen Figaro bestellt, der pünktlich um neun Uhr morgens zusammen mit zwei Gehilfen auftauchte. Danach hatten Ruth, Wanda und sie den Vormittag damit verbracht, die neueste französische Frisurenmode auszuprobieren. Während Jacques und die beiden anderen wickelten, kämmten, hochsteckten und flochten, hatten sie die Muße, einen ganzen Stapel französischer Modemagazine durchzublättern. Sogar Marie war entzückt gewesen von der Mode, die ihr so viel schlichter und praktischer erschien als die wallenden Kostümierungen in den New Yorker Kaufhäusern. Als Ruth sie darüber informierte, dass es gar nicht weit entfernt ein französisches Konfektionsgeschäft gab, beschloss Marie, diesem demnächst einen Besuch abzustatten – Franco sah es gern, wenn sie modisch gekleidet war, das hatte sie schon mitbekommen.

Franco … Vielleicht hatte sie Ruths und Wandas Ohren mit ihren Schwärmereien über ihn ein wenig zu sehr strapaziert.

»Franco hat gesagt …«

»Franco meint auch, dass …«

»Erst gestern hat Franco …«

Am Ende war ihr selbst peinlich gewesen, dass in jedem zweiten Satz sein Name fiel. Doch ihre Schwester und ihre Nichte hatten ausgesprochen langmütig darauf reagiert.

Der Friseur war gerade dabei, ihren Frisuren den letzten Schliff zu verleihen, als ein kleines, in dunkelblaue Seide eingeschlagenes Paket für Marie abgegeben wurde. Ein wohliger Schauer durchfuhr sie, als sie auf dem Absender Francos Namen erkannte. Unter vielen Bewunderungsrufen der beiden anderen hatte sie ein diamantenes Diadem ausgepackt.

»Für die Prinzessin dieser Nacht – in tiefer Bewunderung, Franco«, hatte auf dem Begleitkärtchen gestanden. Ruth hatte angeregt, dass Jacques ihre Frisur von Grund auf neu gestaltete, um Francos Geschenk einzuarbeiten.

Während ein Kellner ihr Glas mit Champagner füllte, strich sich Marie verstohlen durchs Haar. Sie und ein Diadem ...

»Du brauchst keine Angst zu haben, mit den vielen Nadeln verrutscht nichts«, flüsterte Ruth, die ihre Handbewegung mitbekommen hatte. Sie drückte Maries Arm. »Wenn die in Lauscha dich so sehen könnten!«

Ein Schatten huschte über Maries Gesicht. Musste Ruth sie ausgerechnet jetzt an zu Hause erinnern? Hastig wechselte sie das Thema. »Deine Freundinnen sind alle so nett und so ... interessiert an mir! Ich würde gern wissen, was du denen erzählt hast.«

»Nur dass du eine berühmte Glaskünstlerin bist«, sagte Ruth, während sie jemandem quer durch den Saal zuwinkte. »Die Amerikaner hatten schon immer ein besonderes Faible für alles Europäische.«

»Das habe ich gemerkt«, erwiderte Marie. »Die Leute, die ich im Village treffe, glauben alle, dass ich Franz Marc und Hermann Hesse persönlich kennen muss. Und hier werde ich über Versailles und den botanischen Garten in München ausgefragt! Nur weil ich aus Europa komme, bin ich doch nicht gleich eine Expertin für den ganzen Kontinent!«, sagte sie lachend. »Glauben die etwa, Europa sei nicht größer als Fliegendreck?«

Ruth hob tadelnd die Brauen. »Was für ein Pech, dass dein Franco nicht hier sein kann«, seufzte sie dann. »Wo er mit seinem edlen Geschenk doch bewiesen hat, dass er ein sehr großzügiger und feiner Mensch sein muss.«

Marie grinste in sich hinein. Typisch Ruth! Plötzlich hatte sie das Gefühl, ihre Schwester umarmen zu müssen.

»Vielen, vielen Dank für das schöne Fest! Die Blumen überall, das gute Essen, die Musik – es ist, als hättest du uns in ein Zauberschloss entführt!« Marie machte eine Handbewegung, die den prachtvoll geschmückten Saal einschloss.

»Hast du wirklich zuerst geglaubt, das Fest würde in unserer Wohnung stattfinden?« Ruth kicherte ausgelassen.

Marie zuckte mit den Schultern. »Auf wie vielen Bällen, glaubst du, bin ich bisher gewesen? Ich kann doch nicht wissen, wie und wo –« Sie brach ab, als Wanda sich zu ihnen über den Tisch beugte.

»Der Kapellmeister hat mir gerade ein Zeichen gegeben. Wenn du einverstanden wärst, könnte Pandoras Aufführung beginnen.« Aufgeregt zupfte sie an den Locken, die Jacques ihr gelegt hatte.

Ruth klappte den Deckel ihrer brillantbesetzten Armbanduhr auf. »Zehn Uhr – immerhin ist sie pünktlich«, stellte sie befriedigt fest. »Bei Stevens letztem Geburtstag hatte ich eine Sopranistin verpflichtet, die kam doch tatsächlich zehn Minuten zu spät, kannst du dir das vorstellen?«

Marie stieß einen entsetzten Laut aus, während sie Wanda verstohlen zuzwinkerte.

Pandora hatte vorgeschlagen, Marie zu Ehren »Die Moldau« tänzerisch umzusetzen. »Eine Reminiszenz an Maries europäische Wurzeln«, hatte sie ihre Wahl begründet. Ruth war damit einverstanden gewesen: Die romantischen Weisen würden sicher den Geschmack ihrer Gäste treffen. Wanda hatte erst einmal aufgeatmet. Pandora mit ihrem expressiven Hang zum Pathos und Mutter mit ihren vielen *do's and don'ts*, die es in ihren Kreisen zu befolgen galt – dass sich die beiden so schnell auf ein Programm einigen würden, hatte sie nicht erwartet. Doch sie glaubte mittlerweile sogar eine gegenseitige Sympathie zu erkennen: Mutter war zwar nicht so weit gegangen, Pandora an einen der Tische zu setzen, aber immerhin hatte sie der Tänzerin in einem der Nebenräume ein komplettes Menü servieren lassen. Und Pandora, nach dem Debakel mit ihrem Vermieter noch immer in etwas gedämpfter Stimmung, schien ihrerseits dankbar für die Chance, ihre finanzielle Misere durch Ruths großzügiges Honorar beheben zu können. Statt wie sonst über die konservative Geisteshaltung der feinen New Yorker Gesellschaft zu lästern, hatte sie sich diesmal zurückgehalten.

»Mutter freut sich sehr, dich heute hier zu haben. Sie ist der Meinung, dein Auftritt würde ihrem Fest einen gewissen *Bohemian touch* verleihen«, hatte sie der Tänzerin zugeflüstert.

Als nun die ersten Takte der Musik erklangen, gratulierte Wanda sich dazu, zwei Fliegen mit einer Klappe geschlagen zu haben: Zum einen hatte sie nun tatsächlich zur Gestaltung von Maries Ehrenfest beigetragen, zum anderen ihrer Tanzlehrerin aus der Patsche geholfen.

In ein silbern schillerndes Gewand gekleidet, betrat Pandora den Raum. Oder besser gesagt: Sie war plötzlich da, denn da sie barfuß lief, hatte niemand sie kommen hören. Die Gäste, die schon vorab von der Tanzeinlage erfahren hatten, begrüßten sie mit höflichem Applaus, aber ohne größeres Interesse. Sie waren nicht nur satt vom vorangegangenen Acht-Gänge-Menü, sondern auch von allzu vielen Aufführungen musischer Art, die sie allwöchentlich über sich ergehen lassen mussten.

Pandora verbeugte sich vor Ruths Tisch. Mit großer Geste zog sie dann ein paar Nadeln aus ihrem Haar, schüttelte es frei und begann mit einem beseelten Lächeln zu tanzen.

»Sieht sie nicht wunderschön aus?«, flüsterte Wanda mit einer Art mütterlichem Stolz Marie zu. »Wie ein wilder Paradiesvogel.«

»Schon, aber ich glaube, sie hat nicht einmal ein Korsett an«, gab Marie grinsend zurück. »Und auf einen Unterrock hat sie wohl auch verzichtet, oder? Glaubt sie, das macht man in Europa so?«

Nun fiel es auch Wanda auf: Bei jedem Schwung des glitzernden Stoffes konnte man Pandoras Beine bis hoch zu den Schenkeln sehen. O weh! Und es kam noch schlimmer: Bil-

dete sie es sich ein, oder hatte sie tatsächlich gerade eine ...
Brustwarze blitzen sehen?

Verstohlen warf Wanda ihrer Mutter einen Blick zu, doch
Ruth verzog keine Miene. Entweder schien sie Pandoras erotische Aufmachung weniger skandalös zu finden, oder sie war
gewillt, sich ihr Entsetzen nicht anmerken zu lassen.

Während sich Pandoras Körper sanft zu den Klängen der
Moldau hin und her bewegte, beobachtete Wanda die Gäste:
Alle Augen waren nun auf die Tanzfläche gerichtet, Gespräche verstummten, in den Aschenbechern glühten verwaiste
Zigarren vor sich hin. Auch Harold, gerade eben noch tief in
eine Debatte mit Steven über irgendwelche Zahlen verwickelt, starrte wie gebannt nach vorn.

Wanda entspannte sich ein wenig. Alles war in bester Ordnung. Sie wollte kein Aufsehen, keinen Eklat. Nicht heute.

Pandora schien wie in Trance zu tanzen. Bald konnten weder
die Geigen noch das Klavier gegen ihre wilden Bewegungen,
ihre kraftvoll geschleuderten Schenkel und hüpfenden Brüste
ankommen, fast kümmerlich klangen die Weisen nun. Aber
wen scherte schon die Musik?

Harold stieß einen kleinen Pfiff aus. Entsetzt registrierte
Wanda, wie es ihm ein paar Männer gleichtaten.

»Soll das wirklich ›Die Moldau‹ sein? Oder heißt der Tanz
womöglich ›Die Niagarafälle‹?« Er griff nach Wandas Hand,
seine Finger waren heiß und schwitzig.

Wütend riss sich Wanda los. Wann immer Pandora in ihre
Nähe kam, versuchte sie, ihr ein Zeichen zu geben. Langsa-
mer! Weniger! Herr im Himmel, hilf!

Sie hatte plötzlich das Gefühl, Zeugin eines unmoralischen
Aktes zu sein, nur war sie sich nicht sicher, *wer* dabei unmo-
ralisch handelte: die Tänzerin oder die Gäste mit ihren gieri-
gen Blicken. Wandas Magen verknotete sich, drückte gegen
ihre Lungen und machte ihr das Durchatmen schwer.

Pandora hatte sich inzwischen in einen Rausch getanzt. Sie sah weder die Gier der Männer noch die unterdrückte Lust in manchem Frauengesicht. Sie sah auch nicht die schockierten Blicke der zuvorderst sitzenden Damen. Und schon gar nicht Ruths starre Miene.

So plötzlich, wie Pandora angefangen hatte zu tanzen, so plötzlich hörte sie schließlich wieder auf. Sie nickte vage in Richtung der Zuschauer und ging ohne einen Knicks oder auch nur eine angedeutete Verbeugung aus dem Saal.

Was folgte, war vereinzelter, verlegener Applaus, angeführt von Maries und Wandas ermutigendem Klatschen. Die meisten Gäste schauten hinüber zu Ruth und Steven, als wollten sie fragen: Was nun?

Mit blasiertem Augenaufschlag hielt Ruth Steven ihr Champagnerglas hin.

»Liebster, ich glaube, der Kellner vernachlässigt uns aufs Gröbste. Würdest du mir bitte nachschenken?«

Fast war es, als ginge ein Aufatmen durch die Menge. Man würde also so tun, als hätte der Tanz nicht stattgefunden. Unauffällig wischte man sich den Schweiß ab, tupfte auf erhitzten Wangen herum, während man der Gastgeberin für ihre weise Entscheidung einen anerkennenden Blick zuwarf.

Wanda hielt es keine Minute länger an ihrem Platz aus, sie rannte hinter Pandora her.

Sie musste nicht lange nach ihr suchen.

Zitternd lehnte Pandora an der Wand. Eine Hand hielt sie sich an die Brust, als würde ihr Herz schmerzen. Sie hatte geweint, die Schminke um ihre Augen hatte sich in schwarze Flecken verwandelt. Als sie Wanda auf sich zukommen sah, drehte sie sich abrupt zur Seite.

»Pandora ...« Hilflos tippte Wanda an ihre Schulter. »Es tut mir Leid, wenn die Leute nicht so ... so reagiert haben, wie du das sonst von deinem Publikum gewöhnt bist. Die Freunde meiner Eltern sind nun mal ein wenig ...«

»Wie kannst du mich nur solchen Qualen aussetzen?«, fuhr Pandora auf. »Den Löwen zum Fraß vorgeworfen hast du mich! Von wegen *Bohemian touch*!«

Wanda zog den Kopf ein. Da sah sie Marie den Gang entlangkommen. Wenn diese jetzt auch noch zu schimpfen anfing –

»Das ist ja gründlich danebengegangen!«, stöhnte Marie, als sie bei ihnen angekommen war. »Ruth platzt fast vor Wut, und einige Gäste gucken immer noch so belämmert, als hätten sie einen grünen Elefanten gesehen.« Sie kicherte.

Wanda atmete erleichtert aus. Wenigstens drohte von Maries Seite keine weitere Standpauke.

»Danke für den Vergleich!«, schniefte Pandora.

Marie gab ihr einen Schubs. »So war das nicht gemeint, das weißt du ganz genau. Ich wollte damit nur sagen, dass du die Leute mit deinem Auftritt ziemlich verwirrt hast! Aber falls es dir ein Trost ist: Mir hat dein Tanz unheimlich gut gefallen!«

»Was für ein Trost! Ich bin mir da drinnen vorgekommen wie ein Schausteller des Jahrmarkts draußen auf Coney Island! Die Frau mit den zwei Köpfen! Oder die Schlangenfrau! Als ob ich etwas zu Markte tragen würde. Diese Leute verstehen nicht, dass meine Kunst und ich eine Einheit sind und ich sie dadurch teilhaben lasse an meinem Leben. Die glauben, sie sehen ein lüsternes Schauspiel!« Sie wischte sich die Tränen aus dem Gesicht. Aus den schwarzen Flecken wurden schwarze Streifen.

»Fifth Avenue – ich hätte es wissen müssen! Eines sage ich euch hier und jetzt: Von nun an werde ich nur noch vor ausgewähltem Publikum tanzen, und wenn ich dafür keinen Cent bekomme, ist mir das auch egal!« Hoch erhobenen Hauptes rauschte sie davon.

Ratlos schauten Wanda und Marie der Tänzerin nach, während Kellner an ihnen vorbeieilten, um Getränkewünsche zu erfüllen, und drinnen im Saal ein Walzer gespielt wurde.

Inzwischen hatte sich auch Harold zu ihnen gesellt. Er hüstelte verlegen.

»Mach dir nichts draus, Wanda! Pandora wird sich schon wieder beruhigen. Und was ihre Vorführung angeht: Ich fand's toll!«

»Dass es *dir* gefallen hat, habe ich gemerkt!«, giftete Wanda. Im nächsten Moment sackte sie zusammen wie ein Blasebalg, der keine Luft mehr hat. »Ach verflixt! Jetzt bin ich wieder mal der Sündenbock!« Dabei hatte sie es doch mit allen nur gut gemeint … »Warum muss eigentlich alles schief gehen, was ich in die Hand nehme?«

Marie seufzte. »Red dir doch nicht solch einen Blödsinn ein. Auch wenn du das jetzt am allerwenigsten hören willst: Ich hätte dir gleich sagen können, dass Pandoras Tanzkunst nicht den Geschmack deiner Mutter trifft! Aber was soll's! Ich gehe jetzt hinein und sage Ruth, dass sie mir mit der Vorführung eine Riesenfreude gemacht hat, dann wird sie sich schon wieder beruhigen.«

»Nein, warte!« Wanda hielt Marie am Ärmel fest, dann atmete sie einmal tief durch. »Ich habe nicht die geringste Lust, mich gleich wieder in die Höhle des Löwen zu begeben. Warum gehen wir nicht erst mal in die Bar unten an der Ecke, bevor ich bei lebendigem Leib gefressen werde? Ich lade euch ein!«

Mit erzwungenem Frohsinn hakte sie sich bei Marie und Harold unter, sodass den beiden nichts anderes übrig blieb, als ihr zu folgen.

Harold drückte ihre Hand. »Ich warne dich, meine Liebe: Solltest du diesen schrecklichen Anislikör bestellen, den du so gern trinkst, ziehe ich den Groll deiner Mutter auf der Stelle vor!«

»Keine Angst, mir steht eher der Sinn nach einem

Schnaps!«, erwiderte Wanda. Ihr Hals war allerdings so trocken, dass sie eigentlich ein großes Glas Wasser hätte trinken sollen.

»Ein Schnaps – jetzt hör dir die Kleine an!«, sagte Marie. »Am Ende sind wir alle betrunken – und was deine Mutter *dann* sagt, möchte ich gar nicht wissen.«

Wanda zuckte lakonisch mit den Schultern. »Manche Dinge sind angeheitert einfach leichter zu ertragen.«

Marie kicherte. »Jetzt hast du dich gerade angehört wie dein Vater. Das hat er auch immer gesagt, wenn er mal wieder nicht mit Ruth klarkam.«

»Vater? Wieso?« Stirnrunzelnd drehte sich Wanda zu ihr um. »Der trinkt doch gar keinen Schnaps …«

13

»Ich … ich meinte ja auch nur …« Maries Blick floh den Gang entlang. Sie gewahrte entsetzt, dass Ruth mit düsterer Miene auf sie zukam.

»Der Löwe hat seine Höhle verlassen«, murmelte Wanda, die ihre Mutter im selben Moment entdeckt hatte. Sie löste sich von Maries Arm.

»Also, was hast du eben gemeint?«, fragte sie. Angriff war in ihren Augen immer noch die beste Verteidigung, und so kam ihr Maries seltsame Bemerkung als Ablenkungsmanöver gerade recht: Wenn sie noch eine Weile darauf herumritt, würde der Löwe vielleicht das Brüllen vergessen, spekulierte sie. »Ich kann mich nicht erinnern, dass Vater je zum Schnapsglas gegriffen hat, weil er und Mutter Streit hatten. Ihr seid doch stets ein Herz und eine Seele. Stimmt's, Mutter?«

»Kann mir mal jemand sagen, worum es hier geht?«, fragte Ruth. Ein kleiner Nerv zuckte unter ihrem rechten Auge – der erste Vorbote einer nahenden Migräne.

»Um gar nichts!«, winkte Marie ab. »Würdest du mich bitte wieder hineinbegleiten? Ich lechze nach einem Glas Champagner und –«

»Also wirklich, Tante Marie! Du kannst doch Vater nicht als Trunkenbold hinstellen und es dabei belassen!« Wanda bemühte sich, eine arglose Miene aufzusetzen. »Oder gibt es womöglich etwas, was ich über meinen Vater wissen müsste?« Sie schlug einen gespielt vorwurfsvollen Ton an.

»Marie?« Ruths Wimpern flatterten unruhig. Unter ihren mit Rouge geschminkten Wangen war sie plötzlich sehr blass. »Was … was hast du ihr erzählt?«

Seltsam, Mutters Stimme klang so anders, so blechern! Sie schien zudem ihren Ärger über Wanda völlig vergessen zu haben. Ein komisches Gefühl regte sich in Wandas Bauch.

Harold räusperte sich erneut. »Wanda, Liebes, ich schlage vor, wir beenden unsere Unterredung zugunsten eines Tanzes.« Galant bot er ihr seinen Arm an. Nicht noch mehr Ärger machen, sagte sein Blick.

Wanda funkelte ihn an. »Also wirklich! Ich werde doch wohl um eine Antwort auf eine höfliche Frage bitten dürfen. Allmählich habe ich es satt, dass ihr immer so tut, als ob man mich nicht für voll nehmen könnte. Ich bin zwar noch jung, aber nicht dumm!«

»Nun, scheinbar weißt du nicht, dass man seine Eltern unter keinen Umständen auf ihre Jugendsünden ansprechen darf«, erwiderte Harold.

Sein gutmütiges Grinsen ärgerte Wanda auf einmal. Nie irgendwo anecken, niemals Ärger machen – typisch Harold! Zur Abwechslung hätte er ja auch einmal ihre Position einnehmen können. Aber bitte – sie konnte sich auch allein behaupten!

»Eine Jugendsünde …« Prüfend ließ sie das Wort über ihre Lippen rollen.

»Blödsinn!« Maries Lachen klang schrill. »Bei uns in Lauscha hatten wir gar keine Zeit für Jugendsünden, wir waren schneller erwachsen, als … uns lieb war, nicht wahr, Ruth?«

Erschrocken registrierte Wanda den tödlichen Blick, den ihre Mutter Marie zuwarf.

Lass gut sein. Hake dich bei Marie ein und tu so, als hätte sie gar nichts gesagt, raunte eine Stimme in ihrem Innersten.

Warum, fragte eine andere Stimme im selben Moment. *So zu tun, als ob nichts wäre, würde bedeuten, wie Mutter zu sein!*

Wanda schaute von einer zur anderen. Sie hatte das Gefühl, im selben Moment Zuschauer und Schauspieler eines Theaterstücks zu sein, das kurz vor seinem dramatischen Höhepunkt stand. Alle hatten ihre Plätze eingenommen und warteten auf das nächste Stichwort. Von ihr? Plötzlich schien jedes Wort und jede Regung eine ungeheure Bedeutung zu haben.

Warum schaute ihre Mutter drein, als hätte man sie beim Diebstahl von Tafelsilber erwischt?

Und warum sah Marie aus, als suche sie nach einem Loch, in dem sie verschwinden konnte?

Sie hatte doch nur von der missglückten Tanzeinlage ablenken wollen …

Vater ein Trunkenbold? Nie und nimmer. Etwas stank hier zum Himmel, und zwar gewaltig.

… waren schneller erwachsen geworden, als uns lieb war??

Steif wie eine Gliederpuppe drehte sich Wanda zu Marie um, als wolle sie den nächsten Moment so lange wie möglich hinauszögern.

»Marie … hast du womöglich … gar nicht über … Steven Miles gesprochen?« Die Stimme versagte ihr.

Niemand erwiderte etwas.

Wandas Hals war eng, ihre Kehle so trocken, dass ihre Zunge fast am Gaumen klebte.

»Warum … warum seid ihr auf einmal so komisch? Mutter! Marie? … was?«

Ruths Blick verlor sich irgendwo in der Ferne, und Marie

war zur Salzsäule erstarrt. Beide schienen unfähig, etwas zu sagen oder zu tun.

Wanda wurde es schwindlig. War es möglich, dass sie auf einmal die Gedanken ihrer Mutter und die von Marie glasklar lesen konnte?

»Steven ist gar nicht ... mein ... Vater? Mutter, sag, dass das nicht stimmt!«

*

»Es ist die Hitze, Signor Conte! Die Hitze ...« Anklagend zeigte der Mann nach draußen.

Wie ein Tier lief Franco die Länge der Bretterbude ab, die als Büro diente. Fünf Schritte vom Schreibtisch zu den Aktenregalen und wieder fünf zurück.

»Dass es heiß ist, weiß ich selbst!« Abrupt blieb er stehen. »Warum hast du mich nicht rufen lassen? Wir hätten früher mit dem Entladen beginnen können!«

»Aber Signor de Lucca! Sie selbst haben doch die Anordnung gegeben, erst dann zu entladen, wenn die entsprechenden Zollbeamten ihren Dienst verrichten ...«

Franco begann erneut hin und her zu wandern. Verdammt, der Mann hatte Recht!

»Es ist ja noch mal alles gut gegangen«, knurrte er. Allerdings war es noch knapper gewesen als bei der letzten Fuhre: Ein Junge war bereits ziemlich mitgenommen. Und der Großvater erst! Ob der die Nacht überleben würde ...

Der Mann räusperte sich. »Nun, da die Fracht versorgt ist – gibt es noch etwas zu tun? Ich meine, haben Signore noch einen besonderen Wunsch?« Er drehte an seinen langen Stirnfransen, während er der Tür einen sehnsüchtigen Blick zuwarf.

Franco verabschiedete ihn mit einer ungeduldigen Handbewegung. Es war genug geredet worden. Und es nutzte nichts, wenn er die Falschen zu Sündenböcken machte. Der

151

Fehler war in Genua passiert, ganz eindeutig! Zehn, zwanzig Fässer Wein weniger hätten mehr Luft für die Männer bedeutet. Vielleicht hätte man auch die Luken weiter öffnen sollen, es war schließlich Hochsommer!

Als der Mann gegangen war, schloss Franco den Schuppen zu. Er war hundemüde und doch wusste er, dass der Schlaf in dieser Nacht nicht so einfach kommen würde. Vielleicht nach zwei, drei Gläsern Wein …

Doch statt sich auf den Weg in Richtung Mulberry Street zu machen, setzte er sich auf eines der leeren Blechfässer, die seinen Lagerarbeitern in den Pausen als Tisch und Sitzgelegenheiten dienten, und starrte aufs Wasser. Eine Flotte Fischkutter setzte sich gerade in Bewegung, auf das offene Meer zu. Ihre Lichter schwankten sachte auf den Wellen.

Genua–New York. Ein langer Weg, vor allem, wenn man ihn unter Deck verbrachte, eingesperrt zwischen Hunderten von Fässern Wein, ohne die Möglichkeit, frische Luft zu schnappen, ohne Wasser zum Waschen, nur mit einer minimalen Ration an Essen und Trinken. Anfänglich hatten sie aus diesen Gründen nur junge, gesunde Burschen akzeptiert. Ob die schon einmal mit dem Gesetz in Konflikt gekommen waren – wen kümmerte es? Die de Luccas jedenfalls nicht, solange die Kerle ihr Fahrtgeld bezahlen konnten. Doch bald hatte sich herausgestellt, dass diese Art der Reise ins Exil vor allem von den weniger jungen und gesunden Männern favorisiert wurde, von solchen eben, die auf offiziellem Wege die Gesundheitskontrollen der Einwanderungsbehörde nie passiert hätten. Inzwischen waren meistens auch ein paar ältere Männer an Bord, obwohl er, Franco, immer wieder bei seinem Vater dafür plädiert hatte, die Leute sorgfältiger auszusuchen.

Fahrig zündete Franco sich eine Zigarette an und sog gierig den Rauch ein.

Was, wenn der Alte während der Überfahrt gestorben

wäre? Hätten die anderen weiter still ausgeharrt? Natürlich war ihnen das eingeschärft worden, sehr drastisch sogar. Vielleicht hätten sie jedoch im Angesicht eines Toten jede Drohung vergessen, hätten an die Wand des Holzcontainers getrommelt und so lange Lärm gemacht, bis einer von der Besatzung aufmerksam geworden wäre. Und dann? Was hätten wohl die Behörden zu hundertzwanzig blinden Passagieren in einem De-Lucca-Weincontainer gesagt? Das Risiko war einfach zu groß! Auch wenn sein Vater das ums Verrecken nicht hören wollte! Franco fühlte vor Erbitterung einen Stich. Warum ließ sich der Alte allwöchentlich von ihm telefonisch Bericht erstatten, wenn er sich doch nicht an seine Empfehlungen hielt?

Die Zigarette landete in hohem Bogen in einer trüben Pfütze.

Anfangs hatte er seinem Vater tatsächlich geglaubt, dass es eine gute Sache war, jungen Landsleuten, die aus welchen Gründen auch immer keine Einreisepapiere für Amerika bekamen, auf diese Art den Weg ins gelobte Land möglich zu machen. Dass deren Familien sich krumm legen mussten, um das Fahrtgeld zu berappen, und dass die jungen Männer nach ihrer Ankunft in Amerika noch ein Jahr lang die entstandenen Kosten bei befreundeten Wirten – allesamt auch Abnehmer ihres Weines – abarbeiten mussten, daran hatte Franco nichts Unmoralisches erkennen können – das Risiko, das seine Familie trug, musste schließlich entlohnt werden. Er hatte es sogar als eine heroische Tat empfunden, zwischen den Containern mit Rotwein ein paar arme Seelen in eine bessere Zukunft zu schmuggeln. Vielleicht hätte er mit diesem Glauben alt werden können, wenn sein Vater nicht diesmal Franco nach New York geschickt hätte, damit er mit etlichen Dollar dafür sorgte, dass einige der Zollbeamten im entsprechenden Moment auch weiterhin die Augen zumachten. Als er das erste Mal das Entladen eines Containers miterlebte und die fast verdursteten Männer auf allen vieren herauskrabbeln sah, war es aus und vorbei mit seiner romantischen Vorstellung. Franco hatte erkannt, dass nichts Heldenhaftes daran war, Menschenhandel zu treiben.

Genau darum ging es bei der ganzen Angelegenheit nämlich.

Was ihn, Franco, zum Sklavenhändler machte.

14

Nur langsam erwachte Ruth aus ihrer Ohnmacht. Matt lag sie auf der Chaiselongue inmitten ihrer Art-déco-Schätze, ein kühles Taschentuch auf der Stirn. Doch kaum hatte sie die Augen geöffnet, rief sie: »Wanda? ... Wo ist mein Kind? Ich muss zu ihr und ihr alles erklären. Ich ...« Sie richtete sich schwankend auf.

Marie hielt sie am Arm fest. »Wanda hat sich verkrochen. Sie will niemanden sehen.«

»Verkrochen?« Ruth begann zu weinen, hielt wie ein Kind beide Hände vors Gesicht. »Was hast du nur angerichtet? Ich ... ich will Wanda nicht verlieren.«

Auch Marie musste mit den Tränen kämpfen. Die Hochstimmung vom frühen Abend war längst verflogen, weg auch jeder Gedanke an Franco und die Pandora-Anekdote, mit der sie ihn hatte zum Lachen bringen wollen.

»Es tut mir so unendlich Leid! Eine dumme Bemerkung ... ich weiß selbst nicht, wie es dazu kam. Ich verspreche dir, ich mache alles wieder gut!« Sie hätte Ruth in diesem Moment alles versprochen, doch Ruth hatte ihr Gesicht immer noch in den Händen vergraben.

»Es gibt Dinge, die kann man nicht mehr gutmachen!«, murmelte sie, ohne Marie anzuschauen.

Nachdem Steven Marie mit bleichem Gesicht an Ruths Seite abgelöst hatte, verließ sie zusammen mit Harold das Apartment, um noch einmal nach Wanda zu suchen. Zuvor war Harold schon die ganze Fifth Avenue entlanggelaufen und hatte Wandas Namen gerufen, während Marie in der kleinen Bar an der Ecke zur sechsten Avenue nach ihr geschaut hatte. Die ausgelassene Stimmung der Passanten in dieser Samstagnacht war ebenso an ihr abgeprallt wie die drückende Schwüle, die noch immer auf den Straßen herrschte.

»Im Apartment ist sie nicht, im Haus haben wir auch überall nachgeschaut. Wo sollen wir jetzt noch suchen?« Maries Stimme klang bedrückt. »Zu Pandora wird sie doch wohl nicht gegangen sein, oder?«

»Das glaube ich auch nicht.« Harold wirkte geistesabwesend.

»Es gibt noch einen Ort, an dem wir bisher nicht gesucht haben«, sagte er schließlich. »Sie hat mir einmal erzählt, dass sie gern aufs Dach des Hochhauses geht. Weil sie dort dem Himmel so nah ist.«

»Mein Vater ein Glasbläser in Lauscha ...« Wanda lehnte an der Kaminwand. Ihr Gesicht war grau, ihr Blick stumpf. Der Wind zerrte am dünnen Stoff ihres Ballkleids, ihr rechter Fuß lag in einer undefinierbaren Pfütze, aber sie schien nichts davon wahrzunehmen.

Bedrückt schaute Marie sich um. Dieser hässliche Ort sollte Wandas Lieblingsplatz sein? Wie einsam musste jemand sein, um sich hier wohl zu fühlen?

Nachdem sie Wanda entdeckt hatten, hatte Marie Harold weggeschickt. Sie wollte allein mit ihrer Nichte reden.

Wanda schaute auf. »Mein Vater ein Schläger – ist das wahr?« Tränen liefen ihr übers Gesicht.

Marie spürte Panik in sich hochsteigen. Ich kann das nicht, schrie alles in ihr.

»Die Wahrheit ist vermutlich für jeden Menschen etwas anderes«, sagte sie. Wie hohl sich das anhörte! Schaudernd erinnerte sie sich an das Ende der Auseinandersetzung zwischen Ruth und Wanda.

»Du willst wissen, warum ich dir nichts von *deinem Vater*, wie du ihn nennst, erzählt habe?« Ruth hatte ihre Tochter an den Armen gepackt, sodass ihre Gesichter nur noch wenige Handbreit voneinander entfernt waren. Hysterie und Verzweiflung hatten aus ihren feinen Gesichtszügen ein Schlachtfeld gemacht. »Ich sage es dir: Weil er dich als Säugling totgeschlagen hätte, wenn ich nicht dazwischengegangen wäre! *Das* ist die Wahrheit über deinen Vater.«

Wanda war zusammengesunken, als hätte sie einen Schlag in den Magen bekommen.

»Das glaube ich dir nicht. Du bist eine Lügnerin!«, hatte sie geflüstert und sich im Davonrennen die Ohren zugehalten.

»Ruth und Thomas waren damals noch jung, zu jung, um zu wissen, dass sie nicht zusammenpassten«, begann Marie nun.

Wanda lachte müde auf. »Achtzehn Jahre sage ich zu jemandem Vater, der gar nicht mein Vater ist – *das* ist die Wahrheit!« Sie begann zu weinen. »Das darf doch alles nicht wahr sein! Ich ...«

Als Marie Wanda einen Arm um die Schulter legte, befürchtete sie, von ihr weggestoßen zu werden, doch Wanda schlüpfte wie ein ängstliches Küken noch näher an sie heran.

»Ich weiß nicht mehr weiter ... Marie, hilf mir!«

Und dann erzählte Marie von Lauscha. Wandas Kopf lag an ihrer Brust, und das Abendkleid wurde nass von ihren Tränen. Anfangs stockend, da die Erinnerung an manchen Stellen bereits ziemlich eingerostet war, kehrte schließlich mit jedem Satz ein weiteres Stück von damals zurück.

Sie erzählte von den drei Steinmann-Schwestern, die so

jung ihre Eltern verloren hatten. Mittellos waren sie gewesen, hatten nichts gewusst vom Leben, nichts gehabt außer ihren Träumen. Johanna träumte von der großen, weiten Welt. Und so war sie nach Sonneberg gegangen, um bei einem der Verleger für Glaskunst zu arbeiten. Nur zögernd berichtete Marie, dass ihre Schwester von diesem Mann brutal vergewaltigt worden war. Wanda richtete sich auf, wollte etwas fragen, doch Marie winkte ab. Die Zeiten waren eben sehr schwer gewesen für drei Mädchen ohne Eltern. Dann erzählte sie von Ruth und wie sehr sie in Thomas Heimer verliebt gewesen war, den Sohn eines der reichsten Glasbläser im Dorf. Zu der Zeit waren die drei Schwestern als Arbeitsmädchen bei Wilhelm Heimer in der großen Werkstatt angestellt gewesen, und dort hatte Ruth Thomas zum ersten Mal getroffen. Sie waren glücklich gewesen, wirklich, zumindest am Anfang, und die Hochzeit ein großes Fest.

»Dann kamst du. Dass aus dem heiß ersehnten Sohn eine Tochter geworden war, hat Thomas deiner Mutter nicht verzeihen können. So sind manche Männer nun einmal! Zu viel Alkohol … Die Ehe ging rapide den Bach hinunter. Dann kam die Nacht, in der eine völlig verängstigte Ruth schließlich mit Sack und Pack und ihrer Tochter auf dem Arm vor unserem Elternhaus stand. Deine Mutter ist eine sehr stolze Frau. Sie hat nie darüber geredet, woran ihre Ehe letztendlich gescheitert war. Hat ihren Kummer in sich hineingefressen. Als Steven in Ruths Leben trat, war er der Prinz, von dem sie schon als junges Mädchen geträumt hatte. Du warst gerade ein Jahr alt, als er euch beide mit nach Amerika nahm. Er hat gefälschte Papiere für euch besorgt, Ruth reiste als ›Freifrau von Lausche‹ in die neue Heimat. Zwei Jahre später hat Thomas Heimer endlich in die Scheidung eingewilligt.« Marie seufzte.

Wanda presste stumm die Lippen zusammen. Sie schien verwirrt, als könne sie das, was Marie erzählt hatte, nicht mit ihrer Mutter, der eleganten und stets so besonnen wirkenden New Yorker Society-Dame, in Verbindung bringen.

»Es war ein Fehler von Ruth, dass sie dir nie von ihm erzählt hat. Thomas ist auf seine Art kein schlechter Kerl«, fühlte Marie sich verpflichtet hinzuzufügen. »Er hat übrigens nie wieder geheiratet.«

Wanda starrte ihren Fuß, der immer noch nass in der Pfütze lag, wie einen Fremdkörper an.

»Die ganzen Jahre … Wie oft habe ich mich wie das dritte Rad am Wagen gefühlt!«, sagte sie. »Nun weiß ich endlich, warum das so war: Ich war nie erwünscht, immer nur das lästige Anhängsel vom *Prinzen und seiner Prinzessin.*«

»Das stimmt nicht! Ruth liebt dich mehr als ihr Leben! *Meine Glasprinzessin* hat sie dich als Baby immer genannt.« Mit wehem Herzen erzählte Marie, für wie übertrieben sie und Johanna Ruths Fürsorge als junge Mutter immer gehalten hatten.

»Einmal …« – Marie lachte unwillkürlich auf – »einmal hat sie ihre ganzen gesparten Groschen zusammengekratzt, um dich von einem Fotografen ablichten zu lassen. Und das war damals weiß Gott nicht üblich! Glaube mir, es gab keine stolzere Mutter als Ruth. Du warst wirklich ihr Ein und Alles. Und daran hat sich nichts geändert.«

Lautes Donnergrollen begleitete ihre Aussage, ein Blitz folgte und erhellte die Konturen der angrenzenden Wolkenkratzer, die wie gierige Finger nach ihnen greifen wollten. Über den Himmel rasten schwarze Wolken. Auf einmal wurde es empfindlich kühl.

Marie blinzelte, als sie einen Regentropfen im Rückenausschnitt ihres Kleides spürte. Auch das noch! Hoffentlich zog das Gewitter weiter.

»Aber warum hat sie mich dann achtzehn Jahre angelogen?«, sagte Wanda. »Nichts hat mehr Bedeutung, alles ist Schwindel, jede noch so kleine Bemerkung! Wie konnte sie mir meine lieben Cousinen Claire und Dorothy, die Töchter von Stevens Schwester, als lobenswerte Beispiele für schulischen Fleiß und elterliche Ehrerbietung vorhalten? Wo ich doch gar nicht mit ihnen verwandt bin!« Sie schluchzte auf, halb verzweifelt, halb wütend. »Nie war ich ihr elegant genug. Immer war ich für sie zu faul, zu aufsässig und was weiß ich noch alles. Warum hat sie immer versucht, jemand anderen aus mir zu machen? Erinnere ich sie an meinen Vater – ist es das?«

Marie schüttelte den Kopf. »Deine Mutter hat deinen Vater völlig aus ihrem Gedächtnis gestrichen. Ich glaube sogar, dass ihre Verdrängung so weit geht, dass es ihn für sie nie gegeben hat – wahrscheinlich hat sie dir deshalb auch nie von ihm erzählt. Ihr seid euch nicht ähnlich, glaube mir. Vergiss meine dumme Bemerkung von heute Abend. Du bist du!«

»Und wer soll das sein?«, kam es zurück. »Mein Leben lang habe ich geglaubt, Amerikanerin zu sein, und plötzlich heißt es, ich sei in Deutschland geboren. Hinter den sieben Bergen«, spöttelte sie müde.

»Jetzt red doch nicht so daher! Du bist immer noch Wanda, eine bezaubernde junge Frau mit mehr Charme, als viele andere haben!«, rief Marie. *Wer bin eigentlich ich?* Die Frage tauchte schneller auf, als sie vor ihr hätte flüchten können.

Nun hatte der Himmel endgültig seine Schleusen geöffnet. Trotzdem brachte Marie es nicht fertig vorzuschlagen, irgendwo Schutz zu suchen. Sie wollte das hier oben zu Ende bringen, irgendwie! Sie rutschte näher unter den Absatz des Kamins, als Wanda plötzlich aufsprang und in die Mitte der Dachterrasse rannte.

Die Arme ausgebreitet, ihr Gesicht gen Himmel erhoben, stand sie da.

»Vielleicht ist es am besten, wenn mich der Schlag trifft! Dann ist alles vorbei!« Sie lachte hysterisch, als ihre rechte Hand vom Rand eines Blitzkegels erhellt wurde. »Etwas näher noch, du Donnergott! Dann hast du's geschafft! Und ich auch!« Wie wild drehte sie sich im Kreis.

Im nächsten Moment wurde sie von Marie grob zu Boden gerissen.

»Spinnst du? Das war lebensgefährlich!« Fest hielt sie das zitternde Bündel mit ihren Armen umklammert. »Du Wahnsinnige!«

Wanda schluchzte erneut auf. »Mutter hat ihren Prinzen, Harold seine Bankgeschäfte, Pandora ihren Tanz, du deine Glasbläserei – jeder hat etwas, wofür er lebt, nur ich nicht! Ich bin niemand und ich kann nichts. Ich fühle mich so leer wie eine ausgehöhlte Nuss. Wertlos, nutzlos. So kann ich nicht mehr weitermachen.«

Marie war Wandas Verzweiflung so schutzlos ausgeliefert wie den Naturgewalten, die um sie tobten. Während grollender Donner an Hochhauswänden abprallte, der Regen hart auf ihren Rücken und ihre Arme schlug, verspürte sie zum ersten Mal seit langem tiefe Dankbarkeit für ihre eigene Begabung. Die Frage, wer sie war, war plötzlich leicht zu beantworten: Sie war Glasbläserin und würde immer eine sein!

»Alles wird gut, vertrau mir. Ich werde dir alles von Lauscha erzählen, alles, was du wissen willst. Ich werde dir von deinem Vater Thomas erzählen, von seinen Brüdern und von deinem Großvater. Wenn du willst, werde ich jedes einzelne Glasteil beschreiben, das je in ihrer Werkstatt entstanden ist. Du wirst deine Wurzeln fühlen können, das verspreche ich dir.« Beschwörend schüttelte Marie Wandas Schultern.

»Und was soll das bringen? Was hat das alles mit mir, mit meinem Leben hier zu tun?«

Wandas Skepsis bestärkte Marie noch in ihrem Vorsatz. Ja, sie würde Wanda etwas Eigenes geben – das war das Mindeste, was sie für ihre Nichte tun konnte.

»Sieh es doch einmal so … Steven wird immer dein Vater

bleiben. Aber heute hast du noch einen Vater dazubekommen!«

»Wunderbar! Wenn ich solch eine tolle Gewinnerin bin, warum fühle ich mich dann so platt gewalzt, als hätte mich eine Trambahn überfahren?« Wanda zog ein Gesicht, über das jedoch schon ein kleines, erstes Lächeln huschte.

Bis auf die Knochen durchnässt stiegen sie kurz darauf gemeinsam die Feuerleiter hinunter.

Noch in derselben Nacht – nachdem sie Wanda ins Bett gebracht und abgewartet hatte, bis sie schlief – griff Marie zum Zeichenblock. Als sie einen ihrer mitgebrachten Griffel hervorgekramt hatte und dieser vertraut wie eh und je in ihrer rechten Hand lag, hätte sie vor Erleichterung heulen können. Wie hatte sie vergessen können, wie gut es tat, vor einem jungfräulich weißen Blatt Papier zu sitzen!

Sie malte die halbe Nacht. Das meiste waren nutzlose Skizzen: Balltänzer, Notenschlüssel, die Blumengirlanden, mit denen die Tische geschmückt waren – nichts, was man für die Bemalung von Christbaumkugeln hätte verwenden können. Marie war das gleichgültig. Allein für das Gefühl, dass der Bleistift in ihrer Hand wieder aus eigenem Willen über den Zeichenblock lief, hätte sie am liebsten zehn Dankesgebete ausgestoßen. Sie konnte es noch! Sie hatte ihre Gabe nicht verloren!

Sie malte und strichelte, korrigierte und verbesserte. Plötzlich begannen die Umrisse der New Yorker Hochhäuser vor ihren Augen zu entstehen, dunkel, mit harten Konturen. Und dahinter Straßenlaternen, beleuchtete Fenster, ein Mond, in dessen kaltem Lichtkegel die Silhouette der Brooklyn Bridge erschien.

Draußen dämmerte es schon, als Marie den Stift endlich aus der Hand legte. Kein Blatt mehr übrig! Der Block war vom vielen Umblättern und Zurechtschieben weich und lappig geworden, seine Bögen an manchen Stellen von Maries Griffel zerfurcht, an anderen geschwärzt. Fiebrig sortierte sie die Spreu vom Weizen.

Es war ein Wunder geschehen! Unter allen Kritzeleien befanden sich mindestens zehn, vielleicht auch zwölf brauchbare Skizzen für eine neue Christbaumkugelkollektion! Mit ein bisschen Arbeit …

Maries Lachen verflog schon im nächsten Moment: Wie konnte sie so glücklich sein, wenn sich nur ein paar Türen weiter Wanda vermutlich die Augen aus dem Kopf heulte.

Aber lagen Freud und Leid nicht immer sehr nah beieinander? So wie Tag und Nacht, hell und dunkel …

… »Night & Day-Collection« – wenn es ihr gelingen sollte, die Entwürfe noch auszuarbeiten, wäre das der richtige Name. Gleich morgen würde sie sich an die Feinarbeiten machen. Sie hatte keine Angst, dass sie daran scheitern könnte. Nun, da der Anfang wieder gemacht war, fühlte sie ihre Kreativität wie Lava in einem erwachten Vulkan an die Oberfläche drängen.

Marie blätterte ihre Zeichnungen erneut durch. Die Ansicht mit den Wolkenkratzern und dem Nachthimmel darüber gefiel ihr besonders gut. Auch der tief hängende Mond über dem Hafen war ziemlich gelungen. Wenn man die Kugel zuvor versilbern würde, dann die Konturen zuerst mit weißer Emailfarbe nachfahren und deren Inneres mit Glitzerstaub verzieren würde … ja, das müsste gut aussehen!

Emailfarbe und Glitzerstaub … Sie hatte kaum zu Ende gedacht, als es ihr wie Schuppen von den Augen fiel: Mit ihren »Night & Day«-Entwürfen hatte sie sich wieder ihren allerersten Christbaumkugeln angenähert! Damals, vor gut achtzehn Jahren, als sie heimlich begonnen hatte, Glaskugeln zu blasen, standen ihr nur schwarze und weiße Emailfarbe für die Bemalung zur Verfügung, andere Farben gab es in der Werkstatt ihres Vaters nicht. Das Glitzerpulver hatte sie hergestellt, indem sie bei Wilhelm Heimer Glasscherben erbettelte, die sie dann zu Hause zu feinem Staub zerrieb. Mehr Material war nicht vorhanden, ihre Kugeln hatten allein von den starken Kontrasten zwischen hell und dunkel gelebt.

Marie glaubte, in dieser Übereinstimmung eine tiefere Bedeutung zu erkennen: War es womöglich so, dass sie durch ihren Entschluss, Wanda ihre Herkunft nahe zu bringen, die eigenen Wurzeln wiedergefunden hatte?

15

Nach dem heftigen Gewitter in der Nacht war der nächste Morgen umso klarer. Als Marie den seidenen Vorhang zur Seite schob und aus dem Fenster schaute, schossen ihr Tränen in die Augen, so grell schien die Sonne. Sie blinzelte.

Festtagswetter!

Als sie kurze Zeit später, nur mit einem Morgenmantel bekleidet, ins Frühstückszimmer kam, sah sie zu ihrer Erleichterung sowohl Ruth als auch Wanda am Tisch sitzen. Beide waren blass – es war das erste Mal, dass Marie Ruth ungeschminkt antraf –, beide schienen ziemlich unglücklich zu sein, aber wenigstens redeten sie miteinander.

Einen Moment lang war Marie versucht, von dem Wunder zu erzählen, das ihr in der Nacht widerfahren war. Doch als Steven ihr mit ernster Miene ihren Stuhl zurechtschob, verwarf sie den Gedanken wieder.

Natürlich kreiste das Gespräch nur um das eine Thema. Wanda konnte noch immer nicht verstehen, warum ihre Eltern all die Jahre geschwiegen hatten. Warum? Wieso habt ihr nicht ... Wie konntet ihr nur ...

Ruth und Steven wechselten sich mit Erklärungsversuchen ab.

Eher um etwas zu tun zu haben, denn aus echtem Hunger langte Marie nach dem Brotkorb.

163

»Du sitzt hier und vertilgst seelenruhig ein Brötchen nach dem anderen, als wenn nichts gewesen wäre!«, fuhr Ruth sie plötzlich an, nachdem Wanda wieder einmal in Tränen ausgebrochen war. »Ist es zu viel verlangt, dass du dich an diesem Gespräch beteiligst?«

Marie ließ ihr Honigbrötchen sinken. »Es tut mir Leid. Ich weiß wirklich nicht, was ich sagen soll. Ich ...« Ihr Blick suchte die Kaminuhr, die hinter Steven auf einem Konsolentisch stand. »Schon so spät!« Ihr Stuhl schrammte auf dem polierten Marmorboden nach hinten. Sie schaute ein letztes Mal in die Runde. »Es tut mir Leid ... Aber wenn ich mich jetzt nicht beeile, bin ich noch im Nachthemd, wenn Franco kommt!«

»Ja, renn du nur deinem Vergnügen hinterher! Wir können ja in der Zeit die Suppe auslöffeln, die du uns eingebrockt hast!«, schrie Ruth ihr nach.

Marie konnte es kaum erwarten, aus dem Haus zu kommen. Sie freute sich so sehr auf Franco! Mit schlechtem Gewissen bürstete sie ihre Haare, schminkte sich die Augen und trug zur Feier des Tages sogar etwas Rouge auf. Ihre Haare flocht sie zu einem schlichten Zopf, den sie wie einen Kranz um ihren Kopf legte. Ruth würde ihre Frisur unsäglich altmodisch finden, doch Marie stand gerade heute der Sinn danach.

Mit Sorgfalt wählte sie auch ihre Garderobe: An einem Sommertag wie diesem konnte man nur eine Farbe tragen: Weiß! Sauberes, strahlendes Weiß. Dazu viele Rüschen und feiner Spitzenstoff.

Als sie Punkt ein Uhr wie ein Dieb aus dem Apartment schlich und nach unten in die Empfangshalle ging, wo sie Franco treffen sollte, fühlte Marie sich genauso romantisch, wie sie aussah.

»Wie eine Braut«, flüsterte Franco bei ihrem Anblick.

»Schöner noch«, korrigierte er sich im nächsten Atemzug. »Wie die Jungfrau Maria!«

Mehr Marie als Jungfrau, lag es ihr auf den Lippen, doch sie schluckte ihre Erwiderung herunter – Franco schätzte Frivolitäten aus Frauenmund nicht sonderlich.

»Tausend Dank für das wunderschöne Diadem, es ist viel zu wertvoll für mich«, sagte sie stattdessen.

Franco zog sie zu sich heran. »Zu wertvoll? Soll etwa billiger Tand den Kopf einer Königin zieren?«

Sein Kuss ließ ihre Knie weich werden. Sie drängte sich noch enger an ihn. Wie konnte man nur so verliebt sein?

Von Anfang an hatte Franco sie nur zu berühren brauchen, und schon wurde ihr ganz wunderlich zumute. Er roch so gut, ihr schöner Italiener! Immer öfter stellte Marie sich vor, wie es wohl war, in seinen Armen zu liegen. Nackt und leidenschaftlich. Verflixt, sie wollte nicht, dass er sie als Jungfrau betrachtete! Sie wollte mit ihm Liebe machen, alles in ihr drängte danach. Die Frage war nur: Wie brachte sie ihn dazu? Sie war nicht wie Sherlain, die sich einen Mann einfach ins Bett holte, wenn er ihr gefiel. Sie konnte ihr Begehren auch nicht äußern – nicht einmal *andeuten* konnte sie es! Wie um alles in der Welt hätte sie das machen sollen? Ach, wenn sie nur nicht so schrecklich unbeholfen in dem Spiel zwischen Mann und Frau wäre!

Sie konnte nur hoffen, dass Franco bald den ersten Schritt machte.

Klein-Italien war an diesem Tag so herausgeputzt, als wolle es seiner großen Schwester jenseits des Teiches Konkurrenz machen: Quer über die Straßen waren Tausende bunter Wimpel von Haus zu Haus gespannt, an jeder Ecke standen Grüppchen von Musikanten und übten für ihren großen Auftritt während des Festumzugs. Links und rechts entlang der Mulberry Street hatten sich Schaulustige versammelt. Kinder hüpften immer wieder aufgeregt auf die abgesperrte Straße und wurden gleich darauf von ihren Müttern zurückgeholt. *Madonna mia*, nicht auszumalen, wenn ein Bambino unter eines der geschmückten Fuhrwerke kam!

Für eine Weile ließen sich Marie und Franco im Strom der Menge treiben, wie Schmetterlinge nippten sie mal an dieser, mal an jener Blüte. Doch der Jubel um sie herum und das Gedränge zerrten bald an Maries Nerven, und hinter ihren Schläfen begann es unangenehm zu pochen. Wenn sie wenigstens ein paar Stunden Schlaf gehabt hätte! Wie viel lieber wäre sie mit Franco allein gewesen und hätte ihm alles über den Abend und ihre Nacht am Zeichenblock erzählt!

Gegen Mittag aßen sie in einem der zahleichen *Ristorantes* zu Mittag. Franco bestellte eine riesige Portion Spagetti mit Fleischsoße, dazu Wein, der in den Ländereien seiner Familie angebaut worden war. Der gleißenden Sonne entronnen, verschwand Maries Kopfweh, und sie fühlte sich wieder besser. Sie prostete Franco zu.

Immer wieder kamen Leute zu ihnen an den Tisch, die Franco kannten und die seine schöne Begleiterin kennen lernen wollten. Lachend schüttelte Marie jede dargebotene Hand. Alle waren so zuvorkommend zu ihr, so …, ja, beinahe ehrerbietig, dass Marie unbedingt etwas von dieser Freundlichkeit zurückgeben wollte. Und so fing sie zu Francos Erstaunen und zur Freude der Tischgäste an, sich mit ihnen mal auf Englisch, mal versetzt mit ein paar italienischen Brocken zu unterhalten.

»Woher kannst du meine Sprache? Und warum hast du mir bisher nichts davon erzählt? Hast du womöglich einen Verehrer, von dem ich nichts weiß?«, argwöhnte Franco.

»Wenn's so wäre, würde ich dir eifersüchtigem Kerl nichts davon erzählen«, neckte Marie ihn. Lachend klärte sie ihn dann darüber auf, dass schon vor zwanzig Jahren Arbeiter aus Italien nach Lauscha gekommen waren, um beim Bau der

Eisenbahnlinie zu helfen. »Zwei junge Burschen sind damals geblieben und haben Lauschaer Mädchen geheiratet. Lugiana, die Tochter einer der beiden Familien, kommt zweimal die Woche zu uns nach Hause, um beim Reinemachen zu helfen.« Sie zuckte mit den Schultern. »Im Laufe der Jahre habe ich halt das eine oder andere Wort Italienisch aufgeschnappt. Aber ehrlich gesagt, wollte ich mich mit den paar Brocken nicht bei dir lächerlich machen.«

»Von wegen paar Brocken – du sprichst ziemlich gut!« Franco schien ein wenig verärgert, dass sie ihre Sprachkenntnisse vor ihm geheim gehalten hatte.

»Die Signorina ist nicht nur schön, sie ist auch noch klug! Solche Frauen sind seltener zu finden als Trüffel im lombardischen Herbst!« Stefano, der Patrone, warf Franco einen anerkennenden Blick zu.

»Darf ich nachschenken?«

Marie schüttelte den Kopf. »Kein drittes Glas! Ich weiß, dass es De-Lucca-Wein ist, den ich verschmähe, aber ich möchte schließlich nicht betrunken werden!« Ein bisschen schwummrig war ihr schon jetzt. Doch bevor sie etwas zu Franco sagen konnte, kam schon der Nächste an ihren Tisch. Im Gegensatz zu den anderen schlug er – ein Wirt aus einem der Nachbarhäuser – einen eher reservierten Ton an, als er leise auf Franco einzusprechen begann. Francos Miene verdüsterte sich merklich. Er erwiderte etwas in so schnellem Italienisch, dass Marie kein einziges Wort verstand. Vergeblich wartete sie darauf, dass er ihr den Wortlaut seines Gesprächs wiedergab, wie er es zuvor immer getan hatte.

Sie runzelte die Stirn. Dieses kalte Glühen in Francos Augen hatte sie noch nie gesehen.

»Gibt es in diesem Viertel auch jemanden, den du nicht kennst?«, fragte sie leicht gereizt, als der Mann wieder gegangen war. Die Mixtur aus Zigarettenrauch, Knoblauch und anderen Essensdüften ließ plötzlich einen Ekel in ihr aufsteigen.

Franco zog ein Gesicht. »Es ist umgekehrt: Die Menschen hier kennen alle *mich* beziehungsweise meinen Vater. Ich habe Mühe, mich an jedes Gesicht und an die Namen zu erinnern.«

Er redete noch weiter, doch Marie konnte plötzlich nicht mehr zuhören. Ihr wurde mit einem Mal ganz schlecht. Sie schluckte, hatte zu viel Spucke im Mund.

»Marie, was ist? Was hast du, Liebste? Du bist ja ganz bleich!«

Marie konnte nicht antworten, so sehr musste sie sich aufs Atmen konzentrieren. Ihr war so schwindelig, ihr Hals so eng …

Nur nicht ohnmächtig werden …

Das Erste, was Marie wahrnahm, als sie wieder zu sich kam, war der Geruch nach in der Sonne getrocknetem Leinenzeug, der sie an zu Hause erinnerte. Einen Moment lang wusste sie nicht, wo sie war. Die Wände, die beigefarbenen Vorhänge, die Tapeten mit den grünen Streifen – alles war ihr unbekannt. Ihre Muskeln spannten sich, als wolle sie sich gegen nahendes Unheil wappnen.

»*Mia cara* …«

Sie war bei Franco! Augenblicklich ließ ihre Anspannung wieder nach.

»Was ist geschehen? Das Fest …« Sie wollte sich aufsetzen, doch Franco drückte sie sanft wieder nach unten.

»Du bist ohnmächtig geworden. Die Hitze wahrscheinlich. Stefano und ich haben dich in meine Wohnung getragen, damit du dich wieder erholen kannst.«

Seine Wohnung.

Keine fremden Leute mehr.

Kein Gelärme.

Kein San Rocco, der gefeiert werden wollte.

Marie rappelte sich auf. Ihr Kleid klebte am Rücken fest.

Sie wollte den Stoff ein wenig anheben, doch das Oberteil war zu eng.

»Ist dir noch immer nicht gut? Soll ich einen Arzt rufen?« Marie schüttelte den Kopf. »Ich brauche nur etwas mehr Luft. Und mir ist so heiß.« Sie deutete auf die verdeckte Knopfleiste in ihrem Rücken. »Wenn du vielleicht …«

Ihre Blicke trafen sich. Die Mischung aus Besorgtheit und Erregung, die Marie in Francos Augen erkannte, elektrisierte sie. Ein hitziger Schauer durchfuhr sie, als sie Francos Hände in ihrem Nacken spürte. Sie fühlte, wie der erste Knopf durch die handumstochene Öse rutschte. Dann der zweite. Es kostete sie Überwindung, sich nicht an Franco zu drängen. »Schneller!«, hätte sie am liebsten gesagt.

Endlich war er beim letzten Knopf angelangt.

Jetzt oder nie. Marie wand sich aus ihrem Oberteil und warf es, ohne es eines Blickes zu würdigen, neben sich. Der Gedanke, gleich Francos Hände auf ihrer nackten Haut zu spüren, brachte sie fast um den Verstand.

Sie wandte ihm ihr Gesicht zu, näherte sich seinem Mund, öffnete den ihren für seine Zunge, die Einlass begehrte. Kleine, federleichte Küsse folgten. Francos Hände wanderten ihren Rücken auf und ab, seine Finger nestelten an dem Satinband, das ihr Leibchen zusammenhielt. Endlich fiel auch dieses zu Boden.

»Komm her!«, flüsterte Marie. Ihre Hände zitterten, als sie unter den Kragen seines Hemdes griff, um den ersten Knopf zu lösen. Sie hätte vor Ungeduld schreien können, als ihr dies nicht sofort gelang.

»*Piano, amore* …«

Endlich lag Haut auf Haut. Weiche Rundungen schmiegten sich an harte Muskeln. Marie begann unter Francos Händen zu glühen, sie gierte danach, dass er sie vollends in Besitz nahm. Wie ein junges Fohlen drängte sie sich an ihn, ihre langen Beine wollten ihn umschlingen, doch Franco hielt dagegen. Während er sie mit der linken Hand ins Kissen zurückdrückte, fuhr er mit der rechten ihre Seite hinab.

Ausholend und fest waren seine Berührungen, gingen von ihren Waden hinauf zu ihrer Brust und zurück über ihren Bauch. Obwohl sich ihr magisches Dreieck ihm entgegendrängte, setzte sein Streicheln erst wieder an ihren Schenkeln an. Zuerst hätte Marie vor Enttäuschung aufschreien können, sie wollte mehr, mehr, mehr, es war schon so lange her, dass ein Mann sie berührt hatte! Doch seine langen und festen Striche lullten sie bald ein und sie fühlte sich schön und schlank und jung, als sie plötzlich seinen Mund auf ihrer rechten Brust spürte. Ihr wurde taumelig zumute. Wie vielen anderen Frauen war es unter seinen Händen schon schwindlig geworden? Sie wollte es nicht wissen und sie wollte ihn nie mehr teilen müssen. Nie mehr! Sie erschrak angesichts der Heftigkeit ihrer Reaktion.

Er küsste sie noch einmal auf den Mund, erst dann nahm er ihre Brustwarze zwischen seine Zähne, saugte daran, bis tausend kleine Blitze sie durchfuhren. Sie wollte unter ihm wegrutschen, doch seine linke Hand hielt sie nach wie vor zurück. Erst als seine Lippen auch die zweite Brust liebkost hatten, erlaubte er ihr, sich wieder zu bewegen. Sofort rutschte sie näher an ihn heran, wollte ihn auf sich ziehen. Ihre Beine entfalteten sich wie eine Blüte, die aus einem morgenfrischen Garten in ein warmes Zimmer gebracht wird. Als sie seine pralle Männlichkeit spürte, stöhnte sie auf. Sie wollte diesen Mann. Jetzt. Sofort. Für immer.

Doch erneut wies Franco ihr Begehren zurück. Sein Leib presste sich eng an den ihren, aber es war nur seine Hand, die ihre Einladung annahm. Sein Stöhnen, als er ihre nasse Lust spürte, bereitete ihr einen solchen Glückstaumel, dass ihr angst wurde. Ein Wimmern entfloh ihrer Kehle.

»Ich liebe dich so sehr, dass es wehtut!« Ihr Flüstern war rau, aufgerieben an ihrer Leidenschaft, die mit jeder Berührung Francos größer wurde. Ihre früheren Erfahrungen mit

Magnus verschwammen konturlos, unwichtig, nicht würdig, im Gedächtnis behalten zu werden.

»Ich liebe dich! *Amore mio* ...« Franco hielt ihren Kopf zwischen seinen Händen, seine Daumen gruben sich in ihre Wangen, seine Augen hielten ihren Blick fest, während er in sie eindrang.

Endlich, endlich!

Angst, zu viel preiszugeben, flackerte in ihr auf, sie wollte ihre Lider senken, als könne sie dadurch einen Schleier über ihr Innerstes hüllen. Doch sie hielt seinem Blick stand, weil die Angst, ihn zu kränken, größer war. Als er ihren Kopf losließ und seine Arme ihren Leib umschlangen, vergrub sie ihr Gesicht in der verschwitzten Kuhle an seinem Hals. Tief sog sie sein einzigartiges Aroma aus Tabak, Schweiß und Rasierwasser ein. Wenn ich morgen sterbe, dann sterbe ich glücklich, dachte sie und lachte laut heraus.

Von diesem Moment an war ihr Rhythmus derselbe. Sie verschmolzen zu einem Fleisch, zu einer Leidenschaft. Es dauerte nur kurze Zeit, bis diese ihren Höhepunkt erreichte, zu lange hatten sie aufeinander gewartet. Mit einem Schrei, der ihr gehörte und ihm, erklommen sie den letzten Gipfel, aneinander geklammert, schweißnass, zitternd.

Danach wollte Marie Franco nicht freigeben. Er bemühte sich, sein Gewicht zu verlagern, doch sie klammerte sich an ihn. Nicht weggehen! Nichts sagen. Kein unnötiges Streicheln. Er verstand. Nur leicht auf einen Ellenbogen abgestützt, um sie nicht zu erdrücken, blieb er bei ihr. Nie, nie mehr wollte Marie dieses Gefühl von Ganzheit missen.

New York war in diesem Sommer in sich selbst verliebt, und Marie erging es nicht anders. Zum ersten Mal in ihrem Leben hatte sie Lust, sich schön zu machen, sich zu parfümieren und zu schmücken, denn sie tat es für Franco. Das kümmerliche Pflänzchen ihres weiblichen Selbstverständnisses wuchs unter seiner Verehrung zu einer schönen, strahlenden Blüte heran.

»Du hast mit ihm geschlafen!«, sagte ihr Pandora auf den Kopf zu, als sie Marie das erste Mal nach dem Fest wiedersah.

Mit mehr als einem Hauch Röte im Gesicht konnte Marie nur nicken. »Woher ... weißt du das?«

»In deinen Augen glänzt das gewisse Etwas, das Frauen nur nach einer Liebesnacht haben. Einer glücklichen, wohlgemerkt! Was würde ich darum geben, wenn es mir auch wieder einmal so erginge!«, seufzte sie sehnsuchtsvoll. »Aber ich treffe zur Zeit nur Männer, die mich nicht interessieren oder die ihrem eigenen Geschlecht zugetan sind. Ob es hilft, wenn du mich küsst? Vielleicht ist dein Zustand ja ansteckend?«

Sie fielen sich in die Arme und kicherten ausgelassen.

»Die Liebe ist ein seltsames Tier ...« Pandora wurde wieder ernst. »Es fällt uns Frauen an und ...«

»... macht uns tollwütig vor Glück!«, fiel Marie ihr lachend ins Wort.

Pandora nahm Maries Hand und drückte sie fest, als wolle sie sie dadurch zur Besinnung bringen.

»... und ehe man sich versieht, hat es uns zu Boden gebracht, wollte ich sagen. Gib Acht, Marie! Sie können noch so viel reden von freier Liebe und der Gleichberechtigung der Geschlechter – am Ende sind es immer noch wir Frauen, die mit dickem Bauch und ohne Ehemann dastehen.«

Marie lachte laut auf. »Solch ein Spruch aus deinem Mund? Den hätte ich viel eher von meiner Schwester erwartet! Aber sei unbesorgt.« Sie rückte näher zu Pandora. »Ich habe bisher auch nicht wie eine Nonne gelebt und bin trotzdem nicht schwanger geworden. Wahrscheinlich kann ich gar keine Kinder bekommen!«

Magnus war darüber traurig gewesen, zumindest in den Anfangsjahren. »Warum will so ein kleiner Balg nicht auch zu uns kommen?«, hatte er oft gefragt, wenn sich wieder einmal ihre Monatsblutung eingestellt hatte. Marie hatte ständig das Gefühl gehabt, sich erklären zu müssen. Dabei vermisste sie selbst ein Kind gar nicht. Später hatte er nichts mehr gesagt, nur noch seine Duldermiene wie eine zweite Haut getragen.

Magnus … Marie stellte fest, dass die Erinnerung an ihn fast völlig verblasst war. Sie schüttelte sich wie ein Hund, der Wassertropfen aus seinem Fell loswerden möchte.

Irgendwann würde sie ihm schreiben und alles erklären müssen.

»Du glaubst gar nicht, was ein neuer Liebhaber alles ändern kann«, sagte Pandora trocken. »Aber erzähl, wie war's denn?«

Marie schluckte. Sollte sie wirklich davon erzählen? Eigentlich wollte sie aus einer Art ehrfürchtigem Aberglauben nicht über ihre Liebe zu Franco reden, als könnte sie sich sonst in Luft auflösen. Doch dann platzte ihr Glück einfach aus ihr heraus.

»Es war wunderbar! Noch nie in meinem Leben habe ich so etwas gefühlt. Franco und ich … Ich hatte die ganze Zeit das Gefühl, dass endlich etwas zusammenwächst, was schon immer zusammengehört hat, verstehst du?«

»Und ob ich verstehe: Dich hat's richtig erwischt!«, erwiderte Pandora mit wissendem Blick.

Nun, da ihr Zeichenblock wieder zum Leben erwacht war, sah Marie auf ihren Streifzügen durch die Stadt Menschen und Dinge mit anderen Augen: Ein kompliziert gelegtes Kopfsteinpflaster, Feuer speiende Gaukler auf einem Straßenfest, die Umrisse der Schiffe im Hafen im Morgennebel – auf einmal war sie von einer Fülle von Motiven umgeben, aus denen sie nur die schönsten herauspicken und zu Papier bringen musste.

»Habe ich dir nicht immer gesagt, dass dein Talent von selbst wieder erwachen wird?«, sagte Franco triumphierend. Er war fest davon überzeugt, dass allein seine Liebe Maries Kreativität wiederbelebt hatte. Sie brachte es nicht übers Herz, ihm zu sagen, dass sie eigentlich schon in der Nacht *vor* ihrer ersten Vereinigung wieder zu malen begonnen hatte: Die Vorstellung, dass Francos Liebe solch einen Einfluss auf sie hatte, gefiel ihr.

Wann immer sie ihre Ideen nach Lauscha schickte, kamen mit einem der nächsten Schiffe euphorische Rückmeldungen von Johanna und den anderen. Sie gratulierten sich zu ihrem Einfall, Marie zwecks neuer Inspirationen zu Ruth geschickt zu haben – nicht ahnend, dass nicht nur New York, sondern auch die Liebe für Maries Glückszustand verantwortlich war. Von dem Drama, das sich im Hause Miles abgespielt hatte, wussten sie allerdings nichts. Ruth hatte es vorgezogen, es in ihrem letzten Brief unerwähnt zu lassen.

Obwohl Marie sich schon ein halbes Dutzend Mal für ihren Fauxpas entschuldigt hatte, hatte Ruth ihr noch immer nicht verziehen. Der Ton zwischen den beiden Schwestern war kühl und distanziert, Stevens Vermittlungsversuche fruchteten nicht. Auch Wanda verkroch sich in ihr Schneckenhaus, wollte die meiste Zeit niemanden sehen.

Marie blieb nichts anderes übrig, als immer öfter allein loszuziehen.

Ich möchte durch die Straßen von New York gehen und dabei einfach nur eine Frau sein, die Spaß haben will! Eine x-beliebige Frau. Die Worte ihrer Reisebekanntschaft klangen lauter denn je in ihren Ohren – ihr schlechtes Gewissen darüber, dass sie Gorgi immer noch nicht besucht hatte, allerdings auch. Doch sie fand dazu einfach keine Zeit, an jedem Tag gab es so viel anderes zu tun.

Wenn Franco nicht dabei war, führte ihr Weg sie meist nach Greenwich Village. Noch immer war sie wie besessen von dem Gedanken, alles in sich aufzusaugen, nur ja nichts zu verpassen. Und tatsächlich, allmählich begann sie Zusammenhänge zu verstehen, die ihr bisher entgangen waren: Die Naturalisten und die Symbolisten, die aus Europa angereisten Anhänger der »fin de siècle décadence«, Pandoras Ausdruckstanz, Sherlains expressionistische Dichtung und sogar die Jugendstilkünstler, die Ruths wertvolle Schmuckstücke hergestellt hatten – alles gehörte zusammen, alles fügte sich wie ein Puzzle zu einem großen, undefinierbaren Etwas und hatte doch keinen Namen. Hier, wo nicht Gottes Hand, sondern die des Menschen die Schöpfung beherrschte, gab es keinen einheitlichen Kunststil, hier war alles erlaubt, waren die Stilmittel unbegrenzt. Obwohl Marie nun schon fast neun Wochen in Amerika war, fand sie diese grenzenlose Vielfalt immer noch verwirrend, manchmal auch einschüchternd. Nach wie vor fragte sie sich, wo *sie* stand inmitten all der geistigen Experimente, der Proteste, des frisch entdeckten Unterbewusstseins und der Befreiung der Weiblichkeit. Sie musste zugeben, dass ihr Kunstverständnis für den hiesigen Geschmack mehr als eine Spur zu kommerziell war, und doch: Sie war ein Teil des Ganzen, davon zeugte der prallvolle Skizzenblock, den sie jetzt immer bei sich trug. Und davon zeugte der Respekt, mit dem andere Künstler ihr begegneten, vor allem, nachdem sie sich als kunstsinnige Gesprächspartnerin erwiesen hatte.

»Du kommst aus Germany? Dann kennst du doch sicher meinen Freund Lyonel Feininger, der seit einiger Zeit auch in Deutschland lebt?«, hatte ziemlich zu Anfang ein Maler von ihr wissen wollen, als sie in großer Runde zusammensaßen. Marie war es so vorgekommen, als hätten die anderen am Tisch ihre Stimmen gedämpft, als hätte jeder mit einem Ohr auf ihre Antwort gelauscht. Wie es der Zufall wollte, kannte Marie den in Amerika in einer deutschen Familie geborenen Maler wenigstens dem Namen nach und wusste sogar – dank Alois Sawatzkys wöchentlichem Künstlerzirkel –, woran er arbeitete.

»Was Mont Sainte Victoire für Cézanne bedeutet, nämlich eine lebenslange Inspiration, ist für deinen Freund das Städtchen Gelmeroda geworden«, wusste sie zu berichten. »Wie besessen malt er immer wieder die dortige Kirche, als ob er nach einem versteckten tiefen Sinn dahinter sucht. Und obwohl die kubistischen Elemente in seinen Bildern stets überwiegen, glaube ich, dass er im Innersten seines Herzens ein Romantiker geblieben ist.« So oder so ähnlich hatte es zumindest einer von Sawatzkys Gästen einmal behauptet.

Ein paar Augenbrauen waren daraufhin anerkennend nach oben gegangen. Probe bestanden! Die Glaskünstlerin aus Germany war aufgenommen in den erlauchten Kreis, der im nächsten Atemzug begann, über die subjektive Wahrnehmung zu diskutieren. »Man muss sehen *wollen*!«, war das selten so einheitliche Credo dazu gewesen.

Wann immer Marie mit Pandora und Sherlain unterwegs war, waren sie von skurrilen Typen umringt, die andächtig der rauchigen Stimme der Dichterin lauschten oder selbst etwas zum Besten gaben. Da war zum Beispiel der wilde Deutsche, der von sich behauptete, ein Graf zu sein, dessen verbeulte Kleidung jedoch aussah, als stamme sie aus einem Theaterfundus. Alle nannten ihn nur Klausi. Er war Kommunist, hatte feurige Augen und war stets mit einem Glas Rotwein anzutreffen, das er jedoch bereitwillig mit jedem teilte, der sich zu ihm an den Tisch setzte. Er konnte interessant erzählen, und obwohl er etwas muffig roch, hörte Marie ihm gern zu. Einmal beichtete er in seiner spöttischen Art, dass seine adlige Familie alles versucht habe, um ihn von seiner Trunksucht zu heilen. Sogar in die Schweiz auf einen Berg namens Monte Verità habe sie ihn geschickt, damit er im dortigen Salatorium dem Wein entsagte.

»Salat-was?«, wollte Marie wissen. Doch da war Klausi schon bei der Wette angelangt, bei der er ein Schiffsbillett nach Amerika gewonnen hatte. Und hier war er nun!

Später klärte Pandora, die ebenfalls mit am Tisch gesessen hatte, sie über die Bemerkung des Kommunisten auf. »In der Schweiz, oberhalb von Ascona, in den Bergen über dem Lago Maggiore gibt es eine Art Sanatorium, das von Künstlern und Freidenkern betrieben wird. Ich glaube, sie haben den Berg, auf dem die Gebäude stehen, Monte Verità genannt, weil sie hoffen, dort oben von Mutter Natur *die große Erkenntnis* zu erlangen. Scheinbar gibt es dort nur Grünzeug zu essen und kein Fleisch. Die Monte Veritàner sind nämlich allesamt Vegetarier.«

Marie kicherte. »Deshalb Salatorium! Dass Klausi dies sauer aufgestoßen ist, kann ich mir lebhaft vorstellen!«

Pandora nickte. »Es wird so einiges geredet über den Monte Verità. Scheinbar ist die Lebensweise der Künstler ziemlich gewöhnungsbedürftig. Andererseits gibt es auch Leute, die gut damit zurechtkommen, im Gegensatz zu Klausi!«

»Also, mir würde es gar nichts ausmachen, kein Fleisch zu essen. Früher, in meiner Kindheit, waren wir so arm, dass wir uns gar kein Fleisch leisten konnten«, sagte Marie.

»Ich glaube, das ist auch gar nicht so wichtig. Viel wesentlicher ist wohl ... wie soll ich das ausdrücken? ... die Stimmung, die dort herrscht. Ein Freund von mir, Lukas Grauberg, ist letztes Jahr auch dorthin gereist. Er litt unter seltsamen Wahnvorstellungen, hörte Stimmen und so ...«

Pandora machte eine Handbewegung, als ob es etwas völlig Normales wäre, Stimmen zu hören.

»Zum Jahreswechsel hat Luke mir geschrieben und sich ganz euphorisch über den Monte Verità und seine Bewohner geäußert. Dass er begonnen habe, ein Buch über seine Visionen zu schreiben, dass er endlich auf Menschen treffe, die ihn verstünden – gerade so, als ob wir ihm das verwehrt hätten!«, erzählte Pandora pikiert. »Wie dem auch sei: Lukas geht es gut, und wenn man ihm glauben will, hat das allein mit diesem magischen Ort zu tun. Er schrieb, dass die Sonne und die Bergluft viele der Leiden heilen, derentwegen die Menschen den Monte aufsuchen. Am Ende teilte er mir noch gnädigst mit, dass er nicht mehr zurückkommen werde und ich seine Sachen unter unseren Freunden aufteilen solle. Er sei nämlich dabei, sich zusammen mit einer Frau namens Susanna in der Künstlerkommune eine Hütte aus Holz zu bauen, und er wolle sein neues Leben nicht mit Ballast aus dem alten beschweren. Eine Holzhütte, man stelle sich vor!« Pandora hangelte nach der Weinflasche, die gerade die Runde machte, und schenkte sich nach. Als sie auch Maries Glas füllen wollte, winkte diese nachdenklich ab.

Ein Ort, an dem immer die Sonne schien und an dem jeder tun und lassen konnte, was er wollte? Mit Aussicht auf den Lago Maggiore? Das hörte sich in ihren Ohren ziemlich verführerisch an. Was die Künstler mit einem Sanatorium zu tun hätten, wollte sie dann wissen. Pandora erklärte ihr, dass dies nur Mittel zum Zweck sei.

»Nun ja, von irgendetwas müssen die Künstler schließlich leben! Und so helfen sie kranken Menschen, statt sich kommerziellen Zwängen zu unterwerfen – wozu unsereins sich manchmal gezwungen sieht«, sagte sie in Anspielung auf ihre Vorführung in Ruths Haus.

»Seit neuestem ist auf dem Monte Verità auch eine moderne Tanzschule angesiedelt – ich hätte größte Lust, einmal dorthin zu fahren!«

»Ein magischer Ort – wie schön das klingt …« Marie lernte durch diese Episode einmal mehr, dass die Welt immer kleiner wurde. Dass alles enger zusammenrutschte. Durch eine Wette in New York zu landen war anscheinend keine große Sache mehr. Ebenso wenig, wie eine Reise in die Schweiz zu machen, um eine Tanzschule zu besuchen.

Als sie später Franco auf den Monte Verità ansprach, lachte er auf.

»Ob ich von den Nackten und Langhaarigen gehört habe? Wer nicht? Aber ganz so schlimme Kostverächter, wie es überall heißt, können die Monte Veritàner gar nicht sein. Nach allem, was man sich in Winzerkreisen erzählt, haben die Wirte in Ascona nämlich noch nie so viel Rebensaft verkauft wie an diese exzentrische Kundschaft! Wirte aus anderen Orten gucken schon ganz neidisch.« Auf Maries verständnislosen Blick hin erklärte er: »Na, wenn keiner hinschaut, gehen die Monte Veritàner hinunter ins Dorf, um zu schlemmen und sich zu betrinken! Aber wen wundert's? Nach ein paar Gläsern Rotwein im Blut hat schon so mancher geglaubt, den Stein – oder von mir aus auch den Berg – der Weisheit gefunden zu haben.«

17

Trotz aller Verliebtheit und Kunstsinnigkeit hielt Marie Wort und erzählte Wanda von Lauscha und von ihrem richtigen Vater. Manchmal waren es nur ein paar Minuten, die sie auf Wandas Bettkante verbrachte, bevor sie sich zu einem Treffen mit Franco aufmachte – entsprechend kurz waren dann ihre Geschichten und entsprechend lang war Wandas Gesicht. Je weiter ihre Tante ausholte, je ausführlicher ihre Schilderungen waren, desto lieber hörte sie zu. »Hast du nicht gesagt, es ist an der Zeit, dass ich *alles* erfahre?«, versuchte sie Marie festzunageln, wann immer die sich mit zeitsparenden Kurzversionen durchmogeln wollte.

Und so erfuhr Wanda, dass ihr Vater ein begnadeter Glasbläser war und dass er noch immer gern einen über den Durst trank, aber längst nicht mehr so ein wilder Kerl war wie in seiner Jugend. Die meiste Zeit bekam man ihn im Wirtshaus gar nicht zu sehen – mittlerweile lastete der Hauptteil der Arbeit auf seinen Schultern. Warum das so war? Wenn Marie einmal anfing zu erzählen, dann tat sie dies schonungslos ehrlich. Wanda sollte endlich die ganze Wahrheit erfahren.

Da war zum Beispiel der jüngste Bruder ihres Vaters, Michel, der nach einer Sauftour mit einem Fuß zwischen den Gleisen der Bahnlinie Sonneberg–Lauscha stecken geblieben war und ihn nicht mehr schnell genug vor dem herannahenden Zug herausziehen konnte. Der Teufel wollte es, dass er sein *rechtes* Bein verlor, jenes, das der Glasbläser für die Steuerung der Luftzufuhr benötigt. Von jenem Tag an hatte es im Hause Heimer einen Glasbläser weniger gegeben.

»Eine Zeit lang – ich glaube, ich war gerade achtzehn Jahre alt – hat Michel mir schöne Augen gemacht, und wir haben uns ein paar Mal getroffen. Aber ich habe mich nur dafür interessiert, welche Tricks er mir am Bolg zeigen konnte«, gestand Marie lachend.

Und dann war da Wandas anderer Onkel, Sebastian, der Lauscha Hals über Kopf verließ, nachdem er seine Frau Eva in flagranti mit seinem Vater – Wandas Großvater – erwischt hatte. Er war nie mehr zurückgekehrt. Eva blieb bei Wilhelm, und die beiden lebten fortan wie Mann und Frau zusammen. Inzwischen war Wilhelm ein alter Mann, dem es gesundheitlich sehr schlecht ging. Marie bezweifelte, dass er den nächsten Winter überleben würde.

Wanda staunte nicht schlecht: Das waren ja liederliche

Verhältnisse! So etwas hatte sie den Verwandten in der alten Heimat gar nicht zugetraut!

Als sie ihre Mutter auf die Geschichte mit Eva ansprach, sagte die: »Eva war schon immer eine falsche Schlange gewesen. Das Einzige, was mich wundert, ist, dass es so lange dauerte, bis sie Sebastian hinterging. Daran, wie sie dem Alten schöne Augen gemacht hat, kann ja sogar ich mich noch erinnern! Da haben sich die zwei Richtigen gefunden!«

Wanda hätte gern noch mehr erfahren. Doch zu einer weiteren Äußerung war Ruth nicht zu bewegen. Dass Marie die alten Geschichten wieder auf den Tisch brachte, gefiel ihr ganz und gar nicht. Und das sagte sie ihr auch.

»Glaubst du, du tust Wanda einen Gefallen mit deinen Geschichten über diese schreckliche Sippe? Keiner von denen hat je etwas von ihr wissen wollen – was braucht es sie da zu kümmern, ob der Alte nun wegen seiner Gicht oder wegen Rheuma bettlägerig ist?«, fuhr sie Marie an. Und Wanda warf sie vor, sich mehr für wildfremde Leute zu interessieren als dafür, wie es den Menschen um sie herum ging. Ihrem *Vater* zum Beispiel.

Wanda spürte selbst, dass Steven unter der Situation litt. Er schien ihr plötzliches Interesse an Lauscha so zu deuten, dass sie nichts mehr von ihm wissen wollte. Was natürlich Blödsinn war. Er war trotz allem ihr Daddy, das musste er doch wissen! Sagen konnte sie ihm das allerdings nicht, dazu gingen sie alle viel zu verkrampft miteinander um: Ruth hätte am liebsten so getan, als wäre nichts vorgefallen, Steven glaubte, seine Tochter verloren zu haben, und Marie hatte ein schlechtes Gewissen, weil sie die Verursacherin der unguten Stimmung war. Und Wanda? Sie saß zwischen allen Stühlen.

So verlegten Marie und Wanda ihre Gespräche auf das Dach des Apartmenthauses. Dorthin verirrten sich nur ein paar verkrüppelte Tauben, und die beiden Frauen waren ungestört.

Den Rücken an den Kaminschacht gelehnt, die Augen meist geschlossen, hörte Wanda zu, wie Marie vom Thüringer Alltag erzählte, aber auch von seinen Festen. Vom Karneval, der bei ihnen groß gefeiert wurde, und vom Tanz in den Maien. Maries Geschichten hörten sich fröhlich an. Die Lauschaer schienen ein lustiges Völkchen zu sein.

Einmal, als Wanda die Leiter aufs Dach hinaufgestiegen war, wäre sie vor Schreck fast wieder rückwärts hinuntergefallen: Vor ihr war auf einem Leinentuch ein üppiges Picknick ausgebreitet, zu dem auch zwei Flaschen Bier gehörten. Mittendrin saß Marie und strahlte. Sie hatte bei einer deutschen Bäckerei ganz in der Nähe einen riesigen Laib Schwarzbrot besorgt, bei einem deutschen Metzger Blut- und Leberwurst, dazu Essiggurken, die sich am Ende jedoch als Salzgurken entpuppten. Während sie die vor ihnen ausgebreiteten Köstlichkeiten verzehrten, plauderte Marie über die Vorliebe der Glasbläser für Kartoffelgerichte und ein gutes Glas Bier.

Mit vollen Backen hörte Wanda zu. Dass in manchen Familien noch immer eine einzige Schüssel auf den Tisch kam, aus der sich jeder mit einem Löffel oder den Fingern bediente, wollte sie zuerst gar nicht glauben.

Marie kicherte. »Ich kann mich noch gut an den ersten Tag erinnern, als deine Mutter, Johanna und ich in der Heimerschen Werkstatt als Arbeitsmädchen anfingen. Mittags hatte die alte Edeltraud – das war die Magd – eine Schüssel mit Kartoffelsalat und Wurststücken in die Mitte des Tisches gestellt, und da sollten wir nun draus essen wie die Schweine vom Trog. Was hat es uns geschüttelt! Aber man gewöhnt sich an vieles … Das war keine leichte Zeit für uns drei, auf gewisse Art waren wir ja durch unseren Vater auch ziemlich verwöhnt. Dass uns jemand so herumkommandierte, wie dein Großvater es getan hat, waren wir jedenfalls nicht gewohnt. Das sag ich dir – für die paar Kreuzer, die wir bekommen haben, mussten wir uns ganz schön krumm legen! Trotz allem – irgendwie war es auch eine schöne Zeit. Manchmal ging's recht hoch her in der Werkstatt, die drei Brüder hatten ein ziemlich loses Mundwerk! Es hat eine Weile gedauert, bis wir uns an ihren rauen Humor gewöhnt hatten.«

»Ach Marie, das hört sich alles an wie aus einer anderen Welt!« Wanda seufzte. »Ich könnte dir stundenlang zuhören, wenn du so erzählst. Trotzdem habe ich das Gefühl, das geht mich alles gar nicht wirklich etwas an. Es klingt so schrecklich fremd! Was haben diese Leute mit mir zu tun, frage ich mich.«

Der Zufall wollte es, dass sie ein paar Tage später – sie waren auf dem Weg zur Tanzstunde, die sie wieder aufgenommen hatten – an einem Plakat vorüberkamen, das eine Ausstellung von Murano-Glas in einer populären Galerie ankündigte. Es wurde zwar kein thüringisches, sondern venezianisches Glas ausgestellt, aber immerhin war es Glas! Und so schlug Marie vor, die Ausstellung zu besuchen. Da sie wusste, dass die Galerie auch von Ruth frequentiert wurde, wollte sie diese mitnehmen. Doch Wanda gelang es, ihre Tante von dem Gedanken abzubringen: Zurzeit wirkte alles, was mit Lauscha und mit Glas zu tun hatte, wie ein rotes Tuch auf ihre Mutter. Am liebsten wäre Wanda allein mit Marie in die Ausstellung gegangen, doch Franco begleitete sie.

Was Marie mit ihren detaillierten Ausführungen über Lauscha und die Menschen dort nicht gelungen war, schaffte der Anblick der feinen Glaswaren: Wanda war fasziniert. Arm in Arm ging sie mit Marie von Vitrine zu Vitrine, ihre Entzückensschreie übertrafen sich gegenseitig.

»Wenn ich mir vorstelle, dass mein Vater auch solche Kunstwerke schafft!« Wanda schüttelte den Kopf. »Wie bekommt man nur diese Spiralen ins Glas? Und hier, dieser irisierende Schimmer! Und schaut doch mal, Tausende von

Blümchen sind in dieser Vase verschmolzen. Wie um alles in der Welt kann man so etwas herstellen? Diese Gläser haben nicht das Geringste mit Gefäßen zu tun, aus denen Wasser und Wein ausgeschenkt werden! Kunstwerke sind das, voller Zauber und …« Ihr fehlten die richtigen Worte, um Marie ihre Gefühle zu erklären. »Dass ein so kalter Werkstoff eine solche Wärme ausstrahlen kann, das ist … Poesie!«

Marie lächelte. »Bist halt doch eines Glasmeisters Tochter!«, sagte sie, und Wanda durchfuhr ein warmer Schauer.

Marie tat ihr Bestes, Wanda die unterschiedlichen Techniken zu erklären, doch etliches von dem, was sie sah, war ihr selbst fremd. »Ich muss zugeben, dass die Kunstfertigkeit der venezianischen Glasbläser die unsrige zumindest bei manchen Stücken übertrifft! Am liebsten würde ich mich gleich an den Bolg setzen und die eine oder andere Technik ausprobieren, wobei ich mir ganz und gar nicht sicher bin, ob sie mir gelingen würde!«

Franco, der dem Wortwechsel der Frauen bisher mit unbeteiligter Miene gefolgt war, bot an, die beiden Künstler ausfindig zu machen, damit Marie mehr über deren Techniken erfahren konnte.

Während er sich auf die Suche machte, nahm Marie Wanda ein wenig zur Seite.

»Versteh mich nicht falsch: Mit dem, was ich dir jetzt sage, möchte ich deine Euphorie nicht im Geringsten zerstören. Aber was die Werkstatt deines Vaters angeht …« – sie räusperte sich verlegen – »ich möchte dir da keinen falschen Eindruck vermitteln.«

»Sprich dich aus, Tante Marie«, sagte Wanda, die nur mit halbem Ohr zuhörte. Sie hatte gerade ein Glas entdeckt, dessen Rosa süßer war als Zuckerguss und so lieblich, dass …

»Die Heimersche Glasbläserei war zwar wirklich einmal für ihre Qualitätsware und deren Vielfalt bekannt, doch seit ein paar Jahren ist's ziemlich schlecht um sie bestellt. Frag mich nicht nach den Gründen!« Abwehrend hob Marie beide Arme. »Einer davon ist sicherlich, dass Wilhelm sich immer geweigert hat, in die Christbaumschmuckproduktion einzusteigen.«

»Aber außer Christbaumschmuck gibt es noch so viele andere Glaswaren, oder? Wenn … wenn Thomas Heimer wirklich ein guter Glasbläser ist, dann bekommt er doch sicher genug andere Aufträge«, antwortete Wanda. Sie brachte es nicht fertig, »mein Vater« zu sagen.

Marie lachte. »So einfach ist das nicht. Weißt du, die Aufträge kommen einem heutzutage nicht mehr ins Haus geflattert. Dafür muss man schon einiges tun. Ein Glasbläser muss in diesen Zeiten auch eine kaufmännische Ader haben, sonst ist er verloren.«

»Und wer kümmert sich bei euch um Aufträge?« Wanda runzelte die Stirn.

»Johanna natürlich! Sie macht alles Geschäftliche, mich darfst du da nicht fragen«, sagte Marie. Sie winkte Franco, der mit zwei Männern im Schlepptau auf sie zukam. »Ist er nicht schön, mein stolzer Italiener?«

Wanda verdrehte die Augen. Wenn Marie erst einmal ihren schmachtenden Ausdruck bekam, konnte man nichts mehr mit ihr anfangen! Demonstrativ stellte sie sich in Maries Blickfeld.

»Glaubst du, ich hätte womöglich auch das Zeug zum Glasblasen?«, fragte sie und kam sich gleich darauf dumm dabei vor. »Ich meine ja nur …, wo meine Eltern doch beide aus berühmten Glasmacherfamilien stammen. Andererseits, was Handarbeiten angeht, habe ich bisher eigentlich kein besonderes Geschick bewiesen. Vor allem Feinstickereien liegen mir gar nicht. Bei so komplizierten Arbeiten sind meine Finger immer sehr bald verschwitzt und verkrampft, sodass alles, was ich in die Hand nehme, lappig und unansehnlich wirkt … Tante Marie, du hörst mir ja gar nicht zu!«

»Du und Glas blasen? Das müsste man ausprobieren …«, erwiderte Marie, während ihr Blick mit Francos verschmolz.

Wanda hielt den Atem an. Sollte sie jetzt den verwegenen Gedanken aussprechen, der ihr seit Tagen immer wieder durch den Kopf huschte wie ein aufdringliches Insekt?

»Was würdest du davon halten, wenn ich euch einmal in Lauscha besuchen komme?«, fragte sie mit piepsiger Stimme.

»Da könnte ich das Glasblasen tatsächlich mal probieren. Wäre das nicht eine tolle Idee? Wenn Mutter es erlaubt, könnte ich dich gleich begleiten, wenn du heimreist.«

Bevor Marie antworten konnte, schob Franco die beiden italienischen Glasbläser in den Vordergrund.

»Darf ich vorstellen: Flavio Scarpa und Mateo di Pianino! Die Künstler stehen euch gern Rede und Antwort, allerdings müsst ihr mich als Übersetzer dulden, sie können nämlich weder Englisch noch Deutsch!«

Im Nu entwickelte sich zwischen Marie und den beiden Glasbläsern eine Fachsimpelei über Überfangtechniken, Pulvereinschmelzungen, überstochene Zwischenschichten und andere Dinge, von denen Wanda keine Ahnung hatte und die sie auch nicht interessierten. Marie jedoch war nun völlig in ihrem Element. Sie schien nicht nur Wanda, sondern auch ihren schönen Italiener vergessen zu haben, dessen Miene immer düsterer wurde.

Da habe ich wirklich einen denkbar schlechten Augenblick gewählt, um meine Idee von einem Besuch in Lauscha anzusprechen, ärgerte sich Wanda, während sie allein von Vitrine zu Vitrine schlenderte.

18

Nachdem sie Wanda zu Hause abgesetzt hatten, besuchten Marie und Franco eine kleine Bar in der Nähe von Ruths Apartmenthaus. Die Bar war weder schick noch besonders gemütlich, sie war auch nicht berühmt wegen ihrer Speisekarte – außer belegten Broten gab es nämlich nichts –, und die Gäste waren normale Leute. Trotzdem oder vielleicht gerade deswegen fühlten sich Franco und Marie dort wohl: Wenn sie an einem der kleinen roten Kunststofftische saßen, ein Glas Bier oder Whisky vor sich, gab es niemanden, der ihre Zweisamkeit gestört hätte. Hierher verirrten sich weder Künstler noch italienische Gastwirte, die mit Franco um bessere Konditionen feilschen wollten. Nur hin und wieder erkannte Marie jemanden aus Ruths Apartmenthaus, mehr als ein flüchtiges Kopfnicken wurde dabei jedoch nicht ausgetauscht. Sosehr Marie den Trubel von Greenwich Village liebte – manchmal wollte sie einfach nur ihre Ruhe haben.

»Ach, bin ich müde!«, stöhnte sie, kaum dass sie saßen. »Meine Füße tun so weh, dass sie fast abfallen. Aber die Lauferei hat sich gelohnt, die Ausstellung war wunderbar! Ich habe das Gefühl, dass die Kunststücke wie kristallene Glocken in mir nachklingen. Und dann Wandas Begeisterung! Wie ein kleines Kind, nicht wahr? Sie kann ganz schön anstrengend sein, findest du nicht? Oder ... – was ist, warum guckst du so grimmig?« Sie runzelte die Stirn. Jetzt fiel ihr auf, dass Franco schon den ganzen Tag so seltsam gewesen war. Still und in sich gekehrt.

»Wir müssen miteinander reden, *cara mia*.«

»Ich hoffe doch nicht, dass du wieder auf irgendjemanden eifersüchtig bist!«, erwiderte Marie mit gespieltem Ärger. »Was kann ich dafür, dass Flavio mich ständig ›Bella Signora‹ genannt hat? Oder dass Mateo meinte, meine

Hand nehmen zu müssen, um mir den Verlauf der Glaswindung zu verdeutlichen?« Sie schmunzelte. Eigentlich gefiel es ihr ziemlich gut, dass Franco so eifersüchtig war. Sie fühlte sich dann so ... umworben. Aber das würde sie ihm gegenüber natürlich nicht zugeben.

Er schaute sie an. »In einer Woche muss ich zurück nach Genua.«

Marie hatte das Gefühl, einen Schlag in die Magengegend bekommen zu haben.

»Was ist? Warum sagst du nichts?«

New York ohne Franco? Das konnte sie sich nicht vorstellen.

»In einer Woche, so bald schon ... Mein Schiff geht erst Ende September«, murmelte sie vor sich hin.

Er beugte sich zu ihr über den Tisch.

»Marie, ich flehe dich an, komm mit mir! Noch nie habe ich so für eine Frau gefühlt. Dass wir uns getroffen haben, hier in dieser riesigen Stadt, war Bestimmung! Du und ich, wir gehören zusammen. Ich kann nicht mehr ohne dich sein!«

»Glaubst du, mir geht es anders?«, rief Marie. »Aber das kommt alles so plötzlich, ich weiß gar nicht, was ich sagen soll.«

Sie suchte Verständnis in seinem Blick.

»Es würde mir nichts ausmachen, New York früher zu verlassen, die Stadt fängt sowieso an, mich nervös zu machen, ich habe das Gefühl, dass ich gar nicht mehr zur Ruhe komme! Und Ruth wäre sicher auch nicht böse, wenn ich ein früheres Schiff nähme, nachdem ich ihre Familienidylle so durcheinander gebracht habe. Aber damit wäre es doch nicht getan! Du und ich ... wir haben doch noch gar nicht über ... unsere Zukunft geredet. Meine Familie erwartet mich, und ein Haufen Arbeit wahrscheinlich auch. Der nächste Katalog muss vorbereitet werden, die Arbeit an meinem Bolg, meine Glasrohlinge ... Ich kann doch nicht einfach so auf und davon gehen!«

Auch wenn ich es gern täte, fügte sie im Stillen hinzu. Sie klammerte sich an Franco fest. Er nahm ihre Hände wie die eines Kindes zwischen seine.

»Das müsstest du doch gar nicht. Es ist immer noch Zeit genug, um alles zu organisieren! Deiner Familie könntest du zum Beispiel ein Telegramm schicken. Und später alles ausführlich in einem Brief erklären. Natürlich würden die Neuigkeiten für sie erst einmal eine Überraschung sein, aber das wären sie in jedem Fall, auch wenn du Wochen im Voraus planen würdest.«

Marie kaute auf ihrer Lippe. Damit hatte Franco Recht.

»Und was deine Kunst angeht ... arbeiten kannst du auch in Genua. Ich werde dir in unserem Palazzo ein komplettes Atelier einrichten lassen, von dort kannst du deine Entwürfe nach Deutschland schicken, wie du es jetzt auch tust. Italien und Deutschland – das ist doch gar nicht so weit! Ein Katzensprung. Während ich im Weingut arbeite, hast du den ganzen Tag für dich, doch die Nächte werden uns gehören! Du wirst Italien lieben, das schwöre ich dir! Du hast heute Nachmittag selbst gesagt, dass die Winter in deiner Heimat unerträglich sind.«

Hatte sie das tatsächlich gesagt? Wenn Franco sie so anschaute, war sich Marie in nichts mehr völlig sicher.

»Stell dir doch nur einmal vor, *cara mia*: Du schaust aus dem Fenster, das Meer glitzert von hell bis dunkelblau, die weiß gekalkten Häuser liegen in der Sonne ...« Er machte eine ausholende Handbewegung, um seine verlockenden Worte zu unterstreichen.

»Ich kann mir wunderbar vorstellen, wie mir bei dieser Kulisse Ideen für Christbaumschmuck einfallen!«, antwortete Marie ironisch. Dass Franco sich schon so weit gehende Gedanken gemacht hatte, fand sie einerseits schmeichelhaft, andererseits ärgerte es sie ein wenig. Für ihn schien alles schon festzustehen. Sie seufzte tief auf. Warum konnte es nicht so bleiben, wie es war?

»Ach Franco! Das klingt alles so verführerisch! Trotzdem: Deine Pläne machen mir ein wenig Angst. Du weißt doch gar nicht, ob deine Eltern mich in ihrem Haus haben wollen. Was, wenn sie mich nicht mögen? Und dann deine Idee mit einem Glasatelier – solch ein Umbau kostet Geld. Es gibt so viele Unsicherheiten, die …«

»Sie werden dich mögen!«, fiel Franco ihr ins Wort. »Mutter wird froh sein, wenn ein weiteres Zimmer des Palazzos genutzt wird, glaube mir! Und Vater – er wird dich lieben! Marie, *mia cara*, du *kannst* dich gar nicht anders entscheiden …«

Die Inbrunst seines Tones ließ ein paar Gäste ihre Köpfe zu ihnen umdrehen. Doch Franco sah nur Marie, sein Körper war angespannt wie der einer Wildkatze vor dem Sprung.

Marie durchfuhr ein Schauer. In solchen Momenten fühlte sie sich Francos Liebe nicht gewachsen.

»Aber mein Rückreisebillett ist doch schon bezahlt …«

Franco strahlte sie mit einem Siegerlächeln an.

»Wenn es dir darum geht … das kannst du verschenken! Wir werden nämlich erster Klasse reisen! Ich werde dich verwöhnen wie eine Prinzessin. Und das nicht nur während der Reise. Wenn wir erst einmal in Genua sind, werde ich dir die besten Werkzeuge kaufen, die es gibt. Dazu Glas in den schönsten Farben, Röhren, Stäbe, alles, was du willst und …«

»Ich habe noch nicht Ja gesagt!« Marie bemühte sich um eine strenge Miene, spürte jedoch im selben Moment, dass ihr dies misslang. Was Franco sagte, klang so verführerisch, als würde er die feinsten Leckereien auf einem Picknicktuch vor ihr ausbreiten. Sie musste nur zugreifen und genießen …

»Aber das wirst du, da bin ich mir sicher!«, erwiderte Franco und winkte den Barbesitzer herbei. »Eine Flasche Champagner für die schönste Signorina der Welt!«

»Du bist unmöglich!«, lachte Marie. »Mein schöner, unmöglicher Italiener!« Sie wurde wieder ernst. »Lass mir Zeit, wenigstens noch ein, zwei Tage – darum bitte ich dich.«

Sie atmete auf, als sie sein zögerliches Nicken sah. Dann räusperte sie sich.

»Ich habe auch etwas mit dir zu bereden ... Wenn es dir nichts ausmacht, würde ich gern noch auf einen Sprung bei Sherlain vorbeigehen. Gestern hätte sie eigentlich eine Lesung abhalten sollen, doch sie ist nicht erschienen. Über vierzig Leute haben umsonst gewartet! Pandora und ich waren auch da, wir haben vermutet, dass sie krank ist – Sherlain war in letzter Zeit noch blasser als sonst, mir erschien sie sehr bedrückt –, aber als wir nach ihr schauen wollten, war sie nicht in ihrem Zimmer. Ich weiß, dass du es für übertrieben hältst, aber ich mache mir Sorgen um sie«, fügte sie fast trotzig hinzu.

Franco hob abwehrend die Hände. »Solange es bei einem kurzen Besuch bleibt und du nicht vorhast, die halbe Nacht Krankenschwester zu spielen – kein Problem. Ich habe nämlich heute Nacht noch etwas anderes vor ...« Er griff nach ihrer Hand und küsste einen Fingerknöchel nach dem anderen. »Nämlich meine ganz besonderen Überredungskünste bei dir einzusetzen ...«

Diesmal befand sich Sherlain in ihrer Kellerbehausung. Und sie war nicht allein. Schon von der Treppe aus erkannte Marie Pandoras leuchtend rote Stola.

»Du bist auch hier? Wenn ich das gewusst hätte, hätte ich mir weniger Sorgen gemacht.« Den Kopf eingezogen, eine Hand am klapprigen Geländer, nahm Marie die letzten Stufen, als ein widerwärtiger Geruch in ihre Nase stieg. Schlagartig wurde ihr mulmig zumute.

Dann sah sie Sherlain und musste einen Schrei unterdrücken.

Die Dichterin lag in einer riesigen Blutlache. Ihr Rock, die grauen Laken – alles war rotbraun von Blut, das an manchen Stellen schon angetrocknet war. Fiebriger Schweiß stand ihr auf der Stirn, das Weiß ihrer Augen war fahl wie bei Gelbsuchtkranken. Ihre Augen waren weit aufgerissen. Bei Maries Anblick flackerten sie kurz auf.

Wie in Trance kniete Marie neben dem dreckigen Lager nieder.

»Sherlain …, was hast du denn?« Sanft rüttelte sie an ihrem Arm, der wie bei einer Puppe hin- und herschlenkerte. Statt einer Antwort kam nur ein Stöhnen. In Maries Ohren begann es laut und unaufhörlich zu summen.

Heiliger Vater im Himmel, hilf!

»Pandora, sag, was ist los mit ihr?«

Die Tänzerin schüttelte nur den Kopf. Ihre Augen waren rot gerändert, sie sah müde und traurig aus. Sie tauchte einen schmuddeligen Lappen in einen Eimer mit brackigem Wasser, wrang ihn aus und legte ihn Sherlain auf die Stirn.

»Steh auf, Marie, wir gehen. Das hier ist nichts für dich!«

Marie schaute zu Franco, der mit unbeweglichem Gesicht am Fuß der Treppe stand.

»Was redest du da? Ich kann doch jetzt nicht gehen! Ein Arzt muss her. Du musst einen Arzt holen, sie verblutet!« Und als er sich nicht regte, fügte sie hinzu: »Franco, lass dich doch nicht so bitten! Ich warte hier, während du einen Arzt holst.«

»Lass es gut sein, Marie«, sagte Pandora mit blecherner Stimme. »Kein Arzt würde ihr helfen! Aber es war schon jemand da, eine Krankenschwester, die nach ihr geschaut hat. Das Schlimmste ist vorbei, sie wird überleben.«

»Eine Krankenschwester? Warum liegt sie dann noch so ... Wenn es wegen des Geldes ist – ich zahle für alles!«

»Marie, beruhige dich!« Pandoras Stimme klang gereizt. »Muss ich mich jetzt auch noch um dich kümmern?«

Marie wich zurück, als hätte sie einen Schlag ins Gesicht bekommen.

»Warum seid ihr so ... kaltschnäuzig?«, schluchzte sie und wich Franco aus, der seine Hand nach ihr ausstreckte.

»Sherlain ...«

Was war mit der stolzen Dichterin? Tausend Gedanken schossen Marie durch den Kopf, sie hatte das Gefühl, als würde alles um sie herum einstürzen und sie unter sich begraben. Tief in ihrem Inneren hallte plötzlich Sherlains bittersüße Stimme.

»I give you my blood, sweet lamb of mine, to still your thirst, to strengthen your spine ...«

Andere, fremde Stimmen mischten sich ein.

»Man muss die dunkle Seite der Stadt sehen wollen ...«

»New York ist ein Menschen fressender Moloch ...«

»Am Ende sind es immer die Frauen, die mit dickem Bauch dastehen!«

»Wir müssen reden. Ich reise in zwei Wochen ab.«

New York ohne Franco?

Alleine.

Ohne ihre große Liebe.

Mit einem Aufschrei hielt Marie sich die Ohren zu. Sie presste sich an Francos Brust. Erst in der Sicherheit seiner Arme wagte sie es, den Atem, den sie unwillkürlich angehalten hatte, langsam wieder auszustoßen. Die Stimmen verstummten.

Sie wehrte sich nicht, als Franco sie die Treppe hochtrug. Aus dem Augenwinkel registrierte sie Pandoras Blick, der sie nicht aufhielt.

Auf der Straße angekommen, setzte Franco Marie sanft

auf dem Boden ab. Er hob ihr Kinn an, wischte mit dem Daumen ihre Tränen weg.

»Alles hat seinen Preis, *mia cara*. Sherlain hätte wissen müssen, dass sie ihn irgendwann bezahlen muss, als sie sich mit all den Männern einließ.« Seine Stimme klang hart. »Oder hat sie jemand gezwungen, sich wie eine Hure zu benehmen?«

Nicht jetzt. Nicht das.

»Ich will nicht darüber reden«, sagte Marie müde.

Er zuckte mit den Schultern.

Eine Zeit lang gingen sie schweigend wie zwei Fremde nebeneinander her. Es hatte kurz zuvor geregnet, die Straßen waren leer. Das Licht der Straßenlaternen schimmerte trüb in den Pfützen. Immer wieder kreuzten Ratten, die sich in anderen Nächten erst viel später aus den Schatten der Hauswände auf die Gehsteige wagten, ihren Weg. Bei der ersten schrie Marie vor Schreck auf.

Franco drehte sich um, doch als er erkannte, dass von nirgendwo Gefahr drohte, ging er weiter.

Marie redete sich ein, froh zu sein, dass er sie in Ruhe ließ. Doch nach zwei Blocks konnte sie seine Distanz nicht länger ertragen. Sie schluckte hart, um das Knäuel in ihrer Kehle loszuwerden. Dann packte sie ihn am Ärmel und riss ihn zu sich herum.

Sein Blick war kühl.

»Franco, ich will mich nicht mit dir streiten. Bitte …, ich …« Sie schrie auf, als eine Ratte direkt über ihren rechten Schuh huschte. Plötzlich widerte Marie alles an: die Straßen, der Müll auf den Gehsteigen, die Häuserfluchten, die den Mond versteckten. Und zu Hause Ruth mit ihren vorwurfsvollen Blicken. Und Wanda mit ihrer Opfermiene.

»Es ist diese verdammte Stadt! Sie ist Schuld, dass die Menschen nicht mehr wissen, was sie tun!«

»Und da soll ich dich in diesem Hexenkessel nächste Woche allein zurücklassen?«, kam es leise von Franco.

»Nein.« Auf einmal war sich Marie ganz sicher. »Bring mich hier weg!«

Und als er nicht gleich antwortete, wiederholte sie: »Bring mich weg aus New York.«

ZWEITES BUCH

»Sternentanz auf der Seele,
Herz schimmert im Mondglanz.
Die Sonne Deine Schwester –
dann wähnst Du Reisender
Dich der Wahrheit
einen Wimpernschlag lang
sehr nahe.«

1

»Wie oft soll ich es dir noch sagen? Ich habe keine Ahnung!«, schrie Ruth in den Telefonhörer. »Auf alle Fälle kommt sie *nicht* wie ursprünglich geplant Ende September nach Lauscha zurück. Sie hat mir auch nur das gesagt, was sie euch geschrieben hat, nämlich, dass sie mit diesem Franco in die Schweiz gereist ist. ... Natürlich ist sie in ihn verliebt – was ist denn das für eine Frage?! Den Kopf hat er ihr verdreht, dieser Italiener, und frag nicht wie! Anders ist ihr Verhalten doch gar nicht zu erklären.«

Zum wiederholten Male versuchte Wanda, ihre Mutter auf sich aufmerksam zu machen, doch Ruth tat so, als ob sie nichts davon mitbekäme.

»Die beiden Frauen, die mit ihr reisen? Ob das Freundinnen von *mir* sind?« Sie lachte harsch auf. »Um Gottes willen, nur das nicht! Ich kenne die beiden nicht einmal. Das heißt, das stimmt nicht ganz: Ich hatte zumindest das zweifelhafte Vergnügen, die eine von ihnen, Wandas Tanzlehrerin, vorgestellt zu bekommen!« Sie bedachte Wanda mit einem ärgerlichen Blick. »Die andere soll Dichterin sein. Ihre *Freundinnen* nennt sie die beiden! Zwei ganz liederliche Weibsbilder sind das, das sag ich dir! Auf solche hätte man bei uns in Lauscha mit dem Finger gezeigt!«

»Frag Tante Johanna, ob ich ...«

Ruth winkte erneut ab. Rote Flecken erschienen auf ihren blass geschminkten Wangen, ihre Lippen waren schmal und vorwurfsvoll geschürzt.

»Liebes Schwesterherz, ich glaube, du hast eine völlig falsche Vorstellung davon, wie Maries Besuch bei uns vonstatten ging! *Ich* war ihr dabei nämlich ziemlich schnuppe, die meiste Zeit hatte sie es nur auf ihr Vergnügen abgesehen!«

Schnuppe? So hatte Wanda ihre Mutter selten reden gehört. Überhaupt: Ihre ganze Attitüde war fremd, fast hätte man sie gewöhnlich nennen können. Mit einem Plumps ließ Wanda sich auf die samtbezogene Chaiselongue neben Ruth fallen und lauerte auf ihre nächste Chance, das Gespräch auf ihren Besuch in Lauscha zu bringen.

Es war das erste Mal, dass Tante Johanna in die nächstgrößere Stadt aufs Postamt gegangen war, um bei ihnen anzurufen. Obwohl Mutter schon seit Ewigkeiten darauf drängte, dass Peter und Johanna sich einen Telefonanschluss legen ließen, war dies bisher nicht geschehen. Johanna schrieb hartnäckig ellenlange Briefe, auf die sie ebenso lange Antworten erwartete. Doch Maries Nachricht, dass sie nicht wie geplant heimkommen würde, sondern ihre Reise mit einem fremden Mann ins herbstliche Tessin, genauer gesagt in einen Ort namens Monte Verità, fortsetzen würde, hatte die Verwandtschaft in Lauscha scheinbar in hellsten Aufruhr versetzt – ein Brief schien da plötzlich nicht mehr das geeignete Mittel zur Verständigung zu sein.

»Nicht *sie* ist krank! Eine ihrer Begleiterinnen ist es, das sagte ich doch schon. Es muss die Dichterin sein, Wanda sagt nämlich, ihre Tanzlehrerin sei letzte Woche noch putzmunter gewesen … ach, das ist doch auch egal!«

Ruth winkte ab und hielt eine Hand auf die Sprechmuschel. »Da hat Marie etwas angerichtet! Sie speist Johanna mit ein paar lächerlichen Zeilen ab, und nun soll ich ihr unmögliches Verhalten erklären!«, zischte sie Wanda zu. »Stell dir vor, sie hat nicht einmal Magnus geschrieben, der arme Tropf musste sozusagen nebenbei erfahren, dass Marie mit einem anderen Mann auf und davon ist!«

Ruths Brust bebte. Sie wandte sich erneut der Sprechmuschel zu.

»Nein, Johanna, ich habe gerade mit Wanda geredet! Ja, sie sitzt neben mir und lässt dich herzlich grüßen.«

Bevor Wanda einen Ton sagen konnte, traf sie Ruths drohender Blick.

»Franco de Lucca? Natürlich stammt er aus Italien, das hört man doch schon am Namen! Wieso sie dann in die Schweiz gereist sind?« Ruth verdrehte die Augen. »Weil sie die kranke Dichterin dort in ein Sanatorium bringen wollen! Dass es in der Schweiz sehr gute Einrichtungen gibt, weiß man ja. Trotzdem hätte ich angenommen, dass jemand aus New York eine Institution in Neu-England oder Maine vorzieht, man stelle sich allein die Reisekosten vor! Aber scheinbar kommt Franco für alles auf, frag mich bitte nicht, warum! Marie hat etwas davon gefaselt, dass sie die Kranke in ein Sanatorium bringen wollen, das von Künstlern betrieben wird – vielleicht bildet sich die Dichterin ein, dass sie unter ihresgleichen schneller gesund wird.«

Daraufhin schien Johanna etwas zu antworten, was Ruth abermals mit einem heftigen Stirnrunzeln quittierte.

Mit dem Zeigefinger kratzte Wanda das Samtpolster gegen den Strich auf und wurde sofort von Ruth daran gehindert.

»Um Marie Sorgen machen? Dazu sehe ich ehrlich gesagt keinen Grund. Mit diesem Franco hat sie sich einen dicken Fisch geangelt, lass dir das gesagt sein. Du müsstest das Diadem mal sehen, das er Marie geschenkt hat. Ein Diadem!«, brüllte sie. »Außerdem macht sie sich ja auch keine Sorgen um euch. Oder kümmert es sie etwa, wie ihr in den nächsten Wochen ohne sie zurechtkommen werdet?«, setzte sie zänkisch nach. Unter ihrem rechten Auge begann ein Nerv zu zucken.

Wanda seufzte innerlich. Wenn Mutter Migräne bekam, konnte sie ihr Vorhaben, sie wegen der Reise zu beknien, vergessen.

»Unser Nesthäkchen hat nur ihr eigenes Vergnügen im

Kopf. Doch, das kannst du mir glauben. Ich weiß, dass sich das nicht nach der alten Marie von früher anhört!«

»Warum fragst du Tante Johanna nicht endlich, wann ich sie besuchen kann?« Eindringlich rüttelte Wanda am Arm ihrer Mutter.

»Bist du jetzt still!«, zischte Ruth. Und in die Sprechmuschel sagte sie: »Ich habe Wanda gemeint, nicht dich. Was sie will?« Ruth seufzte abgrundtief. »Wenn ich darauf jetzt auch noch eingehe, dann gibt es nächsten Monat bei euch nichts zu essen, weil die Telefonrechnung ins Uferlose steigt! Ich werde dir Wandas Wunsch in einem Brief mitteilen und einiges andere noch dazu!«, verkündete sie in unheilschwangerem Ton. »Eines kann ich dir jetzt schon sagen: Nach allem, was hier vorgefallen ist, braucht Marie sich bei mir nicht mehr so schnell blicken zu lassen! Sie hat mit ihrem Besuch mehr Staub aufgewirbelt als ein Hurrikan in Texas!«

Eine halbe Stunde später zog Wanda die Wohnungstür hinter sich zu. Statt auf den Aufzug zu warten, stieß sie die schwere Eisentür am Ende des Ganges auf und stieg mit zusammengerafftem Rock die schmalen Tritte der Feuerleiter hinauf aufs Dach des Apartmenthauses.

Wie erwartet, hatte Mutter sich mit einer Migräne hingelegt. Zuvor jedoch hatte sie keinen Zweifel daran gelassen, wer Schuld hatte an ihren Qualen.

»Seit Maries Besuch scheint es in diesem Haus Mode geworden zu sein, dass sich jeder nur noch um sein eigenes Wohl sorgt! Wie es mir dabei geht, kümmert niemanden! Meine Nerven sind von der ganzen Aufregung brüchig wie Glas«, hatte sie gejammert. »Erst Maries überstürzte Abreise, und nun du und deine fixe Idee von einem Deutschlandbesuch! Ich habe dir doch schon letzte Woche erklärt, dass ich davon nichts halte. Harold wäre gewiss nicht begeistert, wenn du einfach verschwindest, und Johanna hat im Augenblick weiß Gott genug um die Ohren, jetzt, wo sie Maries Arbeit neu aufteilen muss!« Ruths Ton war so vorwurfsvoll gewesen, als ob Wanda Schuld an Maries Verhalten trüge.

»Mit einem Glasbläser weniger im Haus hat sie doch keine Zeit, für dich die Fremdenführerin zu spielen. Außerdem ist mir sowieso völlig schleierhaft, was du in Lauscha willst! Wenn du dir einbildest, dein leiblicher Vater würde nur auf dich warten, dann hast du dich getäuscht. Nicht einmal am Tag deiner Geburt warst du ihm einen Blick wert! Stattdessen ist er ins Wirtshaus gegangen und hat die Nacht durchgesoffen, während ich mir zu Hause die Augen aus dem Kopf geheult habe. So war das, mein Fräulein!« Mit jedem Satz hatte sich Ruth mehr in Rage geredet. »Aber davon will ja niemand etwas hören. Wenn es nach Marie und dir geht, bin ich nur die Böse, die dir deinen *Vater* vorenthalten hat!« Ruths Ton war bitter, wie immer, wenn sie von Thomas Heimer sprach.

Wanda hatte genau gewusst, was als Nächstes kommen würde. Und so war es dann auch gewesen:

»Ich meine es doch nur gut mit dir, Kind!« Ruths Ton war wieder sanfter geworden. »Ich kann mir schon vorstellen, wie Marie deinen Kopf mit romantischen Ideen über Thüringen gefüllt hat, von wegen rauschende Tannenwälder, plätschernde Bächlein und Vogelgezwitscher überall. Aber die Wahrheit sieht anders aus: kleine Hütten, von denen es im Winter die Schieferziegel weht, Kinder, die von früh bis spät mit ihren Eltern arbeiten müssen, und das für ein paar lumpige Kartoffeln und höchstens einmal ein winziges Stückchen Speck. Nachdem Vater gestorben war, hat es Winter gegeben, da wussten wir drei Mädchen nicht, wovon wir das Brennholz für den Ofen zahlen sollten! Und unsere Wespentaillen hatten wir weiß Gott nicht etwa raffinierten Korsagen zu verdanken! Was glaubst du wohl, warum jedes Jahr Abertausende von Deutschen auswandern? Warum Stevens Familie ausgewandert ist? Sicher nicht, weil es in der alten Heimat ach so schön ist! Vergiss Lauscha, du gehörst dort so wenig hin wie ich!« Sie hatte Wandas Arm streicheln wollen, doch Wanda war ihr ausgewichen.

»Und deshalb soll ich meine Herkunft genauso verleugnen, wie du es tust?«, hatte sie ihre Mutter angefahren. »Dass wir hin und wieder deutsch reden, ist auch schon alles. Warum gibt es beispielsweise bei uns kein deutsches Essen? Und warum feiern wir Thanksgiving anstelle des Erntedankfestes?«

Darauf hatte ihre Mutter nichts zu antworten gewusst! Stattdessen hatte sie das Thema gewechselt, wie sie es immer tat, wenn ihr ein Gespräch unangenehm wurde.

»Was hältst du davon, jetzt im Herbst mit Tennisspielen anzufangen? Es heißt, dass immer mehr Damen Gefallen an diesem Sport finden – diese schönen weißen Kostüme, die man dabei trägt, sind ja auch überaus attraktiv. Von mir aus könntest du auch deine Cousine Dorothy zum Reiten begleiten! Ein Galopp morgens durch den Park sei das Schönste, was man sich vorstellen kann, schwärmt sie doch immer.«

Wanda hatte nur abgewinkt. Tennis und Reiten – als Nächstes würde Mutter vorschlagen, sie solle in einen Kirchenchor eintreten!

Auf dem Dach angekommen, kniff sie ihre Augen gegen die Sonne zusammen, die gerade hinter dem gegenüberliegenden Hochhaus versank. Es war ein frischer Tag gewesen, mit heftigem Regen am Vormittag, und nun, gegen Abend, wurde es empfindlich kühl. Fröstelnd suchte Wanda ihren Lieblingsplatz auf, den kleinen Kaminvorsprung. Nicht mehr lange, dann würden kalte Winde den Aufenthalt hier oben unmöglich machen.

Ihre Ankunft wurde von einem Taubenpaar mit einem neugierigen »Gurrgurr« kommentiert. Wanda scheuchte die Vögel davon. Heute gab es keine Krumen von deutschem Brot, keine Geschichten aus der Heimat. Ehe sie sich versah, kullerte eine Träne ihre Wange hinab.

Sie vermisste Marie so sehr!

»Was soll ich nur tun?«, flüsterte sie, während die beiden Tauben durch eine Regenpfütze trippelten.

»Jeder Mensch hat eine Aufgabe im Leben, man muss sie nur erkennen. Das gilt auch für dich«, hatte Marie behauptet. Aus ihrem Mund hatte sich das so wahrhaftig angehört!

Wanda strich über die kühle Steinplatte, auf der sie saß. Noch vor einer Woche war sie warm gewesen, und Marie hatte neben ihr gesessen, einen Zeichenblock auf den Knien. Trotz Wandas Protesten hatte sie darauf bestanden, ein Porträt von ihr zu malen. »Wie in alten Zeiten, als du noch ein Säugling warst und kaum krabbeln konntest. Deine Mutter hätte damals die Wände mit Bildern von dir tapezieren können, so oft habe ich dich gemalt!«, hatte Marie lachend zugegeben. Und Wanda hatte ebenfalls lachend erwidert, dass Ruth davon heutzutage wahrscheinlich nichts mehr wissen wollte. Es war einer dieser sonnigen Augenblicke gewesen, in denen alles leicht und unbeschwert erschien. Als Marie mit dem Porträt fertig war, hatte sie den Block so behutsam zugeklappt, als wäre er wertvoll wie pures Gold. »So kann ich wenigstens etwas von dir mitnehmen«, hatte sie sanft geflüstert. Und der sonnige Moment war verstrichen.

Es war ihr Abschiedsgespräch gewesen.

Wanda hatte es Marie dabei nicht leicht gemacht. Es waren Tränen der Enttäuschung geflossen und harsche Worte gefallen. Marie ließe sie im Stich, hatte Wanda ihr vorgeworfen und sie damit sichtlich verletzt – es hätte nicht viel gefehlt, und Marie wäre ebenfalls in Tränen ausgebrochen.

»Es tut mir Leid, wenn du das so siehst«, hatte sie geantwortet. »Aber ich kann dir nicht weiterhelfen. Und ich könnte es auch nicht, wenn ich noch ein paar Wochen länger bliebe! Du musst *selbst* herausfinden, was du in Zukunft machen willst.« Danach hatte sie das mit der Aufgabe im Leben gesagt.

Wie gern hätte Wanda ihr geglaubt! Stattdessen erwiderte

sie: »Und wenn ich die unrühmliche Ausnahme bin? Vielleicht hat der liebe Gott mit mir einen völlig unnützen Menschen geschaffen? Du musst doch zugeben, dass es ganz danach aussieht.«

Marie lächelte. »Du ungeduldiges Ding! Vielleicht war der liebe Gott der Ansicht, dass er es dir nicht so leicht zu machen braucht wie anderen Frauen. Sonst hätte er deinen Harold doch längst veranlasst, dir einen Heiratsantrag zu machen, oder? Und ehe du dich versehen hättest, wärst du eine verheiratete Frau mit einem Säugling auf dem Schoß gewesen.«

»Was nicht ist, kann ja noch kommen«, antwortete Wanda dumpf. Harold hatte in letzter Zeit so seltsame Andeutungen gemacht, dass sich in seinem Leben demnächst einiges ändern würde und so weiter. Und dass diese Änderungen auch sie betreffen würden. Wanda hatte jedesmal eilig das Thema gewechselt.

»Und wenn meine Aufgabe im Leben tatsächlich darin besteht, die Ehefrau eines Bankiers zu werden?« Allein den Gedanken fand sie schrecklich!

»Es gibt Frauen, deren Liebe zu einem Mann tatsächlich ihren ganzen Lebensinhalt ausmacht. Deine Mutter ist so ein wundersames Wesen«, antwortete Marie grinsend. »Ich persönlich könnte mir so etwas für mich jedoch nicht vorstellen. Sosehr ich Franco liebe – wenn er mir nicht versprochen hätte, dass ich weiterhin arbeiten darf – ich glaube nicht, dass ich mit ihm gehen würde. Aber er ist ja so lieb und großzügig! Er reist nur mir zuliebe auf den Monte Verità, kannst du dir das vorstellen?«

Wanda runzelte die Stirn. »Ich dachte, ihr fahrt wegen Sherlain in die Schweiz?« Pandora hatte etwas von einer verschleppten Krankheit gesagt, die die Dichterin dringend auskurieren musste.

Marie erklärte ihr daraufhin, dass sie mit ihrem Besuch am Lago Maggiore zwei – nein, eigentlich waren es sogar drei –

Fliegen mit einer Klappe schlagen würden: Zum einen würden sie Sherlain in eine gesunde Umgebung bringen, weit weg von den schädlichen Einflüssen der Großstadt. Zum anderen reizte Marie der Gedanke, auf dem Monte Verità Künstler aus ganz Europa treffen zu können – ein Aspekt, der auch Pandora bewogen hatte, sich ihnen anzuschließen. Marie konnte es nicht erwarten, nach den amerikanischen nun auch europäische Inspirationen in ihre Arbeit einfließen zu lassen. Was das bewirken sollte, war Wanda unklar – wo Maries Zeichenblock ohnehin schon überzuquellen drohte! Außerdem – und an dieser Stelle hatte Marie kurz gezögert – würde ein Aufenthalt in Ascona ihre Reise mit Franco nach Genua noch ein wenig aufschieben.

»Bei dem Gedanken, Francos Vater und der Contessa das erste Mal gegenüberzustehen, wird mir nämlich richtig schlecht«, hatte sie Wanda gestanden. »Ich kann mir zwar nicht mehr vorstellen, auch nur einen Tag ohne Franco zu verbringen, aber manchmal bekomme ich einfach Angst vor der Zukunft. Außerdem ist mir schleierhaft, wie ich das alles Johanna beibringen soll ...«

Wanda schmunzelte. Nachdem Maries vermeintlich verzögerte Rückreise schon einen solchen Aufruhr in Lauscha ausgelöst hatte, wollte sie sich gar nicht vorstellen, was dort los sein würde, wenn Johanna erst erfuhr, dass Marie ihrem schönen Italiener nach Genua gefolgt war!

Wanda stieß einen schnsuchtsvollen Seufzer aus. Maries Leben war so bunt und aufregend! Sie hatte einen wunderbaren Beruf, Pandora als Freundin, einen attraktiven Liebhaber und nun auch noch diese aufregenden Zukunftspläne!

Sie, Wanda, hatte gar nichts. Nicht einmal mehr eine Tanzlehrerin, von einem leidenschaftlichen Liebhaber ganz zu schweigen – wenn Harold sie umarmte, dann wie ein großer Bruder, und genauso waren auch seine Küsse: trocken und hingehaucht. Und ihre Reise nach Deutschland stand auch noch in den Sternen. Dutzende Male hatte sie ihre Eltern deswegen angefleht, aber auf ihre Einwilligung wartete sie nach wie vor vergeblich.

Mit geschlossenen Augen holte Wanda tief Luft. Wie es wohl roch in Deutschland?

Immer wieder versuchte sie sich etwas von dem vorzustellen, was Marie ihr erzählt hatte. Ihr fiel der Markt ein, der nach Maries Worten jede Woche im benachbarten Sonneberg stattfand. Roch es dort süß wie nach Zuckerwatte? Oder nach Fisch wie unten am Hafen? Und dann die Menschen: Wanda versuchte, sich eine Gruppe von Frauen wie ihre Tante Johanna vorzustellen, die ihre Einkäufe auf dem Markt tätigten. Wie waren sie gekleidet? Kannten sie einander? Lachten sie zusammen? War Eva Heimer auch dabei?

Wanda schlug die Augen auf. War diese Eva eigentlich ihre Tante oder ihre … Großmutter? Wo sie doch mit Sebastian verheiratet war, aber mit Wilhelm Heimer … Was ihr Vater damals wohl zu dem ganzen Drama gesagt hatte?

Wie mochte er aussehen? Wanda gelang es nicht, vor ihrem geistigen Auge ein Bild von ihm erstehen zu lassen. Maries Beschreibung war eher vage gewesen, sie konnte beinahe auf jeden Mann passen. Wanda hatte heimlich die ganzen Fotoalben ihrer Mutter durchsucht, aber keine einzige Fotografie von Thomas Heimer gefunden. Auch ein Hochzeitsfoto von Ruth und ihm gab es nicht. Wenn ein solches je existiert hatte, dann hatte Mutter es garantiert vor langer Zeit vernichtet. Spuren verwischen nannte man so etwas, oder? Und nun, da Marie weg war, würde es fast unmöglich werden, mehr über ihre Herkunft zu erfahren. Kein deutsches Brot mehr und keine Geschichten.

In dieser Nacht konnte Wanda lange nicht einschlafen.

»Jeder Mensch hat eine Aufgabe im Leben« – wie lästige Quälgeister hämmerten Maries Worte unablässig gegen ihr

Gehirn. Unter dem Getöse verwandelte sich Wandas Traurigkeit allmählich in eine Art von Trotz. Hah! Es wäre doch gelacht, wenn sie sich unterkriegen ließe, nur weil sie ihre Aufgabe noch nicht gefunden hatte! Immer alles jetzt und sofort – das war ihre bisherige Devise gewesen. »Lufthüpfer« nannte Harold ihre spontanen Ideen und tat dabei immer ein wenig von oben herab. Luft wie leer. Luft wie ohne Inhalt. Luft wie bedeutungslos.

Es war kurz vor Mitternacht, als sie sich abrupt aufsetzte.

Vielleicht hatte sie es bisher einfach falsch angefangen. Was war eigentlich so schlecht daran, die Dinge mit etwas mehr Bedacht anzugehen?

Beschwingt sprang sie aus dem Bett und trat ans Fenster. Die Stirn gegen das kühle Glas gelehnt, schaute sie hinaus in die Nacht.

Die in Lauscha würden heute vielleicht einen sternenklaren Himmel sehen, aber dafür sah *sie* Lichter in Aberhunderten von Fenstern. Und das war doch auch etwas, oder?

Wanda lachte vor sich hin.

Wie hieß es doch so schön? Wenn der Prophet nicht zum Berge kam, dann musste eben der Berg zum Propheten gehen!

Das war's!

Sie konnte vielleicht nicht nach Deutschland reisen – noch nicht. Aber etwas anderes konnte sie tun.

Am nächsten Morgen, es war noch nicht acht Uhr, drückte Wanda mit zittriger Hand die Klinke eines kleinen Bäckerladens hinunter, der in einer Seitenstraße der zehnten Avenue lag. Marie hatte dort für ihr Picknick auf dem Dach eingekauft und danach geschwärmt: »So ein gutes Schwarzbrot hab ich nicht einmal bei uns zu Hause gegessen! Dass deine Mutter dort nicht Stammkundin ist, kann ich nicht verstehen.«

Eine kräftige Frau, die damit beschäftigt war, Wagenräder

von Brotlaiben in ein Regal zu hieven, drehte sich zu Wanda um.

»Sie wünschen, Frollein?«

Wanda räusperte sich. Jetzt galt's! Sie besann sich auf ihr bestes Deutsch.

»Gibt es hier irgendwo einen Ort, wo Deutsche sich treffen und wo man deutsche Sitten und Bräuche lernen kann?«

2

Mit einem Schrei schoss Marie in die Höhe.

»Marie, *mia cara*, was ist los?« Nur den Bruchteil einer Sekunde später saß auch Franco aufrecht im Bett. Er war sofort hellwach, seine Augen suchten die Hütte ab. Alles in Ordnung. Er entspannte sich wieder.

»Was ist los?« Sanft rüttelte er an Maries Arm. »Hast du schlecht geträumt?«

Marie nickte, die Augen weit aufgerissen, eine Hand vor den Mund geschlagen, als habe sie etwas Furchtbares gesehen.

»Mir ist so schlecht, da ist so ein komisches Gefühl in meinem Bauch …«

Schweiß stand ihr auf der Stirn.

Als Franco einen Arm um ihre Schultern legen wollte, fühlte er, dass ihr Nachthemd an ihrem Rücken klebte. »Du bist ja ganz nass!«

Er zog eine Wolljacke von dem Holzstuhl, der als Nachttisch diente, und legte sie Marie um die Schultern.

»Danke!« Sie atmete tief durch. »Es geht schon wieder … Du meine Güte, wie kann man nur so einen Blödsinn träumen! Ich war auf der Lichtung hinter dem Sanatorium. Es war gleißend hell, so als ob Sonnenlicht auf eine weiße Fläche trifft. Dann war da dieser Mann … Er hatte einen wallenden Bart und war in ein langes Gewand gekleidet. Aber es war keiner von den Leuten hier oben auf dem Berg«, fügte sie hastig hinzu, als sie Francos Miene sah. Sie zog die Jacke enger um sich.

Franco langte erneut hinüber zu dem Stuhl, diesmal nach seinen Zigaretten. Während er sich eine anzündete, sprach Marie weiter.

»Der Mann hat mich zum Tanzen aufgefordert, aber ich wollte nicht. Seine Hand war eiskalt und ich wollte meine zurückziehen, doch das ließ er nicht zu. Wir haben uns im Kreis gedreht, mir war ganz unwohl dabei. Musik habe ich keine gehört, aber vielleicht kann ich mich auch nur nicht mehr daran erinnern. Außer uns waren noch andere Tanzpaare da, es haben auch Frauen mit Frauen getanzt und Männer mit Männern.«

»Und ich – wo war ich?« Wieso träumte sie von anderen Männern?

Sie zuckte mit den Schultern. »*Ich muss zu Franco*, habe ich zu dem Mann gesagt, doch er sah mich nicht an und tat so, als habe er mich auch nicht gehört. *Franco mag es nicht, wenn ich mit anderen tanze*, habe ich dann gesagt, aber wieder schien er mich nicht zu hören. Er hielt mich fest umklammert, und wir drehten uns und hörten nicht mehr auf.« Sie schluckte. »Wir tanzten an allen anderen Paaren vorbei. *Wir müssen umdrehen, wir kommen zu nahe an den Abgrund!*, habe ich ihn angeschrien. Ich habe an seinem Arm gezerrt und mich gewunden wie ein Aal, aber sein Griff war eisern. Plötzlich kam der See immer näher, er war nicht mehr blau, sondern tiefschwarz, wie ein riesiger Schlund, der uns verschlingen wollte ... Und dann machten wir den letzten Schritt. Er hat mich angeschaut und gelacht. Wie ein Wahnsinniger gelacht. Und sein Gesicht war so schrecklich ...« Marie begann so heftig zu zittern, dass sie nicht weitersprechen konnte.

»Marie, beruhige dich! Alles ist gut.« Franco wiegte sie in seinen Armen hin und her. »Ich weiß, wie das ist, so einen Traum zu haben: Man fällt und fällt und fällt ...«

»Da ist nichts mehr unter einem, und man kommt nirgendwo an, schrecklich ist das! Und dann auch noch von einem anderen Menschen hinabgerissen zu werden!«

Einen Moment lang schwiegen sie. Dann seufzte Marie auf.

»Alois Sawatzky, der Buchhändler, von dem ich dir erzählt habe, hätte seine hellste Freude daran, meinen Traum zu deuten und über seinen tieferen Sinn zu spekulieren.«

»Dafür brauche ich keine Fachlektüre!«, brauste Franco auf. »Schuld ist diese elende Hütte, in der wir hausen! Von wegen Licht-Luft-Häuser! Die Doggen meines Vaters haben es komfortabler! Das war unsere letzte Nacht in dieser Bretterbude, gleich nachher ziehen wir ins Casa Semiramis!«

Wütend schaute er sich in ihrer Bleibe um. Er hatte von Anfang an ins Hotel ziehen wollen, das wenigstens ein bisschen Komfort versprach. Doch dann hatte er sich von Marie bei ihrem ersten Rundgang über das Gelände zu einer der kleinen Holzhütten überreden lassen, die über den ganzen waldigen Grund verteilt waren.

»Wie romantisch!«, hatte sie gerufen. Was für ein amüsanter Gedanke, die Morgentoilette auf der Holzveranda mit lediglich einem Eimer Wasser zu erledigen! Sherlain hatte ähnliche Entzückensschreie ausgestoßen. Pandora jedoch hatte den Gedanken, Mutter Erde so nah zu sein, schlichtweg abschreckend gefunden.

»Wenn das Hausen im Hühnerstall so gemütlich ist, warum haben sich dann ausgerechnet Henri Oedenkoven und Ida Hoffmann eine Villa mit Strom und fließendem Wasseranschluss gebaut?«, hatte sie gefragt. Dass die beiden Besitzer des Geländes wesentlich luxuriöser als ihre Anhänger lebten, war eine der vielen Besonderheiten der Kommune. Letztlich hatten sich die beiden Freundinnen ein Zimmer in dem kleinen Hotel genommen, das am Rande des Geländes stand und einen spektakulären Blick über den See bot. »Die Müden finden Ruhe, Frieden und Freiheit und können neue Kräfte sammeln«, hatte

Pandora den Hotelprospekt zitiert und gemeint, dass sie dort genau richtig wären.

Wütend zog Franco an seiner Zigarette. Warum hatte er sich darauf eingelassen, wie ein Urmensch im Wald zu hausen?

Schon in der ersten Nacht hatte Marie nicht gut geschlafen – zu viele fremde Geräusche, Rascheln im Laub, das Knacken kleiner Äste wie von Fußtritten, hatten sie angestrengt lauschen lassen. Das hatte sie ihm allerdings erst am nächsten Morgen gestanden – nach einer kleinen Zechtour durch die Trattorien Asconas hatte er nämlich geschlafen wie ein Murmeltier. Außerdem habe sie sich ständig beobachtet gefühlt, hatte sie weiter offenbart. Kein Wunder, wo es hier keine Vorhänge gab und man die Fenster auch nicht mit Klappläden schließen konnte. »Wer soll uns mitten in der Nacht beim Schlafen zuschauen?«, versuchte er sie zu beruhigen und schlug vor, ins Hotel zu ziehen. Doch davon wollte sie nichts hören. Dann solle sie wenigstens abends mit ihm hinunter nach Ascona gehen, der hiesige Wein würde ihr schon ausreichend Bettschwere verleihen, bat er. Aber auch diese Idee hatte nicht ihre Zustimmung gefunden. Ob sie vom Monte Veritànischen Virus der Enthaltsamkeit schon völlig infiziert worden sei, hatte er von ihr wissen wollen. Doch Marie hatte nur gelacht, ihre Bluse aufgeknöpft und ihn aufgefordert herauszufinden, wie weit es mit ihrer Enthaltsamkeit her sei. Danach war nicht mehr die Rede davon gewesen, ins Hotel zu ziehen.

Er spürte, wie seine Lust erwachte. Sanft strich er mit seiner Hand über ihre Brust. Keine schlechte Idee, sie auf andere Gedanken zu bringen …

Im nächsten Moment entwand sich Marie seiner Umarmung.

»Genug gejammert! Ich werde mir doch von einem blöden Traum nicht den Tag verderben lassen! Eine kalte Dusche ist genau das, was ich jetzt brauche«, sagte sie im Brustton der Überzeugung. Sie streifte ihr Nachthemd über den Kopf und ging nackt nach draußen, nicht, ohne ihm zuvor eine neckische Kusshand zuzuwerfen.

Franco schaute ihr nach. Was war an dieser Frau, dass sie ihn so um den kleinen Finger wickeln konnte? Seit er mit Marie zusammen war, kannte er sich manchmal selbst nicht mehr. Ihr zuliebe ließ er sich auf Dinge ein, die ihm früher nie in den Sinn gekommen wären. Wie dieser Zwischenstopp hier in Ascona. Es hatte ihn einige Überredungskunst gekostet, die drei Extrawochen bei seinem Vater herauszuschinden, er hatte dafür versprechen müssen, nach seiner Heimkehr umso mehr zu arbeiten. Andere Männer hätten auch Liebschaften, ließen sich davon jedoch nicht von der Arbeit abhalten, hatte der alte Conte ihm vorgeworfen. Worauf Franco hitzig erwiderte, dass es sich um mehr als eine Liebschaft handele, dass er nämlich in Marie die Frau gefunden habe, auf die er schon sein Leben lang wartete. Sein Vater konnte sich kaum vorstellen, dass eine amerikanische Reisebekanntschaft über mehr Tugenden verfügte als die vielen blaublütigen Marchesas und Contessas – lauter potenzielle Ehefrauen –, die seine Mutter ihm seit Jahren wie Sahnetörtchen auf einem Präsentierteller anbot. Woraufhin Franco kundtat, dass er Marie liebe. Sein Vater hatte laut geprustet und angefügt, dass er seine Hunde auch liebe.

Nach dem lautstarken Telefonat im Postamt von Ascona hatte Franco es für besser gehalten, erst einmal nicht zu erzählen, dass er Marie mitbringen würde. Seine Eltern brauchten offenbar Zeit, um sich an den Gedanken zu gewöhnen, dass sie ihren einzigen Sohn fortan mit einer Frau würden teilen müssen. Doch nun rückte ihre Ankunft in Genua immer näher.

Nachdenklich nahm er noch einen tiefen Zug aus seiner Zigarette.

Vielleicht war es eine gute Idee, heute seinen Vater anzurufen und das Versäumte nachzuholen – es gab schließlich noch einiges im Palazzo vorzubereiten. *Ein Glasbläserstudio?! Ist dir dein Verstand nun völlig in die Hose gerutscht?* Er konnte den alten Conte bis hierher hören. Franco holte tief Luft, als wolle er sich schon jetzt für das spätere Wortgefecht stählen. Dieses Mal würde die Ironie seines Vaters an ihm abperlen wie Regen an den Blättern der Seerosen im Wassergarten seiner Mutter, schwor er sich. Es würde keine Wiederholung des Serena-Dramas geben. Er war kein Junge mehr, dem der Vater den Willen brechen konnte. Er und Marie würden ein starkes Gespann abgeben, gemeinsam hatten sie dem alten Conte genügend entgegenzusetzen. So unbeirrt sie ihren Weg als Glasbläserin ging, wollte er von nun an auch seine Arbeit in den Weinbergen verfolgen. Vorbei waren die Zeiten, in denen er nur den Laufjungen für seinen Vater abgab. Wie freute er sich auf den Tag, an dem er mit dem Menschenschmuggel nichts mehr zu tun hatte! Er hatte sich nie anmerken lassen, wie zuwider ihm dieser Aspekt ihrer Überseetransaktionen war, aber das Ganze hing stets über ihm wie eine düstere, mit Regen gefüllte Wolke. Zugegeben, seit Marie in sein Leben getreten war, hatte sich die Wolke gelichtet, war erträglich geworden. Umso besser, wenn sie endlich ganz vom Firmament verschwand! Ja, der Alte würde sich daran gewöhnen müssen, dass sein Sohn zukünftig eigene Ideen einbrachte! Und wer weiß, vielleicht würde sein Vater seine Bemühungen, die Reben zu verjüngen, die Sorten zu veredeln, am Ende sogar zu schätzen wissen?

Durch die offene Tür beobachtete er, wie Marie mit dem nassen Schwamm über ihre Brüste strich. Sorgfältig, um nur ja kein Tröpfchen Wasser zu verschwenden, tauchte sie dann den Schwamm in den Eimer und drückte ihn aus, bevor sie ihn an ihrem rechten Bein ansetzte. Sie trug ihre Nacktheit wie ein edles, aber schlichtes Gewand und bewegte sich ohne jede Koketterie. Wie schön sie war, seine Prinzessin!

Er nahm einen letzten Zug und drückte dann seine Zigarette aus.

Ab heute sollte sie nur noch im Luxus baden, dafür würde er

sorgen! Und sein Vater ... ach, an den wollte er jetzt nicht mehr denken.

3

Nachdem Franco sich auf den Weg ins Dorf gemacht hatte, ging Marie, nur mit einem Unterrock bekleidet, zu einer der treppenförmig angelegten Liegeflächen. Hier traf sie sich allmorgendlich mit Pandora und Sherlain zu einem Sonnenbad. Manchmal gesellten sich Ida Hoffmann oder Susanna, die Lebensgefährtin von Pandoras New Yorker Freund Lukas Grauberg, zu ihnen. Marie liebte diese Stunden. Ruth, die sich ständig mit ihren Freundinnen zum Lunch oder zum Kaffee verabredete, hätte in diesen Treffen wahrscheinlich nichts Besonderes gesehen, doch für Marie war es das erste Mal, dass sie eine rein weibliche Atmosphäre erlebte. In der heimischen Werkstatt war sie am Bolg stets von Peter, Johannes und Magnus umgeben und hatte als Frau in einem Männerberuf immer das Gefühl gehabt, ihren Mann stehen zu müssen.

Als Marie nun um die letzte Wegbiegung ging und im selben Moment den Lago Maggiore und ihre Freundinnen erspähte, war ihr Alptraum vergessen. Vor dem lapislazuliblauen Hintergrund erschienen die nackten Frauenkörper wie aus Porzellan gegossen. Der Wunsch, diesen Anblick für immer festzuhalten, wurde fast übermächtig. Eine Woge des Glücks erfasste sie.

»Na, hat dein Franco dich endlich aus dem Bett gelassen?« Mit einem unfeinen Ächzen stand Pandora auf und ging an Marie vorbei, die ihr Laken auf dem moosigen Grasboden ausbreitete.

»Nein, es war umgekehrt: *Ich* habe *ihn* gehen lassen, wenn auch ungern!«, grinste Marie. Mit zusammengekniffenen Augen beobachtete sie, wie Pandora auf einen der Badezuber zuging, die am Ende der Liegewiese standen.

»Du hast doch nicht etwa vor, in diesen Tümpel zu steigen?!«

Die Wasseroberfläche war vom ersten herabfallenden Laub bedeckt. Als Pandora sich näherte, stoben Hunderte von kleinen Mücken auf.

»Und ob! Hast du nicht zugehört, als Ida ihren Vortrag darüber hielt, wie das Wasser die Kraft der Sonne noch verstärken kann? Außerdem ist mir furchtbar heiß!« Mit großer Geste ließ Pandora das Tuch, das sie um ihren Leib gewickelt hatte, fallen. Nackt begann sie um den Bottich zu tanzen.

»*You have to dance to the music in your heart* ...«, summte sie vor sich hin, bevor sie mit einem ungraziösen Plumps ins Wasser hüpfte. Brackige Wogen schwappten über den moosbedeckten Bottichrand. Marie und die anderen kreischten, als sie ein paar kalte Spritzer abbekamen.

»Es scheint, als könnten auch andere die Musik in deinem Herzen hören ...« Susanna zeigte in Richtung der Bogenschützen, die auf einer kleinen Waldlichtung ihre Übungsstunde abhielten. Im Augenblick waren die Zielscheiben verwaist und die Blicke auf Pandoras wogende Brüste gerichtet.

»Lass sie doch gucken. Vielleicht finden sie meinen Anblick so ... anregend, dass es für uns auch etwas zu sehen gibt ...«, kicherte Pandora. Betont langsam stand sie auf, drehte sich einmal um ihre Achse und tauchte wieder ein. »Na, könnt ihr sehen, ob sich schon etwas regt?!«

Marie und die anderen Frauen kicherten. Die winzigen Lendenschurze, mit denen die Bogenschützen bekleidet waren, hatten ihnen schon mehr als einmal zur Erheiterung gedient.

Nachdem sie sich zum Sonnenbad ausgestreckt hatte, merkte Marie, dass sie ziemlich müde war. Ihre Augen fielen zu. Wie angenehm, sich mitten am Tag ein kleines Schläfchen gönnen zu können! Was Johanna wohl zu diesem Lebenswandel sagen würde? Sie grinste in sich hinein.

»Du siehst aus wie die Katze, die sich am Sahnetopf vergangen hat«, sagte Sherlain, während sie ihre roten Locken aus einem Zopf löste.

»So fühle ich mich auch!« Marie räkelte sich auf ihrem Tuch. »Ich habe gerade daran denken müssen, wie sich mein Leben verändert hat, seit ich Lauscha verlassen habe!« Sie lächelte. Nicht nur ihr hatte der Ortswechsel gut getan. Dass Sherlain sich nach ihrem verpfuschten Schwangerschaftsabbruch so schnell erholen würde, hätte sie auch nicht gedacht.

»Sag ich doch immer: Man muss seine eingefahrenen Bahnen verlassen. Wenn man will, ist das Leben ein einziges Abenteuer!«, rief Pandora ihr vom Bottich aus zu.

Marie verdrehte die Augen. Manchmal ging ihr Pandoras besserwisserische Art erheblich gegen den Strich. Obwohl sie oft Recht hatte …

Da lag sie, Marie Steinmann, zusammen mit drei anderen Frauen, von denen sie keine länger als ein paar Wochen kannte, splitterfasernackt auf einem Tessiner Berg über dem Lago Maggiore! Um sie herum wuchsen aus den Felswänden exotische Pflanzen, ergossen sich Wasserfälle in einen Garten Eden, von dessen Existenz sie bisher nichts gewusst hatte. Menschen sangen Lieder ohne Texte, lustwandelten mit Blumen im Haar über die Waldwege oder machten Bewegungen, die selbst Pandora fremd waren. Eurythmie wurde diese Art von Tanz genannt, hatten sie inzwischen gelernt, und Pandora war so hingerissen davon, dass sie dafür sogar Stunden früher aufstand als gewöhnlich. Schon im Morgengrauen, wenn dünne Nebelschwaden den See noch wie in ein leichtes Gewand einhüllten, sah man sie und andere Tänzerinnen sich wie Elfen am Ufer bewegen.

Alle Menschen – von ein paar komischen Käuzen abgesehen – waren freundlich, lächelten und liebten sich, viele im ursprünglichsten Sinne des Wortes. Die Liebe lag hier einfach in der Luft, Küsse und Umarmungen, sinnliches Streicheln und erotische Berührungen bildeten einen Teppich, auf dem sich die Veritàner lustvoll tummelten.

Nachdem Marie mitbekommen hatte, wie freizügig die Menschen auf dem Berg miteinander umgingen, befürchtete sie, dass Sherlain gleich wieder da beginnen würde, wo sie in New York aufgehört hatte. Und tatsächlich: Es hatte keine Woche gedauert, bis Sherlain anfing, von Franz, einem der Begründer der Kolonie, zu schwärmen, von seiner »göttlichen Wortgewalt«, seiner »heiligen Prinzipientreue«, seinem »sternentrunkenen Blick«. Während Marie und Franco sich über die Vorliebe der Veritàner amüsierten, ständig neue, seltsame Worte zu erfinden, war Sherlain hingerissen von der »honigtrunkenen Poesie des Berges«.

Dass die Dichterin sich ausgerechnet einen solchen Moralapostel aussuchen würde … Marie machte einen unwilligen Schnaufer. Vor ein paar Tagen war Franz an ihrer Hütte vorbeigekommen, als Franco und sie sich auf ihrer hölzernen Veranda eine Kissenschlacht lieferten. Wie er da von oben herab geguckt hatte!

»Na, wieder einmal unterwegs, um Leib und Seele mit der Natur in Einklang zu bringen?«, rief Franco ihm zu und nannte ihn »Blassgesicht«. Als Franz nicht darauf reagierte, sondern mit zum Gebet gefalteten Händen, die Augen gen Himmel gerichtet, weiterlief, flüsterte Franco Marie kichernd zu: »Jetzt ›behimmelt‹ er sich wieder!«

»Oder er genießt ein ›Luftmahl‹«, hatte sie erwidert. Im nächsten Moment waren sie in die Hütte gestürzt und hatten sich leidenschaftlich geliebt.

Ein Schauer durchfuhr Marie. Und wenn sämtliche Götter des Olymp splitterfasernackt auf dem Monte Ringelreihen tanzen würden – für sie gab es nur Franco! Dass man eine solche

Glückseligkeit in den Armen eines Mannes erleben konnte, hätte sie nicht für möglich gehalten. Allein, wenn er …

Ein Rütteln an ihrem Arm riss sie aus ihren Träumereien. Als sie die Augen aufschlug, sah sie Susannas erwartungsvolle Miene vor sich.

»Entschuldigung, ich habe nicht zugehört. Was hast du gesagt?«

»Ich habe dich gerade gefragt, ob du Lust hast, später Katharina von Oy besuchen zu gehen?«

»Mhhh«, murmelte Marie unverbindlich und schloss die Augen wieder. Ihr war plötzlich übel geworden. Sie atmete durch den offenen Mund ein, um dagegen anzukämpfen. Offenbar war ihr der Alptraum doch ziemlich auf den Magen geschlagen. Sie hatte gar keine Lust, für den Ausflug ihr weiches Mooslager zu verlassen und sich von den Sonnenstrahlen auf ihrer Haut zu verabschieden. Außerdem hatte Susanna schon mehrmals versprochen, sie zu der Glaskünstlerin zu führen, die in den Hügeln oberhalb von Ascona eine Art Einsiedlerleben führte, doch bisher war am Ende nie etwas daraus geworden – auf dem Monte Verità wurde viel geredet, aber nicht ganz so viel in die Tat umgesetzt.

Diese Katharina hatte früher mit allen anderen hier in der Kolonie gelebt. Als jedoch das Sanatorium eröffnet wurde und immer mehr Besucher auf den Monte kamen, hatte sie dem Trubel die Ruhe in einer verlassenen Berghütte vorgezogen. Sie verdiente sich ihren Lebensunterhalt damit, Glasbilder herzustellen, die sie unten im Dorf an Touristen verkaufte. Natürlich reizte es Marie zu sehen, was die Leute hier als Glaskunst ansahen, und unter Glasbildern konnte sie sich gar nichts vorstellen. Waren das nicht Kirchenfenster?

»Wenn ihr mit eurem Spaziergang wartet, bis meine Tanzstunde zu Ende ist, gehe ich mit«, kam es schläfrig von Pandora.

»Du? Was willst du denn bei der Glasmalerin?«, fragte Marie erstaunt. »Hast du etwa vor, das Genre zu wechseln?«

»Blödsinn. Ich will einfach nur sehen, wie sie lebt. Und sie ein bisschen ausfragen. Wie sie zu ihrem Grundstück gekommen ist. Was es gekostet hat und so weiter. Lukas sagt, nachdem die Reblaus den meisten Weinbergen den Garaus gemacht hat, werden viele Grundstücke sehr günstig angeboten. Wer weiß? Vielleicht kann ich mir hier auch so ein kleines Häuschen leisten. Nach New York gehe ich jedenfalls nicht mehr zurück.«

»Du für immer hier? Glaubst du nicht, dass du den Großstadttrubel vermissen würdest?«

Pandora streckte ihr rechtes Bein in die Höhe, bewunderte es und schlug es dann graziös über das linke. »Nichts und niemanden würde ich vermissen, ganz im Gegenteil. Ich habe mich noch nie so gut auf meinen Tanz konzentrieren können wie hier. Mir kommt es so vor, als würde die Luft um mich herum vibrieren. *You have to dance to the music in your heart*«, summte sie erneut.

»Haben Lukas und ich dir das nicht gleich prophezeit?«, trumpfte Susanna auf. Im nächsten Moment runzelte sie jedoch ärgerlich die Stirn. »Pandora, Liebste – jetzt liegst du schon wieder falsch da! Wie oft soll ich dir noch zeigen, wie man ein Sonnenbad nimmt. So musst du es machen, schau!« Sie legte sich flach auf den Boden, Arme und Beine weit von sich gestreckt, den Bauch etwas in die Höhe gewölbt, das Gesicht in die Sonne gerichtet.

»Lass mich doch liegen, wie ich will!«, nörgelte Pandora. »In deiner Position würde ich mich fühlen wie auf einer Streckbank!«

Marie, die auf dem Bauch lag, kicherte. »Ehrlich gesagt finde ich sie auch nicht sehr angenehm. Man fühlt sich so ausgeliefert ...«

»Nicht wahr?«, eiferte sich Pandora. »Und dann habe ich immer Angst, mir würde ein Käfer zwischen die Beine krabbeln. Oder gar in den Po ...« Sie kicherte ausgelassen.

»Mit eurem Geplapper seid ihr schlimmer als die Elstern, die den ganzen Tag auf unserem Balkongeländer sitzen und lärmen!«, grummelte Sherlain.

Die anderen schauten zu ihr hinüber. Im Gegensatz zu ihnen hatte Sherlain genau die von den Monte Veritànern vorgeschriebene Sonnenbad-Haltung eingenommen. Ihre Haare lagen ausgebreitet auf dem grünen Moos und glichen einem lodernden Flammenkreis. Mehr denn je sah sie wie eine keltische Göttin aus.

Eine Zeit lang gaben sich die vier Frauen schweigend ihrem Sonnenbad hin, schließlich begann Pandora sogar zu schnarchen.

Marie lächelte in sich hinein. So gelöst hatte sie die Tänzerin noch nicht erlebt!

In New York waren Sherlain und Pandora bunte Paradiesvögel gewesen, die für ihre Andersartigkeit angehimmelt wurden – hier waren sie nur zwei von vielen Menschen, die sich für auserkoren hielten. Die Lebensweise der Veritàner schien beiden gut zu tun. Um ehrlich zu sein, fand Marie den ewigen Drang, göttliche Weisheit zu erlangen, allerdings etwas skurril, auch wenn sie das Franco gegenüber nie zugegeben hätte. Und dann diese Verteufelung von Alkohol! Wein und Bier seien nur etwas für schwache Menschen – diese Botschaft wurde von Franz am heftigsten vermittelt, und bei vielen kam sie sogar an: Seit ihrer Ankunft auf dem Monte Verità hatte Sherlain keinen Tropfen mehr getrunken. Pandora war nicht ganz so streng mit sich. Das Gleiche galt für das »Leichenfressen«, von dem die Veritàner glaubten, dass es Körper und Geist verunreinigte. Während Marie mit den Apfelschnitzen, den klein geschnittenen Möhren und Kohlrabi auf ihrem Teller gut zurechtkam, weigerte sich Franco, sich auf die vegetarische Ernährung einzulassen.

»Das ganze Tessin schwelgt im *dolce vita* – und ich soll mich mit Salatblättern zufrieden geben?«, hatte er gleich zu Beginn gesagt und beschlossen, zumindest eine Mahlzeit pro Tag unten im Dorf einzunehmen. Hin und wieder begleiteten Marie und Pandora ihn. Doch nach der Völlerei mit luftgetrocknetem Schinken und Nudelgerichten, verfeinert mit Morcheln und Trüffeln, bekam Marie regelmäßig ein schlechtes Gewissen. Außerdem machte das italienische Essen dick. Sie hatte das Gefühl, noch nie so viel auf den Rippen gehabt zu haben. Wenn sie nicht aufpasste, würde sie bald der guten Gorgi Konkurrenz machen!

Franco jedoch genoss es in vollen Zügen, mit Marie am rechten und Pandora am linken Arm durch die engen Gassen Asconas zu stolzieren. Wenn sie einkehrten, bestand er jedes Mal darauf, auch Pandoras Zeche zu übernehmen, was Marie allmählich wirklich zu weit ging. Die Tänzerin zeigte ihrem Gönner gegenüber nämlich keine Spur von Dankbarkeit, ganz im Gegenteil.

»Wie kann man mit dem Handel von Rotwein so viel Geld verdienen, wo er doch überall so billig zu haben ist? Wer weiß, was hinter deinen ›Geschäften‹ wirklich steckt!«, hatte sie ihn erst gestern Abend wieder geneckt und dafür von Marie einen Stoß in die Rippen kassiert. Über Geld oder Geschäfte zu sprechen galt in adligen Kreisen als unfein, hatte Franco ihr einmal in ziemlich kühlem Ton erklärt, als sie ihn auf seinen nie versiegenden Geldfluss angesprochen hatte. Dabei hatte sie ihm eigentlich nur vermitteln wollen, dass es ihr nicht recht war, wenn er ständig so viel Geld für sie ausgab. Nachdem er jedoch gleich eingeschnappt reagierte, hatte sie das Thema gewechselt ... So schlimm fand sie es nun auch wieder nicht, von ihm verwöhnt zu werden.

Marie seufzte zufrieden. Hatte sie es nicht außerordentlich gut getroffen? Den besten Liebhaber der Welt und –

»Wie siehst du das, Marie?«, dröhnte es plötzlich an ihrem Ohr. »Du bist doch auch Künstlerin, da müsste dir eine Art zweites Worpswede hier oben auf dem Monte gerade recht kommen, oder?«

»Was? Was soll ich wie sehen?« Marie blinzelte gegen die Sonne in Pandoras erhitztes Gesicht.

»Jetzt sag bloß, du hast von unserem Gespräch gerade eben nichts mitbekommen!«

Marie lachte verlegen. »Tut mir Leid, ich muss mit meinen Gedanken auf Wanderschaft gewesen sein.«

»Ich brauche wohl nicht zu fragen, zu wem deine Gedanken wieder einmal gewandert sind! Führt deine Verliebtheit inzwischen dazu, dass du deinen Verstand verlierst?« Pandora streifte sie mit einem ärgerlichen Blick, bevor sie sich wieder Sherlain zuwandte: »Ich bleibe dabei: Sollten sich hier droben nur Künstler ansiedeln, wäre das wie ein Ghetto und der Kunst mehr als abträglich!«

»Und genau das glaube ich eben nicht. Es würde sich eine Reinheit der Kunst herauskristallisieren, die …«

Verwirrt schaute Marie von Pandora zu Sherlain. Worum um alles in der Welt ging es hier eigentlich?

»Mach dir nichts draus.« Susannas Atem kitzelte in ihrem rechten Ohr. Sie rutschte so nah heran, dass Marie ihren Unterarmgeruch wahrnehmen konnte. »Als ich in deinem Zustand war, habe ich meine Gedanken auch keine halbe Stunde beieinander halten können. Da war diese innere Unruhe … Und dann die überfallartige Übelkeit am Morgen! Es sind die Hormone, sagt man. Es soll übrigens Ärzte geben, die sich auf diese Art von Beschwerden spezialisiert haben.«

Wie Jagdhunde, die eine interessante Fährte witterten, hoben Sherlain und Pandora die Köpfe.

»Ein Arzt? In meinem Zustand – was meinst du damit?« Marie runzelte die Stirn.

Einen Moment lang schaute Susanna verwirrt drein, doch dann breitete sich ein viel sagendes Grinsen auf ihrem von der Sonne geröteten Gesicht aus.

»Also wirklich, Marie, uns gegenüber brauchst du doch nicht das Unschuldslamm zu spielen! Auf dem Monte wird so etwas ziemlich locker gesehen, das weißt du doch … Oder hast du Angst, du könntest eine von uns mit deiner Eröffnung schockieren?«

Susanna schien den Moment regelrecht zu genießen und schaute um Aufmerksamkeit heischend von Marie zu den beiden anderen Frauen hinüber. »Für wie dumm hält sie uns eigentlich?«

»Entschuldige, wenn ich schwer von Begriff bin, aber ich weiß immer noch nicht, was du von mir willst!«

Allmählich ging Marie Susannas geheimnisvolles Getue auf die Nerven. Diese zur Schau gestellte Abgeklärtheit – als ob sie vom Baum der Erkenntnis gegessen hätte!

»Davon abgesehen, dass mir ein böser Traum ein wenig auf den Magen geschlagen ist und ich heute Morgen brechen musste, geht's mir blendend. Und das gilt auch für meine Hormone!«, sagte sie und wälzte sich wieder auf den Bauch, um das Gespräch auf ihre Art zu beenden.

»Jetzt kapier ich erst …« Pandora stöhnte auf. »O nein! Kann es wahr sein? Marie, sag – bist du etwa … schwanger?!«

4

Zum wiederholten Male zog Harold die Taschenuhr, die an einer goldenen Kette baumelte, aus seiner Jackentasche. Wie immer, wenn der Deckel mit einem geschmeidigen Klack aufsprang, machte sein Herz einen kleinen Hüpfer. Schon als Junge hatte er sich nach einer Taschenuhr gesehnt, und nun hatte er sogar eine goldene. Er strich einen imaginären Fussel vom gewölbten Uhrenglas, bevor er sie wieder zuklappte. Nie würde er wie einige seiner Kollegen die neue Mode mitmachen, eine Uhr am Handgelenk zu tragen!

Stirnrunzelnd schaute er zur Tür.

Wo blieb Wanda nur? Sie waren um acht Uhr verabredet gewesen, und nun war es zwanzig nach. Ich hätte darauf bestehen sollen, sie von zu Hause abzuholen, dachte er ärgerlich. Zumindest hätte er sich dann keine Sorgen um ihr Wohlergehen machen müssen.

Der befrackte Kellner, der in der Nähe seines Tisches herumstrich, seit Harold sich gesetzt hatte, machte einen Schritt auf ihn zu.

»Möchte Monsieur vielleicht schon einen Wein wählen? Oder darf ich die Karte vorlegen?«

»Nein, danke. Ich warte auf meine Begleitung.«

»Darf ich Monsieur einen Aperitif bringen?«

»Nein«, versetzte Harold leicht gereizt. Hoffentlich würde sich die Wahl des Restaurants nicht als Fehler herausstellen – gerade heute Abend war ihm der äußere Rahmen wichtig. Unwillkürlich wanderte seine rechte Hand zur Brusttasche seines Jacketts. Das lederne Etui fühlte sich kühl und glatt an.

Der Kellner zögerte noch einen Moment, trat dann aber zurück und stellte sich drei Schritte von Harolds Tisch entfernt mit hinter dem Rücken verschränkten Händen auf.

Harold nippte an seinem Wasserglas.

Natürlich hätten sie sich auch bei Mickey in der Brooklyn Bar treffen können. Oder in einem der italienischen Restaurants, die sie sonst gern frequentierten. Doch Bier und Spagetti wären Harold zu gewöhnlich gewesen – ein französisches Feinschmeckerlokal schien ihm dagegen dem Anlass angemessen.

Außerdem gab es hier weder deutsche Bratwürste noch deutsche Knödel. Es wurde weder deutsch gesprochen noch gesungen. Es hingen auch keine deutschen Fahnen an den Wänden, und der Kellner, so aufdringlich er auch sein mochte, trug keine deutsche Tracht. Und das war gut so!

Während er die Tür im Auge behielt, versuchte Harold sich zu erinnern, wie vielen deutschen Vereinen Wanda in den letzten drei Wochen einen Besuch abgestattet hatte: Sie war bei den »Schwarzwälder Brüderschaften« gewesen, bei den »Mecklenburger Landfrauen«, dem »Sängerbund Hamburger Eintracht« und außerdem bei den »Donauschwaben«. Detailliert hatte sie ihm jedes Mal von den Sitten und Bräuchen der jeweiligen »Landsmannschaft« – so nannte man die einzelnen Gruppen wohl – erzählt beziehungsweise vorgeschwärmt. Von der Kameradschaft unter den Vereinsmitgliedern. Von deren Vaterlandsliebe, die sie in jedem Wort, in jeder Geste zu erkennen glaubte. Bisher war sie sich noch nicht sicher, welchem Verein sie sich endgültig anschließen wollte. Bei den Deutschen aus dem Norden gefielen ihr vor allem die Lieder, bei den Bayern gab es das beste Essen, die Donauschwaben hatten die ansprechendsten Bräuche und Rituale. Im Augenblick gingen Wandas Sympathien in diese Richtung: Als Harold sie am letzten Wochenende zu einem Spaziergang hatte abholen wollen, hatte er sie über eine Stickerei gebeugt angetroffen. *»Donaublau und grüne Auen, wollen ewig unser Herz erbauen«* – stolz hatte sie ihm den vorgezeichneten Schriftzug hingehalten, von dem sie gerade einmal das große D ausgestickt hatte – und das mit mehr Leidenschaft als Können. Ihrer Mutter war das Ganze sichtbar peinlich gewesen, aber was hatte Ruth Miles je gegen die Einfälle ihrer Tochter ausrichten können?

Harold lächelte. Wanda! Der Elan, mit dem sie sich ihrem jeweiligen Projekt widmete, war wirklich einzigartig.

Seit Maries Abreise war sie geradezu besessen von der Idee, ihren deutschen Wurzeln nachzuspüren. Mit ihrem Fanatismus erinnerte Wanda ihn an einige seiner Kollegen an der Börse, die nie mit ihren Umsätzen zufrieden waren, sondern sich stets vorwarfen, sie hätten noch gewiefter, noch schneller agieren müssen. Bei manchen wurde dieses Streben zu einer fixen Idee, der sie ihr ganzes Leben unterordneten. Bei aller Hingabe an seinen Beruf – so wollte er nie werden, hatte sich Harold geschworen.

Aber eines hatte er Wandas neuester Begeisterung immerhin zu verdanken: Davon, dass sie sich Arbeit suchen wollte, war keine Rede mehr. Vielmehr verbrachte sie ihre Tage nun damit, deutsche Geschäfte zu durchstöbern und Bücher über Deutschland zu lesen. Wenn sie sich trafen, wollte sie über ihre Lektüre reden. Auf Deutsch natürlich. Dass er nur ein paar Brocken konnte, hielt sie nicht weiter davon ab. Wenn er wollte, würde sie ihm ihre Muttersprache beibringen, hatte sie angeboten. Ihre Muttersprache! Harold hatte dankend abgelehnt.

Er drehte das Wasserglas in seinen Händen. Er war gespannt, was als Nächstes kommen würde. Sollte sich Wanda im gleichen Maße in die Hochzeitsvorbereitungen und später in die Haushaltsführung stürzen, würde von seiner Gehaltserhöhung am Ende eines Monats nicht mehr viel übrig bleiben. Und wenn schon! Es war höchste Zeit, dass Wanda endlich die »Aufgabe im Leben« bekam, nach der sie suchte, seit er sie kannte.

Eine Viertelstunde später sah er endlich hinter den raumhohen Glasscheiben des Lokals Wandas silberblonden Schopf aus einem Taxi auftauchen. Sie trug ein schlichtes schwarzes Kostüm, das ihre schlanke Figur hervorragend zur Geltung brachte.

Den Rock fast bis zum Knie hochgerafft, stürmte sie ins Lokal, vorbei an dem Kellner, der ihr beflissen den Weg weisen wollte. Fast wäre sie an Harolds Tisch vorbeigelaufen, als sie ihn im letzten Moment erspähte.

»Harry, du kannst dir gar nicht vorstellen, was ich gerade eben erfahren habe!«

Bevor Harold aufstehen konnte, um ihr den Stuhl zurechtzurücken, hatte sie sich schon ihm gegenüber fallen lassen.

Ihr Auftritt war von den anderen Gästen nicht unbeachtet geblieben. Ob Entenbrust à l'orange, Pommes aux truffes oder glasierte Hummersuppe – angesichts Wandas Esprits schienen die kulinarischen Köstlichkeiten fade zu schmecken. Das Geschehen am Nebentisch war plötzlich viel anregender!

»Musst du so einen Wirbel machen?« Harold stemmte sich gegen den Hauch von Unmut, der sich in ihm breit machte. Heute war *sein* Abend. *Er* wollte bestimmen, wo's langging!

»Stell dir vor: Marie hat geheiratet!«, platzte Wanda heraus.

»Geheiratet?«, quäkte er. Dann räusperte er sich und setzte mit tieferer Stimme nach: »Wen hat sie denn geheiratet? Und woher weißt du davon?« Was für eine dumme Frage! Natürlich musste sie Franco geheiratet haben!

»Weißt du, dass ich genauso reagiert habe, als Mutter mir von Maries und Francos Blitzheirat erzählt hat?« Wanda fuhr sich mit der Hand über die Stirn. Dann berichtete sie ihm von dem Telefonanruf, den ihre Mutter von Johanna erhalten hatte. Scheinbar hatte Marie es gerade einmal für nötig befunden, ein Telegramm nach Lauscha zu schicken. Sie hatte darin allerdings weder weitere Erklärungen abgegeben, noch hatte sie vor, ihren Bräutigam und Ehemann ihrer Familie in Kürze vorzustellen. Sie teilte lediglich mit, dass sie von nun an in Genua leben und arbeiten werde.

Als ob Genua um die Ecke lag! Harold fand Maries Verhalten schlicht unmöglich.

»In einem richtigen Palast werden sie wohnen, mit Blick aufs Meer! Mutter sind fast die Augen aus dem Kopf gefallen, als Johanna ihr das erzählte.«

Mit einem Lächeln nahm Wanda ein Glas Wasser entgegen, das der Kellner so ehrfurchtsvoll an ihren Tisch getragen hatte, als handele es sich um geschmolzenes Gold.

Harold beobachtete sie, während sie in großen Zügen trank. Typisch Wanda, dachte er liebevoll und erinnerte sich an den eigentlichen Sinn ihrer Verabredung.

»Nun hat also auch Marie dem Ruf ihres Herzens nachgegeben …« Kein schlechter Einstieg, gratulierte er sich.

»Ja, aber zu einem denkbar schlechten Zeitpunkt!« Wanda lachte auf, völlig unbeeindruckt von seinem romantischen Tonfall. »Scheinbar stecken die in Lauscha mitten in den Vorbereitungen für ihren neuen Musterkatalog – wie sie den bis Februar ohne Marie fertig bekommen sollen, ist nun die große Frage. Und als ob das nicht reichen würde, hat sich Cousine Anna ausgerechnet jetzt den Knöchel so böse verstaucht, dass sie weder laufen noch den Blasebalg treten kann. Wenn ich das vorhin richtig verstanden habe, ist sie nicht nur Glasbläserin, sondern auch für sämtliche Botengänge zuständig, die das Tagesgeschäft in der Glasbläserei so mit sich bringt. Tante Johanna ist einem Nervenzusammenbruch nahe, sagt meine Mutter. Maries Entschluss, nach Genua zu ziehen, kommt einer mittleren Katastrophe gleich.« Ihre Wangen glühten vor Aufregung.

»Wanda! Kannst du deine deutsche Verwandtschaft mal für einen Moment vergessen?« Eindringlich beugte sich Harold über den Tisch und griff nach ihrer Hand. »Ich habe auch Neuigkeiten … und gute obendrein!« Er machte eine dramatische Pause. »Du sitzt nämlich einem zukünftigen Bankdirektor gegenüber.«

»Harold!« Wanda juchzte laut auf. »Wie ich mich für dich freue!« Schon war sie um den Tisch herum und drückte ihm einen Kuss auf die Wange. »Gratulation! Ich bin mir sicher, es gibt keinen Besseren für solch einen wichtigen Posten.« Sie rutschte wieder auf ihren Stuhl zurück.

Harold biss sich auf die Unterlippe. Jetzt oder nie!

»Es gibt da nur einen kleinen Haken … Ich soll eine Filiale unserer Bank in New Mexico übernehmen. Ich weiß, ich weiß, das ist nicht New York! Aber ich habe mich umgehört, Albuquerque soll eine sehr schöne Stadt sein. Sie haben dort ein eigenes Theater, viele Geschäfte und einen gepflegten Park.« Er lachte. »Ich verspreche dir, du wirst New York gar nicht vermissen. Und es ist auch nur für zwei Jahre. Mister Robinson, der für die Einteilung der Filialleiter zuständig ist, meinte, dass es sehr gut sein könnte, dass ich danach …«

»Harold …«

Er griff wieder nach Wandas Hand und tätschelte sie. »Ich weiß, das kommt alles sehr plötzlich. Ich habe auch nicht damit gerechnet, dass ich so schnell …«

»Harold!«, unterbrach sie ihn ein zweites Mal, diesmal eindringlicher. »Ich … kann … nicht … mit dir nach New Mexico gehen.«

Er lächelte. Seine Wanda kehrte auf einmal die Tochter aus gutem Hause heraus. Immerhin hatte der liederliche Lebenswandel ihrer Tante Marie nicht auf sie abgefärbt!

»Natürlich kannst du«, erwiderte er sanft, während sie ihn bedrückt anstarrte. Er beschloss, sie nicht länger zappeln zu lassen. Mit einer eleganten Handbewegung zog er das lederne Etui aus seiner Tasche. Auf einen Fingerdruck hin schnappte es auf. Harold drehte es so, dass der goldene Diamantring in seiner dunkelblauen Samthülle Wanda direkt anstrahlte. »Aber nur als meine Ehefrau. Deshalb frage ich dich hier und jetzt: Wanda, willst du mich heiraten?«

Sie schaute erst den Ring an, dann ihn. So als könne sie nicht glauben, was gerade geschah.

Harold überrollte eine Welle schlechten Gewissens. Er kannte das Gefühl, das einsetzte, wenn man eine halbe Ewigkeit sehnsuchtsvoll auf etwas gewartet hatte und es schließlich bekam: Manchmal hatte die Freude über die neue Errungenschaft dann einen Stich, war sauer geworden wie Milch, die zu lange offen gestanden hatte.

Er suchte vergeblich nach Worten, um die Scharte wieder auszuwetzen. So hatte er sich diesen Moment nicht ausgemalt!

Er wusste, wenn es nach Ruth Miles gegangen wäre, hätte er Wanda schon letztes Jahr einen Antrag gemacht. Aber verdammt, er hatte alles richtig machen wollen! Er hatte nicht als armer Schlucker bei Steven um Wandas Hand anhalten wollen – nun hatte er immerhin schon einen wohlklingenden Titel vorzuweisen.

Doch warum verhielt Wanda sich so seltsam? Nach dem ersten Schock hätte längst wieder ihr strahlendes Lächeln zum Vorschein kommen müssen. Er hatte damit gerechnet, dass sie den Hochzeitswalzer mit ihm üben wollte, hier und jetzt! Oder dass sie nach Champagner verlangen würde. Oder ihn bitten würde, eine Restaurantrunde auszugeben. Für alle Fälle hatte er extra einen Geldschein mehr eingesteckt. Das alles hätte seiner Wanda entsprochen! Das großäugige Wesen jedoch, dessen Oberkörper bebte, als ob es tausendfach erschüttert würde, war ihm fremd.

»Harold«, sagte sie zum dritten Mal. Sie entzog ihm ihre Hand und fuhr sich über die Stirn, als wolle sie ihre Verwirrung fortwischen. »Ich …« Sie lächelte hilflos.

Er warf ihr einen aufmunternden Blick zu, während er gegen das ungute Gefühl in seinem Bauch ankämpfte, dass im nächsten Moment etwas ganz Schreckliches geschehen würde.

»Es gibt wohl keine Möglichkeit, es rücksichtsvoll zu sagen.« Wanda seufzte traurig. »Ich kann dich nicht heiraten!«, platzte sie dann heraus. »Weil ich nach Lauscha fahren werde. Ich habe eine Aufgabe – meine Familie braucht mich jetzt.«

5

Wanda war alles andere als begeistert, als sie erfuhr, dass ihre Mutter ausgerechnet Yvonne Schwarzenberg und deren Tochter Wilma zu ihren Reisebegleitern auserkoren hatte. Yvonne war nämlich die beste Freundin von Monique Demoines, und die hatte nach dem Schweinsfüße-Debakel bei Schraft's jeden Kontakt mit den Miles abgebrochen. So verärgert Ruth anfänglich über Wandas Hinauswurf gewesen war – von diesem Moment an hatte sie voll und ganz auf Wandas Seite gestanden. »*Sippenhaft auferlegen*, so nannte man Moniques Verhalten in früheren Zeiten!«, hatte sie gezetert und zu Wanda gesagt: »Was für ein Jammer, dass du der verwöhnten Ziege lediglich *eine* Party vermasseln konntest!«

Ihre Einstellung in dieser Angelegenheit hatte sie jedoch nicht davon abgehalten, zum Telefon zu greifen, kaum dass sie erfahren hatte, dass die Schwarzenbergs auf dem Weg nach Hamburg waren, um dort die Wintersaison mit Wilmas zukünftigem Gatten zu verbringen, einem Kautschuk-Händler mit Kontakten nach Indonesien. In einem Gespräch von Frau zu Frau hatte sie Name und Abfahrtstag des Schiffes erfragt und war sogar noch einen Schritt weiter gegangen. Ob Mrs. Schwarzenberg wohl Wanda während der Überfahrt ein wenig unter ihre Fittiche nehmen könnte? Als die Antwort ein zögerndes Ja gewesen war, galt Ruths nächster Anruf der Reederei. Ob noch eine Kabine auf der »Germania« frei wäre, möglichst auf demselben Deck gelegen wie die von Mrs. Schwarzenberg und Tochter, wollte sie wissen. Als auch diese Anfrage bejaht wurde, stimmte Ruth – der wochenlangen Diskussionen mit Wanda müde – der Unternehmung schließlich zu.

»Reisende soll man nicht aufhalten«, sagte sie und fügte seufzend hinzu: »Damals, als ich von Lauscha weggegangen bin, war das zwar eine völlig andere Situation, aber ehrlich gesagt ... ich hätte mich auch von nichts und niemandem aufhalten lassen!« Ihr Schulterzucken hatte fast etwas Trotziges. »Und wer weiß? Vielleicht kannst du die in Lauscha ja wirklich ein wenig auf andere Gedanken bringen!«

Woraufhin Wanda darauf verzichtete, sich über die Damen Schwarzenberg zu mokieren. Obwohl Wilma eine graue Maus und unsäglich langweilig war! Ein paar Mal war sie zu Pandoras Tanzstunden erschienen, wo sie jedoch die meiste Zeit im Umkleideraum verbrachte, aus lauter Angst davor, etwas vortanzen zu müssen. Pandora hatte sie fast an den Haaren in den Tanzsaal ziehen müssen. Dort stand sie dann steif wie eine ausgestopfte Giraffe. Wilma und Wanda – am Ende würden die anderen Passagiere noch glauben, sie wären Freundinnen!

Aber wenn es sein musste, würde sie sich eben acht Tage lang Yvonne Schwarzenbergs Ansichten darüber anhören, was einen Mann zu einer guten Partie machte. Kautschuk – man stelle sich vor!

Johannas Zusicherung, dass Wanda willkommen war, hatten sie inzwischen ebenfalls, sogar schriftlich. Wanda kannte den Wortlaut des Briefes, der vom vielen Lesen ganz zerfleddert war, längst auswendig.

»… Wir freuen uns sehr auf Wanda. Ich kann es kaum erwarten, mit eigenen Augen zu sehen, dass aus dem blond gelockten Säugling in deinen Armen eine feine junge Dame geworden ist. Doch muss ich eine kleine Warnung voranschicken: So, wie die Dinge zurzeit stehen, werden weder Peter noch ich viel Gelegenheit haben, Wanda die alte Heimat zu zeigen. Natürlich werde ich einmal mit ihr nach Coburg fahren und selbstverständlich auch nach Sonneberg. Doch größere Unternehmungen müssen wir aufs nächste Frühjahr verschieben. Ich schlage drei Kreuze, wenn wir unseren Musterkatalog fertig haben!«

Danach hatte Johanna noch ein bisschen darüber lamentiert, dass bisher aus Genua wenig brauchbare Entwürfe gekommen waren und dass Magnus vor lauter Liebeskummer das Glasblasen verlernt zu haben schien und fast täglich teure Ausschussware produzierte.

»Magnus ist noch immer nicht über den Verlust von Marie hinweg. Er leidet wie ein Hund, und ich bekomme ein schlechtes Gewissen, wenn ich daran denke, dass ich ständig an seiner Liebe zu unserem Schwesterherz gezweifelt habe!«

Obwohl Johanna bei einem ihrer letzten Telefonate, die sie auf dem Sonneberger Postamt mit Ruth führte, erfahren hatte, dass Wanda nun die Wahrheit über ihren Vater wusste, schrieb sie zu Wandas Enttäuschung kein Wort über Thomas Heimer.

Und dann stand plötzlich Wandas Abreisetermin fest: Am 15. Oktober sollte es losgehen. Was bedeutete, dass sie gerade einmal zwei Wochen Zeit hatte, um ihre Garderobe zusammenzustellen, Geschenke für ihre Verwandten in Thüringen zu kaufen und ein letztes, mit vielen Versprechungen gespicktes Abschiedsessen mit Harold einzunehmen. Es war für beide ein Abschied mit einem lachenden und einem weinenden Auge: Natürlich hatte es Harold sehr getroffen, dass Wanda seinen Heiratsantrag auf unbestimmte Zeit ablehnte. Andererseits hatte Wanda das Gefühl, er sei, nachdem er sich von seinem ersten Schock erholt hatte, fast ein wenig erleichtert, ohne eine Ehefrau als »Ballast« seine neue, verantwortungsvolle Aufgabe antreten zu können. Zur Abschiedsfeier im Haus ihrer Eltern konnte er schon nicht mehr kommen, weil er zwei Tage zuvor nach Albuquerque abreisen musste.

Und dann war alles gepackt und alles gesagt.

Als Wanda mit einem kleinen Koffer in der Hand – ihr Hauptgepäck hatten sie schon am Vortag aufgegeben – am Vormittag des 15. Oktober auf der Treppe stand, die in den Schiffsbauch führte, und ihren Eltern zuwinkte, verspürte sie plötzlich einen rauen Kloß im Hals. Die Menschen unten im Hafen verschwammen zu kleinen bunten Punkten, und Wanda hatte Mühe, ihre Eltern zu entdecken.

Adieu, New York!

Millionen von Menschen kamen hierher, um ein neues Leben zu beginnen.

Ihre Mutter war hierher gekommen und hatte ihr Glück gefunden.

Marie war hierher gekommen und hatte ihr Glück gefunden.

Und sie, Wanda, kehrte nun der »Hauptstadt der Welt«, wie Steven sie nannte, den Rücken.

Ein seltsames Gefühl, ihre Heimatstadt zu verlassen, um in ihre Heimat zu fahren!

An der Gangway reichte sie dem Steward mit zittriger Hand ihre Papiere. Während er prüfte, ob jede Spalte korrekt ausgefüllt und alle Unterlagen komplett waren, wurde der Drang, sich umzudrehen und zurück zu den Eltern zu laufen, immer stärker. Was, wenn die Reise ein großer Fehler war?

»Willkommen an Bord!« Mit einem Lächeln gab der Steward ihr die Papiere zurück.

Zu spät. Jetzt konnte Wanda sich nicht mehr drücken. Und Angst vor der eigenen Courage hatten auch nur Feiglinge, oder?

Trotzdem war der Gedanke, auf dem Schiff ein paar bekannte Gesichter zu entdecken, auch wenn es nur die von Yvonne und Wilma Schwarzenberg waren, außerordentlich beruhigend.

Außer den Schwarzenbergs saßen noch fünf andere Reisende an ihrem Tisch: ein älteres Ehepaar aus Kentucky, das etwas mit Pferden zu tun und deren Namen Wanda nicht verstanden hatte; Sorell und Solveig Lindström, zwei Schwestern Mitte dreißig, die wegen einer Erbschaft nach Norddeutschland reisten, und Mister Vaugham, ein Eisenbahningenieur.

Der erste Gang des Mittagessens, eine Rinderconsommé mit Gemüsestiften, wurde von den aufgeregten Schilderungen von Sorell und Solveig über Briefe des verschollenen Erbonkels begleitet. Zum zweiten Gang – pochierter Lachs mit Petersilienkartoffeln – servierte Mister Vaugham seine Erkenntnisse über einen neuen Eisenbahntypus, der schnelleres und bequemeres Reisen versprach, als die bisherigen Dampfrösser es taten. Woraufhin das Ehepaar aus Kentucky konterte, dass keine Technik der Welt es je mit den echten Rössern würde aufnehmen können. Als das Dessert serviert wurde, sahen Wilma und ihre Mutter aus, als würden sie im nächsten Moment platzen – was war schon eine Erbschaft und eine neue Anstellung gegen einen reichen Ehemann? Doch bevor Wilma auch nur »Kautschuk« sagen konnte, wandte sich Solveig Lindström an Wanda.

»Verzeihen Sie mir meine Neugier, aber was bringt ein so junges Mädchen wie Sie dazu, den weiten Weg über den Ozean anzutreten?«

Wanda ließ ihren Eislöffel sinken. Schon vor Tagen hatte sie sich die Antwort auf diese Frage zurechtgelegt.

»Ich bin auf dem Weg nach Thüringen. Die Schwester meiner Mutter besitzt dort eine große Glasbläserei. Diese ist in erhebliche Nöte geraten, nachdem gleich mehrere wichtige Mitarbeiter ausgefallen sind. Ich soll nun helfen. Sozusagen wie die Feuerwehr dort löschen, wo es brennt.« Sie lächelte in die Runde. »Es ist mein größter Wunsch, meiner Familie von Nutzen sein zu können.«

»Ein Engel in der Not, wer hätte das gedacht!«, sagte Solveig.

Sorell nickte beeindruckt. »Stellen Sie sich vor: In unserer Nachbarschaft hat sich ein ähnliches Schicksal zugetragen! Um ein Haar hätte ein Bäckerladen zumachen müssen, nachdem sein Besitzer es mit der Lunge zu tun bekam. Was ja nicht verwunderlich ist, wenn man sein Leben lang mit Mehlstaub in Kontakt ist. Nur durch den selbstlosen Einsatz seines Bruders und seiner Schwägerin, die eigens aus Missouri angereist waren, konnte die Bäckerei weiter betrieben werden, während Charles Klutzky sein Lungenleiden auskurierte.« Sorell nickte heftig. »Tag und Nacht haben die beiden geackert, um den Kunden frühmorgens frisches Brot anbieten zu können.«

»Auf dem Land ist verwandtschaftliche Hilfe noch wichtiger«, schaltete sich die Pferdezüchterin ein. »Als unser Nachbar im Süden seine Frau durch das Kindbettfieber verlor, stand er mit vier Kleinkindern und einem Säugling da. Wäre nicht die Schwester der Verstorbenen ohne zu zögern eingesprungen – der gute Mann wäre verloren gewesen! Die Arbeit auf dem Hof, die Kinder, der Haushalt … Ein ganz junges Ding war Majorie, als sie auf den Hof kam, aber sie hat von Anfang an zugepackt, als hätte sie nichts anderes gekannt. Dabei hatte sie vorher nie etwas mit dem Landleben zu tun gehabt, sie war nämlich Lehrerin.«

Der Ingenieur nickte. »Der Mensch wächst mit den Anforderungen, die an ihn gestellt werden. Ich kenne einen ähnlichen Fall. Freunde meiner Eltern …«

Als die Tafel sich auflöste und man sich zum Abendessen verabredete, klopfte der Mann aus Kentucky Wanda auf die Schulter. »Wenn Sie erlauben, werden wir heute Abend unser Glas auf Sie erheben.«

»Jawohl, so viel Einsatzfreude bei jungen Menschen gehört honoriert«, stimmte seine Frau ein und fügte mit einem Seitenblick zu Wilma, die doch noch dazu gekommen war, von ihrer nahenden Verlobung zu erzählen, hinzu: »Wo die meisten jungen Damen nur zu ihrem reinen Vergnügen unterwegs sind …«

Wanda nickte selbstlos und weise.

Fast kam es ihr vor, als würden ihre Schultern unter der Last der Verantwortung schon ein wenig nach unten hängen – nicht, dass sie dieses Gefühl als unangenehm empfunden hätte!

Ganz im Gegenteil.

Statt sich das Schiff anzuschauen, auf dem sie die nächsten sieben Tage verbringen sollte, legte sich Wanda auf ihr Bett und ließ das Tischgespräch nochmals Revue passieren.

Es käme unbedingt darauf an, Zuversicht auszustrahlen und der in Not geratenen Familie gut zuzureden, hatte Mrs. Kentucky gemeint. Dort, wo scheinbare Hoffnungslosigkeit herrsche, müsse man Licht und Sonnenschein hintragen. Das sei mindestens so wichtig wie die Arbeit selbst. Solveig Lindström hatte das bejaht.

Wanda seufzte tief. Sie würde ihr Bestes geben, weiß Gott!

Dass Johanna mit ihren Nerven am Ende war, hatte sie ja schon während der Telefonate mitbekommen, die ihre Tante mit ihrer Mutter geführt hatte. Aber war es denn ein Wunder?

Und wenn sie von früh bis in die Nacht über Geschäftsbüchern hocken musste – sie, Wanda, würde Johanna eine Verschnaufpause verschaffen! Gut, außer ein bisschen Buchhaltung zum Zwecke einer Haushaltsführung hatte sie auf ihrer höheren Mädchenschule natürlich nichts Kaufmännisches gelernt, aber das hieß ja nicht, dass sie nicht lernfähig war, oder? Sie war ja schließlich nicht dumm! Irgendjemand würde ihr schon zeigen, was man von ihr verlangte, und nach kurzer Einarbeitungszeit würde sie die jeweiligen Arbeiten bestimmt zur Zufriedenheit aller verrichten können.

Wanda schwang sich auf und lief durch die Kabine. Angestrengt starrte sie aus dem runden Fenster und versuchte, irgendetwas zu erkennen. Doch feine Nebeltröpfchen beschlugen die Scheibe und tauchten alles in eintöniges Grau.

Nun, sie wollte sich sowieso nicht in romantischen Reisebeobachtungen verlieren! Abrupt wandte sich Wanda ab.

Um Cousine Anna würde sie sich ebenfalls kümmern. Die machte sich höchstwahrscheinlich Vorwürfe, weil sie sich den Knöchel, wie Wanda in der Zwischenzeit erfahren hatte, beim Tanzen verstaucht hatte. Sicher konnte man fragen, warum Anna ausgerechnet in solch schwieriger Zeit tanzen gehen musste. Andererseits hätte sie sich den Knöchel überall verstauchen können, oder? Wanda nahm sich vor, Anna ihr schlechtes Gewissen auszureden.

Sie würde Frohsinn überall verbreiten, so viel stand fest.

Doch dann runzelte sie die Stirn. Wie kam es, dass fremde Menschen wie die Pferdeleute oder die Schwestern Lindström ihr mehr zutrauten, als ihre eigene Mutter das tat?

»Mische dich um Himmels willen nicht gleich in alles ein, sondern schau dir erst einmal an, wie's bei Johanna und Peter zugeht. Und erwarte nicht, dass man dir Extrawürste brät«, hatte Mutter gesagt und angefügt, Wanda solle am besten nur das tun, was man ihr auftrug.

Wanda spürte einen Anflug von Erbitterung. Glaubte Mutter, sich ihrer schämen zu müssen? Und das, nachdem sie ihr ein Leben lang eingebläut hatte, was sich schickte und was nicht?

Wanda ballte undamenhaft die Fäuste.

Verdammt, sie würde sich nicht nur zu benehmen wissen, sondern sie würde endlich allen einmal zeigen können, was in ihr steckte!

6

Als Johanna in Coburg ankam, war es zwanzig Minuten vor zwei Uhr. Wandas Zug sollte um zwei ankommen. Johanna verabschiedete sich in hastigem Französisch von Monsieur Martin und stieß die Tür seiner Mietdroschke auf, bevor der Kutscher vom Bock steigen konnte. Als sie durch das Portal der Bahnhofshalle trat, gönnte sie sich zum ersten Mal an diesem Tag einen Stoßseufzer. Geschafft!

Noch am Morgen hatte es nicht danach ausgesehen, dass sie Wanda in Coburg würde abholen können. Ohne Ankündigung war einer ihrer wichtigsten Kunden, Monsieur Martin aus Lyon, vor ihrer Tür erschienen, um für das Weihnachtsgeschäft seiner fünf Kaufhäuser nachzuordern. Bis Johanna mit ihm die ganze Produktpalette durchgegangen war, war der Zug nach Coburg längst weg gewesen. Natürlich hatte sie für diesen Fall der Fälle vorgesorgt – in ihrem letzten Brief an Wanda vor deren Abreise hatte sie die komplette Zugverbindung von Hamburg bis ins thüringische Coburg und von dort nach Lauscha fein säuberlich übermittelt. Wanda hätte also auch für das letzte Stück der Reise nur nach dem richtigen Zug fragen und einsteigen müssen. Aber sowohl Peter als auch Johanna waren der Ansicht, dass es sich eigentlich gehörte, Ruths Tochter schon in Coburg in Empfang zu nehmen, ja, es war Johanna sogar ein inneres Bedürfnis. Wenn eines von ihren Kindern eine so weite Reise tun würde, wäre sie schließlich auch beruhigt zu wissen, dass am anderen Ende jemand wartete. Dementsprechend verärgert war sie, als über die Martin-Bestellung der halbe Vormittag verging. Nicht, dass sie sich ihrem Kunden gegenüber etwas hätte anmerken lassen! Doch ihre innere Unruhe war Monsieur Martin nicht entgangen. Als er von ihrem Termin in Coburg erfuhr, ließ er es sich nicht nehmen, ihr eine Fahrt in seiner Kutsche anzubieten. Im ersten Moment zögerte Johanna; mit ihrem Vertrauen fremden Männern gegenüber – und erschienen sie noch so integer – war es nicht weit her. Doch dann besiegte ihr Wunsch, Wanda abzuholen, das Misstrauen. Auf der Fahrt hatte Monsieur Martin dann die beiden Rösser gejagt, als ob der Teufel hinter ihnen her wäre. Ganz wohl war Johanna bei der rasanten Fahrt zwar nicht gewesen, aber wenigstens waren sie pünktlich angekommen.

Außer ihr standen nur noch zwei Männer in schwarzen Mänteln und mit hochgeschlagenen Kragen am Gleis, die anderen Reisenden hatten sich vor der herbstlichen Kälte in die Bahnhofshalle verzogen. Ein eisiger Wind wehte vertrocknetes Laub von einer mächtigen Kastanie auf den Bahnsteig; obwohl es früh am Mittag war, hatte man das Gefühl, es dämmerte schon. Von wegen »Goldener Oktober«! Ein besseres Wetter hätte Johanna sich für Wandas Ankunft schon gewünscht.

Sie schlang ihr Schultertuch enger, verharrte aber draußen am Gleis, wo sie den einfahrenden Zug schon von weitem sehen würde.

Wanda! Die kleine Wanda würde kommen – so richtig konnte Johanna es immer noch nicht glauben. Ihre Vorfreude hätte nur noch in einem Fall größer sein können, nämlich dann, wenn Ruth mitgekommen wäre.

In den ersten Jahren nach Ruths Weggang hatte Johanna ihre Schwester sehr vermisst. »Warum besuchst du uns nicht einmal?«, hatte sie Ruth immer und immer wieder in ihren Briefen angefleht. Und: »Hast du denn gar kein Heimweh nach

Thüringen?« Natürlich habe sie Heimweh, antwortete Ruth. Doch da waren die gefälschten Papiere, die einen Besuch in Thüringen unmöglich machten. Und später? Da hatte Ruth alle möglichen Gründe gehabt, die gegen eine Reise sprachen. Irgendwann hatte Johanna aufgehört, das Thema anzusprechen, doch die Sehnsucht nach ihrer Gefährtin aus Jugendjahren war geblieben. Und die wurde nur teilweise dadurch gelindert, dass sie sich nach wie vor fleißig schrieben.

Langsam kroch die Kälte durch Johannas Fußsohlen in ihre Beine. Mit steifen Schritten ging sie ein paar Mal auf und ab. Dann erinnerte sie sich daran, dass sich in den Tiefen ihrer Manteltaschen noch ein paar Handschuhe vom letzten Winter befinden mussten. Nachdem sie diese angezogen hatte, war die Kälte gleich erträglicher. Und das war gut so, denn es war klar, dass Wandas Zug Verspätung haben würde, inzwischen war es zehn nach zwei. Aber Vorfreude war ja bekanntlich die schönste Freude. Und wann kam es schon einmal vor, dass sie ihren Gedanken derart freien Lauf lassen konnte? Es war schön und ungewohnt zugleich, ein paar Minuten nur für sich allein zu haben. Johanna seufzte zufrieden auf und trat erneut eine Reise in die Vergangenheit an.

Seltsam, mit Ruth hatte sie sich immer mehr zu sagen gehabt als mit Marie. Vielleicht lag es daran, dass sie sich altersmäßig näher waren? Als ihre Mutter starb, waren Ruth und sie zehn und elfeinhalb Jahre alt gewesen und hatten für die achtjährige Marie gesorgt, so gut sie konnten. Und nach Vaters Tod, als sie plötzlich mit nichts dastanden, hatten abermals Ruth und sie die Dinge in die Hand genommen. Zumindest hatten sie sich das damals eingebildet, denn letztlich hatte ja Marie durch ihre Glasbläserei den Karren aus dem Dreck gezogen. Der Gedanke daran, wie sie sich damals in ihrem eigenen Unglück gesuhlt hatte, während das Nesthäkchen und Ruth mit ein paar Christbaumkugeln in der Hand nach Sonneberg marschiert waren, um einen Verleger zu finden, war Johanna

heute noch peinlich. Aber nach dem schrecklichen Vorfall mit
Strobel, ihrem damaligen Chef, war sie einfach nicht sie selbst
gewesen. Wie gut, dass Marie damals die Gelegenheit beim
Schopf gepackt hatte und … Johanna verspürte einen Stich in
der Brust, als sie daran denken musste, dass nun auch Marie
die einstige »Weiberwirtschaft« verlassen hatte. Vor allem, *wie*
Marie gegangen war! Hätte sie nicht wenigstens noch einmal
nach Lauscha zurückkommen können? Lose Enden zusam-
menknüpfen, aufräumen, klären können? Es gab Dinge in der
Werkstatt, bei denen sie besser Bescheid wusste als alle anderen, beispielsweise, wenn es darum ging, Farben zu mischen!
Stundenlang hatte Anna versucht, das Rot vom Nikolaus Nr. 17
hinzukriegen, aber jede ihrer Farbproben war vom Vorjahres-
muster abgewichen. »Lass gut sein«, hatte Johanna schließlich
gesagt, »wir haben noch andere Dinge zu tun.« Manchmal
musste man Anna einen Riegel vorschieben, bevor sie sich in
etwas verbiss wie ein Terrier ins Wadenbein.

Und dann war da noch Magnus.

Johanna seufzte tief.

Da lebten Marie und er jahrelang wie Eheleute zusammen,
und dann gab es nicht einmal ein »Auf Wiedersehen«! Keine
Erklärung und kein »Es tut mir Leid«.

Es war nicht so, dass Magnus Johanna wie ein Bruder ans
Herz gewachsen war. Er und sie hatten sich nicht viel zu sagen,
weder im Guten noch im Schlechten. Aber das hieß ja noch
lange nicht, dass ihr dieser Mann völlig gleichgültig war! Wie
er so vor sich hin trauerte, tat er Johanna abgrundtief Leid. Aus
einem Telegramm, das an sie alle gerichtet war, von Maries
Heirat erfahren zu müssen – das hatte er nicht verdient.

Johanna wischte sich mit ihrer behandschuhten Hand eine
Haarsträhne aus der Stirn. Sie wollte heute nicht an Marie denken. Heute war ein Freudentag.

Vor einem der Bahnhofsfenster blieb sie stehen und versuchte verstohlen, ihr Spiegelbild einzufangen. Was sie sah,

machte sie nicht unzufrieden. Noch immer hatte sie die schlanke Silhouette eines jungen Mädchens, der Zopf, der ihr lang und schwer den Rücken hinabfiel, besaß noch immer den kastanienbraunen Schimmer, um den sie und ihre Schwestern schon in jungen Jahren von anderen Mädchen beneidet wurden. Lediglich je eine graue Strähne zog sich links und rechts vom Stirnansatz nach hinten – Peter behauptete, dies würde ihrem Aussehen eine »besondere Note« verleihen. Peter! Als ob man auf seine Aussage in dieser Hinsicht etwas geben konnte … Johanna musste schmunzeln. Wenn sie sich bei ihm über die Falten beschwerte, von denen sich immer mehr auf ihrer Stirn zeigten, schaute er sie nur verständnislos an und sagte, sie sehe immer noch wie ein junges Mädchen aus. Nun ja, das stimmte sicher nicht ganz, aber wenn Johanna ehrlich war, war sie mit ihrem Aussehen ziemlich zufrieden. Sie warf ihrem gläsernen Spiegelbild einen letzten Blick zu. Eigentlich hatte sie für Wandas Ankunft etwas Festliches anziehen wollen, doch wegen des Franzosen war ihr dafür keine Zeit mehr geblieben. Aber im Grunde fühlte sie sich in ihrer Arbeitskleidung, so nannte sie ihr dunkelblaues Kostüm, immer noch am wohlsten. Sie grinste. Wahrscheinlich würde Ruth vor Schreck umfallen, wenn sie wüsste, dass sie dem Kleiderstil ihrer Jugendjahre treu geblieben war! Aber modischer Schnickschnack war nun einmal das Letzte, was sie in der Werkstatt benötigte. Wichtig war nur, dass die Kundschaft einen guten Eindruck von ihr bekam.

Ein Räuspern neben ihr riss Johanna aus ihren Gedanken.

»Entschuldigen Sie, gnädige Frau, aber warten Sie vielleicht auf den Zug nach Braunschweig?«

»Ja, was ist mit ihm?« Erschrocken starrte Johanna den Bahnbeamten an, der mit einem aufgeklappten Buch in der Hand neben ihr aufgetaucht war. Es war doch hoffentlich nichts passiert?

»Eine Verspätung von zirka zwei Stunden, warum, weiß ich

allerdings nicht. Ich dachte, ich sage Ihnen Bescheid, damit Sie sich hier draußen nicht den Tod holen. Im Wartesaal ist's wenigstens warm.« Er tippte an seine Kappe, nickte ihr noch einmal aufmunternd zu und ging dann weiter, um die anderen Wartenden zu informieren.

Und dafür hatte sie sich so abgehetzt! Ärgerlich lief Johanna in Richtung Wartehalle. Sie wollte sich gerade nach einem freien Sitzplatz umschauen, als ihr Blick aus dem Bahnhofsfenster auf ein Schild mit der Aufschrift »Coburger Stadtcafé« fiel. Eine Tasse Kaffee und ein süßer Krapfen – warum eigentlich nicht? Ohne zu zögern stemmte sie das schmiedeeiserne Portal auf, das der Kälte wegen geschlossen war. Wenn sie schon warten musste, konnte sie sich die Zeit auch angenehm vertreiben.

*

Mit einem schrillen Quietschen setzte sich der Zug in Bewegung. Noch ein paar Meilen, dann würden sie in Lauscha ankommen.

»Ich kann's gar nicht glauben, ich bin endlich hier!« Wanda fiel ihrer Tante, die neben ihr auf der hölzernen Bank saß, erneut um den Hals. Auf einmal war ihr so weinerlich zumute, dass sie Mühe hatte, die Tränen, die schon gegen ihre Lider drückten, zurückzuhalten. »Endlich in der Heimat«, fügte sie mit tief bewegter Stimme hinzu.

Johanna bedachte sie mit einem erstaunten Blick.

»Weit ist's doch jetzt nicht mehr, oder?« Angestrengt schaute Wanda aus dem Fenster, doch außer Wald konnte sie nicht viel sehen. Ihre Augen brannten, und sie rieb sich schnell mit beiden Händen darüber.

»Nein, weit ist es nun nicht mehr«, tröstete Johanna sie. »Mein armes Mädchen! Bist sicher fürchterlich müde nach dieser langen Reise.« Wie einem kleinen Kind strich sie Wanda über den Kopf.

»Es geht schon.« Wanda winkte ab. Sie musste aufpassen, dass sie nicht losheulte, so jämmerlich war ihr auf einmal zumute.

Seit ihr Zug in Hamburg losgefahren war, hatte sie insgesamt fünf Mal umsteigen und jedes Mal das Umladen ihres Gepäcks beaufsichtigen müssen, immer mit der Angst im Nacken, ein Koffer würde an einem Bahngleis stehen bleiben oder gestohlen werden. Nun mischte sich Erschöpfung in ihre Wiedersehensfreude.

»Mir ist nur ein bisschen kalt. Seit der Zug zwei Stunden mitten in der Landschaft angehalten hat, ohne dass ein Mensch wusste, warum, ist es doch empfindlich kühl im Abteil geworden.« Als wolle sie ihre Aussage unterstreichen, nieste sie heftig.

»Na, hoffentlich wirst du nicht krank.« Johanna runzelte sorgenvoll die Stirn.

»Von wegen! Ich kann es doch kaum erwarten, Lauscha zu erkunden. Aber zuerst freue ich mich riesig darauf, die anderen kennen zu lernen. Onkel Peter, Johannes, Anna und Magnus! Eigentlich habe ich gedacht …« Sie brach ab und schüttelte den Kopf.

»Was?« Lächelnd schaute Johanna sie an.

»Na ja …«, auf einmal war Wanda verlegen. »Eigentlich habe ich gedacht, dass die anderen vielleicht auch am Bahnhof …«

Johanna lachte schallend heraus. Ein Ehepaar auf der nächsten Bank schaute missbilligend.

»Du bist ja goldig! Und wer sollte dann deiner Ansicht nach die Arbeit machen?«

Wanda schoss die Röte ins Gesicht. Was redete sie so dumm daher, wo sie doch wusste, wie's um die Werkstatt bestellt war!

»Aber ganz bei der Sache waren sie heute sicher nicht, weil sie kaum erwarten können, dass wir endlich heimkommen«, fügte Johanna hinzu.

Eine Zeit lang unterhielten sie sich über dies und das. Wie sie die Tage auf dem Ozeanriesen verbracht hatte, wollte Johanna wissen, und Wanda erzählte ihr von Wilmas Wichtigtuerei um ihren Kautschukverlobten. So kam die Rede auf Marie und Franco, von dem Johanna natürlich alles erfahren wollte. Es schmeichelte Wanda, dass Johanna sie wie eine Erwachsene behandelte, und sie hätte gern das eine oder andere pikante Detail über Franco de Lucca mitgeteilt, aber was wusste sie schon von ihm? Nur dass er ziemlich gut aussah. Also sagte sie: »Ihren *schönen Italiener* nennt Marie ihn immer.«

Johanna lächelte traurig. »Nicht, dass ich meiner Schwester ihr Glück nicht gönne …, aber das kam alles so plötzlich! Oder auch nicht, wie man's nimmt. Sie war schon die ganzen Monate vor ihrer Abreise so komisch, dass ich manchmal dachte, hoffentlich hat sie nicht irgendeine innere Krankheit, die ihr die Lebenskraft wegfrisst. Aber scheinbar war sie einfach nicht mehr zufrieden mit ihrem Leben. Und dennoch – dass auch Marie einmal der Liebe wegen Lauscha so mir nichts, dir nichts verlassen würde, wer hätte das gedacht?« Johanna presste die Lippen aufeinander.

Wanda legte ihr eine Hand auf den Arm. Sie hätte ihre Tante gern getröstet, traute sich aber nicht.

Das Schweigen zwischen ihnen war nicht unangenehm. Wanda nutzte es, um Johanna aus dem Augenwinkel heraus verstohlen zu mustern. Die Ähnlichkeit zwischen den drei Schwestern war frappierend. Alle hatten dieselben ebenmäßigen Züge, die großen, dunklen Augen, in die man so tief blicken konnte, ohne dass sie viel offenbarten. Ihre Tante sah außerdem erstaunlich jung aus – und das trotz ihres strengen Kostüms. Auf den Fotos, die Wanda von ihr kannte, hatte sie wesentlich älter gewirkt, ein bisschen wie eine unerbittliche Schullehrerin, doch der Eindruck hatte wohl getäuscht. Während bei ihrer Mutter Schminke für einen porzellanglatten

Teint sorgte, schien sich Johanna nicht einmal einen Hauch von Farbe ins Gesicht gepinselt zu haben – entweder war sie der Meinung, das nicht nötig zu haben, oder sie … hielt so etwas für weibischen Schnickschnack. Unwillkürlich begann Wanda, ihren Lippenstift abzulecken.

»Und? Was hast du dir für deine Zeit in Thüringen alles vorgenommen?«, hob Johanna erneut an. »Bis zum Jahresende geht es zwar noch mal ziemlich heiß bei uns her, aber danach bleibt sicherlich Zeit für ein paar Ausflüge, vorausgesetzt, das Wetter macht mit. Wenn du besondere Wünsche hast, musst du es mich nur wissen lassen.«

»Ich will auf gar keinen Fall, dass ihr wegen mir Umstände macht, ganz im Gegenteil«, erwiderte Wanda bestimmt. »Ich möchte einfach nur … bei euch sein. Das tun, was ihr tut. Weißt du, Marie hat mir so viel von eurer Werkstatt erzählt …« Auf einmal fiel es ihr schwer, ihre Sehnsucht in Worte zu kleiden.

»Und sicher willst du auch eine ganz bestimmte Person kennen lernen …« Johannas Brauen hoben sich viel sagend.

»Stimmt«, antwortete Wanda mit Nachdruck. Dass ihre Tante das Thema so bald ansprechen würde, hätte sie nicht gedacht. »Ich …, weiß mein … mein Vater schon, dass ich komme?« Während sie sprach, ärgerte sie sich über ihr klopfendes Herz.

»Keine Ahnung. Wahrscheinlich ja. In Lauscha weiß ja jeder über jeden Bescheid. Irgendjemand wird ihm schon von deinem Besuch erzählt haben, einer von uns war es jedoch nicht.« Johannas Blick war abwägend, als überlege sie, was sie Wanda sagen sollte.

»Die Heimers und wir haben nicht viel miteinander zu tun, wir sind schon immer unsere eigenen Wege gegangen. Das hat vor allem damit zu tun, dass wir Christbaumschmuck produzieren und sie Gebrauchsglas. Da gibt es einfach keine Berührungspunkte, weißt du?«

Wanda nickte, obwohl sie von Marie wusste, dass das nur die halbe Geschichte war. Nachdem Ruth auf und davon gegangen war, hatte es immer eine besondere … Abneigung zwischen den beiden Familien gegeben.

»Es muss sicherlich ein Schock für dich gewesen sein, von Thomas zu erfahren, nicht wahr?«, fragte Johanna sanft.

Wanda nickte wieder. Ein dicker Klumpen hatte sich in ihrem Hals angesammelt und drückte unangenehm. »Glaubst du, er …« Sie brach ab.

Was wollte sie sagen?

Glaubst du, er holt mich am Bahnhof ab? Nach allem, was Marie ihr von ihrem leiblichen Vater erzählt hatte, würde er das ganz gewiss nicht tun.

Oder: Glaubst du, er wird mich besuchen kommen? Etwa bei ihren Verwandten, mit denen seine Familie seit Jahrzehnten Feindschaft pflegte? Nie und nimmer.

Statt nachzuhaken, sagte Johanna unbewusst dasselbe wie Wochen zuvor Marie auf dem Dach des Apartmenthauses: »Thomas Heimer ist kein schlechter Kerl. Aber erwarte nicht zu viel. Er ist kein unkomplizierter Mensch, das war er nie und das ist auch mit zunehmendem Alter nicht anders geworden. Von zu Hause hat er nicht viel Liebe mitbekommen, er und seine Brüder mussten von klein auf mit anpacken. Wie es ihnen ging, ob sie die Mutter vermissten – danach hat niemand gefragt. Extrawürste gab's bei den Heimers nicht, weder im wörtlichen noch im übertragenen Sinne. Wie hat unser Vater uns dagegen verwöhnt! *Das Leben ist hart und man selbst muss auch hart sein* – vielleicht war das schon immer die ungeschriebene Heimersche Devise. Diese Lieblosigkeit, das Hartherzige, darunter hat damals auch deine Mutter so gelitten. Aber woher hätte Thomas es besser wissen sollen? Bei *diesem* Vater! Und es kann halt niemand aus seiner Haut, nicht wahr?« Johanna wirkte fast verwundert, als erlaube sie es sich zum ersten Mal, diese Gedanken auszusprechen.

»Das hört sich ja an, als ob du ihn für irgendetwas verteidigen willst«, sagte Wanda. Obwohl Johannas Worte eigentlich gut gemeint waren, hatte sich ein dumpfes Gefühl in ihrem Bauch breit gemacht. Die Wut, mit der ihre Mutter über Thomas Heimer gesprochen hatte, war irgendwie leichter zu ertragen gewesen.

Johanna zuckte mit den Schultern. »Jetzt, wo du es sagst …, vielleicht ist es so. Weißt du, ich sehe heute einiges anders als früher. Als junges Mädchen habe ich ihn für seine Grobschlächtigkeit belächelt und sogar dafür verachtet, dass er so unter der Fuchtel seines Vaters stand. Bei uns in Lauscha ist es üblich, dass die Söhne von Glasbläsern irgendwann ihre eigenen Wege gehen. Nur bei den Heimers war das nicht der Fall. Heute tut Thomas mir dafür Leid. Wenn man sich immer nur mit dem zufrieden gibt, was einem das Leben vor die Füße wirft, wie soll man da je einen Schritt weiterkommen?«

Wanda runzelte die Stirn. Was wollte Johanna ihr damit sagen?

Als der Zug in Lauscha hielt, war es kurz vor acht Uhr abends. Wegen Wandas vielem Gepäck schlug Johanna vor, mit dem Aussteigen zu warten, bis sich die Traube von Menschen im Gang aufgelöst hatte. Sie kannte fast jeden, der an ihnen vorbeidrängte, hier und da wechselte sie auch ein paar Worte. Mit glasigen Augen schaute Wanda zu, wie Dutzende von Frauen mit riesigen Körben auf dem Buckel in der funzelig beleuchteten Bahnhofshalle und danach in der feuchten Nebelnacht verschwanden.

Als sie endlich an der Reihe waren auszusteigen, musste Wanda sich an dem eisernen Geländer festklammern, um den Halt auf den zwei Stufen nicht zu verlieren, so zittrig waren ihre Beine auf einmal. Sie war in Lauscha. Angelangt am Ort ihrer Träume.

»Pass auf, dass du dir den Kopf nicht anschlägst!«, rief Johanna von draußen – im selben Moment, als Wandas Stirn gegen den Türrahmen knallte. Benommen blieb sie einen Moment lang stehen, während Johanna dem Mann, der sie in seiner Kutsche vom Bahnhof nach Hause gefahren hatte, erklärte, wo er Wandas Gepäck hinbringen sollte. Zwei Koffer standen neben Wanda auf dem Treppenabsatz, der Rest sollte über Nacht erst einmal ins Lager. Am nächsten Morgen sollte Wanda dann aussuchen, was sie dringend brauchte. Alles würde man keinesfalls im freigeräumten Kleiderschrank unterbringen können, hatte Johanna gemeint.

Nur langsam gewöhnten sich Wandas Augen an die trübe Beleuchtung im Treppenhaus, dessen abgewetzter weinroter Teppich im Eingangsbereich schmutzige Fußtapsen aufwies.

Das war also Mutters Geburtshaus!

Der Geruch nach Zwiebeln und Bratfett stieg ihr in die Nase, die sogleich zu laufen begann. War es möglich, dass es im Haus noch kälter als draußen war?

»… und das ist Anna, deine Cousine.«

Wanda, gerade eben der bärigen Umarmung ihres Onkels entkommen, griff nach der Hand, die sich ihr entgegenstreckte. Sie war nicht sonderlich warm und sehr fest im Druck. Einen Moment lang glaubte Wanda, Anna würde sie genauso linkisch umarmen wie ihr Bruder Johannes, doch es blieb beim Händeschütteln.

»Du bist also die sagenhafte Glasbläserin, die nächtelang an ihrem Bolg sitzt! Ich habe schon viel von dir gehört. Du musst wissen, dass Marie von deinen Künsten geradezu schwärmt.« Wanda bemühte sich um einen warmen Ton in ihrer Stimme. Etwas kitzelte in ihrer Nase, sie hatte Mühe durchzuatmen. War das der Beginn einer Erkältung oder etwa der Werkstattgeruch, der ihr zu schaffen machte? Marie hatte sie vor den Chemikalien, die man zum Verzieren der

Glaswaren benötigte, gewarnt, aber dass es so nach faulen Eiern stinken würde …

Anna schaute kurz zu ihrer Mutter, als brauche sie deren Erlaubnis für eine Antwort.

»Ich mache bloß meine Arbeit, mehr steckt nicht dahinter«, erwiderte sie dann ernsthaft. »Herzlich willkommen in Lauscha, Cousine.«

Oje, mit der werde ich nicht klarkommen, schoss es Wanda durch den Kopf, und sie war froh, als im nächsten Moment Magnus ihr die Hand entgegenstreckte.

7

Wie jeden Morgen, wenn Marie erwachte, war die Sonne, die sich in einem wärmenden Band quer über ihr Bett gelegt hatte, das Erste, was sie wahrnahm. Wie konnte so spät im Jahr – in Lauscha schneite es Anfang November schon! – die Sonne noch eine derart intensive Wärme ausstrahlen, fragte sie sich und schlängelte sich unter Francos Arm, der schwer über ihrem Bauch lag, so weit nach links, dass die Sonne ihr direkt ins Gesicht schien. Eine winzige Minute noch …

»*Mio amore*, komm wieder zu mir«, murmelte Franco und rutschte im selben Moment auf ihre Seite hinüber. »Geht es meiner Prinzessin gut?«

»Hmm.«

»Und unserem Kind?«

»Hmm.« Sie küsste ihn auf den Mund. Nicht reden. Still sein und den Tag kommen lassen.

Marie liebte diese Stunde zwischen Schlaf und Wachsein am meisten von allen Tageszeiten. Mit Franco im Bett, nur einen dünnen Batistvorhang von der Genueser Sonne entfernt, die erwachende Stadt mit ihren Fischweibern, Hausfrauen, Handwerkern und Kindern auf dem Weg zur Schule nahe, jedoch nicht in Hörweite – so gelang es ihr manchmal sogar, sich vorzustellen, wieder auf dem Monte Verità zu sein, wieder die Leichtigkeit zu spüren und die süße Freiheit, die jede Faser ihres Bewusstseins erfüllt hatte. In diesen Minuten fühlte sie sich wie im Paradies.

Tagsüber fand sie das Leben im Palazzo weniger paradiesisch, und mit Freiheit hatte es auch nicht viel zu tun, ganz im Gegenteil: Die Liste der ungeschriebenen Gesetze, was man tat und was nicht, war lang. Einfach ein Glas Wasser aus der Küche holen? Unmöglich. Zuerst musste man nach einem Zimmermädchen klingeln, diesem seinen Wunsch mitteilen und dann warten, bis er ausgeführt wurde. Ob Marie bis dahin halb verdurstet war, interessierte niemanden! Es mache ihr nichts aus, das Bett selbst aufzuschütteln, hatte sie Franco gleich zu Anfang gesagt. Im Gegenteil, sie kam sich komisch dabei vor, wenn Zimmermädchen diese Arbeit für sie verrichteten. Außerdem störte es sie, wenn die Mädchen immer dann hereinplatzten, wenn sie gerade arbeitete und ungestört sein wollte. Doch davon hatte Franco nichts hören wollen. »Lass dich verwöhnen und genieße dein Leben!«, war sein Ratschlag gewesen. Dabei war es geblieben. Als Marie vorschlug, das Frühstück für Franco und sich selbst zuzubereiten, hatte Francos Mutter, die Contessa Patrizia, dreingeschaut, als ob Marie den Wunsch geäußert hätte, die Latrinen zu reinigen.

»Dolce far niente!« Franco räkelte sich wie eine Katze. »Einfach im Bett liegen bleiben, das wäre nicht das Dümmste, oder?« Er küsste Marie auf die Nase.

»Kannst du Gedanken lesen?«, fragte sie zurück und vergrub ihr Gesicht in der Kuhle zwischen seinem Kinn und Hals. Harte Bartstoppeln rieben an ihren Wangen, doch sie schlüpfte noch näher an ihn heran. »Bei uns zu Hause heißt es aber nicht, das Nichtstun sei süß, sondern Arbeit macht das Leben süß!«

»Deine Landsleute haben davon nun einmal keine Ahnung.« Gemächlich ließ Franco den Zeigefinger seiner rechten Hand um ihre Brust kreisen. »Ich könnte mich aber durchaus zu einer kleinen Betätigung überreden lassen.« Schon schob er Maries Nachthemd nach oben, und im nächsten Moment hatten seine Lippen ihre Brustwarze umschlossen. Tausend kleine Funken stoben durch Maries Leib.

»Und was sagt dein Vater dazu, wenn wir heute wieder nicht zum Frühstück erscheinen?«, murmelte sie, als sie wieder Luft bekam. Ohne seine Antwort abzuwarten, hauchte sie kleine Küsse in seinen Nacken. Doch schon bald war das nicht mehr genug, und sie schlüpfte tiefer unter die Decke. Mit beiden Händen suchte sie Francos Männlichkeit und begann, ihn zu streicheln. Sie lächelte, als er ungeduldig stöhnte.

»*Piano, mio amore*«, flüsterte sie. Dieses Spiel konnten zwei spielen, oder?

»Und? Wirst du heute mit Mutter zusammen Kaffee trinken?«, fragte Franco betont beiläufig, während er seine Socken anzog.

Marie schaute ihm vom Bett aus zu. Wie schön er war, ihr Italiener! Mit beiden Händen streichelte sie das Kind in ihrem Bauch.

»Ich glaube nicht«, sagte sie ebenso gleichmütig. »Du weißt doch – ich will endlich meine ›Vier Elemente‹ fertigstellen.«

»Sie würde sich aber freuen. Ihr könntet euch unterhalten und euch dabei näher kennen lernen. Vielleicht, wenn du ihr deine neuen Glasbilder zeigst, sie sozusagen mit einbeziehst, empfindet sie deine Arbeit weniger befremdend ...«

»Deine Mutter ist hier jederzeit herzlich willkommen.« Marie deutete auf die Zimmertür rechts von ihnen, hinter der sich ihr Glasstudio befand. Bis zum Sankt Nimmerleinstag würde sie warten müssen, bis ihre Durchlaucht hier erschien, so viel war sicher! Es erstaunte sie, wie wenig es ihr ausmachte, dass Francos Mutter sie nicht mochte. Nichts und niemand konnte den Kokon aus Glücksfäden durchdringen, in den Franco, sie und das Kind eingesponnen waren.

»Marie, warum musst du es ihr so schwer machen?« Franco war zu ihr ans Bett getreten und kniete sich neben sie.

»*Ich* es ihr schwer machen?« Marie schnaubte. Wer starrte sie denn dauernd an, als wäre sie gerade unter einem Stein hervorgekrochen? Wer sprach denn kein Wort mehr mit ihr, kaum dass Franco weg war? »Du hast ja keine Ahnung«, sagte sie leise.

»Für Mutter ist es nicht einfach, sich an … an die veränderten Umstände zu gewöhnen. Und dass ihre Schwiegertochter einem Handwerk nachgeht, war sicher auch erst einmal ein Schock für sie. Aber wenn das Kind erst da ist …«

»Was soll dann anders sein? Glaubst du, ich verlasse deshalb meinen Bolg?« Ruckartig setzte Marie sich auf. »Denk daran, was du mir versprochen hast. Ich wäre nicht …«

»Schon gut, schon gut«, erwiderte Franco und verließ mit erhobenen Händen geradezu fluchtartig das Zimmer.

Mit gerunzelter Stirn schaute Marie ihm nach. Zu gern hätte sie sich ein wenig mit ihm gestritten. Dann wäre er wenigstens bei ihr geblieben. Worauf sie allerdings keine Lust hatte, war ein weiterer mühevoller Versuch, Francos Eltern näher kennen zu lernen. Trotzig legte sie sich noch einmal hin.

Es war nicht so, dass der Conte und die Contessa sie schlecht behandelten, zumindest nicht auf den ersten Blick. Sie hatten andere Methoden, ihr zu zeigen, dass sie über Francos heimliche Eheschließung alles andere als erfreut waren: Türen wurden vor ihrer Nase wie von Geisterhand geschlossen, wenn sie auf einem der Gänge war. Gespräche wurden abgebrochen oder auf ein Flüstern reduziert, sobald sie in die Nähe kam. Während der Conte sie bei gemeinsamen Mahlzeiten zumindest höflich behandelte – man konnte ihn auf eine kühle Art fast zuvorkommend nennen –, legte Patrizia es darauf an, so zu tun, als sei Marie gar nicht anwesend. Marie hatte außerdem das Gefühl, als spreche sie besonders schnell, um ihr die Teilnahme an einem Gespräch so schwer wie möglich zu machen. Auch die Nachricht ihrer Schwangerschaft hatte entgegen Francos Erwartung nicht gerade einen Freudentaumel bei Patrizia ausgelöst. Sie hatte Marie einen beinahe erschrockenen Blick zugeworfen und Franco in ihrem Stakkato-Italienisch eine Bemerkung hingeschleudert, von der Marie lediglich ein Wort verstand: »Vecchietta«.

Mit einem spöttischen Grinsen strich sich Marie über ihren Bauch. Von wegen altes Weib! Damit konnte sie niemand beleidigen. Sie fühlte sich frischer und jünger als je zuvor!

Und überhaupt: Sollten sie doch tuscheln und heimlich tun, so viel sie wollten! Der Palazzo war groß genug, um sich aus dem Weg zu gehen. Zumindest vorläufig.

Vielleicht würden Francos Mutter und sie sich ja nach der Geburt des Kindes zusammenraufen. Dass so ein kleiner Wurm ein hartes Schwiegermutterherz erweichen konnte, davon hörte man ja immer wieder.

Und wenn nicht? Marie sah keinen Grund, für immer und ewig hier wohnen zu bleiben, und wenn der Palazzo selbst noch so schön war! Es gab schließlich auch noch andere Häuser in Genua.

Der Gedanke, im Speisezimmer Patrizias frostigen Blicken zu begegnen, ließ Marie trödeln. Nach zehn Uhr war die Contessa meistens im Garten, hatte sie herausgefunden. Dann wollte Marie in die Küche gehen und sich von der Köchin ein paar Scheiben Brot, den Honigtopf und ein Glas Milch geben lassen. Ihr Frühstück würde sie am Küchentisch hastig hinunterschlingen, während neben ihr die Magd Kräuter hackte, einen Hasen ausnahm oder Muscheln fürs Mittagessen säuberte. Wahrscheinlich hätte Marie ihr verspätetes Frühstück auch im Salon serviert bekommen, wenn sie danach gefragt hätte. Aber solche Äußerlichkeiten kümmerten sie wenig. Sie hatte bei Ruth in New York weiß Gott genug Zeit an vornehmen Tafeln verplempert. In ihrem neuen Zuhause wollte sie sich endlich wieder dem widmen, was ihr wichtig war: ihrer Arbeit.

Trotzdem war es schon fast elf Uhr, als Marie schließlich an ihrem Bolg saß. Vor ihr lag das Glasbild, das sie vor ein paar Tagen begonnen hatte: Es war das letzte aus einer Viererreihe, die die Elemente darstellten. Erde, Wasser und Luft standen schon auf dem Fensterbrett und fingen dort die Novembersonne ein. Kritisch beäugte Marie das Luftbild. Vielleicht hätte sie doch weniger Blauschattierungen verwenden und dafür farbloses Glas dazutun sollen? Andererseits hatte es auf dem Monte Verità wirklich Tage gegeben, an denen der Himmel aus einem einzigen blauen Guss gewesen war. Aber bestand Luft denn nicht aus mehr als nur Himmel? Gehörte nicht auch Wind dazu? Schmeichlerisch süßer Hauch ebenso wie kalte, peitschende Böen? Das hätte sie sich vorher überlegen müssen – ändern konnte sie nun nichts mehr, befand Marie ärgerlich, während sie das letzte Bild in die Hand nahm.

Ob man Glas nun blies oder bemalte oder noch anders bearbeitete – es war und blieb der härteste Lehrmeister, den man sich denken konnte. Bei Glas gab es nur einen Versuch, wenn man diesen verhunzte, war es aus und vorbei. Nirgendwo konnte man in Glas Fehler verstecken, jeder noch so kleine Patzer blieb für immer sichtbar. Aber gerade das hatte Marie schon immer gereizt.

Konzentriert betrachtete sie nun das Element Feuer. Sie hatte als Symbol dafür einen Baum in glühenden Herbstfarben gewählt, der die ganze Breite des Bildes abdeckte. Noch etwas Karmesinrot! Und ein wenig Ocker vielleicht, mehr würde sie nicht dazutun, das Bild glühte jetzt schon wie ein prasselndes Kaminfeuer. Der Baum des Lebens. Sie lächelte. Es wurde Zeit, dass sie ihm vollends Leben einhauchte!

Ein tiefes Glücksgefühl wärmte sie von innen. Wie hatte sie die letzten Monate überhaupt ohne ihre Arbeit leben können?

Nachdem sie sich rote und ockerfarbene Glasstücke zurechtgelegt hatte, entzündete sie ein Streichholz. Doch statt die Glasbläserflamme anzuwerfen, wie dies früher stets ihre erste Arbeit gewesen war, hielt sie das Schwefelflämmchen nun an einen Lötkolben.

Von der Glasbläserin zur Glaskünstlerin! In manchen Momenten konnte Marie selbst noch nicht fassen, dass sie es gewagt hatte, ihre künstlerische Arbeit derart auszudehnen. Doch als sie nun ein Stück Draht um eine in Blätterform zugeschnittene Glasscherbe wand und die Drahtenden zulötete, hatte sie das Gefühl, noch nie etwas anderes getan zu haben.

Angefangen hatte alles auf dem Monte Verità, genauer gesagt mit dem Besuch bei der Glaskünstlerin Katharina, der nach langem Hin und Her schließlich doch noch stattgefunden hatte. Kaum hatten Pandora und sie die Tür der von außen unscheinbaren Hütte geöffnet, hatten sie sich mitten in einer Zauberwelt aus Abertausenden von Glasscherben, Spiegeln, Bildern und Kunstwerken aus Materialien wie Federn, Silberdraht, Muscheln und Perlen wiedergefunden. Und Katharina von Oy war die Zauberin, gewandet in weite Seidenstoffe in Regenbogenfarben. Als sie hörte, dass Marie ebenfalls mit Glas arbeitete, gab sie bereitwillig Auskunft über ihre verschiedenen Techniken. Einige davon, beispielsweise das Kombinieren von Glas mit Muscheln oder Perlen, waren neu für Marie. Der Gedanke, dass sie selbst noch nie gewagt hatte, Glas mit anderen Materialien zu verbinden, beschämte sie plötzlich fast. Glas und Silber, Glas und Stein, Glas und …, die Möglichkeiten waren endlos. Von einigen Stücken war sie derart fasziniert, dass sie sie immer wieder anschauen und berühren musste. Andere hingegen – zum Beispiel eine gläserne Schlange, die sich um einen aus Holz geschnitzten Apfel wand – empfand sie als weniger gelungen. Das derbe Holz und dazu das erotische Rot der Schlange stellten in Maries Augen einen unvereinbaren Kontrast dar.

Auch die Hinterglasmalereien der Künstlerin gefielen ihr

anfänglich nicht besonders: Die figürlichen Darstellungen waren ihr zu naiv, die Landschaften zu eindimensional. Natürlich ließ sie nichts dergleichen verlauten, sie wollte schließlich nicht unhöflich sein. Schön fand sie dagegen die Leuchtkraft der Bilder, wenn man sie gegen das Licht hielt. Dadurch bekamen selbst Katharinas einfache Malereien ein strahlendes Eigenleben.

Obwohl der Besuch in der »Zauberhütte« Marie tief beeindruckte, hatte sie nicht vor, etwas Ähnliches zu produzieren. Schließlich hatte sie Johanna versprochen, auch in Genua weiter an neuen Entwürfen für Christbaumschmuck zu arbeiten. Doch dann war alles anders gekommen.

Bei ihrer Ankunft in Genua hatte zwar tatsächlich im Raum neben ihrem Schlafzimmer ein kleiner Arbeitsplatz auf sie gewartet – ein Gasbrenner mit Flammrohr, ein Blasebalg, mit dem sie der Flamme Luft zugeben und so die Temperatur erhöhen konnte, ein paar Zangen und Feilen –, so weit war alles in bester Ordnung gewesen. Doch wer immer die Stücke zusammengetragen hatte, wusste offenbar nichts von Glasrohlingen für die Herstellung von Christbaumkugeln und hatte stattdessen Farbglasscheiben in allen Nuancen besorgt. Außerdem wartete eine ganze Armee von Farbtöpfchen am Rand des Bolges auf Marie. Halb amüsiert und halb entsetzt hatte Marie ihren »Schatz« betrachtet. Was um alles in der Welt sollte sie damit anfangen?

Während der ersten paar Tage in Genua war sie nicht dazu gekommen, sich weiter mit dem Problem zu beschäftigen – sie und Franco waren ständig unterwegs, er hatte ihr jeden Winkel von Genua zeigen wollen, so stolz war er auf seine prachtvolle Stadt.

Doch nach Ablauf der ersten Woche verschwand Franco im Anschluss an das Frühstück regelmäßig mit seinem Vater in einem Büro, das sich im vorderen Teil des Palazzos befand und mit schwarzem Ebenholz getäfelt war. Marie war deshalb froh, ihre Arbeit zu haben, sodass sie nicht längere Zeit mit der Contessa verbringen musste.

Von der ersten Minute an hatte sie sich in ihrer neuen Werkstatt wohl gefühlt. Wie ihr Schlafzimmer lag der Raum ebenerdig, eine Front war verglast, und man konnte zwei Flügeltüren aufmachen, die direkt in den Garten führten. Im rechten Winkel daran anschließend befand sich ein gläserner Anbau, eine so genannte Orangerie, wie Franco ihr erklärte, in der selbst während der Wintermonate Zitronen-, Feigen- und Orangenbäume Früchte trugen.

Von diesem Ausblick inspiriert, hatte Marie probehalber eine gelbliche Glasplatte mit grünen Ranken und orangefarbenen Früchten bemalt, doch am Ende war sie mit dem Ergebnis unzufrieden gewesen. Dilettantisch! Naiv! Als Nächstes hatte sie versucht, eine Scheibe in schmale Streifen zu brechen. Vielleicht gelang es ihr, eigene Rohlinge herzustellen? Doch auch das hatte nicht funktioniert.

Es war Franco, der ihr letztendlich auf die Sprünge half.

»Du brauchst dich nicht mit diesem unnützen Tand abzugeben, wir werfen alles weg! Ich werde für dich richtige Glasrohlinge in Murano bestellen«, hatte er gesagt, als sie eines Abends nach dem Essen noch einmal ins Nebenzimmer gegangen war und die Glasscherben fein säuberlich nach Farben in Blechdosen sortiert hatte. Die Arme von hinten um ihren Bauch gelegt, hatte er sich an sie geschmiegt.

»Du behandelst jedes Stückchen Glas, als ob es ein wertvoller Edelstein wäre.«

Kurz darauf waren sie schlafen gegangen, doch Francos Bemerkung hatte wie ein Büschel Brennnesseln an Maries Unterbewusstsein gekratzt, sodass sie Francos Streicheln nur halbherzig genießen konnte.

Edelsteine?

Edelsteine konnte man fassen.

Das bedeutete …

Am nächsten Morgen hatte Marie sich von Franco einen Lötkolben besorgen lassen, dazu Bleidraht. Ihre Idee war einfach: Sie wollte die Glasscheiben mit einer Zange in die gewünschten Formen brechen, die einzelnen Stücke mit einem Bleirand einfassen und diese bleigeränderten Teile dann miteinander verlöten. Am Ende erhoffte sie sich eine Art Glasmosaik, und ihr Hoffen ging in Erfüllung: Als das erste Bild – zwei rote Herzen auf blauem Grund, den am Rand eine hellere Bordüre zierte – fertig war, hatte sie hellauf gelacht. Wie wundervoll! Wie bunt! Wie ... intensiv! Warum war sie nicht schon viel früher auf diese Idee gekommen? Wahrscheinlich lag es daran, dass die Lauschaer keine großen Kirchgänger waren, sonst wäre ihr sicher schon einmal aufgefallen, dass die Kirchen- und Kathedralenbauer von jeher sehr bewusst farbige Glasfenster einsetzten, um den Gläubigen die biblischen Szenen so effektvoll wie möglich vor Augen zu führen. Aber dass man nicht nur die Mutter Gottes und das Jesuskind in Glas bannen konnte, sondern jedes x-beliebige Motiv – das war ihre ureigene Idee!

Franco war sprachlos gewesen, als sie ihm am Abend ihr Werk gezeigt hatte. »Das soll ein erster Versuch sein? Perfektion ist das, nicht weniger! Flammende Herzen – *mia cara*, du hast die Liebe in deinem Bild verewigt! Es ist wunderschön. Aber du bist noch viel schöner«, hatte er hinzugefügt.

Ohne weitere Übung hatte sich Marie gleich am nächsten Tag an ihre Serie der vier Elemente gemacht.

Als sie das Feuerbild gegen Mittag aus der Hand legte, kribbelten ihre Fingerspitzen vor Aufregung. Sie wollte weitermachen. Sie hatte so viele Ideen! Ruths Schmuckstücke von Lalique und Gallé, die Libellen, Schmetterlinge und Lilienblüten – ließen sich solche Motive nicht wunderbar mit ihrer neuen Technik festhalten?

Sie hatte schon eine lilafarbene Glasscheibe in der Hand und hielt diese neben eine wassergrüne, als sie beide Glasstücke wieder sinken ließ.

Verflixt! Sie hatte sich doch vorgenommen, heute die Entwürfe für neue Christbaumkugelformen, auf die Johanna schon dringend wartete, fertig zu machen.

Lustlos kramte Marie ihren Block mit den angefangenen Zeichnungen hervor. In ihr sträubte sich alles, sich wieder mit den alten Themen zu beschäftigen, wo so viel Neues auf sie wartete …

Anfänglich hatte der Gedanke, Formen für Glücksbringer herzustellen, ihr ausgesprochen gut gefallen. Sicher würden die Menschen sich gern einen Kaminkehrer, ein Schweinchen oder ein Kleeblatt an den Christbaum hängen und so schon vor der Jahreswende etwas für ihr Glück tun. Doch als sie nun ihren Entwurf für den Kaminkehrer betrachtete, machte sich Skepsis in ihr breit: Würde der Formenmacher Strupp überhaupt in der Lage sein, eine so große Form herzustellen? Und würden Peter und die anderen sie blasen können? Wo Magnus doch schon fluchte, wenn die Nikoläuse mit den hohen Mützen an der Reihe waren!

Magnus … Wie es ihm wohl ging? Noch immer hatte Marie ein schlechtes Gewissen, wenn sie an ihn dachte. Andererseits hätte sie nicht allein aus diesem Grund zu ihm zurückkehren können.

Gedankenverloren strich sich Marie über ihren Bauch. Wenn sie richtig gerechnet hatte, war sie im dritten Monat, was bedeutete, dass das Kind irgendwann im Mai kommen würde. Sie und ein Kind – eine seltsame Vorstellung.

Noch immer hatte sie ihrer Familie nichts von ihrer Schwangerschaft gesagt. Irgendwie hatte sie das Gefühl, als könne sie Johanna und den anderen nicht noch mehr Neuigkeiten zumuten. Und was gab es schon groß zu erzählen? Ihr war weder schlecht noch litt sie unter Gemütsschwankungen wie andere Frauen. Wenn überhaupt, dann war sie ein wenig streitlustiger als sonst. Abgesehen davon ging es ihr so gut wie noch nie in ihrem Leben, ja, sie hatte sogar das Gefühl, dass sie ihrem »Umstand« die unbändige Kreativität verdankte, die zurzeit aus ihr heraussprudelte.

Nein, es reichte, wenn ihre Schwestern Anfang des nächsten Jahres von dem Baby erfuhren.

Mit einem Ruck klappte Marie den Zeichenblock zu.

Vielleicht sollte sie noch einmal ganz in Ruhe über neue Entwürfe nachdenken. Ein paar Tage früher oder später machten jetzt auch nichts mehr aus. Für den neuen Katalog im Februar wurden die Glücksformen wohl sowieso nicht rechtzeitig fertig.

Doch kaum saß sie wieder vor ihren bunten Glasscherben, bekam sie erneut ein schlechtes Gewissen.

Wenn sie es schon nicht fertig brachte, Johanna ein paar brauchbare Ideen zu liefern, sollte sie ihr wenigstens schreiben. Ihr und Wanda. Und Magnus vielleicht auch.

8

… bin ich schließlich in Genua gelandet. Liebe Wanda, du glaubst nicht, was für ein Schock diese Stadt für mich gewesen ist! Da hatte ich ein romantisches Fischerdorf am Meer im Kopf – und dann führt Franco mich durch Straßen, in denen es fast so lebhaft zugeht wie in New York! Allein der Hafen – Franco sagt, es sei der größte Italiens – ist riesengroß und liegt in einer Art Felsenbecken. Die Stadt schmiegt sich hoch darüber an die Felsen. Der Palazzo dei Conte liegt auf halber Höhe, und wenn ich morgens im Bett aufrecht sitze, sehe ich das Meer, kannst du dir das vorstellen?! Beim ersten Spaziergang durch Genua bin ich mir vorgekommen wie in einem Museum, das auf die Kunst der Renaissance spezialisiert ist – überall Paläste aus Marmor, dazu Kirchen, Brunnen und Klöster! Wenn du mich fragst, muss die

Bildhauerkunst hier erfunden worden sein. Mich wundert es nicht, wenn die Italiener diese Stadt »La Superba«, also »die Stolze« nennen. Franco sagt, die Kunst und das Leben gingen in Genua Hand in Hand – da bin ich doch genau am richtigen Ort gelandet, oder? Natürlich vermisse ich euch alle furchtbar, andererseits denke ich mir, es gibt schlechtere Gegenden, in die einen die Liebe verschlagen kann …

Der Abschied vom Monte Verità fiel mir schwer, doch inzwischen bin ich froh, dass wieder ein bisschen mehr Ruhe und Regelmäßigkeit in mein Leben eingekehrt ist. Gestern allerdings, als wir über die Piazza Banchi spazierten und ich ganz trunken war von all der Pracht, wünschte ich mir, Pandora oder Sherlain wären hier – vor allem Pandora sehe ich wie einen Renaissance-Engel durch die Gassen tanzen. Ach, ich vermisse sie! Sie und die anderen Frauen auf dem Monte. Ihr Lachen und ihre Fröhlichkeit. Genau, wie ich dein Lachen vermisse.

Wie erwartet, waren Francos Eltern nicht gerade sehr erfreut darüber, eine Wildfremde als Schwiegertochter vorgestellt zu bekommen. Vor allem Patrizia passt es nicht, dass Franco sich eigenmächtig eine Frau gesucht hat – sie kommt mir vor wie eine, die gern das Sagen hat. Aber ich versuche trotzdem, mein eigenes Leben zu führen.

Wie versprochen hat Franco mir einen Arbeitsplatz einrichten lassen, an dem ich mit größtem Vergnügen arbeite – und sehr zum Missfallen meiner Schwiegermama. Doch mit der Zeit werden wir uns schon aneinander gewöhnen, ehrlich gesagt, mache ich mir deswegen keine allzu großen Gedanken. Obwohl wir unter einem Dach leben, haben wir nicht allzu viel miteinander zu tun: Ich sitze tagsüber in meiner Werkstatt (mit Blick auf Orangenbäume, stell dir vor!), und Franco und sein Vater sind in ihrem verstaubten Büro, wo sie täglich Dutzende von Besuchern empfangen. Dass so viele Leute mit Wein zu tun haben, hätte ich nicht gedacht. Du müsstest einmal sehen, wie respektvoll sie alle dem alten Conte und Franco gegenübertre-

ten! So ein Adelstitel scheint die Leute wirklich zu beeindrucken.

Zurzeit bin ich dabei, völlig neue Wege in der Glaskunst zu gehen. Wie das aussieht, davon ein anderes Mal mehr. Leider hat das zur Folge, dass ich mit meinen Entwürfen für den neuen Steinmann-Maienbaum-Katalog noch nicht weit gekommen bin. Doch ich habe fest vor, in den nächsten Tagen daran zu arbeiten.

Ich hoffe, du hattest eine angenehme Reise und hast dich in Lauscha inzwischen gut eingelebt. Wie ich dich kenne, hast du wahrscheinlich schon das ganze Dorf mit deinem Elan auf Trab gebracht. Ich bin ja so gespannt, von dir zu hören, ob meine Beschreibungen der Betrachtung durch deine Augen standhalten! Ich weiß, was dieser Besuch für dich bedeutet, und ich bin in Gedanken bei dir, wenn du das erste Mal die Hauptstraße erklimmst, um das Haus deines Vaters aufzusuchen. Oder hast du das schon längst getan?

Liebe Wanda, was immer du auch tust, ich wünsche dir, dass auch du neue Wege dabei gehst.

Deine Marie

P.S. Wenn du einmal nach Sonneberg fährst, dann sei bitte so lieb und besuche Herrn Sawatzky und grüße ihn herzlich von mir. Sag ihm, ich hätte es endlich geschafft, meine Fesseln zu sprengen – er weiß dann schon, was gemeint ist.

Neue Wege gehen …

»Von wegen«, schluchzte Wanda in ihr Kopfkissen und wurde gleich darauf von einem neuen Hustenanfall geschüttelt. Feine Spucketröpfchen landeten auf dem fremdartigen Wappen des cremefarbenen Briefbogens.

Seit Ende Oktober war sie nun schon bettlägerig. Zu der anfänglichen Erkältung hatte sich innerhalb weniger Tage eine fiebrige Bronchitis gesellt. Nachts wurde sie stundenlang von

Hustenkrämpfen geschüttelt, gegen die weder der Salbeitee half, den Johanna ihr kannenweise kochte, noch der dunkelbraune, nach bitteren Kräutern schmeckende Hustensirup vom Doktor, der jeden zweiten Tag nach ihr schaute. Sein Gesicht mit den buschigen Brauen und den wulstigen Lippen, die eher zu einer Frau gepasst hätten, war das Einzige, was sie von Lauscha zu sehen bekam. Sie brauche strengste Bettruhe, andernfalls müsse man mit dem Schlimmsten rechnen, hatte er Johanna im Hinausgehen zugeraunt. Auch ohne seine Warnung hätte Wanda nicht der Sinn nach einem Ausflug ins Dorf gestanden, wo sie es kaum bis ins Waschhaus schaffte. Sie verbrachte ihre Tage in einer Art Dämmerzustand, was im Haus vorging, nahm sie nur wie durch einen Schleier wahr. Ständig schien die Hausglocke zu bimmeln, kamen oder gingen Besucher, deren Schritte sie im Flur knarren hörte. Einmal glaubte Wanda, englische Wortfetzen zu vernehmen. Sie nahm sich vor, ihre Tante zu fragen, ob sie richtig gehört hatte, doch als Johanna das nächste Mal bei ihr hereinschaute, hatte sie ihre Frage vergessen.

Das Schlimmste an ihrer Krankheit war nicht, dass ihre Brust wie ein lodernder Vulkan war, der heiße Brocken Lava spie und sie von innen her ausbrannte. Oder das Fieber, das sie im einen Moment schwitzen, im nächsten wie Espenlaub zittern ließ. Das Schlimmste war die Tatsache, dass sie in Annas Zimmer untergebracht war, und deren unterdrückte Seufzer, wenn ihr durch Wandas Dauerhusten abermals der Schlaf geraubt wurde. Ihre stummen, feindseligen Blicke, wenn sie nach einer durchwachten Nacht mit ihrem verstauchten Knöchel in die Werkstatt humpelte, während Wanda im Bett bleiben konnte, wo sie die Vormittagsstunden meist hustenfrei verschlief. Immer wieder bot Wanda an, anderswo zu nächtigen – wenn es nach ihr gegangen wäre, hätte man ihr ein Lager auf dem Dachboden richten können –, doch davon wollte Johanna nichts hören. Im Gegenteil: Sie fand es gut, dass Anna nachts in Wandas Nähe war, sollte das Fieber plötzlich steigen oder eine sonstige Krise eintreten.

Wenn Wanda daran dachte, wie dumm sie sich wegen des Zimmers am Tag ihrer Ankunft angestellt hatte, wurde sie noch immer rot.

»So, und das hier ist Annas Zimmer!« Schwungvoll hatte ihre Tante die Tür aufgerissen und einen von Wandas Koffern mitten im Raum abgestellt. Natürlich hatte sich Wanda über das zweite Bett gewundert. Doch dann hatte sie es als Überbleibsel aus Annas Kindertagen eingeordnet. Ein Bett für die Puppen und Teddys vielleicht. Trotzdem hatte sie gefragt: »Schön, und wo ist nun mein Zimmer?« Johanna hatte sie mit großen Augen angesehen – wahrscheinlich hielt sie die Frage für einen Scherz.

Im Wechsel bereiteten Mutter und Tochter nun seit Wochen Quarkwickel, kochten Zwiebeln mit Kandiszucker auf – diese eklige Mischung linderte zumindest für kurze Zeit Wandas Hustenreiz – und flößten der Kranken heiße Hühnerbrühe ein. Wanda ließ alles mit sich geschehen. Ihr Charme war dem Fieber gewichen, ihr sorgloses Lachen verstummt. Ein Scherz oder eine lustige Bemerkung, mit der sie ihrer Situation das Belastende hätte nehmen können, brachte sie nicht zustande. Alles, wofür sie in den Wochen vor und während ihrer Reise gelebt hatte, brach zusammen. Wie sehr hatte sie sich danach gesehnt, ihrer Familie eine Hilfe zu sein! Stattdessen war sie für Johanna nur eine Last. Am liebsten hätte sich Wanda unsichtbar gemacht. Da dies nicht möglich war, tat sie das ihrer Ansicht nach Zweitbeste: Sie verhielt sich so still wie möglich.

Zweimal am Tag – einmal kurz nach dem Mittagessen, das zweite Mal nach getaner Arbeit – schauten ihr Cousin und Onkel Peter auf einen Sprung bei ihr vorbei, alle paar Tage ließ sich auch Magnus sehen. Doch nachdem sie ein paar Minuten lang von einem Bein aufs andere getreten waren, verabschiedeten sich die Männer wieder. Was hätten sie Wanda auch erzählen sollen, wie sie aufmuntern? Sie war eine Fremde, die eher zufällig krank in ihrem Haus lag. Bisher hatten sie noch keine Gelegenheit gehabt, sich richtig kennen zu lernen. Noch lagen Wandas mitgebrachte Geschenke in ihren Koffern, lediglich die Fotos und Briefe, die ihre Mutter für Johanna mitgegeben hatte, hatte Wanda ausgepackt. Sie hatte erwartet, dass ihre Tante sich daraufhin an ihr Bett setzen und ein Gespräch über Ruth, New York und Marie beginnen würde – vergeblich. Johanna schien für alles Mögliche Zeit zu haben, nur nicht für einen Plausch.

»Die letzten Monate des Jahres sind bei uns immer am hektischsten. Plötzlich fällt allen Einkäufern ein, dass sie doch zu wenig Christbaumschmuck geordert haben. Und wir können sehen, wie wir die Nachaufträge in kürzester Zeit produziert und ausgeliefert bekommen!«, hatte sie Wanda erklärt, als diese sie zaghaft bat, ihr ein wenig Gesellschaft zu leisten. Ob das in anderen Werkstätten auch so sei, hatte Wanda daraufhin wissen wollen. Vielleicht war das der Grund dafür, dass ihr Vater bis heute noch nichts von sich hatte hören lassen. Kein Brief, nicht einmal eine kurze Nachricht, erst recht kein Besuch. Johanna hatte sie etwas seltsam angeschaut und gemeint, vor allem die Werkstätten von Christbaumschmuck wären vor Weihnachten überlastet, in anderen würde sich die Arbeit in Grenzen halten. Und Wanda hatte versucht, das dumpfe Gefühl der Enttäuschung zu verdrängen.

Der einzige Kontakt zur Außenwelt, den sie in diesen Wochen hatte, waren die beiden Briefe aus New York, in denen Ruth sie ermahnte, sich anzupassen und zu fügen.

Und nun der Brief von Marie, der am Vormittag zusammen mit anderen Unterlagen für Johanna in einem dicken Umschlag aus Genua eingetroffen war.

Tränen liefen über Wandas Wangen. »… *bin in der Stadt der Künste gelandet …, gehe ich in der Glaskunst neue Wege …*« –

warum wendete sich immer nur für andere das Blatt zum Guten, nie aber für sie?

Auf den Tag genau vier Wochen nach ihrer Ankunft in Lauscha erklärte der Doktor endlich, dass Wanda täglich für ein paar Stunden aus dem Bett dürfe. Doch statt sich auf die Küchenbank zu setzen und Lugiana, dem Hausmädchen, beim Kochen zuzusehen, wie Johanna es vorschlug, äußerte Wanda sofort den Wunsch, in der Werkstatt zu helfen. Johanna, die in irgendwelche Listen vertieft war, hörte gar nicht zu, Anna verdrehte nur die Augen nach dem Motto: *Noch mehr Umstände wegen des Besuchs aus Amerika!*, und Onkel Peter meinte, dass die chemischen Dämpfe seiner Ansicht nach nicht gerade gesundheitsfördernd sein konnten. Es war Johannes, der zu seinem Vater sagte: »Warum setzen wir Wanda nicht zu den Verpackerinnen an den Tisch? Die könnten zurzeit Hilfe gut gebrauchen!«

Wanda warf ihrem Cousin einen dankbaren Blick zu.

Und so verbrachte sie den ersten Nachmittag damit, Kartons aufzufalten, Seidenpapier um Nikoläuse und Christbaumspitzen zu wickeln und diese dann in den Kartons zu verstauen. Aus Angst, etwas könne herunterfallen oder in ihrer Hand zerbrechen, nahm sie jedes Stück mit einer solchen Ehrfurcht hoch, dass ihre Bewegungen denen einer Schnecke glichen. Während die Stapel der gefüllten Kartons bei den anderen Verpackerinnen immer höher wurden, blieb ihre Tischhälfte kläglich leer, was Wanda mindestens so blamabel fand, als wenn eine Kugel durch ihre Schusseligkeit zerbrochen wäre. Doch gegen vier Uhr, als die anderen eine kurze Kaffeepause einlegten, hatte sie den Bogen heraus. Sie wollte weder Kaffee noch Marmeladenbrot, sondern nur weiter einpacken. Wenn sie auch nicht ganz so schnell war wie die anderen, musste sie sich ihrer Langsamkeit wenigstens nicht mehr schämen! Nun traute sie sich sogar, hin und wieder von ihrer Arbeit aufzuschauen und ihren Blick durch die Werkstatt schweifen zu lassen.

Alles war so, wie Marie es geschildert hatte: die Arbeitsplätze der Glasbläser, Bolge genannt, auf denen die Gasbrenner standen, das Summen der Flammen, an der Wand die Vorrichtung für das Versilbern der Kugeln – eine Tätigkeit, die Anna auch mit verstauchtem Knöchel ausüben konnte –, daneben der Tisch mit den Dutzenden von Farbtöpfen, dem Glitzerpulver, den silbernen und goldenen Drähten. Hier saßen drei weitere junge Frauen aus dem Dorf, Johanna nannte sie »Arbeitsmädchen«. Als Wanda am Mittag in die Werkstatt gekommen war, hatten sie neugierig zu ihr hinübergestarrt, mit ihr gesprochen hatten sie bisher jedoch nicht. Zusammen mit den Verpackerinnen waren also fünf fremde Frauen in der Werkstatt angestellt. Wanda erfuhr jedoch, dass noch viel mehr Menschen bei ihrer Tante in Lohn und Brot standen: Jeden Dienstag und jeden Freitag kam der Marzen-Paul mit seinem Wagen und holte Dutzende von Kartons mit verspiegelten Kugeln ab, die er im ganzen Dorf ausfuhr, wo Frauen sie in Heimarbeit bemalten.

Jeder in der Werkstatt hatte seine speziellen Aufgaben, und der komplette Arbeitsablauf war perfekt geplant, sodass es nirgendwo zu Engpässen oder Leerlauf kam, erkannte Wanda bald. Am Ende ihres ersten Nachmittags in der Glasbläserei starrte Wanda ungläubig auf die Unmengen von Kartons, die an diesem Tag gefüllt worden waren. Mit einem Schmunzeln klärte Johanna sie auf, dass diesmal sogar verhältnismäßig wenig produziert worden war, was damit zusammenhing, dass die Herstellung von Christbaumspitzen ganz besonders zeitaufwändig war.

Hinter der kompletten Planung steckte nicht etwa Onkel Peter, sondern Johanna, die von allen nur »die Chefin« genannt wurde. Sie war überall, sah alles, hörte alles, und das zu jeder Zeit. Wenn sie etwas vorschlug, dann in sanftem, fast lieblichem Ton. Trotzdem gab es nur selten Widerspruch, ganz im

Gegenteil: Alle – selbst ihr Mann Peter – schienen damit zufrieden, dass sie über alles bestimmte. Johanna war es auch, die die Kunden empfing und Aufträge aushandelte. Im Gegensatz zu anderen Glasbläsereien, die ihre Geschäfte über einen Zwischenhändler, den so genannten Verleger, in Sonneberg betrieben, kamen die Kunden der Glasbläserei Steinmann-Maienbaum direkt ins Haus, das wusste Wanda von Marie. So profitierte allein die Familie von den Geschäften und nicht auch noch ein Mittelsmann. Wanda zweifelte keinen Moment daran, dass die Geschäftstüchtigkeit ihrer Tante zu diesem Umstand geführt hatte.

Doch gerade deswegen war sie ihr ein wenig unheimlich: Dass eine Frau so gewieft sein konnte wie ein Mann, hatte sie nicht geahnt. Johanna war eine richtige Geschäftsfrau! So seltsam es klang – neben ihr fühlte sich Wanda richtig hinterwäldlerisch. Da kam sie aus New York, der Hauptstadt der Welt, und kannte bisher nur Frauen wie Ruth und deren Freundinnen, die lediglich das Zepter über ihren Haushalt in der Hand hielten. Oder Frauen wie Marie und Pandora, die zwar auch Verantwortung trugen und Entscheidungen fällten, dies aber im Gegensatz zu Johanna nur für ihre eigene Person taten. Ganz sicher gab es Geschäftsfrauen von Johannas Art auch in New York – vielleicht in der Lower East Side, wo sich unzählige Bekleidungsfabriken aneinander drängelten –, nur kennen gelernt hatte Wanda bisher keine.

Sie war von Johanna sehr beeindruckt und fand spätestens an ihrem ersten Nachmittag in der Werkstatt heraus, dass ihre Tante wegen Maries Fortbleiben ganz und gar nicht kopflos war, sondern das Beste aus der veränderten Situation machte. Nicht einmal Maries Eröffnung, weniger Entwürfe als versprochen für das kommende Musterbuch zu liefern, brachte sie aus der Ruhe. Mit ein paar knappen Sätzen informierte sie die versammelte Mannschaft über Maries Brief, der im selben Umschlag wie der an Wanda eingetroffen war.

»Im Großen und Ganzen wird sich für uns nicht viel ändern, das Musterbuch wird trotzdem im Februar in Druck gehen«, schloss sie und warf Magnus, der verkrampft auf seinen Bolg starrte, einen bedauernden Blick zu. Dann wandte sie sich an Anna: »Ab jetzt wirst du dich verstärkt um neue Entwürfe kümmern – Marie schreibt, du hättest längst das Zeug dazu. Jetzt kannst du zeigen, was in dir steckt.«

Und Wanda sah zum ersten Mal einen Ausdruck von Glück und Zufriedenheit auf dem Gesicht ihrer Cousine.

»Hast du gesehen, wie Schweizers Ursula gestern mit dem Klaus herumgealbert hat? Und das, wo ihr Fritz doch im Rheinland unterwegs ist«, sagte Anna, während sie Versilberungsflüssigkeit in eine Kugel träufelte.

»Das war doch völlig harmlos«, erwiderte ihr Bruder. »Wenn die beiden etwas miteinander haben würden, dann hätte man das doch schon vor Wochen beim Erntedanktanz gesehen.«

Wanda schaute von einem zum anderen. Am Vorabend waren die Geschwister wie jeden Mittwoch ausgegangen. Johannes hatte ihr erzählt, dass sich die Dorfjugend in einem leer stehenden Lagerschuppen der Glashütte traf. Dort unterhielt man sich, scherzte miteinander, vertrieb sich die Zeit. Wahrscheinlich ähnelten die Treffen jenen, die sie in New York bei verschiedenen Landsmannschaften besucht hatte, mutmaßte Wanda. Nun, wo sie die Gelegenheit gehabt hätte, die deutschen Gepflogenheiten hautnah zu erleben, war sie ans Haus gefesselt! Aber nicht mehr lange, schwor sie sich, während sie sich bemühte, dem geschwisterlichen Geplänkel zu folgen, was gar nicht so einfach war. Zu ihrem Entsetzen hatte sie nämlich feststellen müssen, dass in Lauscha nicht Deutsch gesprochen wurde, sondern »Lauschaerisch«, wie Wanda den fremd klingenden Dialekt im Stillen nannte.

»Außerdem sind Ursula und Fritz nicht verheiratet, ja, noch

nicht einmal verlobt!«, fügte Peter an, nachdem er seine Kugel fertig geblasen hatte.

»Was tut denn das zur Sache? Entweder man meint es ernst miteinander oder nicht! Ich für meinen Fall wäre wirklich wütend, wenn Richard in meiner Abwesenheit so mit einer anderen herumschäkern würde.«

Richard? Wer war Richard? Wanda spitzte die Ohren. Konnte es sein, dass ihre Cousine, die immer so steif tat, als hätte sie einen Besen verschluckt, einen … Verehrer hatte?

»Es sind halt nicht alle Mädchen so tugendhaft wie du!«, sagte Johanna, ohne von einer ihrer unvermeidlichen Listen aufzuschauen. »Die Ursula wird sich schon noch umschauen, wenn ihr Ruf erst einmal ruiniert ist und kein Mann mehr ernsthaft etwas von ihr wissen will!«

Anna warf ihrem Bruder einen triumphierenden Blick zu.

»Übrigens …« – nun schaute Johanna doch auf – »vorhin ist mir der Siegfried über den Weg gelaufen. Unsere neuen Etiketten sind eingetroffen. Das heißt, morgen früh muss sie jemand abholen.«

Anna stöhnte. »Aber bitte nicht ich. Ich möchte mich doch an der neuen Vogelform probieren. Außerdem weißt du, wie ungern ich zu dem buckligen, alten Siegfried gehe. Ich habe jedes Mal Angst, dass ich ihn zwischen all seinen Schachteln und Tüten tot auffinde!«

Die anderen lachten.

»Der Schachtelmacher ist ein steinalter Mann«, erklärte Johannes auf Wandas fragenden Blick hin. »Lange wird er's nicht mehr machen … Eines Tages wird man ihn in einer seiner Schachteln aus dem Laden tragen.«

Erneutes Gelächter.

»Jetzt reicht's aber!«, mahnte Johanna. »Was soll denn eure Cousine von euch denken, wenn ihr so grobe Reden haltet.«

Wanda räusperte sich. »Wenn du mir den Weg erklärst, könnte ich die Etiketten abholen. Ein bisschen frische Luft täte mir gut, außerdem wird es allmählich Zeit, dass ich etwas von Lauscha sehe.«

»So weit kommt es noch, dass das Erste, was du von Lauscha siehst, der staubige Laden vom alten Siegfried ist! Da würdest du ja einen schönen Eindruck bekommen!« Johanna winkte ab.

Die anderen warfen sich amüsierte Blicke zu.

»Am liebsten würde ich ja mit dir zusammen …, aber da ist der Auftrag für die Engländer, der nicht warten kann, und … und Peter kann auch nicht weg …« Geistesabwesend klopfte Johanna mit ihrem Stift auf den Tisch, wie sie es immer tat, wenn sie über etwas nachdachte. »Nein, wir machen das anders …«

Geduldig wartete Wanda ab, mit welchem Plan ihre Tante aufwarten würde. Ein wenig ärgerte sie sich über ihr Stillhalten – bei ihren Eltern hätte sie es nicht zugelassen, dass die so über ihren Kopf hinweg entschieden.

Johanna schaute Wanda plötzlich liebevoll an. »Auf keinen Fall wirst du allein gehen. Ich will, dass du Lauscha von seiner besten Seite siehst, dass alles mindestens so schön ist, wie es Marie dir beschrieben hat. Wo du so lange darauf hast warten müssen …«

»Meinst du jetzt ihre achtzehn Jahre oder die paar Wochen Lungenentzündung?«, warf Peter grinsend ein.

»Beides!« Johanna lachte. »Also, passt auf: Die Kiste mit den Etiketten soll der Marzen-Paul auf seinem Rundweg mitbringen, dafür braucht keiner von uns aus dem Haus. Anna muss dringend an ihrer neuen Form arbeiten, sie sollte sowieso nicht weg. Aber wenn wir heute ein wenig länger arbeiten, kann Johannes gleich morgen früh Wanda unser schönes Lauscha zeigen!«

9

»Tja, und das hier war die ehemalige ›Mutterglashütte‹. Hier war mein Vater Glasmeister, bis der alte Kasten vor neun Jahren geschlossen wurde.«

Johannes' Atem blieb wie kleine weiße Wölkchen in der Luft stehen.

Beklommen schaute Wanda auf das verwaiste Gebäude. Die hölzernen Wände waren von Ruß geschwärzt, dort, wo einst Fenster gewesen waren, ragten nur noch ein paar gläserne Zacken feindselig in die Höhe. Auf einer Seite hatte jemand Bretter aus der Wand gerissen, sodass dort nun ein Loch klaffte. Es reizte Wanda nicht, das Innere dieses Gemäuers zu erkunden.

In Maries Erzählungen war die Dorfglashütte viel mehr gewesen als lediglich der Betrieb, der die Glasrohlinge herstellte! Sie war der Mittelpunkt des dörflichen Lebens, auf dem Hüttenplatz davor wurden Feste gefeiert, dort traf man sich nach der Arbeit und ging anschließend noch auf ein Glas Bier in ein Wirtshaus.

Alles vorbei.

Wanda zeigte auf den schmal aufragenden Kamin, der alle Gebäude in der Nachbarschaft überragte.

»Wie ein einsamer Riese ... ein trauriger Anblick.«

Johannes trat von einem Bein aufs andere. »Aber wenn man bedenkt, dass die Schlotfegerhütte und die Glashütte in der Obermühle schon vor Jahrzehnten ihren letzten Arbeitstag hatten, dann hat die gute alte Mutterhütte ziemlich lange durchgehalten. Heute gibt es moderne Glasfabriken, da könnte solch ein altmodischer Betrieb nie und nimmer mithalten. Tja, so ist eben der Lauf des Lebens, und niemand kann ihn aufhalten.«

»Der Lauf des Lebens ..., du hörst dich an wie ein alter Mann«, frotzelte Wanda.

»Ha, das glaubst auch bloß du! Du müsstest mal dabei sein, wenn mein Vater und die anderen Glasbläser am Stammtisch zusammensitzen! *Früher war alles viel besser!*«, imitierte Johannes den Tonfall seines Vaters.

Auf ihrem Rundgang durch Lauscha waren sie nun schon an mindestens fünf Häusern vorbeigekommen, in denen laut Johannes die Produktion eingestellt worden war, die Familie verarmte und am Hungertuch nagte. Halb Lauscha schien dem Zerfall nahe zu sein. Und nun auch noch die marode Ruine, die den ganzen Dorfplatz verschandelte!

Johannes räusperte sich unsicher. »Wenn du willst, könnten wir als Nächstes ins Museum gehen. Dort erfährst du mehr über unser Lauscha als anderswo. Und außerdem ist's dort einigermaßen warm.«

»Du bist der Stadtführer!«, erwiderte Wanda, deren Füße inzwischen zu Eisklötzen erstarrt waren. Bevor sie die Straße überqueren konnten, mussten sie eines der vielen Fuhrwerke vorbeilassen, die hoch beladen über die holprige, steile Hauptstraße polterten. Im Vorbeifahren hob einer der Gäule seinen Schweif und setzte einen Haufen dampfender Pferdeäpfel vor Wanda und Johannes ab.

»Schönen Dank!«, rief Johannes dem Gefährt hinterher.

Wanda lachte. »Meine Mutter hat mir erzählt, dass in früheren Jahren Frauen die Glaswaren in Körben auf dem Rücken nach Sonneberg und anderswohin transportiert haben. Sie selbst hat dies auch mit Maries ersten Kugeln getan. Aber so etwas gibt's wohl nicht mehr, oder?«

»Nee, heute wird das ganze Glaszeug nur noch an den Bahnhof gekarrt, und von dort geht's auf dem Schienenweg weiter.« Johannes deutete auf die Wipfel der Tannenwälder, die sich links und rechts des Dorfes an steilen Berghängen entlangzogen. »Ich wette, dass es spätestens heute Abend schneit. Dieser weißliche Dunst ist kein Nebel, das sind Wolken, in denen schon der Schnee hängt.«

»Hoffentlich hast du Recht mit deiner Wettervorhersage. Ich kann es kaum erwarten, bis die weiße Pracht da ist!« Wanda strahlte. Wie hatte Marie von den Kontrasten geschwärmt, wenn sich die schiefergrauen Hausdächer dunkel gegen den Schnee abhoben!

Sie waren keine zehn Meter gegangen, als plötzlich hinter einem Gartenzaun ein großer schwarzer Hund auftauchte und fürchterlich zu bellen begann. Wanda schrak zusammen.

»Ja, was gauzt du denn so?«, rief Johannes. »Wir tun doch deinen Heppala nichts!« Aus einem Holzverschlag war das Weinen von Tieren zu hören. »Die frieren im Schtohl, deshalb jammern sie so.«

Wie immer, wenn ihre Verwandten in ihren komischen Dialekt verfielen, verstand Wanda kein Wort. Sie wollte gerade fragen, ob »Heppala« nun Lämmer oder Zicklein waren, als eine Frau ihren Kopf aus dem Fenster streckte und den Hund rief.

»Guten Tag, Karline, was macht deine Brut?«, rief Johannes. »Das ist eine von unseren Bemalerinnen«, flüsterte er Wanda zu.

»Im Wald sind's, die Luder! Lassen mich allein mit der Arbeit!« Um ihre Aussage zu unterstreichen, hielt sie einen Pinsel in die Höhe, dessen Spitze in rote Farbe getaucht war. »Kannst deiner Mutter sagen, die Nikoläuse seien fertig.« Sie kratzte sich mit dem Pinsel am Kopf. »Und da ist ja auch die Amerikanerin! Seid ihr auf dem Weg … ins Oberland?« Vertraulich zwinkerte die Frau Wanda zu.

Verunsichert lächelte Wanda zurück.

»Nein, ins Museum wollen wir!«, rief Johannes der Frau über die Schulter zu. »Der Besuch aus Amerika soll doch ordentlich von unserem Dorf und seiner Geschichte beeindruckt werden.«

»Und das willst du mit ein paar alten Glasscherben schaffen?« Die Frau lachte und warf Wanda erneut einen viel sagenden Blick zu. »Na, dann viel Spaß.«

»Was war denn das nun wieder? Kannst du mir sagen, warum die mich alle so anstarren? Habe ich über Nacht eine Warze auf der Nase bekommen?«, fragte Wanda, als sie ein Stück gegangen waren. »Oder liegt es an meinem Kleid?« Nach langem Überlegen hatte sie für ihren ersten Ausflug die Tracht der Donauschwaben gewählt.

»Ein bisschen seltsam ist dein Aufzug schon.« Johannes grinste. »Ehrlich gesagt – ein Lauschaer Mädchen würde so etwas nicht anziehen, auch wenn es in New York Mode ist. Aber deshalb gucken die Leute nicht.«

»Sehr nett von dir!« Skeptisch schaute Wanda auf ihren grünen plissierten Glockenrock. Der Verkäufer in dem kleinen Laden in der Lower East Side hatte gesagt, die Tracht würde »bodenständigen, ländlichen Schick« ausstrahlen. »Was ist es dann? Nach allem, was ihr erzählt, müssen die doch an Fremde gewöhnt sein, oder?« Noch während sie sprach, fing sie von der anderen Straßenseite weitere neugierige Blicke auf, diesmal von zwei Frauen, die Einkäufe in Körben nach Hause trugen.

Johannes grinste. »An Fremde schon, aber an die Tochter vom Thomas Heimer nicht!«

»Was?!« Abrupt blieb Wanda stehen. In ihrem Kopf begann es zu summen. »Du meinst …, die wissen, dass ich … wer ich …«

Johannes schien ihre Verwirrung zu genießen. »Die Lauschaer haben ein langes Gedächtnis, da weiß jeder noch ganz genau, was vor achtzehn Jahren vorgefallen ist. Und als damals deine Mutter so einfach auf und davon ist … Es kommt höchst selten vor, dass jemand Lauscha verlässt, wir sind ein bodenständiges Völkchen. Und dann eine verheiratete Frau mit Kind …« Er gab Wanda einen leichten Schubs. »Jetzt guck nicht so entgeistert. Sie sind nur neugierig, wie du aussiehst und so ...« Er hob entschuldigend die Schultern.

»Ich ... ich weiß gar nicht, was ich sagen soll!« Dass hier alle über sie Bescheid wussten, war Wanda nie in den Sinn gekommen.

»Dein ... Vater ist im Dorf sehr beliebt. Und so häufig kommt es nun auch wieder nicht vor, dass Leute geschieden werden. Und dass deren erwachsene Kinder ausgerechnet dann auftauchen, wenn der Großvater im Sterben liegt und es etwas zu erben gibt ... Da wird halt gelotscht, also, ich meine geredet. Dass sich die Leute Gedanken machen, ist doch normal. Ehrlich gesagt, haben Anna und ich auch zuerst ... Aber dann hat Mutter uns erzählt, dass du bis vor kurzem gar nichts von deinem leiblichen Vater wusstest. Eine verrückte Geschichte!« Er pfiff leise.

Nun verschlug es Wanda erst recht die Sprache.

Als sie wenige Minuten später die Zeichenschule betraten, war Wanda immer noch benommen. Die Leute hielten sie für eine Erbschleicherin?! Das konnte man doch nicht auf sich beruhen lassen, das musste man doch richtig stellen!

Stirnrunzelnd lauschte sie Johannes' Erklärungen zu den einzelnen Vitrinen, die in einem ehemaligen Zimmer der Zeichenschule ausgestellt waren.

Johannes entging ihr angespanntes Mienenspiel nicht. »Ich weiß, das ist noch kein richtiges Museum, aber es ist ein Anfang. Vor genau dreizehn Jahren wurden die Stücke aus früheren Zeiten zum ersten Mal ausgestellt, damals ist Lauscha dreihundert Jahre alt geworden. Meine Eltern waren beim Organisieren mit dabei. Heute finden es alle gut, dass die Vergangenheit auf diese Art lebendig bleibt. Schau, hier siehst du zum Beispiel ein paar von den ersten Gläsern, die in Lauscha hergestellt wurden.« Johannes zeigte auf eine Vitrine mit hellgrünen Krügen und Humpengläsern, die mit bäuerlichen Motiven bemalt waren. Dann ging er an Vitrinen mit Christbaumschmuck vorbei und blieb vor einem Schaukasten mit seltsamen Röhren und Kolben stehen.

»Und das hier ist die Neuzeit! Dazwischen liegen lächerliche dreihundert Jahre.« Er grinste, als er Wandas ratlose Miene sah.

»Was um alles in der Welt soll das sein?«

»Gläser für technische Anwendungen. Heutzutage sind etliche Glasbläser in der Apparatebläserei beschäftigt. Ist ja auch kein schlechtes Geschäft, wo es immer mehr Chemiebetriebe gibt, die das Zeug brauchen. Wer sich darauf spezialisiert hat, findet immer einen Abnehmer. Im Gegensatz zu den anderen, die Nippes herstellen.«

Die Werkstatt deines Vaters gehörte einmal zu den besten im Dorf. Heute jedoch hat er ziemliche Schwierigkeiten, das waren Maries Worte gewesen.

»Marie hat schon angedeutet, dass manche Glasbläser Schwierigkeiten haben, Käufer für ihre Waren zu finden. Aber dass halb Lauscha in einer Krise steckt, hat sie nicht gesagt.«

»Tante Marie!« Johannes lachte. »Was hat die denn schon vom Dorf mitgekriegt!«

Als er Wandas fragenden Blick sah, holte er weiter aus:

»Marie saß Tag für Tag nur an ihrem Bolg oder am Zeichentisch, es kam selten vor, dass sie unter Leute ging. Das wollte sie einfach nicht. Ob Fasenacht, Maientanz oder Sonnwendfeier – Magnus hat sich oft darüber beklagt, dass er sie nicht aus der Stube locken konnte. Ihre Vorstellung von einem vergnüglichen Tag war ein Besuch bei dem alten Bücherwurm in Sonneberg.«

»Das glaub ich nicht!«, rief Wanda. »Du hättest sie mal in New York erleben müssen. Meine Mutter hatte die größte Mühe, sie einmal einen Abend lang daheim zu behalten! Hier eine Vernissage, da eine Dichterlesung – Marie ist wie ein Schmetterling von Blüte zu Blüte geflattert.«

»Bist du dir sicher, dass wir von derselben Marie reden?«
Wanda kicherte, doch schon im nächsten Moment wurde
sie wieder ernst. »Trotzdem verstehe ich immer noch nicht,
warum Lauschas Glasbläser solche Probleme haben. Glas
wird doch immer und überall auf der Welt gebraucht, oder?«

»Schon, aber Lauscha hat nun einmal kein ausschließliches
Recht auf die Glasherstellung! Über neunzig Prozent aller
Leute im Thüringer Wald sind in der Glasindustrie tätig – zumindest haben das irgendwelche schlauen Köpfe errechnet.
Da gibt es ein Überangebot an Waren und an Arbeitskraft,
das bekommen auch wir zu spüren, im Guten wie im
Schlechten. Wenn meine Mutter beispielsweise mit einer Be-
malerin nicht mehr zufrieden ist, weil diese schlampig arbeitet oder unpünktlich abgibt, dann hat sie keine Mühe, zehn
andere für diese Stelle zu finden. Wenn wir jedoch einen Auftrag nicht pünktlich ausführen, dann läuft uns der Kunde
auch schneller davon, als wir gucken können.«

»Aber Christbaumschmuck wird doch nicht das ganze Jahr
über gekauft, oder?«

Johannes warf ihr einen anerkennenden Blick zu. »Das
stimmt, Saisonware ist ein besonders hartes Brot. Nachdem in
den letzten Jahren so viele auf diesen Karren aufgesprungen
sind, sind die Preise eher gesunken als gestiegen. Was unserer
Familie hilft, sind zum einen die guten Kontakte ins Ausland,
die wir haben – unter anderem auch dank deiner Mutter, von
der wir immer wieder neue Kunden vermittelt bekommen.«

Mutter eine Hilfe beim Kundenfang? Wanda hob die
Brauen.

»… und zum anderen tüftelt die Chefin ständig neue Möglichkeiten aus, damit wir günstiger produzieren können. Na
ja, und dann darfst du nicht vergessen, dass wir die schönsten
Kugeln von allen herstellen.«

»Eingebildet bist du wohl gar nicht?« Wanda lachte. Doch
was Johannes sagte, leuchtete ihr ein – der Familienbetrieb

schien wirklich solide Grundlagen zu haben. Es machte Spaß, sich mit ihrem Cousin über geschäftliche Dinge zu unterhalten, stellte sie fest. Sie kam sich dabei ausgesprochen erwachsen vor.

Johannes wusste zu jeder Vitrine, zu jedem Stück etwas zu sagen, auch schien er ein beeindruckendes Zahlengedächtnis zu haben. 1597 wurde Lauscha gegründet, 1748 wurden die Holzpreise erhöht, ab 1753 brauchten die Glasmeister keine Gläser mehr an den herzoglichen Hof zu verschenken, mussten dafür aber mehr Zinsen zahlen, und so weiter. So spannend sie seine Erläuterungen auch fand, machte sich trotzdem ein dumpfes Gefühl der Enttäuschung in ihr breit. Lauscha war so ... ganz anders, als sie es sich vorgestellt hatte.

Wo waren denn nun die ganzen Familien, die ums Feuer herumsaßen und Kugeln bemalten? Wo die Flämmchen der Glasbläser, die wie Glühwürmchen die düstere Jahreszeit erleuchteten? Und wo war der Märbelmacher, der die schönsten Kinderträume herstellte?

Als sie aus der Zeichenschule traten, hatte es zu schneien begonnen. Dicke, seidenweiche Flocken setzten sich auf Wandas Haare, Schultern und Arme.

»Es schneit, es schneit, es schneit!« Sie vollführte einen kleinen Freudentanz, wobei sich ihr Glockenrock wie ein Ballon aufplusterte.

Johannes, der beide Hände in den Hosentaschen vergraben hatte, grinste verlegen. »Mach doch nicht so ein Getöse, die Leute gucken schon!«

»Was soll's? Das ist der erste Schnee, den ich in Deutschland erlebe! Nie werde ich diesen Tag vergessen«, seufzte Wanda glücklich.

»Dieses Jahr sind wir spät dran mit dem Schnee. Wenn erst einmal alles weiß ist, dann bleibt es so bis zum Frühjahr, es ist also nicht nötig, dass du hier Wurzeln schlägst«, drängte Johannes. Er hatte es plötzlich eilig, nach Hause zu kommen.

Wanda packte ihren Cousin fest am Ärmel. »Warte mal einen

Moment ... wie soll ich's sagen ... Es gäbe da noch etwas. Wer weiß, wann wir wieder einmal Zeit für einen Ausflug haben ...«

»Wenn du glaubst, ich renn mit dir hoch zum Heimer, dann hast du dich getäuscht!« Johannes' Gesicht verschloss sich. »Da lass ich mich nicht hineinziehen. Mutter wäre davon nämlich gar nicht begeistert.«

»Das will ich doch gar nicht«, wiegelte Wanda ab. »Aber einen Wunsch hätte ich trotzdem ...«

10

»Oje, ich glaube, meine kleine Wanda hat sich verliebt!« kicherte Marie. »Hör mal ...« Sie fuhr beim Vorlesen mit dem Finger an den Zeilen entlang. »... *Ich bin so froh, dass Johannes endlich auf meinen Vorschlag eingegangen ist und mich zu ein paar seiner Kameraden mitgenommen hat. Zu sehen, wie die Leute leben und arbeiten – das habe ich mir von Herzen gewünscht! Das wahre Leben von Lauscha – jetzt habe ich es kennen gelernt. Was für ein Nachmittag! Liebe Marie, du kannst dir nicht vorstellen, wie freundlich alle zu mir waren! Wo immer wir vorbeigeschaut haben, wurde mir Kaffee angeboten. Einer, der Marbacher-Hans, hat mir sogar einen Kräuterschnaps eingeschenkt!!! Die Lauschaer Glasmacher sind wirklich ausgesprochen nette Leute, sogar die Kinder hingen ständig an meinem Rock und wollten mir zeigen, was sie gerade bemalt hatten.*

Dann haben wir auch die Werkstatt von Richard Stämme besucht. Bevor wir anklopften, habe ich noch scherzhaft zu Johannes gesagt, dass ich nun beim besten Willen keinen Kaffee mehr trinken könnte, doch der Johannes hat nur gemeint, dass Richard uns ganz gewiss keinen servieren würde. Wahrscheinlich noch so ein Greis wie der Märbelmacher, habe ich bei mir gedacht – du weißt schon, ich meine den Märbel-Michel, der kaum mehr was sehen kann, aber immer noch die schönsten Murmeln macht. Mir hat er eine geschenkt, die alle Farben des Regenbogens vereint. Und dann hat er mich sogar an seinem Bolg sitzen lassen und ich durfte probieren, selbst ...«

»Marie, *mia cara* – ich finde es ja sehr schön, dass Wanda so ausführlich Bericht erstattet, aber muss ich mir das wirklich alles anhören?« Franco machte eine ungeduldige Handbewegung. »Außerdem – wie kommst du darauf, dass Wanda sich verliebt hat? Darüber verliert sie doch kein Wort.«

»Die Stelle, die ich so verdächtig finde, kommt erst noch, warte ...« Hektisch drehte Marie den Briefbogen um. »Wo ist sie nur ...«

Franco seufzte. »Ich habe Vater versprochen, dass ich die Papiere bis morgen fertig mache.« Mit einer bedauernden Geste zeigte er auf einen Stapel amtlich aussehender Dokumente, die vor ihm auf dem Tisch lagen. »Das Schiff, das in drei Tagen ausfährt, wartet nicht auf unsere Ware.«

»Wenn ich dich langweile, kann ich ja gehen.« Marie raffte die Blätter von Wandas Brief zusammen. Während sie langsam in Richtung Tür ging, wartete sie auf seinen Einwand.

Vergeblich. Franco war schon wieder bei seinen Eintragungen.

Die Klinke in der Hand, drehte Marie sich nochmals zu ihm um. »Ich habe gedacht, jetzt, wo die Weinernte vorüber ist, wirst du mehr Zeit für mich haben!«

»*Mia cara* ...«

Ein Kloß drückte in Maries Kehle, während sie in Richtung Orangerie ging. Immer diese verdammten Aktenberge! Immer Besuche von irgendwelchen Weinhändlern, Kunden oder Bittstellern! Immer etwas, das wichtiger war als sie. Wichtiger als die Studien, die sie gemeinsam hatten unternehmen wollen.

Wie oft hatten sie sich das in den ersten Wochen, als Francos Arbeitstage kein Ende nahmen, sehnsüchtig ausgemalt: Sie beide am runden Walnusstisch in der Bibliothek, er über seine Bücher vom Weinanbau gebeugt, sie über den dicken Bildband Genueser Kunstgeschichte. Einen ganzen Tag lang war sie durch Genua gewandert, dann war sie in einem Antiquariat schließlich fündig geworden. Wie ein Kind hatte Franco sich gefreut, als sie mit dem Buch über die Veredelung alter Rebsorten angekommen war!

Marie schluckte. Ihres Wissens hatte Franco das Buch jedoch nach einem flüchtigen ersten Durchblättern nie wieder in die Hand genommen.

Warum konnte er nicht einfach »Basta!« zu seinem Vater sagen? Die Glastür, die zu den Palmen, Orangen- und Zitronenbäumchen führte, bebte, als Marie sie aufriss.

»Auch ich bin in einem Familienbetrieb groß geworden! Ich weiß, wie einen die liebe Familie beanspruchen kann. Wenn ich nicht auf meine Freiräume bestanden hätte, wäre meiner Fantasie wahrscheinlich keine einzige neue Kugel entsprungen!«, hatte sie ihm erst gestern Nacht wieder vorgeworfen. Er hatte den ganzen Tag im Hafen verbracht, obwohl er ihr versprochen hatte, gemeinsam mit ihr aus einem Stapel Märchenbücher ein Motiv auszusuchen, das sie im zukünftigen Kinderzimmer an die Wand malen wollte.

»Das ist etwas anderes«, hatte Franco entgegnet. »Vater hat nur mich als Vertrauensperson. Da kann ich nicht meine Interessen über die der Familie stellen.«

Als ob es nicht im Interesse der Familie wäre, wenn er sich intensiver um die Weinberge kümmerte!

Marie nickte einem Gärtner zu, der vertrocknete Blätter von einem Zitronenbäumchen sammelte. Zielstrebig ging sie zu der Sitzgruppe aus weißen Korbmöbeln, die im kuppelförmigen Mittelteil des Gewächshauses stand. Sie wählte einen Schaukelstuhl und ließ sich nieder. Die hohe Korblehne tat ihrem angespannten Rücken gut.

Der gläserne Anbau war einst das Hochzeitsgeschenk des Conte an seine Braut mit ihren gärtnerischen Vorlieben gewesen. Doch zu beider Leidwesen hatte sich bald herausgestellt, dass die Contessa nach wenigen Minuten im Glashaus stechende Kopfschmerzen bekam. Warum und wieso wusste keiner, da ihr der Aufenthalt im Garten keinerlei gesundheitliche Probleme bereitete. Über die Jahre war die Orangerie nur noch für die Anzucht von Jungpflanzen und zum Überwintern empfindlicher Arten verwendet worden. Erst Marie führte sie wieder ihrem ursprünglichen Zweck als grünem Salon zu.

Beide Hände auf ihren Bauch gelegt, schaukelte sie mit geschlossenen Augen sanft hin und her, eingehüllt in den Duft der reifenden Zitrusfrüchte. Sich an die Übungen erinnernd, die sie oben auf dem Monte Verità gelernt hatte, atmete Marie mit eingezogenem Bauch ein und mit herausgestrecktem Bauch wieder aus. Als ihr Ärger über Franco abgeebbt war, faltete sie Wandas Brief auf und las weiter.

... was ich an Richards Arbeit vor allem bewundere, ist das Selbstbewusstsein, das in jedem Stück verkörpert ist. Als ich ihm sagte, dass ich ähnliche Stücke schon in New York bei einer Ausstellung venezianischer Glaskünstler gesehen hätte, hat er vielleicht Augen gemacht! Diese Ähnlichkeit sei beabsichtigt, sagte er dann. Er wolle den venezianischen Stil mit Lauschaer Technik verbinden und damit etwas ganz Neues, Eigenes schaffen. Mir kam er vor wie ein Ruderer, der sein Paddel tief ins Wasser taucht und mit dem Blick aufs Land schwungvoll und unbeirrt durchzieht ...

Dass jemand in so jungen Jahren schon so genau weiß, was er will! Du kannst dir nicht vorstellen, wie peinlich ich es fand, als Richard mich fragte, ob und was ich gelernt hätte! Ich hätte eine Art kaufmännische Ausbildung, habe ich gefaselt und gehofft, dass er nicht weiterfragen würde ... Hätte ich sagen sollen, dass ich Tochter von Beruf bin?! Ein Mann wie er würde mich nur verachten. So einer will kein Püppchen, sondern ... keine Ahnung, vielleicht sollte ich meine liebe Cousine dazu befragen? Als ich beim Abendessen an diesem Tag erfuhr, dass es sich bei Richard Stämme um ›Annas‹ Richard handelt, habe ich doch ziemlich dumm aus der Wäsche geschaut. Wenn er wirklich ihr Verehrer ist, warum besucht er sie dann nie? Nachdem Harold und ich uns vorgestellt wurden, ist er oft bei uns zu Hause aufgekreuzt und hat Blumen oder Konfekt abgegeben. Ist so etwas nicht üblich in Lauscha? Du verstehst, dass ich nicht nachhaken wollte, aber ehrlich gesagt, würde mich schon interessieren, was hinter Annas ›Beziehung‹ zu Richard steckt. Vielleicht weißt du Näheres ...?

»Oje! Wanda, Wanda, dich hat's ganz schön erwischt ...«, murmelte Marie lächelnd.

Wie ein Ruderer, der sein Paddel unbeirrt durchs Wasser zieht ... – in all den Wochen, die sie in New York gewesen war, hatte sie Wanda kein einziges Mal so von Harold schwärmen hören, ganz im Gegenteil: Wenn sie von ihm sprach, hörte sie sich fast ein wenig abfällig an, gerade so, als belächle sie seine Bemühungen um sie.

Richard Stämme – es wunderte Marie überhaupt nicht, dass Wanda Gefallen an ihm fand. Der junge Glasbläser war nicht nur ein sehr selbstbewusster Mensch, der sein Handwerk besser verstand als die meisten, sondern auch ein sehr schöner Mann – und das trotz seiner ärmlichen Kleidung und seiner langen, schlecht geschnittenen Haare. Er war außerdem ein Einzelgänger. Dabei hätten die Leute gern mehr von ihm gesehen. Marie wusste von Magnus, dass die anderen Glasbläser ihn immer wieder aufforderten, sich ihren abendlichen Stammtischrunden anzuschließen, aber Richard blieb lieber für sich und arbeitete an seinen Entwürfen. Sein täglich Brot verdiente er damit, dass er größeren Betrieben zuarbeitete. Es war auch schon vorgekommen, dass Johanna ihm einen kleineren Auftrag zuschob, wenn die Kapazität der Glasbläserei Steinmann-Maienbaum erschöpft war. Auf diesem Weg hatten sich Anna und Richard näher kennen gelernt.

Auf einmal verspürte Marie einen leichten Schwindel. Sie erhob sich vom Schaukelstuhl und verteilte ein paar der samtrosafarbenen Kissen auf dem Korbsofa. Mit hochgelegten Beinen, eine leichte Decke über sich gebreitet, gab sie sich erneut ihren Gedankenausflügen hin.

Richards größter Wunsch, das hatte er Anna einmal anvertraut – die es in ihrer Verliebtheit Marie weitererzählt hatte –, war es, einmal eine große Werkstatt zu besitzen. Er selbst hauste in einer ärmlichen Hütte, in der es nicht einmal einen Gasanschluss für den Brenner gab – mehr hatten ihm seine Eltern nicht hinterlassen. Das hielt ihn jedoch nicht davon ab zu träumen. *»Ich will einmal einen Verkaufsraum, wo sich die feinen Einkäufer die Klinke in die Hand geben, um Bestellungen für die besten Adressen in aller Welt aufzugeben ...«,* hatte er Anna gestanden. Marie war sich ziemlich sicher, dass Richard eines Tages seine Träume wahr machen würde, und Anna sah es genauso.

Bedeuteten solche Vertraulichkeiten, dass die beiden schon an eine gemeinsame Zukunft dachten? Marie wusste es nicht, sie hatte Annas Schwärmerei nicht weiter ernst genommen. Wenn sie nun darüber nachdachte, konnte sie sich nicht vorstellen, dass die beiden bisher auch nur einen einzigen Kuss getauscht hatten. Anna war sich ihrer Weiblichkeit noch gar nicht bewusst, kannte keine Koketterie, kein Spiel mit ihren spröden Reizen. Doch sollte sie das Wanda schreiben und damit Wasser auf die Mühle gießen? Oder war es besser, sich aus der Sache herauszuhalten? Andererseits: Wenn Wanda wirklich ein Auge auf den Jungen geworfen hatte, dann konnte sie Anna nur bedauern.

Plötzlich überfiel Marie eine so tiefe Sehnsucht nach ihrer

Familie, dass es zu schmerzen begann. Unvermittelt streichelte sie über ihren Bauch, um wenigstens Kontakt zu ihrem Kind herzustellen.

»Deine Mama ist sentimental«, flüsterte sie in die Orangenbäume. »Statt sich über die italienische Sonne zu freuen, heult sie dem Thüringer Winter nach.« Einen Augenblick lang kämpfte sie mit sich, ob sie Papier und Bleistift holen sollte, um Wanda zu antworten und zu fragen, warum sie nichts von einem Besuch bei ihrem Vater geschrieben hatte. Waren sie sich bisher aus dem Weg gegangen? Erfahrungsgemäß war das in Lauscha schwierig. Oder war die Begegnung mit Thomas Heimer so schlimm gewesen, dass Wanda nicht darüber schreiben wollte? Die Vorstellung trieb Marie Tränen in die Augen.

Kein Brief, beschloss sie daraufhin. In ihrer weinerlichen Stimmung würde sie womöglich Dinge schreiben, die sie gar nicht meinte und die ihre Familie falsch verstehen konnte. Es war besser, noch ein paar Tage mit dem Schreiben zu warten und in der Zwischenzeit zu überlegen, wie sie die Neuigkeit ihrer Schwangerschaft am besten formulierte. Als Weihnachtsüberraschung sozusagen. Ein Grinsen huschte über Maries Gesicht. Die würden vielleicht Augen machen, wenn sie erfuhren, dass sich die Familie im Mai vergrößerte!

Ruckartig schob sie die Decke fort und stand auf. »Von wegen *dolce far niente* – Arbeit ist die beste Medizin!«, sagte sie so laut, als müsse sie sich selbst davon überzeugen.

Kurze Zeit später saß sie an ihrem Bolg und ärgerte sich. Wie konnte sie nur den halben Tag vertrödeln, wo sie so viel zu tun hatte! Ihr Blick streifte das Mosaikbild, das sie am Vortag angefangen hatte. Es juckte sie förmlich in den Fingern, sich an dessen Fertigstellung zu machen, war es doch ein weiterer Schritt in Richtung ihres neuen großen, verrückten Plans, der

Eröffnung einer eigenen Galerie in der Genueser Altstadt. Bisher hatte sie es nicht gewagt, mit Franco über ihre Idee zu sprechen. Noch hatte sie das Gefühl, sie hegen zu müssen wie ein junges Pflänzchen, das man kräftig gießen musste, sollte es je groß und lebensfähig werden. Doch zum Jahresanfang wollte sie Franco in ihre Pläne einweihen. Vielleicht würde er ihr auf der Suche nach geeigneten Räumlichkeiten behilflich sein, sodass sie spätestens nach der Geburt ihres Kindes mit der Ausstattung ihrer Verkaufsräume beginnen konnte. Weiße Wände und viel Glas, damit der Blick des Betrachters durch nichts von ihren bunten Bildern abgelenkt werden würde! Marie seufzte.

Das Einzige, was ihr derzeit bei ihrer Arbeit fehlte, war das Lob, das früher immer sehr großzügig von Johannas Kunden gekommen war. Ohne Bewunderer war ihre Arbeit wie ein Echo ohne Widerhall – so viel künstlerische Eitelkeit musste sie sich eingestehen. Daher konnte sie kaum erwarten zu erfahren, wie ihre neuartigen Glasarbeiten von den kunstsinnigen Genuesern aufgenommen werden würden!

Doch statt in die Dose mit den grünlichen Glastropfen zu greifen, die sie für ihr Bild benötigen würde, stand sie auf und ging zu dem Wandregal, in dem sie den Stapel Glasröhren aufbewahrte, die Franco ihr schon vor Wochen besorgt hatte. Fasziniert von ihrer neuen Technik, Glasstücke mittels einer Bleifassung zusammenzusetzen und so Mosaike zu kreieren, hatte Marie die Rohlinge bisher links liegen lassen. Doch nun rückte Weihnachten unaufhaltsam näher.

Ihr erstes Weihnachtsfest ohne ihre Familie.

Ihr erstes Weihnachten mit Franco.

Sollte ihre Überraschung für ihn rechtzeitig fertig werden, musste sie sich sputen.

Als sie eine der Röhren in die Hand nahm, fühlte es sich altbekannt glatt und kühl an. Glück schwappte über sie wie eine Welle. Franco und seine Eltern würden staunen, wenn am Heiligen Abend ein Tannenbaum voller neuer Glaskugeln im Esszimmer stand!

Lange hatte sie darüber gegrübelt, wie diese Kugeln aussehen sollten. Die Farben Rot, Gold und Grün, die man in Deutschland mit Weihnachten verband, schienen ihr für den Palazzo zu schwer. Sie wollte die italienische Leichtigkeit einfangen, das glitzernde Blau des Meeres, das Weiß der marmornen Terrassenbrüstung, die blasse Wintersonne. Während sie die Gasflamme anzündete, versuchte sie, sich ein Bild von dem zu machen, was sie vorhatte: versilberte Kugeln, bemalt mit federleichten Pinselstrichen in pastellfarbenen Tönen.

Das altbekannte Summen der Flamme im Ohr, begann Marie, gleichmäßig große Kugeln zu blasen.

11

»Bist du dir wirklich sicher, dass du gehen willst? Immerhin hätte *er* ja auch auf dich zukommen können …« In einer selten vertraulichen Geste legte Johanna ihre Hände auf Wandas Schultern. Die Finger waren vom Schneeschippen so verfroren, dass Wanda die Eiskälte durch den Stoff ihres Wollkleides fühlen konnte. Von draußen war Magnus' Fluchen zu hören, der Johanna abgelöst hatte. Über Nacht hatte es einen halben Meter geschneit, und um aus dem Haus zu kommen, mussten schier endlose Berge Schnee zur Seite geschafft werden.

»Ist er aber nicht«, antwortete Wanda schlicht und fügte dann hinzu: »Es macht mir nichts aus, den ersten Schritt zu tun. Und Weihnachten ist doch ein guter Anlass, oder?« Sie deutete auf ihre Leinentasche, in die sie Geschenke für ihren Vater, Onkel Michel, Eva und den bettlägerigen Wilhelm gepackt hatte. Nicht viel, Kleinigkeiten nur – ein paar Taschentücher für die Männer, dazu für jeden eine Flasche Kräuterschnaps, den sie auf Peters Rat hin im Krämerladen gekauft hatte. Eva sollte ein silbernes Medaillon bekommen, das Wanda bei einem Silberschmied in einer Seitenstraße der Fifth Avenue gekauft hatte. Eine Frau wie sie würde sich bestimmt über ein Schmuckstück freuen.

»Ich möchte nur nicht, dass du …« Etwas ratlos brach Johanna ab.

»Dass ich enttäuscht werde?« Wanda lachte trocken, während sie ihr Kopftuch mit einem festen Knoten unter dem Kinn zuband. »Dass Thomas Heimer mich nicht mit offenen Armen an seine Brust drücken wird, weiß ich selbst. Wahrscheinlich ist er nicht einmal sehr erfreut, mich zu sehen. Aber das interessiert mich nicht. Ich will einfach den Mann kennen lernen, zu dem ich unter anderen Umständen Vater gesagt hätte. Mach dir bitte keine Sorgen um mich.« Sie war schon fast zur Tür hinaus, als sie sich noch einmal umdrehte. »Da wäre nur noch eines …«

»Ja?«

Wanda spürte, wie ihr die Röte ins Gesicht stieg. »Wie um alles in der Welt spreche ich ihn an? Ich meine …, ich kann doch schlecht *Sie* zu ihm sagen, oder? Andererseits komme ich mir bestimmt blöd dabei vor, einen Fremden einfach zu duzen.«

Johanna lachte. »Wenn das dein größtes Problem ist, kann ich dich beruhigen! Thomas Heimer kannst du getrost duzen. Bei uns in Lauscha ist das gang und gäbe.«

Die Straßen von Lauscha waren an diesem Tag noch belebter als sonst. Die geschäftige Betriebsamkeit hatte jedoch nichts mit dem Transport von Glaswaren zu tun, sondern mit dem Schnee: Vor jedem Haus mühte sich jemand ab, den Eingang freizuschaufeln, bald häufte sich der Schnee wie Berge aus Zuckerwatte auf den schmalen Gehsteigen und der Straße.

Immer wieder sank Wanda knöcheltief ein. Dann quoll Schnee hinter den schmalen Rand ihrer Schnürstiefel, wo er durch ihre Körperwärme auftaute und als feuchtes Rinnsal ihre Socken durchweichte.

Auf der Höhe der stillgelegten Glashütte angekommen, war sie so erschöpft, dass sie mit dem Gedanken spielte umzudrehen. Trotz Angst vor einer neuen Erkältung zog sie sich das Tuch vom Kopf und tupfte damit den Schweiß ab, der sich in ihrem Nacken gesammelt hatte. Achtlos stopfte sie das Tuch anschließend in ihren Beutel und schaute besorgt in Richtung Oberland, wie der obere Stadtteil von Lauscha genannt wurde. Was, wenn es dort noch schlimmer wurde? Was, wenn vor dem Heimerschen Haus noch keiner mit der Schippe tätig gewesen war?

Alles Ausreden, befand sie. Angst vor der eigenen Courage! Echte Lauschaer ließen sich von ein bisschen Schneefall bestimmt nicht Bange machen. Mit zittrigen Knien stapfte sie weiter.

Hundert Mal hatte Wanda den Moment im Geiste durchgespielt. Hatte versucht, sich innerlich zu rüsten für die zu erwartenden Wogen der Gefühle, die über sie hereinbrechen würden. Dass es ein bewegender Moment sein würde, damit rechnete sie fest: Schließlich hieß es nicht umsonst, Blut sei dicker als Wasser, oder? Eines hatte sie sich jedoch vorgenommen: Wie auch immer die erste Begegnung mit ihrem Vater verlaufen würde, sie wollte souverän auftreten. Deshalb hatte sie jeden Fall in Betracht gezogen, selbst die schauerlichsten Szenarien nicht außer Acht gelassen: dass ihr Vater ihr die Tür vor der Nase zuschlagen würde. Oder sie beschimpfen würde. Dass er sie zwar hereinlassen, aber mit Gleichgültigkeit strafen würde. Oder dass sie sich aus Mangel an Gemeinsamkeiten in peinlichem Schweigen verlieren würden. Für diesen Fall hatte Wanda vorgesorgt und sich ein paar

Gesprächsthemen zurechtgelegt: Da war zum einen das Wetter, zum anderen das nahende Weihnachtsfest, ihre Eindrücke von Lauscha ... Vielleicht ließe sich das Gespräch auch auf die Glaswaren der Heimerschen Werkstatt bringen – ein bisschen Bewunderung ihrerseits würde das Eis sicherlich brechen. Und wenn ihr gar nichts mehr einfiele, konnte sie sich immer noch nach dem kranken Großvater erkundigen.

Manchmal, in rührseligen Momenten, hatte Wanda sich auch vorgestellt, dass sie beide in Freudentränen ausbrechen und sich in die Arme fallen würden.

Nur mit einem hatte sie nicht gerechnet: Dass sie nichts, rein gar nichts fühlen würde beim Anblick von Thomas Heimer.

Es war ein völlig Fremder, der ihr in Arbeitskittel und verblichenen, an den Knien ausgebeulten Hosen die Tür öffnete. Er war von mittlerer Statur, bleich, und er hatte graue Bartstoppeln. Sein Blick flackerte einmal kurz auf, als er Wanda sah, dann war es, als ob zwei Tore mit Entschiedenheit zugeschlagen würden. Ausdruckslos lagen seine grauen Augen tief unter struppigen Brauen, die sich bis zur Nasenwurzel hinzogen. Schmale Furchen verliehen seinem mageren Gesicht einen leidenden Ausdruck. Nichts an dem gealterten, kränklich wirkenden Mann erinnerte an Ruths Beschreibung des gut aussehenden Burschen, in dessen breite Schultern und verwegenes Lächeln sie sich einst verliebt hatte.

In einem Roman über die Zeit des amerikanischen Bürgerkriegs, den Wanda vor nicht allzu langer Zeit gelesen hatte, war die Heldin nach vielen Jahren ihrem tot geglaubten Vater begegnet. Der Autor hatte den Moment damit beschrieben, dass sie »das Gefühl hatte, in ihr eigenes Spiegelbild zu blicken«. Vergeblich wartete Wanda auf eine ähnliche Regung bei sich selbst, doch in Thomas Heimers Gesichtszügen war nichts, was sie wiedererkannt hätte.

Stand sie überhaupt dem Richtigen gegenüber? Oder war

das Michel, der Bruder? Unauffällig schaute sie nach unten. Der Mann vor ihr hatte noch beide Beine, also … Sie musste ein nervöses Kichern unterdrücken, als ihr der Aberwitz der Situation bewusst wurde.

»Wie siehst du denn aus? Hattest du die Läuse oder was?« Schroff deutete Thomas Heimer auf Wandas Kurzhaarfrisur. Dann drehte er sich um und schlappte ins Haus zurück. Die Tür ließ er offen, als wolle er damit sagen: Komm rein oder lass es bleiben, mir ist es egal.

Wie vor den Kopf geschlagen folgte Wanda ihm durch einen dunklen Gang, eine Treppe hinauf und dann in die Küche. In diesem Haus hatte sie ihr erstes Lebensjahr verbracht – der Gedanke ließ keine einzige Regung in ihr aufkommen. Sie räusperte sich, um den pelzigen Belag von ihren Stimmbändern zu bekommen.

»Hab schon gedacht, du kommst gar nicht. Aber du warst ja krank.« Ohne ihr einen Platz anzubieten, ließ sich Thomas Heimer auf der Eckbank nieder. Sitzend hangelte er mit einer Hand zum Herd hinüber und schob einen Topf mit klapperndem Deckel zur Seite.

»Eva!«, schrie er und sagte dann zu Wanda in normalem Ton: »Was willst du?«

Wanda blinzelte. Die Luft in dem Raum war abgestanden und roch sehr seltsam. Unwillkürlich floh ihr Blick zu dem einzigen Fenster, vor dem sich Schneemassen türmten und jede Frischluftzufuhr unmöglich machten.

»Was werde ich schon wollen? Sie …, äh, ich meine … dich besuchen natürlich«, sagte sie betont mädchenhaft, um sich im nächsten Moment dafür zu schelten. Sie hörte sich an wie ein Baby und nicht wie eine erwachsene Frau, die ihren Wurzeln nachspüren wollte. Spontan setzte sie sich ihm gegenüber.

»Du scheinst ja gut über mich informiert zu sein«, sagte sie in Anspielung auf seine Bemerkung. »In der Tat war ich einige Wochen krank, sonst hätte ich schon früher einmal vorbeigeschaut.« Noch während sie sprach, suchte sie krampfhaft nach weiterem Gesprächsstoff. Auf einmal war alles ganz anders. Von wegen: »Ich habe erst kürzlich erfahren, dass du mein Vater bist!« Sie hatte keine Lust, sich dem Mann mit den aufgesprungenen Lippen und dem unhöflichen Benehmen zu offenbaren. Am liebsten wäre sie aufgestanden und wieder gegangen.

Sie und dieser Mann hatten sich nichts zu sagen.

Ihr Besuch hier – nichts als ein bedauerlicher Irrtum. Wieder eine ihrer dummen Ideen.

Wie der Gedanke, sie könnte für Johanna und ihre Familie *nützlich* sein – lächerlich!

»Ich weiß, dass du keinen Wert darauf legst, mich zu sehen. Das kann auch gar nicht anders sein, alles andere wäre Heuchelei. Machen wir es also kurz.« Sie stand auf. »Hier sind ein paar Mitbringsel. Weihnachtsgeschenke. Es ist auch was für die anderen dabei.«

Die in glänzendes Geschenkpapier gewickelten Gaben wirkten auf dem abgenutzten Holztisch deplatziert. Noch ein Fehler, dachte Wanda entsetzt. Ihre Finger umklammerten den Rand des Tisches so fest, dass ihre Knöchel weiß wurden.

Noch immer saß, nein, kauerte Heimer mit unbewegter Miene auf der Bank. Er schien verunsichert.

Wie ein streunender Hund, um den sich schon lange niemand mehr gekümmert und der die einfachsten Regeln des Zusammenlebens verlernt hatte, dachte Wanda.

Ihr Vater.

Ein Fremder, für den sie nichts empfand außer einer Spur Mitleid.

Unvermittelt lief ihr Herz fast über vor Liebe für den Mann, der achtzehn Jahre lang den Platz von Thomas Heimer eingenommen hatte: Bilder ihres Stiefvaters flackerten vor ihrem inneren Auge auf – Steven in seinen eleganten Anzügen, Steven am Steuer seines neuen Wagens, auf den er so stolz war, Steven inmitten von hochrangigen Geschäftsleuten. Heiße Scham ließ Wandas Wangen rot werden. Immer war Steven für sie da gewesen, jede ihrer Dummheiten hatte er ihr vergeben. Und wie wenig hatte sie es ihm gedankt! Seit sie über ihre Herkunft Bescheid wusste, hatte sie ihn wie Luft behandelt, seine Verletztheit ignoriert, ja, ihn dafür fast belächelt, als wolle sie ihn herausfordern: Welches Recht, welchen Anspruch hast du auf meine Liebe?

Von der Treppe her wurden Schritte laut, begleitet von einem kurzatmigen Schnaufen. Auf einmal war Wanda die Vorstellung, ein weiteres Familienmitglied kennen zu lernen, unerträglich.

»Ich will nicht weiter stören. Du hast ja sicher in der Werkstatt zu tun …« Ohne Heimers Antwort abzuwarten, wandte sie sich um, als im Gang ein Schatten auftauchte und eine mürrische Frauenstimme ertönte.

»Wilhelm ist heute mal wieder unmöglich! Ich hab nur zwei Hände und kann nicht ständig zu ihm springen! Wo der Michel mich heute auch schon dreimal gerufen …«

Wie angewurzelt blieb Eva im Türrahmen stehen. Ihr Blick wanderte zwischen Thomas und Wanda hin und her.

»Hab ich doch richtig gehört!« Mit verschränkten Armen trat sie näher und beäugte Wanda. »Die Amerikanerin, sich einmal an …«

»Hallo, Eva.« Wanda lächelte dünn, während sie der feindseligen Musterung standhielt. Nein, sie würde nicht über diese alte, verhärmte Frau nachdenken, die genauso alt war wie ihre Mutter. Aber was um alles in der Welt hatte dieses Weib mit der Verführerin aus Ruths Schilderungen zu tun? Und was …

Eva ging zum Herd, nahm den Deckel vom Topf, aus dem sofort eine eigenartige Duftwolke entwich, und hob etwas

Kleines, Knochiges heraus, von dem Wanda geschworen hätte, dass es ein Eichhörnchen war.

»Ich finde den Weg allein hinaus«, presste Wanda hervor, während sie versuchte, nur durch den Mund einzuatmen.

»Nichts da!« Thomas Heimer setzte sich auf. »Jetzt trinkst du wenigstens eine Tasse Kaffee mit uns. Sonst heißt's nachher noch, bei uns bekäme ein Gast nichts angeboten! Eva, stell Wasser auf. Und bring Brot und was drauf.«

Nachdem die Gelegenheit zu einem schnellen Aufbruch vertan war, blieb Wanda nichts anderes übrig, als sich zu ihrem Vater an den Tisch zu setzen. Während Eva mit feindseligem Blick ein paar Becher und Teller auf den Tisch knallte, bemühte Wanda sich, ein Gespräch anzufangen.

Beeindruckt äußerte sie sich über die Schneemassen. Ob das nun bis zum Frühjahr so bleiben würde, wollte sie wissen, dabei kannte sie die Antwort ja schon.

Thomas Heimer fragte nach ihrer Reise und ihren Eindrücken von Lauscha. Wandas Antworten lauschte er ohne echtes Interesse und widmete sich derweil seinem Kaffee. Seine Gleichgültigkeit hatte etwas zur Schau Gestelltes.

Als alle Themen, die Wanda sich zurechtgelegt hatte – bis auf »die Vergangenheit«, »der kranke Großvater« und »die Glasbläserei« –, abgehandelt waren, entschied sich Wanda für Letzteres. Noch ein, zwei Sätze aus purer Höflichkeit, dann würde sie verschwinden.

»Johannes hat mich zu ein paar Glasbläsern mitgenommen, damit ich mit eigenen Augen sehen kann, welche Vielfalt an Glas in Lauscha hergestellt wird.« Sie lachte verlegen. »Ehrlich gesagt, haben mich die Glasmurmeln am meisten fasziniert. So viele Farben in einem so kleinen Stück Glas!«

»Der Märbel-Michel versteht sein Handwerk.« Mehr sagte Heimer nicht.

»Und was tut sich in eurer Werkstatt so?«, fragte Wanda. Noch während sie sprach, merkte sie, wie wichtig die Frage auf einmal für sie war. Vielleicht ... Wenn Thomas Heimer über seine Arbeit reden würde, kam er womöglich dem Bild, das sie sich von ihm gemacht hatte, ein wenig näher. Bisher jedoch hatte der Mann ihr gegenüber nicht das Geringste mit jenem begnadeten Glasbläser zu tun, den Marie ihr so euphorisch geschildert hatte. Und auch mit dem Draufgänger, als den ihre Mutter ihn dargestellt hatte, konnte Wanda keine Ähnlichkeit entdecken. Stattdessen wirkte Thomas Heimer beinahe ... verletzlich.

»Fast gar nichts, wenn du's genau wissen willst«, schaltete sich da zum ersten Mal Eva in das Gespräch ein. »Wir nagen zwar noch nicht am Hungertuch, aber viel fehlt nicht! Wenn du glaubst, hier gäbe es was zu holen, dann hat deine Mutter dich umsonst geschickt. Sie ...«

»Eva, halt den Mund! Deshalb ist Wanda nicht da«, fuhr Heimer scharf dazwischen.

Hoppla, was war das? Wanda schaute Heimer an, und ihre Blicke trafen sich für einen kurzen Moment.

»Du hast ja sicher gehört, dass Michel keine große Hilfe mehr ist.« Thomas Heimer nickte vage in Richtung Flur. »Die meiste Zeit muss er liegen. Phantomschmerzen nennt man sein Leiden. Und Vater hat seit Wochen das Bett nicht mehr verlassen. Dabei hat er es sich noch im Sommer nicht nehmen lassen, wenigstens für ein, zwei Stunden täglich in der Werkstatt vorbeizuschauen.«

Wurde darauf eine Bemerkung von ihr erwartet? Wanda entschied sich, erst einmal weiter zuzuhören. Sie hatte den letzten Schluck Kaffee gerade getrunken, als Eva ihr die Kaffeetasse entriss.

»Jetzt tu nicht so, als ob du Wilhelm bei der Arbeit vermisst. Nicht einmal im letzten Quartal des Jahres sind ein paar ordentliche Aufträge gekommen – *da* liegt doch der

Hund begraben!«, fauchte sie vom Spülstein her zu ihnen hinüber.

»Aber woran liegt das denn? Heimersche Glaswaren haben doch einen sehr guten Ruf, oder? Marie hat mir erzählt, dass eure Werkstatt zu den führenden im Dorf gehört.« Als Wanda das kurze Aufleuchten in Thomas Heimers Augen sah, war sie froh, nicht in der Vergangenheitsform gesprochen zu haben, wie Marie es getan hatte. Vielleicht hatte sie ihm so zum Abschied eine kleine Freude bereiten können.

Doch schon im nächsten Moment senkte sich ein Schleier über Heimers Blick. »Was nutzt es, wenn keiner mehr Glas haben will? Überall sprießen Porzellanmanufakturen wie Pilze aus dem Boden – die produzieren Vasen, Schalen und Kleinzeug so billig, da können wir nicht mehr mithalten.«

Aber andere Glasbläser können es doch auch, ging es Wanda durch den Kopf. Laut sagte sie: »Das ist Massenarbeit – Handarbeit ist doch viel wertvoller, oder?«

Heimer zuckte mit den Schultern. »Erklär das mal den Einkäufern der großen Kaufhäuser in Hamburg oder Berlin. Deren Kunden wollen billige Ware, auf Kunstfertigkeit und Schönheit kommt's denen weniger an.«

»Aber man kann doch seine Kunden auch ein wenig … erziehen.« Wanda musste an Schraft's denken. Kein Schraft's-Kunde hatte je etwas gegen hohe Preise einzuwenden gehabt, aber wehe, die Qualität war einmal nicht erstklassig!

»Hochwertiges Glas findet immer seine Käufer, vielleicht nicht in Kaufhäusern, aber in Galerien.« Wanda überlegte, ob sie von der New Yorker Ausstellung mit venezianischem Glas erzählen sollte. Als sie am letzten Tag der Ausstellung noch einmal die Galerie besucht hatte, prangte an fast jedem Stück ein »Verkauft«-Aufkleber.

Heimer schüttelte den Kopf. »Das habe ich auch einmal geglaubt. Aber man kann die Zeit nicht aufhalten. Vielleicht ... wenn alles anders gekommen wäre ... Drei Glasbläser hätten den neuen Moden etwas entgegensetzen können ...« Er wog jedes Wort so vorsichtig ab, als hätte er dieselben Gedanken schon tausendmal gehabt, aber noch nie auszusprechen gewagt.

»Ach, jetzt bin ich womöglich noch schuld an allem? Und das, wo ich mein Leben lang nichts anderes tue, als für euch die Putzmagd zu spielen?«, giftete Eva. »Glaubst du nicht, ich habe mir das auch anders vorgestellt?« Sie klatschte ihren feuchten Putzlappen in den Spülstein und rannte aus dem Zimmer, ohne sich noch einmal umzudrehen.

Wanda, die unwillkürlich den Atem angehalten hatte, blies diesen nun aus. Ob die Stimmung zwischen den beiden immer so war?

Regungslos schaute Thomas Heimer in Richtung Hausflur.

»Wir Heimers haben einfach kein Geschick darin, unsere Frauen glücklich zu machen«, sagte er. »Wir haben überhaupt kein Glück. Mit nichts.«

Peinlich berührt schob Wanda ihren Stuhl nach hinten. »Jetzt muss ich aber wirklich gehen.«

»Ja«, sagte er.

Unten an der Treppe fing Eva sie ab. »Du willst doch wohl nicht weg, ohne deinen Onkel und Großvater besucht zu haben!« Sie packte Wandas Hand und stieß mit der anderen die Tür zu einem abgedunkelten Zimmer auf, in dessen Mitte ein Bett stand.

»Dein Onkel Michel! Jetzt schläft er, aber die halbe Nacht hat er gejammert wie ein Kind. So geht das jede Nacht. Und man hört's im ganzen Haus.«

Beklommen starrte Wanda auf die dünne Bettdecke, unter der sich ein Mensch befand. Was für ein armseliges Dasein! Unter Evas spöttischem Blick wandte sie sich ab. Doch bevor sie etwas dagegen unternehmen konnte, stieß Eva die nächste Tür auf.

»Und hier, dein Großvater! Keine Angst, er beißt nicht, ganz im Gegenteil: Er ist heute besonders gut gelaunt!«

»Ich … Moment mal, Eva, ich glaube nicht, dass ich …« Vergeblich stemmte sich Wanda gegen die zerrende Hand. Was bildete sich das Weib ein, so über sie bestimmen zu wollen?

»Eva! Mit wem sprichst du? Ich brauche meine Medizin! Eva! Komm!«, quengelte eine Männerstimme.

»Besuch für dich, Wilhelm!« Eva schubste Wanda ins Zimmer, ohne selbst einzutreten. »Macht es euch ruhig gemütlich. Ich will nicht stören.«

Als sie die Tür hinter sich zuzog, lachte sie, als wäre ihr ein besonders guter Scherz gelungen.

Wütend starrte Wanda ihr nach.

»Ruth?« Ungläubig blinzelte Wilhelm Heimer. »Du bist … zurück?!«

»Ich bin Wanda.« Zögerlich trat Wanda an das Bett.

Das war also der herrische Wilhelm Heimer. Zusammengeschrumpft zu einem Häufchen Knochen und faltiger, alter Haut.

»Wanda?« Seine wässrigen Augen blinzelten heftig, als wolle er so seiner Sehkraft nachhelfen. »Ich kenne keine …« Der Rest ging in einem Hustenanfall unter. »Wer bist du? Hau ab! Warum lässt Eva eine Fremde zu mir? Eva! Eeeeva!«

»Es kann doch wohl nicht sein, dass du vergessen hast, dass es mich gibt! Ich bin Ruths Tochter!«, fuhr Wanda auf. »Und keine Angst, ich gehe von selbst wieder!« Abrupt wandte sie sich zur Tür. Vielleicht war ihr Großvater nicht mehr ganz klar im Kopf, aber so viel musste er doch noch wissen, oder? Allmählich hatte sie genug! Keine noch so eindringliche Warnung ihrer Mutter hätte sie je darauf vorbereiten können, was für eine schreckliche Sippe diese Heimers waren. Lauter unhöfliche Rüpel. Kein Wunder, dass Mutter damals geflüchtet war!

Als sie den Türgriff schon in der Hand hatte, hörte sie den Alten röcheln: »Ruths Tochter ... Das wäre ... eine Überraschung. Belügst du mich auch nicht? Komm zu mir, Mädchen!«

Mit zusammengekniffenen Mundwinkeln drehte Wanda sich nochmals zu ihm um. Sei geduldig, zwang sie sich zur Nachsicht, er ist ein alter, dem Tod geweihter Mann!

»Ruth!« Ein nach innen gekehrtes Lächeln überzog Wilhelms Gesicht.

Wanda verzichtete darauf, ihn erneut darauf hinzuweisen, dass sie nicht Ruth war. Zögernd folgte sie seinem Wink und trat einen Schritt näher ans Bett.

Auf den zweiten Blick sah der Alte nicht ganz so sterbenskrank aus. Einen Moment lang glaubte sie sogar, in dem nach vorn gereckten Kinn und den spitzen Wangenknochen, über denen sich die Haut spannte, die störrischen Züge des früheren Despoten zu erkennen, von dem alle erzählt hatten. Zu ihrem Erstaunen machte sich etwas wie Erleichterung in ihr breit.

»Ruths Tochter, wer hätte das gedacht! Deine Mutter ...« Er richtete sich etwas auf. »Soll ich dir etwas über deine Mutter verraten?«

Wanda nickte – und ärgerte sich sofort darüber.

Die Augen des Alten leuchteten auf.

»Aber sag's nicht weiter!«

Er begann meckernd zu lachen, was einen weiteren Hustenanfall auslöste.

Wanda wartete ab, bis er sich wieder gefangen hatte.

»Ruth ..., die hatte damals mehr Mumm in den Knochen als ... meine drei Söhne zusammen.« Betrübt schüttelte er den Kopf. »Lang ist's her. Und es ist nichts Besseres nachgekommen.«

Wilhelm Heimer schloss die Augen.

Als sie die Klinke erneut ergriff, kämpfte Wanda gegen einen Kloß in ihrem Hals an. Sie ahnte, dass sie gerade das größte Kompliment gehört hatte, dessen der Alte fähig war.

»Gut, dass du gekommen bist.« Das Flüstern vom Bett war schwach, aber selbst im Hinausgehen noch zu vernehmen.

12

Das Essen war dem Anlass entsprechend vorzüglich: getrüffelte Pastete, gegrillte Rotbarben, deren Rosmarinduft den halben Palazzo erfüllte, außerdem mit Steinpilzen gefüllte Täubchen, dazu Safranrisotto. Auch die Tafel des Speisesaals war festlich gedeckt: Es gab edle Leinentischwäsche, bestickt mit dem Wappen der Familie, darauf teuerstes Porzellan und auf Hochglanz poliertes Tafelsilber. In der Mitte stand ein Strauß aus weißen Lilien und gelben Rosen. Zwei identische Sträuße zierten je ein Ende der Fensterbank, doch trotz aller blumigen Üppigkeit wirkte das Arrangement steril. Dieser Eindruck wurde noch dadurch verstärkt, dass die Blumen keinerlei Duft verströmten. Vielleicht waren es gar Seidenblumen? Verstohlen befingerte Marie eine der Rosenblüten und stellte fest, dass sie echt waren. Wahrscheinlich hatte Patrizia ihnen verboten zu riechen, damit ihr eigenes penetrantes Parfüm in keinerlei Konkurrenz stand, schoss es Marie durch den Kopf.

Missmutig wartete sie darauf, dass wenigstens ein Hauch von Festtagsstimmung aufkam. Wie lange musste sie noch in diesem Raum mit den hohen Wänden, die jedes gesprochene Wort hallen ließen, sitzen und in das säuerliche Gesicht ihrer Schwiegermutter schauen, während Franco und sein Vater sich über einen Winzer und dessen Söhne unterhielten? Marie versuchte, Francos Blick auf sich zu ziehen, doch er war so in sein Gespräch vertieft, dass er es nicht bemerkte.

Als der nächste Gang serviert wurde, war Marie eigentlich längst satt. Trotzdem schaufelte sie ihren Teller leer, weil sie wusste, dass dies Patrizias Missfallen erregen würde. Tatsächlich hob die Contessa pikiert die Brauen, während sie selbst winzige Bissen Täubchenbrust aufspießte. Im nächsten Moment legte sie ihr Besteck weg.

»Es ist bald elf Uhr. Ich werde prüfen, ob Carla den Sekt gekühlt hat.« Geziert tupfte sich Patrizia einen unsichtbaren Tropfen Wein von den Lippen und rückte dann lautlos ihren Stuhl nach hinten, um aufzustehen.

Kaum hatte sie den Speisesaal verlassen, öffnete Marie verstohlen den Knopf ihres Rockbundes. Das mehrgängige Menü drückte gegen ihren Magen, und sie ärgerte sich, überhaupt so viel gegessen zu haben.

Franco zuliebe verzichtete sie seit ihrer Schwangerschaft darauf, Hosen zu tragen. »So ein enger Hosenbund ist für das *bambino* nicht gut«, hatte er argumentiert. Marie war sich jedoch ziemlich sicher, dass seine Besorgnis eher mit Patrizias konservativer Kleiderordnung zu tun hatte. Die Contessa hatte schon entsetzt reagiert, als sie mitbekam, dass Marie kein Korsett trug. Ihrer Meinung nach sollte eine Dame auch in anderen Umständen darauf nicht verzichten. Nun, ihre liebe Schwiegermutter würde sich an den Gedanken gewöhnen müssen, dass Marie auch nach der Geburt nicht vorhatte, sich von spitzen Drähten in den Leib stechen zu lassen!

Marie zupfte an Francos Jackettärmel. »Warum lassen wir das Dessert nicht ausfallen und gehen ein bisschen spazieren?«

»Spazieren? Aber es ist doch bald Zeit, hinauf auf die Terrasse zu gehen«, sagte Franco. »Wer freut sich denn schon seit Tagen auf das Feuerwerk?«

Die Art, wie er ihr zuzwinkerte, ärgerte Marie auf einmal. Warum tat er so, als ob sie ein Kind war, nur weil sie noch nie in ihrem Leben ein Feuerwerk gesehen hatte? Auf einmal war ihre Vorfreude auf das Lichterspektakel gar nicht mehr so groß.

»Das Feuerwerk könnten wir doch auch unten im Hafen sehen, oder? Hörst du nicht, wie lebhaft es schon auf den Straßen zugeht?« Sie deutete in Richtung der Fenster, von wo vereinzelte Rufe und ausgelassenes Lachen zu ihnen heraufdrangen. Manchmal trug der Wind auch ein paar Takte Musik in den Palazzo. »Die Leute scheinen ein richtiges Volksfest zu feiern!«

»Betrunkene!« Der Conte verzog den Mund.

»Vater hat Recht. Viele trinken heute Nacht mehr, als ihnen gut tut. Du hättest keine Freude daran, geschubst und angerempelt zu werden.«

»Es geht nicht darum, ob Marie Freude daran hätte – es ziemt sich für eine de Lucca einfach nicht, sich unters gemeine Volk zu mischen«, unterbrach der Conte seinen Sohn. »Hör doch, wie sie grölen!« Angewidert schüttelte er den Kopf.

»Was ist denn schon dabei, wenn die Männer in der letzten Nacht des Jahres einen über den Durst trinken? Die Menschen da unten haben wenigstens noch ein bisschen Leben in sich!«, entgegnete Marie. *Im Gegensatz zu dir,* wollte sie hinzufügen, doch stattdessen presste sie die Lippen zusammen, um ein Stöhnen zu unterdrücken. Wie immer, wenn sie sich aufregte, verkrampfte sich etwas schmerzhaft in ihrem Bauch und machte ihr Angst … Als ob ein hungriger Wolf nach dem Kind schnappen würde … Unwillkürlich langte sie zu Franco hinüber und krallte ihre Hand in seinen Arm.

»Was ist? Geht es dir nicht gut, *mia cara?* Vielleicht solltest du dich ein wenig hinlegen?« Ohne ihre Antwort abzuwarten, schob er ihren Stuhl nach hinten und zog sie hoch. Seinem Vater warf er einen entschuldigenden Blick zu. *Frauen und ihre Launen* – bedeutete er, was Marie sehr wohl wahrnahm. Trotzdem ließ sie es zu, dass Franco sie aus dem Zimmer geleitete.

Draußen auf dem Gang blieb sie stehen, um sich die Seite zu halten. Einmal tief durchatmen, dann würde es wieder gehen ...

Aus dem Speisesaal war nun wieder Patrizias scharfe Stimme zu hören. Ohne Zweifel regte sie sich über Maries Benehmen auf.

»Was sollte das gerade eben wieder bedeuten? Warum legst du dich ständig mit Vater an?« Missmutig schaute Franco auf Marie. »Und das ausgerechnet in der Silvesternacht.«

»*Gerade* in der Silvesternacht! Unser erster gemeinsamer Jahreswechsel! Und wir sitzen bei deinen Eltern, als wären wir selbst schon Greise«, entgegnete sie, ohne ihre Stimme zu senken. Sollten doch ruhig alle hören, dass sie wütend war!

»Und dann dieses eingebildete Verhalten die ganze Zeit! Als ob die de Luccas das Salz der Erde wären und alle anderen nur Abschaum. Dabei liegt die Sache doch ganz anders, das habe ich längst erkannt! Ihr glaubt alle, ich hätte keine Augen im Kopf!«

»Wie meinst du das?« Francos Blick hatte auf einmal etwas Stechendes, doch Marie scherte sich nicht darum.

»Na, ich sehe doch, wie steif und unwohl sich die Besucher hier stets fühlen«, antwortete sie herausfordernd. »Alle sind froh, wenn sie den Palazzo auf schnellstem Weg wieder verlassen können. Mir kommt es jedenfalls nicht so vor, als ob ihr unter dem ›gemeinen Volk‹ viele Freunde habt. Ich glaube eher, deine Familie ist sehr unbeliebt! Du müsstest mal erleben, wie es ist, wenn Peter oder Johanna durch Lauscha gehen! Keine zehn Schritte können sie machen, ohne irgendwelche Hände zu schütteln oder ein paar Worte zu wechseln!«

Statt – wie Marie erwartet hatte – wütend zu reagieren,

wirkte Franco fast heiter. Er lachte. »Wenn das deine ganzen Sorgen sind! Mein Vater ist eben nicht der liebevolle *Patrone*, den dein Schwager scheinbar abgibt. Unsere Geschäfte laufen nun einmal in größerem Stil ab, da kann man nicht mit jedem gut Freund sein. Aber inzwischen müsstest du dich doch an seine Art gewöhnt haben und wissen, dass er es nicht böse meint.«

Marie war sich dessen nicht so sicher, doch sie schwieg. So plötzlich, wie ihre Streitlust gekommen war, war sie auch wieder verraucht.

Mit einer liebevollen Geste hob Franco ihr Kinn. »Was ist wirklich los, *mia cara*? Freust du dich nicht auf das neue Jahr? Auf unser Kind?«

Tränen stiegen in Maries Augen. Wie sollte sie ihm sagen, dass sie sich so nach ihrer Familie sehnte, dass es wehtat? Also schluchzte sie: »Natürlich freue ich mich auf das Kind! Und auf das Jahr 1911. Aber ich habe mir den Jahreswechsel ganz anders vorgestellt. Irgendwie italienischer, lebhafter, fröhlicher, so wie damals das Fest in der Mulberry Street in New York!«

»Marie, nicht weinen, bitte.« Franco drückte sie zärtlich an seine Brust.

»Ich kann nicht anders«, schniefte sie. »Ich fühle mich so allein.« Ihr fehlten Pandora und Sherlain und die anderen Frauen auf dem Monte. Die Gespräche während des Sonnenbadens. Das manchmal kindische Herumalbern. Marie konnte sich nicht erinnern, wann sie das letzte Mal aus vollem Herzen gelacht hatte.

Franco streichelte ihr über den Kopf. »Du hast doch mich«, sagte er rau. Und als sie nicht antwortete, fuhr er fort: »Ich glaube, in der letzten Nacht des Jahres fühlt sich jeder ein bisschen allein.«

Unter Tränen schaute Marie auf. Etwas Unbekanntes schwang in seiner Stimme mit. Hilflosigkeit? Einsamkeit? Jedenfalls war es nichts, was ihre Verletzlichkeit in diesem Moment gemindert hätte.

»Halt mich einfach nur fest«, sagte sie.

Nachdem Marie sich von ihrer weinerlichen Stimmung erholt hatte, fand sie doch noch Gefallen an dem Feuerwerk. Sie gab sogar zu, dass man von der obersten Terrasse des Palazzos aus tatsächlich den besten Blick über den Hafen hatte. Jeden Feuerwirbel, jedes Funkenschlagen bestaunte sie mit Aahs und Oohs. Ihre Begeisterung war ansteckend: Franco kam es so vor, als würde auch er das Spektakel zum ersten Mal sehen, und sein Vater meinte, die Pyrotechniker hätten sich dieses Jahr besonders angestrengt. Als seine Mutter auch noch das Glas erhob und auf den zukünftigen De-Lucca-Nachkommen trank, war Francos Herz leicht und froh. Alles war in Ordnung.

Doch kaum waren die letzten Feuerwerkskörper verraucht, flüsterte Marie ihm zu, dass sie müde sei, und so zogen sie sich zurück. Kurz nach ein Uhr lagen sie im Bett.

Während Marie im Traum kleine Seufzer ausstieß, war Franco von einer inneren Unruhe erfüllt, die ihn nicht an Schlaf denken ließ.

»Ihr glaubt alle, ich hätte keine Augen im Kopf« – bei Maries Bemerkung war ihm fast das Herz stehen geblieben! Einen Moment lang hatte er tatsächlich geglaubt, sie wisse Bescheid über ihre »speziellen« Weintransporte. Gott sei Dank war dem nicht so! Aber ihre Bemerkung hatte ihm wieder einmal vor Augen geführt, wie schnell das Kartenhaus, das er um Marie und sich gebaut hatte, zusammenfallen konnte. Und dann?

Nie durfte Marie erfahren, womit die langen Zahlenreihen und Frachtpapiere zu tun hatten, die kein anderer wegen ihrer Brisanz in die Hand nehmen durfte!

»Alles wird gut, *mia cara*. Das neue Jahr wird uns gehören«, hatte er seiner Frau um Mitternacht ins Ohr geflüstert. Wie vertrauensvoll sie ihn dabei angeschaut hatte! Es lag an ihm, dafür zu sorgen, dass ihr Vertrauen nicht enttäuscht wurde. Und das bedeutete: Kein Menschenschmuggel mehr im neuen Jahr.

Marie war zu viel allein, sie fühlte sich einsam, das war ihm sehr wohl bewusst. Aber wie sollte er sich um seine Ehefrau kümmern, wenn er sich ständig Geschichten von bedauernswerten Schicksalen anhören musste? Von Bauernsöhnen und verarmten Handwerkern, die im gelobten Land auf das große Glück hofften – und in einer Hinterhofküche landeten, versklavt von derselben Armut wie in Italien auch. Und von zurückbleibenden Eltern, die nur noch trockenes Brot und Reis zu essen hatten, weil die Schiffspassage der Söhne jede Lira verschlang.

Er wusste auch, dass Marie enttäuscht darüber war, dass er seine Pläne zur Verjüngung der Weinberge noch nicht in Angriff genommen hatte.

Gleich in der kommenden Woche wollte er zu seinem Vater gehen. Vielleicht sollte er ihn um einen Termin bitten, um so von Anfang an die Ernsthaftigkeit der Situation zu demonstrieren. Ja, das war gut. Die Starre in seinem Körper löste sich ein wenig.

Er war Winzer und Weinhändler, oder? Also wollte er auf seiner nächsten Reise nach New York auch Wein verkaufen! Und nicht sauren Fusel, den ihm die Gastronome nur abnahmen, weil sie mit jeder Schiffsladung Wein auch billige Arbeitskräfte bekamen. Früher einmal, da hatte De-Lucca-Wein einen Namen gehabt, sein Aroma hatte den Auswanderern zumindest für ein paar Stunden das Heimweh nach der italienischen Sonne genommen. Das konnte wieder so werden! Wenn er sich mit seinem Vater einig wurde, dann würde ihr Weingut wieder zu einem Markenzeichen werden.

Neben ihm warf sich Marie auf die andere Seite und zog die Beine an ihren geschwollenen Leib. Der Leib, in dem sein Kind heranwuchs. Ganz sanft, um sie nicht zu wecken, strich

Franco über die dünne Leinendecke, unter der ein kleiner Mensch darauf wartete, das Licht der Erde zu erblicken.

Noch war genug Zeit. Bis zur Geburt konnte alles Vergangenheit sein. Dann mochte die Zukunft beginnen.

Der Gedanke gefiel ihm. Er wollte Vater werden, ohne Angst haben zu müssen, dass sich im Bauch eines Schiffes ein Weinfass lösen und durch sein Gewicht einen blinden Passagier erdrücken könnte. Er wollte keine Angst mehr haben müssen, dass versehentlich die Lüftungsluken zugestellt wurden und ... nein, Schluss damit!

Franco drückte beide Hände an seine Schläfen, als wolle er seine Gedanken vertreiben.

Vor zwei Tagen hatte wieder ein Schiff Genua verlassen. In einer guten Woche würde die »Firenze« in New York ankommen. Wenn es nach ihm ging, waren die zwanzig blinden Passagiere die letzten, die er aus dem Land geschleust hatte.

Wenn es nur schon so weit wäre!

13

Im Gegensatz zu der Genueser Festtafel war das Silvestermahl im Haus der Familie Steinmann-Maienbaum alltäglich: Johanna hatte einen Topf Kartoffelsuppe gekocht und zur Feier des Tages lediglich für jeden eine ganze Wurst hineingegeben. Dazu gab es Brot, wie immer. Doch das Essen war an diesem Abend Nebensache. Kaum waren die Teller leer, schoben die Männer Tisch und Stühle zur Seite. Während der Nachbar Klaus Obermann-Brauner – der, wie Wanda erfuhr, jedes Jahr mit seiner Frau Hermine und anderen Gästen bei den Maienbaums Silvester feierte – seine Quetschkommode auf den Schoß hievte, stellten sich alle in einem Kreis auf. Er fing an zu spielen, und das Tanzvergnügen begann. Anfänglich kam sich Wanda bei den fremdartigen Bewegungen komisch vor – das ausgelassene Gestampfe hatte nichts mit den Tänzen zu tun, die sie von den New Yorker Bällen kannte –, aber bald war sie von der Fröhlichkeit so angesteckt, dass sie am lautesten juchzte, am höchsten hüpfte und ihren Rock am weitesten schwang. Sie hätte an diesem Abend die ganze Welt umarmen können! Stattdessen drehte sie sich, wie es die Tanzregeln verlangten, zu ihrem Hintermann um und reichte ihm beide Hände. Ihr Lachen erstarb.

Richard Stämme.

Ein Schauer fuhr ihren Rücken hinab. Sie hatte Mühe, bei der folgenden Drehung nicht zu stolpern.

Als wolle sie sich selbst beweisen, dass ein Fremder nie und nimmer eine solche Wirkung auf sie haben konnte, zwang sie sich, ihm direkt in die Augen zu schauen. Hunderte von Schmetterlingen flatterten in ihrem Bauch. Als sie sich nach der nächsten Drehung ihrem Onkel Peter gegenüberfand, war sie beinahe froh.

Du meine Güte, was war denn das?

Als sie am frühen Abend erfahren hatte, dass *er* ebenfalls zu Besuch kommen würde, war ihr einen Moment lang ganz schwindlig geworden. Endlich würde sie ihn wiedersehen!

Seit Johannes ihr den jungen Glasbläser vorgestellt hatte, hatte sie über einen Vorwand nachgegrübelt, ihn wiederzutreffen, doch ihr war nichts eingefallen. Zu jedem Botendienst hatte sie sich Johanna angetragen, in der Hoffnung, Richard irgendwo im Dorf über den Weg zu laufen, doch all ihre Gänge zum Krämerladen, zur Poststation oder zum Schachtelmacher waren vergeblich gewesen. Schließlich hatte sie sich dabei ertappt, Umwege zu gehen, um in die Nähe seiner Hütte zu kommen. Immer wieder waren dabei ihre Gedanken zu dem Nachmittag zurückgewandert, als Johannes und sie Richard besucht hatten. Wie seine tiefblauen Augen in dem dunklen Gesicht glitzerten, als er von Murano und dem venezianischen Glas sprach! Seine Stimme hatte sich angehört, als ob er von einer Geliebten erzählen würde – rau und unglaublich zärtlich, leidenschaftlich und bestimmt. Zu ihrer eigenen Verwirrung hatte Wanda sich in jenem Moment nichts sehnlicher gewünscht, als selbst Gegenstand von Richards Leidenschaft zu sein. Dass er so von ihr sprechen würde ... Was für ein törichter Gedanke!

Und nun tanzte sie mit ihm durch Johannas Stube ...

Gegen zehn Uhr packte der Nachbar sein Instrument ein und verlangte nach einem Bier. Auch die anderen waren dankbar für eine Pause, und so wurden Tisch und Stühle wieder in die Mitte des Raumes gerückt. Verschwitzt, aber zufrieden saßen alle am Tisch, als Johanna Butterbrot und Salzheringe servierte.

»Jetzt kommt das Zweitbeste!«, rief Johannes, als die Platte mit den Heringen leer gegessen war. Gierig begann er, die säuerliche Lake, in der die Fische gelegen hatten, mit seinem Brot aufzutunken. Als Peter Wanda aufforderte, dasselbe zu tun, wehrte sie mit dem Hinweis, schon satt zu sein, ab.

Wieder einmal musste sie ihre Betroffenheit darüber verbergen, wie ärmlich es im Haushalt ihrer Tante zuging. Das Wissen, dass ihre Verwandten im Dorf als ziemlich wohlhabend galten, machte es nicht einfacher. Wahrscheinlich gab es mehr als eine Familie in der Nachbarschaft, die in dieser Nacht gar nichts zu essen hatte und im ungeheizten Zimmer sitzen musste.

Die Mitglieder der Familie Steinmann-Maienbaum hatten sich am letzten Tag des Jahres sogar einen zusätzlichen Luxus geleistet: ein warmes Bad. Seit dem frühen Morgen hatten sich die Männer dabei abgewechselt, den alten Ofen im Waschhaus zu heizen. Als Gast durfte Wanda vor allen anderen baden. Obwohl sie sonst stets darauf pochte, dass ihretwegen ja keine Umstände gemacht wurden, nahm sie dieses Angebot dankend an – die Vorstellung, nach Anna und Johanna in ein benutztes Badewasser zu steigen, war ihr doch ziemlich unangenehm. Als sie dann allerdings im heißen, nach Lavendel duftenden Badewasser gelegen hatte, während die anderen noch in der Werkstatt beschäftigt waren, hatte sie ein schlechtes Gewissen bekommen.

Wenn ihre Mutter sie heute Abend sehen könnte – ungeschminkt, in Alltagskleidung, und zum ersten Mal seit ihrer Ankunft von Kopf bis Fuß gewaschen … Der Gedanke ließ Wanda grinsen.

Ihr Cousin warf ihr einen wohlwollenden Blick zu. Nachdem Wanda auf ihrem Rundgang durch Lauscha bei seinen Freunden ein solcher »Erfolg« gewesen war, war er ihr größter Gefolgsmann geworden, was ein Außenstehender aufgrund seiner ständigen Neckereien allerdings kaum vermutet hätte.

Er gab seiner Schwester einen Schubs in die Rippen. »Schwesterchen, möchtest du nicht noch ein wenig Brot ins Essigwasser tunken? Guck Wanda an! Schließlich heißt es: Sauer macht lustig!«

Anna, die von der alten Hermine durch ein Gespräch über diverse Zipperlein in Beschlag genommen wurde, warf ihm einen grimmigen Blick zu.

»Ich frage mich, warum man erst einen Anlass wie Silvester braucht, um aus der Stube einen Tanzboden zu machen«, sagte Richard zwischen zwei Bissen. »Ein wenig Musik und Sockenhüpf – und schon sieht die Welt ganz anders aus, nicht wahr?«

Die anderen stimmten ihm zu, dass der Alltag kaum Zeit für Fröhlichkeit ließ. Nur Anna sagte: »Wer sollte denn dann die Arbeit tun, wenn jeden Abend Tanz wäre?«

Richard runzelte kurz die Stirn, doch statt etwas zu entgegnen, reichte er Wanda den Brotkorb und fragte:

»Und? Wie gefällt dir das Silvesterfest bei uns in Thüringen?«

Für einen Wimpernschlag berührten sich ihre Finger, und genauso lange hielt sein Blick den ihren fest. Hastig schlug sie die Lider nieder.

Meine Hand zittert ja, stellte sie fest, als sie den Korb in der Tischmitte abstellte.

»Ausgesprochen gut. Marie hat mir ja schon viel von euren Festen erzählt. Von Karneval zum Beispiel. Aber wenn man's dann selbst erlebt ... Ich kann mich nicht daran erinnern, wann ich mich das letzte Mal so gut amüsiert habe«, antwortete sie ehrlich. Der ausgelassene Tanz, Richards Arme um ihren Körper, sein freundliches Grinsen, dazu die warme Stube, während es draußen schneite, ihre Verwandten, Richards dunkle Augen, so intensiv, so ... Unvermittelt hatte sie ihn wieder angesehen und zwang sich nun, den Blickkontakt mit ihm zu unterbrechen.

»Weihnachten war ebenfalls ein sehr schönes Fest, mit all dem Schnee und dem schönen Christbaum.« Sie wies in die Zimmerecke, wo der Tannenbaum stand, der traditionsgemäß mit Maries ersten Kugeln geschmückt war. »Mein erstes Weihnachten in Deutschland. Und es war noch viel stimmungsvoller, als die Leute in den Trachtenvereinen in New York es geschildert hatten!«

Richard schaute sie unverwandt an. Sein Unterschenkel berührte dabei ihr Bein.

»Aber solch ein Jahreswechsel ist doch noch etwas anderes, nicht wahr?«, fügte Wanda in bemüht leichtem Ton hinzu.

Sein Blick verlor etwas an Intensität und wurde weicher, nach innen gekehrter.

»Ja, der letzte Tag des Jahres hat so etwas ... Endliches. Die Minuten fallen ins Stundenfass, und die letzten Stunden des Jahres neigen sich dem Ende zu ... Und gleichzeitig hat alles, was war, plötzlich weniger Bedeutung, weil ja ein Neuanfang bevorsteht. Weil alles möglich sein kann im neuen Jahr.«

Wanda nickte. Richard hatte genau das ausgesprochen, was

sie fühlte. Ihre Verwirrung wuchs. Sein Bein drückte fester gegen ihres, und sie wusste nicht, ob sie ihrem Seelenheil zuliebe ein wenig von ihm abrücken sollte. Der Schwindel in ihrem Kopf wurde immer heftiger.

Richard grinste viel sagend, dann wandte er seinen Blick ab. »Wir sind vielleicht nicht so fein wie die Leute in Amerika, aber feiern können wir allemal, nicht wahr, Peter?«

Der Bann war gebrochen. Wanda atmete tief durch.

Lachend schenkte Peter allen aus dem Punschtopf nach, der auf der Herdplatte vor sich hin köchelte und auf wundersame Weise nie leer zu werden schien. Die anderen, die dem Gespräch zwischen Wanda und Richard gefolgt waren, begannen wieder eigene Unterhaltungen, nur Anna schaute noch griesgrämiger drein als zuvor.

Wanda trank ihr Glas in einem Zug halb leer.

Kurz darauf fingen sie an, Karten zu spielen, und die Stimmung wurde noch ausgelassener.

Wann immer die Nachbarin Hermine ein gutes Blatt hatte, begann ihr Mann Klaus missgünstig zu grummeln, umgekehrt war es allerdings genauso. Je mehr sich das alte Ehepaar kabbelte, desto lustiger fanden es die anderen. Irgendwann begannen Johannes und Richard die beiden nachzuahmen, was erst recht zu wahren Lachsalven führte. Johanna kicherte wie ein junges Mädchen, und selbst Magnus war an diesem Abend nicht so traurig wie sonst. Anna schien als Einzige nichts an dieser Parodie zu finden. Wenn sie überhaupt einmal lachte, klang es gequält.

Mit glühenden Wangen schaute Wanda in die Runde, während sie ihre rechte Hand über ihr Kartenblatt gelegt hatte. Das sah ja gar nicht so schlecht aus …

»Wer ist denn nun dran, die nächste Karte zu ziehen?« Warum musste ihre Stimme immer so piepsig klingen, wenn sie aufgeregt war!

Johannes stöhnte. »O je, Cousinchen, ich glaube, du hast das Spiel immer noch nicht verstanden. Natürlich bin ich an der Reihe.«

»Pass auf, sie will dich mit ihrer Fragerei nur ablenken! Das ist amerikanische Raffinesse!«, rief Richard und zwinkerte Wanda zu.

Verlegen stimmte sie in das Gelächter der anderen ein. Von wegen Ablenkungsmanöver! Wie sollte sie ihre Gedanken beieinander halten, wenn sie neben sich Richards Körperwärme spürte? Wie sollte sie sich eine Reihenfolge merken, wenn sein Arm immer wieder ihren berührte? Aus dem Augenwinkel linste sie zu ihm hinüber. Prompt trafen sich ihre Blicke.

Wanda spürte, wie ihr die Röte in die Wangen schoss. Hastig nahm sie einen Schluck Punsch, von dem ihr nur noch wärmer wurde.

Johanna warf ihrer Nichte einen Blick zu.

»Schon elf Uhr, und wir haben noch kein Blei gegossen! Johannes, Anna – will denn keiner wissen, was das neue Jahr bringen wird? Das war doch bisher immer euer liebstes Silvestervergnügen. Und ich kümmere mich in der Zwischenzeit um unsere Neujahrskrapfen!«

Etwas unsicher stand Johanna auf und ging zum Küchenschrank. Hermine, die sich nützlich machen wollte, folgte ihr.

Während Johannes in der Werkstatt alles für das Bleigießen vorbereitete, blieb Anna auf ihrem Stuhl sitzen.

»Warum gehst du nicht zu Johannes hinüber? Sonst musst du doch auch immer deine Nase ganz vorn haben«, sagte sie zu Wanda.

Wanda hatte das Gefühl, einen Schlag in den Magen bekommen zu haben. Betroffen schaute sie ihre Cousine an.

»Wahrscheinlich sehen wir sowieso nichts als unförmige Klumpen, in die wir das Glück der Welt hineinschwätzen.« Richard lachte Johanna an, die mit einem Teller Fettgebackenem an den Tisch zurückkam. »Aber Bleigießen gehört einfach dazu, nicht wahr?« Dann wandte er sich Wanda zu. »Gibt es diesen Brauch in Amerika auch?«

Sein warmer Atem pustete die Worte wie süße Wolken in ihr Gesicht. Annas Bemerkung war vergessen.

»Ich … wie soll ich sagen … es …« Sie lachte atemlos. Was hatte Onkel Peter nur in den Punsch gemischt, dass ihr Kopf auf einmal wie Watte war!

»Was fragst du so blöd!«, zischte Anna. »Natürlich kennen die unsere Bräuche, das waren ja früher auch einmal Deutsche, auch wenn die meisten das vergessen haben.«

»Anna!« Stirnrunzelnd schaute Johanna ihre Tochter an.

Ruckartig schob Anna ihren Stuhl nach hinten. »Was heißt hier Anna? Ich finde es affig, welchen Zinnober ihr alle um Wanda macht, nur weil sie aus Amerika kommt. Als ob das das Paradies auf Erden sei.«

»Wir freuen uns, dass Wanda unser Gast ist«, antwortete ihr Vater leise. »Und das hat nichts damit zu tun, dass sie Amerikanerin ist, sondern damit, dass wir sie in unser Herz geschlossen haben.«

»Das scheint ja hier allen so zu gehen!«, fauchte Anna und rannte aus dem Zimmer.

Peinlich berührt starrte Wanda Löcher in die Tischplatte. Natürlich war *das* der Grund dafür, dass Anna so böse war. Den ganzen Abend hatte ihre Cousine sie mit Adleraugen beobachtet, keine Geste, kein Blick zwischen Wanda und Richard war ihr entgangen. Mehr als einmal hatte Anna versucht, Richard in ein Gespräch zu verwickeln, doch er hatte sie jedes Mal mit einer knappen Antwort abgespeist, um sich gleich darauf wieder Wanda zuzuwenden.

Unter anderen Umständen hätte sie Wanda vielleicht Leid getan. Stattdessen hatte sie Angst, die anderen würden die Jubelchöre in ihrem Herzen hören.

»Ich glaube, ich brauche ein wenig frische Luft«, murmelte sie. Dann rannte auch sie aus dem Raum.

14

Draußen war es bitterkalt. Obwohl es zu schneien aufgehört hatte, war der Himmel tief mit hellgrauen Wolken verhangen. Kein sternklares Firmament, kein strahlender Mond in dieser Nacht.

Wanda blieb unter dem Dachvorsprung, mit den Füßen auf trockenem Boden. Im Licht des Küchenfensters glitzerte der Neuschnee wie eine über und über mit Strass-Steinchen bestickte Abendrobe. Was Mutter heute Abend wohl trägt?, ging es Wanda unvermittelt durch den Sinn. Einen barmherzigen Moment lang wurde sie von Erinnerungen an die rauschenden Silvesterpartys, die sie mit ihren Eltern besucht hatte, abgelenkt. Vielleicht wäre es das Beste gewesen, wenn sie New York nie verlassen hätte … *Aber dann hättest du auch nie Richard getroffen*, flüsterte im selben Moment eine innere Stimme.

Was nun? Ihr abgrundtiefer Seufzer erfüllte die nächtliche Stille.

Der Gedanke, sich wieder an den Tisch zu setzen und so zu tun, als wäre nichts gewesen, erschien ihr unerträglich. Andererseits – was *war* eigentlich geschehen? Womöglich hatte sie sich nur eingebildet, Richard würde sich für sie interessieren! Sein Benehmen konnte man auch als Aufmerksamkeit einem Gast gegenüber deuten und Annas Gehabe als kindische, grundlose Eifersucht.

Das Quietschen der Haustür riss sie aus ihren Überlegungen. Richard trat heraus.

Sie hatte gewusst, dass er es sein würde.

Er kam auf sie zu, ihren Mantel über dem Arm. Behutsam half er ihr hinein. Schließlich ging er in die Hocke und knöpfte den Mantel zu. Dann zog er Wanda an sich, als wäre es das Selbstverständlichste von der Welt.

Zähneklappernd und mit hängenden Armen stand Wanda da, während seine Wärme auf sie überging. Aus Sorge, zu ungestüm und leidenschaftlich zu reagieren, erwiderte sie seine Umarmung nicht.

»Gräm dich nicht wegen Anna. Es hat so kommen müssen. Besser, sie weiß von Anfang an Bescheid.«

»Was hat so kommen müssen?« Wandas Gesichtsmuskeln schmerzten vor Kälte, sie quälte sich jedes Wort heraus. Mit klopfendem Herzen wand sie sich aus seiner Umarmung. Sie wollte ihm in die Augen schauen.

»Ich habe mich in dich verliebt. Wie es dir ergeht, musst du selbst wissen.« Er lächelte.

Wanda schwieg. Hätte sie sagen sollen, dass nichts mehr auf der Welt wichtig war – außer ihm? Dass sie noch nie solche Gefühle für einen anderen Menschen empfunden hatte? Dass sie noch nie einen Mann derart begehrt hatte? Sie misstraute seinen Worten nicht, aber sie war nicht bereit, auf dieselbe Weise zu antworten. Sie hatte Angst vor diesen großen, neuen Gefühlen, die nichts Kindliches mehr an sich hatten.

»Ich weiß nicht, wie es mir ergeht«, erwiderte sie schließlich.

»Alles geht im neuen Jahr.« Bevor sie wusste, wie ihr geschah, küsste er sie auf die Stirn, auf beide Wangen, nicht aber auf den Mund.

Es war jedoch, als hätten seine Küsse einen Riegel in ihr aufgeschoben. Plötzlich war sie ganz ruhig, ihr Zittern hörte auf. Richard hatte Recht, alles war möglich.

Trotzdem sagte sie: »Aber ich bin Amerikanerin. Ende April reise ich wieder ab. Ich bin nur nach Thüringen gekommen, weil ich mir eingebildet habe, meiner Familie während Maries Abwesenheit irgendwie helfen zu können. Und … dann war da noch die Sache mit meinem … meinem Vater. Doch inzwischen habe ich schon mit dem Gedanken gespielt, mich nach einer früheren Passage zu erkundigen. Weil alles ganz anders ist, als ich es mir vorgestellt habe. Wie immer in meinem verpatzten, nutzlosen Leben!«

Bevor sie wusste, wie ihr geschah, stiegen ihr Tränen in die Augen. Es war besser, er wusste *auch* gleich Bescheid, was mit ihr los war. Nämlich, dass sie zu gar nichts taugte.

»Und nun ist mir auch noch Anna böse. Johanna wird sagen, ich hätte ihre Gastfreundschaft ausgenutzt. Und Peter wird …«

»Wanda! Hör auf, dich zu quälen. Keiner wird etwas in dieser Art sagen.«

Richard schüttelte sie sanft an den Schultern. Dann rieb er ihr mit bloßem Daumen die Tränen weg.

»Es war nie etwas zwischen Anna und mir. Wir haben ein paar Mal bei besonderen Aufträgen zusammengearbeitet. Sie ist eine gute Glasbläserin, und für ihre Arbeit bewundere ich sie. Das ist alles. Vielleicht bin ich nicht ganz unschuldig daran, dass sie sich eingebildet hat, da sei mehr. Ich hätte längst klarstellen sollen, dass sie mich als Frau nicht interessiert, aber ich habe ihre Schwärmereien einfach nicht ernst genommen. Sie ist ja noch fast ein Kind!«

»Ich bin auch nur zwei Jahre älter«, schniefte Wanda und putzte sich die Nase.

»Du bist eine Frau«, beschied er. Er nahm ihre Hände und küsste sie. »Als Johannes dich zu mir brachte … Diesen Moment werde ich nie vergessen. Wie du dagestanden hast, mit nass verklebtem Haar, aus dem dir der geschmolzene Schnee in die Augen tropfte. Du hast geblinzelt wie eine erschreckte Katze. Das ist sie! Diese Erkenntnis traf mich wie ein Schlag.«

Wanda hätte erneut losheulen können. Wie bestimmt er das sagte! Wie damals, als er von venezianischem Glas gesprochen hatte.

»So etwas passiert einem Menschen nur einmal im Leben, wenn überhaupt. Jeden Tag habe ich mir von da an die Augen nach dir ausgeguckt.« Richard lachte etwas verlegen. »An manchen Tagen war ich drei Mal im Krämerladen, weil ich hoffte, dich dort zu treffen. Frau Huber hat mich schon angeschaut, als wäre ich nicht ganz bei Sinnen. Am liebsten hätte ich ihr gesagt, dass sie damit Recht hat.«

»Aber macht dir das nicht Angst?«, fragte Wanda atemlos. Dann schaute sie unruhig zur Tür. Wie lange würden ihre Verwandten sie noch allein hier draußen mit einem wildfremden Mann stehen lassen?

Seine Augen loderten. »Ich hatte nur Angst, du würdest aus irgendwelchen Gründen über Weihnachten verschwinden, bevor ich dich wiedersehe.«

Ein nervöses Kichern kroch aus Wandas Kehle. Dann gestand sie ihm, dass sie ebenfalls halb Lauscha nach ihm abgesucht hatte.

Richard breitete seine Arme aus, und Wanda kuschelte sich an ihn. Mit geschlossenen Augen hielt sie ihm ihren Mund entgegen, doch er strich ihr lediglich übers Haar und küsste sie auf den Kopf, als wolle er alles andere für später aufsparen.

Wie klug er war! Vertrauensvoll legte Wanda ihren Kopf an seine Brust. Ihr Herzschlag, ihr Atem übertönten alles andere. Alle Gedanken daran, was ihre Mutter zu dieser Geschichte sagen würde, lösten sich auf, als eine Erkenntnis jede Faser ihres Daseins erfüllte: *Ich liebe diesen Mann!*

Irgendwie würde sie Ruth schon klarmachen, dass sich ihr Aufenthalt in Lauscha eventuell verlängerte …

Richard räusperte sich. »Was deine Abreise angeht … Dein Schiffsbillett kannst du verschenken, das brauchst du nicht mehr. Jetzt, wo du in Lauscha bleibst.«

»Was?« Abrupt löste Wanda sich aus seiner Umklammerung. »Wie kannst du da so sicher sein, wo wir uns doch gerade eben erst …«

»Ich rede nicht von uns«, unterbrach er sie, als ob in dieser Hinsicht alles längst geklärt sei. »Was ich dir jetzt sage, hat mit deiner Familie zu tun. Die braucht dich nämlich mehr, als du dir vorstellen kannst!«

Wanda lachte. »Das glaubst auch nur du! Die paar Schachteln, die ich zusammenfalte, die paar Nikoläuse, die ich einpacke, das erledigen die anderen Einpackerinnen doch mit links! Vor allem, wo es im neuen Jahr ruhiger wird und ...«

»Ich habe doch nicht Johanna gemeint.« Richard winkte erneut ab. »Du sollst hochgehen, ins Oberland. Zu deiner anderen Familie.«

»Du machst Scherze!« Wütend funkelte Wanda ihn an. »Das ist gemein! Es hat sich doch sicher längst im ganzen Dorf herumgesprochen, wie ›hocherfreut‹ mein Vater war, mich zu sehen.«

Richard lachte. »Das war er wirklich, glaube mir. Du hättest mal hören sollen, was für Lobreden er beim letzten Stammtisch auf dich gehalten hat. Wie hübsch du bist. Und wie klug. Dein Großvater hat scheinbar ins selbe Horn geblasen und getönt, das ›Heimersche Blut‹ wäre nicht zu übersehen. Dein Besuch hat dem Alten neues Leben eingehaucht, sagt Thomas. Anscheinend hat dein Großvater sogar versucht, aus dem Bett zu kommen, war dann aber doch zu schwach. Nun – immerhin!«

»Das glaube ich alles nicht.« Stirnrunzelnd versuchte Wanda, den Wirrwarr in ihrem Kopf zu ordnen.

»Warum soll ich dich anlügen? Was hätte ich davon?«, fragte Richard eindringlich. »Ich kenne deinen Vater und weiß, was ich von seinen Reden zu halten habe. Er ist nicht sehr umgänglich, und wenn er seine Launen hat, lässt man ihn am besten allein. Aber eine ehrliche Seele ist er allemal. Wenn der am Stammtisch über dich ins Schwärmen gerät, dann hat das was zu bedeuten. Wie sehr er sich über dein Kommen gefreut hat, würde er dir gegenüber natürlich nie zugeben. Wenn er nicht weiß, wie er sich verhalten soll, tut er ruppig, das ist eben seine Art. Aber eines steht fest: Dein Besuch war die größte Freude, die er seit ewiger Zeit erlebt hat.«

»Davon hab ich weiß Gott nichts gemerkt«, sagte Wanda

trocken. Wie er dagesessen und in seine Kaffeetasse gestarrt hatte, dieser unrasierte, ungepflegte Mann! Als ob er es nicht erwarten konnte, sie wieder loszuwerden. »Und dazu noch Eva, die Schlange! Vielen Dank!«

»Eva ist doch ein armes Luder.« Richard hob ihr Kinn an, sein Blick ließ sie nicht entkommen. »Man sagt zwar, Blut ist dicker als Wasser, trotzdem bist du zu nichts verpflichtet, das ist mir schon klar. Und dennoch …« Er hielt inne.

Erschöpft machte Wanda eine abwehrende Handbewegung. Bei allem, was gerade über sie hereinbrach, kam sie mit dem Denken nicht mehr nach.

Richard grinste. »Es liegt doch auf der Hand. Dein Onkel und deine Tante hier kommen gut ohne dich zurecht. Aber um die Heimers steht es verdammt schlecht! Ich weiß zwar nicht über alle Einzelheiten Bescheid, doch so, wie's aussieht, hat Thomas' letzter Verleger ihm nun auch noch die Freundschaft gekündigt. Und daran ist er selbst schuld, der sture Hund! Warum weigert er sich, Neues auch nur auszuprobieren!«

Bevor Wanda ihn fragen konnte, warum er sich eigentlich so für einen Glasbläser einsetzte, der im weitesten Sinne ein Konkurrent für ihn war, fuhr Richard mit seinem eindringlichen Monolog fort:

»Dein Vater ist immer noch ein verdammt guter Glasbläser, ich würde sogar sagen, einer von den besten, die wir haben. Und seine Werkstatt ist zwar nicht gerade auf dem neuesten Stand, doch sehr gut ausgestattet. Ich wäre froh, wenn ich all die Möglichkeiten hätte, die Thomas zur Verfügung stehen. Aber seine alten Hirschfiguren und Jagdbecher will nun einmal kein Mensch mehr haben!«

»Das mag ja alles sein«, erwiderte Wanda heftig. »Nur was hat das mit mir zu tun? Es ist schließlich nicht so, als ob wir uns nach Jahren der Trennung in den Armen gelegen hätten! Ich kann nicht einmal sagen, dass ich meinen leiblichen Vater besonders sympathisch finde. Der Mann ist mir fremd, das Haus ist mir fremd, und von der Glasbläserei verstehe ich keinen Deut! Wie um alles in der Welt kannst du da auf den Gedanken kommen, ich könnte Thomas Heimer helfen?!«

Richard seufzte. »Das liegt doch auf der Hand. Wenn er als Glasbläser nicht verhungern will, muss dein Vater mit der Zeit gehen.«

Er hielt inne. Ein herausforderndes Lächeln umspielte seine Mundwinkel.

»Und wer könnte ihm das besser klarmachen als seine weltgewandte Tochter aus Amerika?«

15

EILDEPESCHE
An:
Wanda Miles
Im Hause Peter Maienbaum
Hauptstraße 14
Lauscha
Thüringen

Genova, am 7. Januar 1911

Liebe Wanda,
wie kannst du mir einen solchen Schrecken einjagen! Als der Bote mit deiner Eildepesche vor der Tür stand, habe ich einen Moment lang das Schlimmste befürchtet – und du kennst meine Fantasie! Umso größer war meine Erleichterung, als ich lesen durfte, dass alles in Ordnung ist, wenn man davon absieht, dass halb Lauscha scheinbar auf dem Kopf steht …

Ich kann nicht fassen, was du mir schreibst! Richard Stämme hat dir seine Liebe gestanden? So plötzlich und unverhofft? Und du hast vor, deinem Vater in der Werkstatt zu helfen? Mir schwirren tausend Fragen durch den Kopf, und ich weiß nicht, welche ich zuerst stellen soll. Dein Brief war so voller Elan, so voller Enthusiasmus! Endlich habe ich die wundervolle, vor Unternehmungsgeist sprudelnde Wanda wiedererkannt – eine Zeit lang habe ich nämlich tatsächlich befürchtet, du würdest dich von den etwas unglücklichen Wendungen, die dein Leben in der letzten Zeit genommen hat, unterkriegen lassen ...

Oh, was schreibe ich für schrecklich komplizierte Sätze! Dabei will ich dir einfach nur sagen: Ich freue mich so sehr für dich, dass mein Herz ganz wehtut!

Ob du es mir glaubst oder nicht: Dass Richard dir gefällt, habe ich schon aus deinem allerersten Brief herausgelesen.

Natürlich gebe ich dir Recht, Richard ist ein außergewöhnlicher Mann. Und gut aussehend ist er obendrein. Ich bin überzeugt, dass er nicht nur der armen Anna den Kopf verdreht hat. Bist du dir also wirklich sicher, dass du mit deiner Schilderung dessen, was in der Silvesternacht vor Johannas Haustür geschah, nicht ein wenig übertrieben hast? Ich habe Richard eigentlich immer als Einzelgänger eingeschätzt und weniger als treu sorgenden Ehemann und Familienvater – aber so weit ist's ja Gott sei Dank noch nicht. Liebe, liebste Wanda, ich freue mich so sehr mit dir! Trotzdem habe ich Angst, ob das nicht ein wenig zu schnell geht mit dir und Richard. Ich höre dich jetzt schon sagen, deine Mutter wäre in deinem Alter bereits verheiratet gewesen! Damit hast du natürlich Recht, aber bedenke, dass deine Mutter in dieser jungen Ehe sehr unglücklich war. Es wäre doch unklug, denselben Fehler zu machen, oder?

Nun, ich will keine Vergleiche heranführen, wo sie nicht angebracht sind, aber ein Vergleich drängt sich mir doch auf: Deine Mutter hat ihrer großen Liebe wegen Lauscha verlassen, und du planst, wegen deiner großen Liebe in Lauscha zu bleiben – ist das nicht kurios?

Was sagt eigentlich deine Mama zu alldem?! Vor allem die Tatsache, dass du mit Thomas zusammenarbeiten willst, muss eine ziemliche Überraschung, um nicht zu sagen ein Schreck für sie sein. (Ich hoffe doch sehr, dass du ihr davon geschrieben hast!) Und was sagt Johanna? Die ist sicher auch aus allen Wolken gefallen, oder? Ich glaube kaum, dass sie es gern sieht, wenn du jeden Tag ins Oberland rennst. Wahrscheinlich läuft schon die Telefonleitung zwischen dem Postamt und New York heiß. Und Anna? Wenn Blicke töten könnten ... hab ich Recht?

Es wäre sehr schön, wenn du mir in deinem nächsten Brief ein wenig mehr von den Reaktionen deiner Mitmenschen erzählen würdest und (nur ein ganz klein wenig) weniger von Richards dunkelblauen Augen ...

Gerade hat Franco bei mir vorbeigeschaut (ich sitze in der wunderschönen Orangerie und genieße den Duft der Orangen, kannst du dir das bei zwei Meter hohem Schnee vorstellen?) – allerdings nur, um mir zu sagen, dass er noch mindestens zwei Stunden mit seinem Vater im Büro zu tun hat! Dabei ist es schon fast sechs Uhr abends! Glaube mir, so ein Eheleben hat auch nicht nur seine schönen Seiten. Es gibt Tage, da sehe ich die Köchin oder das Zimmermädchen länger als Franco! Dabei hat er mir fest versprochen, dass er im neuen Jahr weniger arbeiten will. Nun, wir werden sehen ...

Ich habe gerade beschlossen, heute Abend aufs Essen zu verzichten. Nur mit meiner Schwiegermutter am Tisch schmeckt es mir sowieso nicht. Und so habe ich Zeit, noch heute auf deine zweite Neuigkeit einzugehen.

Du fragst nach meiner persönlichen Einschätzung der Heimerschen Situation. Liebe Wanda, was ich über diese Werkstatt weiß, habe ich dir schon in New York gesagt. Als ich noch in Lauscha war, habe ich mich ehrlich gesagt auch nicht weiter darum gekümmert, was andere Glasbläser machten.

Es hat mich sehr erschreckt zu erfahren, dass Thomas Heimer auch für seine gläsernen Jagdszenen keine Abnehmer mehr findet. Wie er wieder zu Aufträgen kommen soll, kann ich dir beim besten Willen nicht sagen. Vielleicht wäre es das Einfachste, einmal alle Sonneberger Verleger abzuklappern, um herauszu-

finden, was sich verkaufen lässt. Diese Aufgabe wäre doch perfekt auf dich zugeschnitten!

Du schreibst, dein Angebot, zu helfen, wäre für Thomas eine große Überraschung gewesen und dass er sich noch sehr zieren würde, deine Hilfe anzunehmen. Liebe Wanda, das ist doch sicher die Untertreibung des Jahrzehntes, oder?! Ich kann mir nämlich überhaupt nicht vorstellen, dass dieser alte Sturkopf auch nur einen einzigen Rat – von wem auch immer – annimmt. So gut kenne ich die Heimers schon: als ziemlich unbelehrbare, von sich eingenommene Kerle! Dass du trotzdem dein Glück versuchen willst, spricht für deine große Hilfsbereitschaft, die ich schon in New York kennen lernen durfte. Ob dies tatsächlich die Aufgabe ist, nach der du immer gesucht hast, wird allerdings erst die Zeit zeigen. Ich kann dir auch hierbei nur raten, es langsam angehen zu lassen und nicht dein ganzes Herzblut zu investieren.

Und bitte: Schreib deiner Mutter und versuche ihr zu erklären, was dich zu diesen drastischen Schritten bewogen hat – Ruth liebt dich mehr, als du ahnst, und das Gleiche gilt für Steven.

So, und nun habe ich auch noch eine Neuigkeit für dich. (Bitte sei so gut und gib diese Seiten des Briefes an Johanna weiter, damit ich nicht alles zweimal schreiben muss.)

Eigentlich hätte ich euch schon längst Bescheid sagen sollen, aber ich war der Ansicht, nach all dem Trubel um mich wäre es das Beste, die Gemüter würden erst einmal zur Ruhe kommen.

Ich werde Mutter!

Im Mai soll das Kleine auf die Welt kommen – was sagst du dazu? Ich freue mich natürlich riesig, das kannst du dir sicher vorstellen. Da dachte ich jahrelang, ich gehöre zu den Frauen, deren Leib unfruchtbar bleibt, und dann muss nur ein junger Mann daherkommen, und schon geht die Saat auf! Ich habe bereits einen kleinen Bauch, und Franco sagt, wenn ich weiter für zwei esse, würde er mich bald durch den Palazzo rollen können. Hin und wieder plagt mich ein wenig Bauchweh. Franco sagt dann immer, das Kleine wäre vorwitzig. Ich habe mich schon gefragt, ob ich einmal einen Arzt aufsuchen soll, aber wenn ich daran denke, wie unproblematisch Johanna sogar ihre Zwillinge bekommen hat ... Selbst am Tag der Niederkunft stand sie noch in der Werkstatt, und keine zwei Wochen später auch schon wieder. Das macht mir natürlich Mut, wenn es wieder einmal im Rücken zwickt oder im Unterleib kneift. Nun ja, die Jüngste bin ich halt leider nicht mehr, aber ich will nicht jammern. Noch sitze ich täglich an meinem Bolg (ich nenne meinen Arbeitstisch immer noch Bolg, obwohl ich zurzeit nur mit dem Lötkolben arbeite). Wanda, wenn du die Bilder sehen könntest, die ich in den letzten Tagen fertig gestellt habe! Diese satten Farben, dieses Glühen, das aus dem Glas selbst kommt! Es ziemt sich ja nicht für einen Künstler, sein eigenes Werk zu loben, aber meine Serie »In vigneto« ist wirklich das Beste, was ich bisher gemacht habe. Eigentlich hatte ich vor, die drei Bilder Franco zu Weihnachten zu schenken, aber dann hat mir die Zeit zur Fertigstellung doch nicht gereicht. Als ich sie ihm gestern zeigte, hatte er Tränen in den Augen, so gerührt war er, dass ich seine geliebten Weinberge als Inspiration genommen habe. Er will die Glasbilder an die Fenster seines Büros hängen. Es wäre vielleicht gar keine schlechte Idee, wenn ich seine frohe Stimmung nutzen würde, um ihm meinen neuesten Plan zu unterbreiten ... Dass ich im kommenden Sommer eine kleine Galerie eröffnen möchte, habe ich dir ja schon geschrieben, aber meine neueste Idee ist, Sherlain und Pandora zur Eröffnung einzuladen und dabei Dichtung, Tanz und Glaskunst zu vereinen, sozusagen. Ich bin gespannt, was Franco dazu sagt.

Liebste Wanda, nachdem ich mir nun die Finger wund geschrieben habe, werde ich hier enden und meinen Liebsten aufsuchen, obwohl ich bis zum Büro eine halbe Wanderung hinter mich bringen muss! Wenn die Gänge in diesem riesigen Gemäuer nur nicht so endlos lang wären!

Grüße alle ganz herzlich von mir und sag ihnen, dass ihr mir
alle schrecklich fehlt!
In Liebe, Marie

Erschöpft legte Marie die Feder aus der Hand. Ihr Blick fiel
auf die Kugeluhr, die an einer goldenen Kette um ihren Hals
baumelte. Schon zehn Uhr! Wo war die Zeit geblieben? Die
Antwort lag vor ihr: ganze zehn Briefseiten. Sie konnte sich
nicht erinnern, jemals einen so langen Brief geschrieben zu
haben! Obwohl ihr Magen inzwischen vor Hunger zu grummeln begann, las sie alles noch einmal durch, verbesserte hier
etwas, unterstrich da etwas, kritzelte an anderer Stelle etwas
an den Rand. Am Ende zögerte sie für einen Moment. Wandas Depesche war so eindringlich gewesen, so hoffnungsvoll!
Gleichzeitig hatte Marie aus jeder Zeile herauslesen können,
dass ihre Nichte Angst vor der eigenen Courage hatte und
sich nichts sehnlicher wünschte, als zugleich Absolution und
Zustimmung für ihre Pläne zu bekommen. Aber das konnte
und wollte Marie ihr nicht geben, die Neuigkeiten aus Lauscha waren noch zu frisch, und sie war sich noch nicht ganz
im Klaren darüber, was sie von alledem halten sollte. So
mussten ihre guten Wünsche für die kommende Zeit ausreichen.

Lächelnd faltete Marie die Bogen zusammen und steckte
sie in den Umschlag, den sie vorsorglich mitgenommen
hatte. Noch einmal tauchte sie die Feder ins Tintenfass und
beschriftete den Umschlag. Er sollte gleich morgen früh weg-
gebracht werden.

Als sie sich aufrichtete, knackte es in ihrem Nacken, der
vom langen gebeugten Sitzen ganz steif geworden war. Sie
massierte die harten Muskeln ein wenig. Ein Schauer fuhr ihren Rücken hinab.

Um sie herum war es stockdunkel und kalt. Einzig die
kleine Lampe, die über der Sitzgruppe aufgehängt war, spen-

dete ein wenig Licht. So warm und duftend und heiter die Orangerie am Tage war, so unheimlich kam sie ihr nun vor. Wo bei Sonnenschein Palmen und Zitronenbäume sie umgaben, streckten sich nun unscharf umrissene Schatten nach ihr aus. Die Glasscheiben, die tagsüber den Blick öffneten, vermittelten Marie jetzt ein Gefühl von Schutzlosigkeit.

Plötzlich hatte sie es eilig, ins Warme und Helle zu kommen. Sie raffte ihre Schreibutensilien zusammen und stand auf.

Draußen auf dem Gang zu ihrem Schlafzimmer brannten die Lichter. Franco! Maries Schritte wurden schneller. Wahrscheinlich wartete er schon auf sie. Hoffentlich war er guter Laune und nicht zu müde. Sonst würde er ihren Plan vielleicht aus lauter Erschöpfung nicht gutheißen.

»Franco, Liebster! Hast du schon zu Abend gegessen? Wenn nicht, dann könnten wir ...« Die Klinke der geöffneten Tür in der Hand, hielt Marie inne. Das Lächeln auf ihrem Gesicht gefror. Beim Anblick des makellos aufgeschlagenen Bettes verspürte sie einen Anflug von Ärger. Wie lange wollte der alte Conte seinen Sohn heute Abend noch in Beschlag nehmen? Wütend knallte sie ihre Sachen auf die Kommode und wollte schon das Band lösen, mit dem sie ihre Haare aus dem Gesicht gebunden hatte, als sie innehielt.

Eigentlich hatte sie nicht die geringste Lust, hier zu sitzen und zu warten! Am Ende schlief sie vor lauter Langeweile noch ein, und ihre Neuigkeiten mussten bis morgen warten. Und womöglich würde Franco dann wieder keine Zeit für sie haben.

Wie sagte man zu Hause? Wenn der Prophet nicht zum Berge kam, dann musste der Berg eben zum Propheten gehen! Marie warf sich eine Wollstola um die Schultern und verließ das Zimmer wieder. Den Brief an Wanda nahm sie mit. Wenn sie ihn auf die Anrichte neben dem Eingang legte, würde der Amtsbote ihn gleich am nächsten Morgen auf die Post tragen.

Sie kämpfte gegen den leichten Schwindel an, der sie überfiel, als sie die Hälfte des langen Ganges hinter sich hatte, und marschierte mit grimmiger Entschlossenheit in Richtung Bürotrakt.

16

Die eichene Bürotür schon in Sichtweite, grübelte Marie noch darüber nach, ob sie Franco ihre Verärgerung spüren lassen oder ihn auf charmantem Weg seiner Arbeit entreißen sollte. Einerseits wäre es sicher sinnvoll, wenn sie ...

»*Telefono ... dodici uomini ... Firenze ...*«

Francos Stimme, laut und aufgeregt hinter der geschlossenen Tür, riss sie abrupt aus ihren Überlegungen. Waren denn die beiden immer noch nicht fertig? Marie wollte gerade anklopfen, als erneut Francos Stimme zu ihr drang. Diesmal schien sie fast überzuschnappen.

»*Questo è colpa nostra!*«

Perplex blieb Marie vor der Tür stehen, die Klinke schon in der Hand. So hatte sie ihren Mann noch nie schreien hören. Auf einmal kamen ihr Zweifel, ob es eine gute Idee war, ihn zu stören. Franco hatte erwähnt, dass dieser Tage ein Schiff namens »Firenze« mit einer Ladung De-Lucca-Wein in New York ankommen sollte. Was war damit? Wofür gab er sich die Schuld?

»*Annegati?*«

Ertrunken? Die knappe Frage des Conte klang wie ein Peitschenhieb.

»*No, soffocati! ... Firenze ... una mancanza d'aria nel contenitore!*«

Marie runzelte die Stirn. Wer war erstickt? Zu wenig Luft im Container ... in welchem Container?!

»*... una morte misera! ... dodici uomini soffocati, capisci?! ...*«

… ein jämmerlicher Tod? Zwölf Männer auf der Überfahrt … erstickt? Hatte sie das richtig verstanden, oder spielten ihr ihre Italienischkenntnisse einen Streich? O Gott, etwas Fürchterliches musste geschehen sein!

Marie schluckte. Sie verspürte einen Knoten im Hals, fühlte die drohende Gefahr, wie ein Tier Witterung aufnimmt. Lauf zurück in dein Zimmer, so schnell du kannst, schrillte es warnend in ihrem Kopf. Stattdessen blieb sie wie gelähmt stehen und lauschte weiter.

»*Ci costerà una barca di soldi!*«

War es nicht typisch, dass sich der alte Conte um Geld sorgte, während sein Sohn einem Nervenzusammenbruch nahe war?, ging es Marie erstaunlich klar durch den Kopf.

»… *una morte misera … questo è colpa nostra!*«, schrie Franco erneut. Er musste direkt hinter der Tür stehen, so nah klang seine Stimme. »Ich verfluche den Tag, an dem ich mich auf das alles eingelassen habe! Wie oft habe ich dich angefleht, alles möge ein Ende haben? Geld, Geld, Geld! Dafür war dir kein Risiko zu groß. Und jetzt hat das Leben von zwölf Menschen ein Ende!«

Unwillkürlich presste Marie eine Hand vor den Mund. Ihr Kopf füllte sich mit einem aufdringlichen Summen, sie konnte der Gewissheit nicht mehr ausweichen: Menschen waren zusammen mit der Weinladung verschifft worden und während der Überfahrt zu Tode gekommen.

»*Siamo assassini!*«, schrie Franco jetzt. Wir sind Mörder …

Im nächsten Moment wurde die Tür aufgerissen – und Franco prallte auf Marie.

»Marie!« Entsetzt starrte er sie an.

Er war leichenblass, seine Augen waren rot gerändert. Das Haar hing ihm schweißnass in die Stirn.

Bei seinem Anblick wurde die Angst, die Maries Herz umklammerte, noch größer. Wandas Brief glitt zu Boden, während sie ihren Leib hielt und hoffte, dass der Schmerz, der sie plötzlich überfallen hatte, sie nicht auffressen würde. Menschenschmuggel …

»Ich … habe … dich gesucht.« Mit entsetztem Blick starrte sie in Francos Augen, in denen sie die Schuld las. *Siamo assassini!*

»Ich verstehe nicht … Franco … Wer ist ums Leben gekommen? Und was hast du mit … Menschenschmuggel zu tun? Franco!« Sie zerrte an seinem Arm. Das kann alles nicht wahr sein, dachte sie voller Panik. Ein Alptraum, und ich erwache gleich.

Franco sah mit tränennassen Augen zu Boden. Er war unfähig zu antworten, während sich hinter seinem Rücken der Schatten seines Vaters näherte.

»Du spionierst hinter uns her?«, fragte der Conte mit tödlicher Ruhe.

Maries Blick raste zwischen den beiden Männern hin und her.

»Ich will wissen, was hier gespielt wird!« Ihre Stimme klang schrill. Einen Augenblick lang dachte sie an das Kind in ihrem Bauch und dass es sich erschrecken musste.

»Ein Unglück ist geschehen …, aber ich werde dafür sorgen … ich werde alles wieder gutmachen und …« Die Worte kamen verzerrt aus Francos Mund, als hätte er getrunken. »Ich kann … dir alles … erklären …«

»Gar nichts wirst du ihr erklären!«, fuhr sein Vater dazwischen. Und zu Marie sagte er: »Was wir besprochen haben, geht dich nichts an. Schämst du dich nicht, wie ein Spitzel hinter dem Schlüsselloch zu stehen? Ist das die deutsche Art? Geh in dein Zimmer, *pronto!* Franco und ich sind hier noch nicht fertig. Und wage es nicht, auch nur einen Satz darüber zu verlieren, was du *in deiner Einbildung* gehört haben willst.« Grob packte er sie an den Schultern und wollte sie wegschieben, als Marie sich losriss.

»Fass mich nicht an!«, schrie sie. »Wenn du denkst, du könntest mich einschüchtern, dann irrst du dich! Ich habe nichts Unrechtmäßiges getan, im Gegensatz zu euch!« Sie registrierte das Erstaunen im Blick ihres Schwiegervaters – der Alte hatte tatsächlich nicht damit gerechnet, dass sie sich ihm entgegenstellte. Angewidert schaute sie weg und wandte sich zu Franco um. Warum ließ er es zu, dass sein Vater so mit ihr umging?

»Und? Wie lange willst du mich noch anlügen? Mir Märchen vom Weinanbau erzählen?«, fragte sie kalt.

»Marie ... ich ...«, stammelte er.

Ihr Herzschlag pochte bis in ihren Bauch hinab. Sie war so wütend auf ihn! Es hätte nicht viel gefehlt, und sie hätte ihn geschlagen. Hätte mit ihren Fäusten auf seine Brust getrommelt. Alles getan, um ihn aus seiner hilflosen Regungslosigkeit zu reißen. Aber sie musste an das Kind denken. Es tat weh, als sie versuchte, tief Atem zu holen.

»Wenn du mir nicht auf der Stelle die Wahrheit sagst, gehe ich zur Polizei. Sie und die Auswanderungsbehörde werden sich bestimmt für *meine Einbildungen* interessieren. Vor allem, wenn ich ihnen den Namen des Schiffes nennen kann, auf dem ihr ...« Sie verzichtete darauf, den Satz zu beenden.

Es wurde eine lange Nacht. In ihrem Schlafzimmer, den Riegel vorgeschoben, sodass der Conte sie nicht stören konnte, gestand Franco Marie alles. Nur die ersten zwei Sätze kamen stockend, dann sprudelte es nur so aus ihm heraus.

Angefangen hatte es vor fünf Jahren, als einer ihrer Nachbarn sie mit einer ungewöhnlichen Bitte aufsuchte: Sein Sohn wäre wegen einer illegalen Wette in polizeiliche Bedrängnis geraten und müsste sich versteckt halten. Ob Signor de Lucca nicht helfen könnte, den Burschen, dessen ganzes Leben wegen eines dummen Fehlers doch nicht zerstört sein durfte, außer Landes zu schaffen? Gegen ein entsprechend hohes Entgelt, das verstünde sich von selbst. Die Zeiten waren hart, die Winzer-Konkurrenz aus Venetien, dem Friaul und der Toskana groß, die italienischen Gastwirte in New York wählerisch. Warum das schwierige Exportgeschäft nicht durch einen Zusatzverdienst aufwerten? Francos Vater hatte zugesagt. Ein Wink des Schicksals, mehr noch, ein Geschenk des Himmels, argumentierte der Conte gegenüber Franco.

Und dann nahmen die Dinge ihren Lauf. Was als einmalige Hilfestellung einem verzweifelten Vater gegenüber begann, entwickelte sich bald zu Menschenschmuggel in immer größerem Stil. Junge Männer, die mit dem Gesetz in Konflikt geraten waren, Auswanderungswillige, die aufgrund einer Krankheit keine Chancen sahen, von den amerikanischen Behörden ein Visum zu bekommen – zusammen mit einer Ladung De-Lucca-Wein war das gelobte Land plötzlich für jeden zum Greifen nahe. Natürlich konnte das nur funktionieren, indem man Zollbeamte auf beiden Seiten am »Frachtgeld« beteiligte. Pro Nase hatte eine Familie 400 Dollar für die illegale Überfahrt zu bezahlen – eine Summe, welche die Zurückbleibenden oft jahrelang beim Conte abarbeiten mussten. Je zwanzig Prozent davon gingen für »Hafengebühren« in Genua und New York drauf. Eine von Francos Aufgaben bestand darin, unter den Abfertigungsbeamten, den Zolloffizieren und den Verladekräften solche auszusuchen, die die Hand aufhielten, dafür die Augen aber im entsprechenden Moment zumachten.

Mit dem Frachtgeld allein war die Schuld der blinden Passagiere jedoch noch lange nicht getilgt: Nach ihrer Ankunft in New York sorgte Franco dafür, dass die Männer als billige Leiharbeiter in italienischen Restaurants oder beim Bau von Wolkenkratzern unterkamen – zu Löhnen, für die kein legaler Einwanderer gearbeitet hätte, versteht sich. Aus diesem Grund akzeptierten die de Luccas in der Regel nur Männer, die nicht älter als vierzig Jahre waren. Andere hätten die Strapazen der Überfahrt und der darauf folgenden Knechtschaften kaum überstanden.

»Unser System ist bis ins Detail ausgeklügelt.« Franco lächelte müde, dann begann er zu weinen.

Frachtgeld, Hafengebühren, Leiharbeiter – alles hatte seinen Namen. Marie schüttelte es. Sie hatte den Rücken an das Kopfteil des Bettes gelehnt, ihren zitternden Leib mit einer Decke verhüllt. Sie konnte keinen Trost spenden. Nicht Franco und nicht sich selbst. Franco trocknete seine Tränen und sprach weiter.

Immer wieder war es zu kleineren Zwischenfällen gekommen. Einmal war einer der blinden Passagiere fast an Durchfall gestorben. Ein anderes Mal hatte es einen Disput gegeben, bei dem sich einer der beiden Streithähne einen Arm gebrochen hatte. Aber Lebensgefahr bestand in all den Jahren für niemanden – bis zu dieser Fahrt der »Firenze«. Wie es zu dem Unglück kommen konnte, war bislang unklar. Tatsache war jedoch, dass beim Entladen zwölf Leichen gefunden wurden. Die Männer waren allem Anschein nach erstickt.

Marie ließ nicht locker, bis sie jedes Detail wusste. Wer die toten Männer waren. Ob Franco deren Familien kannte. Ob die Behörden in New York von dem Drama wussten. Was mit den Leichnamen geschehen würde. Jede Antwort war quälender als die vorangegangene, und Marie hasste Franco dafür.

Am Ende stand sie der Wahrheit gegenüber: Sie hatte einen Lügner geheiratet. Einen Menschenhändler. Und einen Mörder.

Hätte jemand sie gefragt, was sie in diesem Moment fühlte, sie hätte es nicht gewusst. In ihr klaffte ein einziges großes Loch, dort, wo ihr Herz gewesen war. Nichts galt mehr, nichts hatte mehr Bedeutung in diesem Leben, nichts war mehr so, wie es sein sollte. Die Angst, verrückt zu werden, beschlich Marie. Und die Angst um das Kind, das in ihrem Bauch rumorte, als ob es sich die Ohren zuhielt, um die schreckliche Wahrheit nicht zu hören.

»Und jetzt?« Francos müde Stimme ließ sie aufschauen.

»Das fragst du mich?« Ihre grenzenlose Enttäuschung vermischte sich mit Hass und dem schmerzenden Bewusstsein, alles verloren zu haben. Vergeblich sträubte sie sich dagegen. *Warum hast du mir das angetan?*, schrie sie stumm. Dann schaute sie Franco an.

»Ich soll dir sagen, wie es jetzt weitergeht?« Sie lachte bitter. »Ich weiß nur, dass ich dumme Kuh dir geglaubt habe, als du von der Ehre der de Luccas gesprochen hast. Von euren ›Traditionen‹ und der Liebe zum Wein. Dabei hast du mich die ganze Zeit angelogen!« Sie vergrub das Gesicht in ihren Händen. Ein Zauberspruch – und alles wäre wieder gut! Doch als sie aufschaute, saß Franco immer noch neben ihr, betreten und sprachlos. Plötzlich widerte er sie so sehr an!

»Als ich dir das Buch über die Veredelung der Rebsorten schenkte, musst du dich im Stillen halb tot gelacht haben! Wo ihr doch eine viel einfachere Methode kennt, euren Reichtum zu vermehren.«

»Marie, bitte …«

»Ach, auf einmal tut die Wahrheit weh? Ist es so?« Nur um des Kindes willen ging sie nicht mit Fäusten auf ihn los. Stattdessen rutschte sie nach vorn auf die Bettkante und schlüpfte in ihre Hausschuhe. Ihr Blick wanderte einmal durch den Raum, als müsse sie sich orientieren. Dann ging sie zum Kleiderschrank.

»Was tust du? Marie! Was soll ich sagen? Es tut mir so unendlich Leid! Ich habe das alles nicht gewollt. Du kannst dir nicht vorstellen, wie sehr ich gegen die ganze Geschichte war! Tausend Mal habe ich versucht, Vater umzustimmen, glaube mir. Aber du kennst ja seine Sturheit. Was blieb mir denn anderes übrig, als mitzumachen?«

Die Weinerlichkeit in seiner Stimme machte Marie nur noch zorniger. Natürlich, *jetzt* war er verzweifelt! Aber was war in all den Monaten und Jahren zuvor gewesen?

»Soll deine Feigheit als Entschuldigung gelten? Was erwartest du von mir, Franco?« Ihre Hand zitterte, als sie einen Stapel Blusen aus einem Fach riss. Keine Minute länger würde sie in diesem Haus bleiben. Und wenn sie mitten in der Nacht mutterseelenallein durch Genua laufen musste! Keine Ehe, keinen Vater für ihr Kind, keine Liebe, kein Zuhause, keine Werkstatt – alles verloren in einer Nacht. Und Franco ein Verbrecher. Sie ging zur Kommode und riss planlos eine Schublade auf.

»Ich weiß, dass du mir nicht mehr glaubst, aber es ist die Wahrheit, wenn ich sage, dass ich nach dieser Fuhre Schluss machen wollte, das habe ich in der Silvesternacht beschlossen«, kam es leise vom Bett. »Ich würde alles tun, um diese Tragödie ungeschehen zu machen.«

Franco stand auf und versuchte, von hinten die Arme um Marie zu legen.

»Bitte, Marie, geh nicht. Tu mir das nicht auch noch an. Es wird alles wieder gut, ich verspreche es. Denk doch an unser Kind. Und an deine Galerie, die wir eröffnen wollen. Ich werde nach Amerika fahren und dafür sorgen, dass …«

Sie schüttelte ihn ab wie ein lästiges Insekt. Weil ihre Koffer auf dem Schrank standen und weil sie Franco nicht bitten wollte, sie herunterzuholen, stopfte sie einen Stapel Unterwäsche in einen der Leinenbeutel, in denen sonst die Schmutzwäsche für die Wäscherei gesammelt wurde. Die Blusen folgten, dann zwei Röcke.

»Marie, ich flehe dich an! Wenn du jetzt gehst, überlebe ich das nicht. Bitte, du kannst mich nicht verlassen. Ich brauche dich …«

Sie schaute ihn mit leerem Blick an.

Wenn ich bleibe, überlebe *ich* nicht!, hätte sie erwidern können. Stattdessen sagte sie nur: »Du hast alles kaputtgemacht.«

17

Die beiden Kleidersäcke halb tragend, halb hinter sich her schleifend, stolperte Marie durch die langen Gänge des Palazzos. Raus hier, nur raus – zu einem anderen Gedanken war sie nicht fähig.

Schon von weitem sah sie den Conte an der Haustür stehen. Ihn, und Patrizia an seiner Seite.

»Du gehst nirgendwohin.«

Fassungslos schaute Marie ihren Schwiegervater an. Wie selbstgerecht er aussah! Kein »Marie, es tut mir Leid«. Kein »Ich bereue meine Sünden«.

»Was willst du dagegen tun? Mich einsperren wie die armen Burschen in euren Weincontainern?« Ihre Forschheit war nicht sehr überzeugend. Etwas bröckelte in ihr, und ihre Kraft ließ nach. *Bitte lass mich gehen, damit ich nachdenken kann*, flehte sie im Stillen.

»Marie, geh nicht ohne mich! Bitte, ich flehe dich an! Wenn du gehen musst, dann nimm mich mit.« Franco, der ihr gefolgt war, hing an ihrem Arm wie ein Kleinkind an dem seiner Mutter.

»*Ti amo*«, flüsterte er. Und: »Ich liebe dich mehr als mein Leben!«

Eine jähe Welle des Mitleids erfasste Marie. Aber sie erwiderte laut: »Was bedeutet das schon bei einem so jämmerlichen Leben wie deinem?« Diese Worte auszusprechen tat so weh, dass sie sich den Bauch halten musste. Sie blinzelte gegen den Schmerz an, von dem ihr ganz schwindlig wurde.

Franco schreckte zurück, als hätte er einen Hieb abbekommen.

»Marie, Liebes, so sei doch vernünftig! Wir wollen nichts überstürzen, wir wollen uns zusammensetzen und uns gemeinsam beistehen in diesen Unglückszeiten. *Una famiglia, si?*« In einer übertrieben mütterlichen Geste legte Patrizia eine Hand auf Maries Arm. »In guten wie in schlechten Zeiten – hast du das nicht meinem Sohn versprochen? In Ascona, während eurer Trauungszeremonie? Hast du nicht erzählt, dass du dich auf diesem Monte so wohl gefühlt hast? Das war eine besonders gute Zeit für euch, und jetzt ist eben eine schlechte, doch das muss nicht so bleiben, verstehst du? Es kann alles wieder gut werden, so wie früher.«

Ihre Stimme klang so beschwörend, als wolle sie damit Geister austreiben.

Ascona, die Heirat … Ein aufdringliches Summen erfüllte Maries Kopf. Was hatte der Monte Verità mit alldem zu tun? Der Berg der Wahrheit und der Freiheit und der Liebe … Wie konnte Patrizia es wagen, ihn in einem Atemzug mit dem ganzen Schmutz zu nennen, der hier … Maries Lider flatterten, doch der Schleier vor ihren Augen wurde nur noch dichter. Wenn ihr nur nicht so schwindlig gewesen wäre … Sie hob eine Hand an die Schläfen, wollte den Schwindel wegstreichen, doch das Denken fiel ihr zunehmend schwerer.

Was hatte sie verbrochen? Sie hatte Franco doch nur von ihrer Idee erzählen wollen, Sherlain und Pandora vom Monte hierher nach Genua einzuladen! Zur Eröffnung ihrer Galerie. Und dann hatte sie es gehört. *Siamo assassini.*

Der Riemen des Leinensacks schnürte ihre Hand ab. So schwer. Alles war so schwer …

Einen Moment lang ausruhen, einen Augenblick nur, dann … Plötzlich breitete sich stechender Schmerz in ihrem Schädel aus.

Marie wurde ohnmächtig.

»Was ist damit?« Mit spitzen Fingern, als handele es sich um etwas Anrüchiges, hob Patrizia den Brief auf, der noch immer da auf dem Boden lag, wo Marie ihn hatte fallen lassen.

Ihr Mann schaute nachdenklich in Richtung von Maries und Francos Schlafzimmer, wohin Franco die Ohnmächtige getragen hatte.

»Schick ihn ab«, sagte er abwesend.

»Bist du dir sicher?« Es kam selten vor, dass die Contessa sich in die Geschäfte ihres Mannes einmischte, doch jetzt durften sie sich keine falsche Entscheidung erlauben.

»Ja doch!«, kam es gereizt zurück. »Als sie ihn geschrieben hat, wusste sie noch nichts.«

Er nahm Patrizia den Brief aus der Hand und inspizierte ihn.

»An ihre amerikanische Nichte, wie immer. Bedeutungsloses Geschwätz, mehr nicht.« Er legte den Brief auf die Konsole zu der übrigen ausgehenden Post und ging in sein Büro zurück. »Ich muss alles für Francos Abreise vorbereiten. Welche Gunst der Stunde, dass morgen ein Schiff ausläuft!«

Patrizia folgte ihm. »Du willst Franco tatsächlich nach New York schicken? In die Höhle des Löwen?« Ihre Stimme bebte.

Die Angst hatte in ihrer sonst so disziplinierten Miene Spuren hinterlassen, die Falten um ihren zitternden Mund, die entsetzten Augen ließen sie wie eine alte Frau aussehen. »Ist das nicht gefährlich für ihn?«

Der Conte schüttelte den Kopf. »Es wäre gefährlich, jetzt untätig zu bleiben. Noch gibt es keine Verbindung zwischen uns und den Toten, die weiter nördlich in der Hudson Bay angeschwemmt worden sind. Franco muss dafür sorgen, dass das so bleibt. Das wird uns eine Menge Geld kosten, aber was will man machen?« Resigniert warf er die Arme hoch.

Die Contessa schluckte eine Erwiderung hinunter. Stattdessen fragte sie: »Und was willst du mit Marie tun? Glaubst du, sie nimmt so einfach hin, dass Franco gerade jetzt verreist? Du hast doch gesehen, wie töricht sie ist. Sie ist eine große Gefahr für uns! Was, wenn sie zur Polizei rennt? Und was wird sie ihrer Familie im nächsten Brief schreiben? Willst du zusehen, wie sie uns ruiniert?« Obwohl Patrizia flüsterte, war ihre Stimme schrill.

Der Conte schaute nur kurz von den Unterlagen auf, die er sortierte.

»Es wird keinen nächsten Brief geben.«

*

Als Marie am folgenden Morgen aufwachte, war es draußen noch dunkel. Ihre linke Kopfhälfte pochte. Schlagartig kehrte der Schrecken der letzten Nacht zurück und hüllte sie in dunkelsten Nebel.

Ohne auf die andere Betthälfte zu schauen, wusste sie, dass sie allein war – mit Sicherheit hielt sich Franco längst wieder bei seinem Vater im Büro auf.

Zerschlagen wollte sie sich aufrichten, als ihr Blick auf das Kissen neben sich fiel.

Eine Nachricht von Franco.

Mit zitternder Hand nahm sie das Blatt Papier auf.

Mia cara, wenn du diese Zeilen liest, bin ich schon auf dem Weg nach New York. Im Namen der Toten muss ich versuchen, das Unglück wieder gutzumachen, wenn ich mich auch frage, ob das überhaupt möglich ist. Ich weiß, es ist der denkbar ungünstigste Moment für eine Reise, aber ich kann nicht anders. Bitte tu nichts Unüberlegtes, solange ich weg bin – wenn nicht für mich, dann für unser Kind. Ich flehe dich an, auf mich zu warten. Ich werde dafür sorgen, dass es dir in der Zwischenzeit an nichts fehlt. Bitte bleib! Gib mir noch diese eine Chance. Wenn du mich nach meiner Rückkehr verlässt, werde ich dich nicht aufhalten. In ewiger Liebe, dein Gatte Franco

Marie ließ das Blatt sinken. Ein Versuch, etwas zu retten, was nicht mehr zu retten war. Wie konnte er sie ausgerechnet jetzt allein lassen?

In guten wie in schlechten Zeiten … wie viel war sie Franco nach alldem noch schuldig?

Eine blasse Wintersonne sandte ihre Strahlen ins Zimmer. Mit leerem Blick schaute Marie nach draußen. Die Palmen, die Lorbeerbüsche, die Buchsbaumkugeln – alles sah so aus wie zuvor. Der Gedanke, dass sie sich nicht von Franco verabschiedet hatte, ließ die Verzweiflung in ihr noch größer werden.

Luft! Sie musste aufstehen, an die frische Luft gehen. Vielleicht würde sich dann das Durcheinander in ihrem Kopf ein wenig klären.

Mit bloßen Füßen ging sie in ihre Werkstatt und wollte die Doppeltür zum Garten aufstoßen, doch etwas klemmte. Sosehr sie an dem eisernen Griff auch rüttelte, die Tür ging nicht auf. Seltsam, erst letzte Woche hatte der Gärtner auf ihre Anweisung hin die Türangeln und dabei auch das Schloss geölt – das Quietschen bei jedem Luftzug hatte ihr in den Ohren wehgetan.

Also nicht in den Garten. Doch was dann? Sollte sie ihre Sachen packen und sich aus dem Haus schleichen?

Vielleicht war Franco noch da? Es war schließlich gerade erst sieben Uhr. Noch einmal ihn anschauen – vielleicht würde ihr das helfen zu begreifen. Ihm erklären, warum sie gehen *musste* – wenigstens das war sie ihm schuldig. Marie warf sich ihren Morgenmantel über. Plötzlich hatte sie es eilig. Doch als sie die Tür zum Flur öffnen wollte, ging diese ebenfalls nicht auf.

Marie runzelte die Stirn. Lag es daran, dass sie sich heute früh besonders ungeschickt anstellte? Sie rüttelte am Griff, vergeblich – die raumhohe Holztür bewegte sich keinen Deut. Das konnte doch nicht sein!

Sie stemmte sich mit ihrem ganzen Gewicht gegen die Tür. Nichts geschah. Was sollte das bedeuten?

»Franco!«, schrie sie. »Franco, mach die Tür auf!«

Panik stieg in Marie auf. Wie eine Krake streckte sie ihre Tentakel nach ihr aus.

»Verflixt noch mal, was soll denn das? Hört mich denn keiner?«

Nichts geschah.

Marie war gefangen.

18

»Himmelherrgott, Wanda! Ich bin Glasbläser und kein Fabrikarbeiter! Du und deine Ideen!« Thomas Heimers Faust donnerte auf den Küchentisch. Er schüttelte entnervt den Kopf. »Als du gesagt hast, du willst in der Werkstatt mithelfen, hab ich gedacht, du redest von einem Großputz oder von Staubwischen. Davon, dass du die ganze Bude auf den Kopf stellen willst, war nie die Rede!«

Wanda verschlug es für einen Moment die Sprache. Wütend presste sie ihre Lippen zusammen.

»Staubwischen – von *dieser* Art Hilfe war nie die Rede! Oder glaubst du, Mutter hätte eingewilligt, wenn sie wüsste, dass ich für euch die Putzmagd spiele?«, sagte sie, nachdem sie sich innerlich etwas beruhigt hatte.

Erst vor zwei Tagen war wieder ein fünf Seiten langer Brief aus New York angekommen, in dem Ruth ihre Missbilligung gegenüber Wandas plötzlich erwachter »Vaterliebe« sehr deutlich gemacht hatte. Seit gestern quälte sich Wanda mit der Formulierung eines besänftigenden Antwortbriefes, der Ruth den Wind aus den Segeln nehmen konnte – bisher vergeblich.

»Ja, für Drecksarbeit ist sich das Fräulein zu fein! Wie die Frau Mama einstmals«, giftete Eva vom Herd aus.

»Glaubst du nicht, ich hätte mich längst der Apparateglas-produktion zugewandt, wenn mir je etwas daran gelegen hätte?«, erwiderte Heimer betont geduldig, während er Eva mit seinem leeren Bierkrug signalisierte, dass er auf Nach-schub wartete.

»Glaskolben und Reagenzgläser – was hat denn das noch mit dem Glashandwerk zu tun?« Eva knallte eine volle Fla-sche Bier vor Thomas auf den Tisch. Dann ging sie zum Herd zurück und rührte in einer ihrer undefinierbaren Suppen. »Außerdem gibt es schon genug Glasbläser, die sich damit ihr Brot verdienen.«

»Ich höre immer nur Handwerk! Aber es ist doch wohl eine Tatsache, dass Handwerkskunst allein nicht satt macht, oder? Was ist also die logische Konsequenz? Nach etwas zu suchen, das satt macht! Nichts anderes versuche ich und ich wäre froh, wenn ihr euch auch ein wenig anstrengen würdet, statt immer nur meine Ideen niederzumachen. Und bitte, Eva, öffne doch wenigstens das Fenster, wenn du schon keinen Deckel auf den Topf tust! In dem Dampf wird einem ja ganz schlecht«, schimpfte Wanda. Allmählich wurde ihr die ganze Sache wirklich zu dumm!

Dass im Hause Heimer nicht viel Federlesens gemacht wurde, hatte sie schnell gemerkt. Höfliche Umgangsformen, Rücksicht auf persönliche Gefühle oder kleine Eitelkeiten – all das galt nichts. Jeder sagte, was ihm gerade im Kopf he-rumging – auch Wanda –, und zwar deutlich. Trotzdem versetzte es ihr jedes Mal einen Stich, wenn Thomas wieder einmal einen ihrer Vorschläge barsch vom Tisch fegte. Dabei war sie davon überzeugt, dass der eine oder andere Vorschlag wirklich gut war! Natürlich war sie keine Expertin in puncto wirtschaftlicher Beratung, aber es erstaunte sie selbst, wie viel Wissen über Glas und über Lauscha sie sich in den letzten Wochen angeeignet hatte. Einmal hatte sie sich sogar an den Bolg gesetzt und unter Thomas' Anleitung versucht, ein Glas zu blasen. Dabei hatte sie sich allerdings nicht sehr geschickt angestellt und sich an die verhassten Handarbeitsstunden in New York erinnert.

Eva knallte erst einen Deckel auf den Topf, dann die Tür hinter sich zu. Doch im nächsten Moment steckte sie ihren Kopf nochmals in die Küche.

»Es hat dich keiner hierher gebeten, vergiss das nicht! Kommst her und bildest dir ein, wir würden nur auf dich und deine verrückten Vorschläge warten! Wenn dich Wilhelm hören würde, wäre er über deine Besuche hier längst nicht mehr so erfreut!«

Die Tür knallte ein zweites Mal.

Am Tisch machte sich Schweigen breit.

Thomas Heimer sprach als Erster. »Technische Gläser, Glasknöpfe, gesponnenes Glas – auf so etwas kann man seine Produktion nicht von heute auf morgen umstellen, für alles gibt es Experten. Und dann deine Schnapsidee mit den Glasschaukästen am Haus, also wirklich! Das ist alles nicht so leicht, wie du es dir vorstellst, Wanda.« Sein Tonfall war beschwichtigend, als ob ihm sein Wutausbruch von vorhin Leid täte.

»Das behaupte ich doch gar nicht, oder?«, fuhr Wanda auf. »Aber dass etwas geschehen muss, ist dir doch auch klar.«

»Vielleicht. Vielleicht auch nicht. Nach schlechten Zeiten kommen gute und umgekehrt. Da muss man durch, auch ohne dass man gleich die eigene Werkstatt auf den Kopf stellt. Das sind schlichte Naturgesetze, das war schon immer so.« Heimer seufzte. »Aber was weiß ein Stadtmensch schon davon?«

»Du und deine Naturgesetze! Mich würde mal interessieren, warum von diesen Naturgesetzen nicht alle Glasbläser betroffen sind, sondern nur die, die den Anschluss an die neue Zeit verpasst haben. Eine Mode, die vorüber ist, kommt nicht so bald wieder, die Leute haben sich am Alten einfach satt gesehen. Das darfst du mir *Stadtmensch* glauben! Und in die Städte geht doch wohl ein Großteil der Lauschaer Glaswaren, oder? Die Menschen wollen Neues! Moderne Produkte, die ihren Alltag erleichtern. Neue, schöne Dinge, mit denen sie ihr Heim schmücken können. Und die vielen Fabriken, die euch die Arbeit wegnehmen, werden auch nicht einfach wieder verschwinden!« Erschöpft lehnte sich Wanda zurück. Wie oft musste sie ihm das noch vorkauen? Allmählich kam sie sich vor wie eine von Mutters Schallplatten, die einen Sprung hatte und immer wieder über dieselbe Stelle leierte.

Diesmal schwiegen beide trotzig.

Sie fanden einfach keinen gemeinsamen Nenner. Bisher hatte ihr Vater jede neue Idee von Anfang an abgeblockt. Wenn ihm etwas nicht gefiel, weigerte er sich, auch nur darüber nachzudenken. Das wiederum machte Wanda ihm zum Vorwurf, und so verhärteten sich die Fronten mit jedem Tag, den Wanda ins Oberland hinaufstapfte.

Wie er nun dasaß und schmollte wie ein zu groß gewordener Schuljunge! Dabei hatte er denselben verkniffenen Zug um den Mund wie ihr Großvater, wenn der sich weigerte, von Eva gefüttert zu werden. Wenn sie jetzt die Idee mit den eingefärbten Glasmurmeln brachte, würde er die auch nur ablehnen.

Wanda stand auf. »Ich gehe jetzt. Ich habe Richard versprochen, noch bei ihm vorbeizuschauen.«

Heimer blickte angestrengt in seinen leeren Bierkrug.

Wie zuvor Eva steckte auch Wanda ihren Kopf nochmals in die Küche. »Manchmal glaube ich, du hast nur zugestimmt, dass ich zu dir komme, weil du weißt, dass es Johanna ärgert.«

»Du hast was?« Entgeistert legte Richard das Glasteil, an dem er gerade arbeitete, aus der Hand und starrte Wanda an.

»Ihm vorgeschlagen, einen Glaskasten vorn am Haus anzubringen und darin eine Auswahl von Gläsern zu präsentieren. Und auf einem Schild Leute in die Werkstatt einzuladen, damit sie ihm bei der Arbeit zuschauen können. Wer noch nie gesehen hat, wie Glas geblasen wird, findet es bestimmt ungeheuer spannend. So etwas würde Käufer anlocken, davon bin ich überzeugt. Aber er weigerte sich, auch nur für eine Minute über meinen Vorschlag nachzudenken. *Ich bin doch kein Tier im Zoo!*, hat er mich angeschrien.« Verdrossen strich Wanda ihre Nackenfransen glatt.

Richard lachte schallend auf. Dann winkte er sie zu sich. »Komm mal herüber, damit ich dich küssen kann!«, rief er, noch immer lachend.

»Ich möchte wissen, was du so komisch findest«, antwortete Wanda und blieb sitzen. Ihr Blick fiel auf die Eisblumen, die das Fenster von innen überzogen. Wie konnte Richard es nur den ganzen Tag in dieser Kälte aushalten! »Geschäfte in der Stadt wären verloren ohne Schaukästen und Schaufenster. Etwas muss doch die Leute in die Läden locken!«

»Schon, aber doch nicht hier bei uns! Wanda – du bist in einem Dorf gelandet! Weißt du nicht, wie sie uns früher in den Städten genannt haben? Die Löffelschnitzer hinter den sieben Bergen.«

Wanda blinzelte gegen die Tränen an. »Jetzt fällst du mir auch noch in den Rücken!«

Mit einem letzten Aufflackern erstarb Richards Flamme. Sein Hocker schrammte auf dem Holzboden, dann kam Richard zu Wanda an den Tisch. Er ergriff ihre klammen Hände und küsste deren Innenflächen.

Wie jedes Mal, wenn er sie berührte, durchfuhr Wanda ein Schauer bis hinab in die Knie.

»Wer soll denn in solch einen Schaukasten gucken? Die paar Reisende, die sich nach Lauscha verirren, kannst du an zwei Händen abzählen. Wir leben von den Kontakten, die nach außen gehen.« Leise Ungeduld schwang in Richards Stimme mit.

»Das weiß ich auch!«, murrte Wanda. Das Gefühl, sich lächerlich gemacht zu haben, schmerzte sie. »Und die hat mein Vater eben nicht. Oder nicht mehr. Einen einzigen lächerlichen Auftrag hat er in den letzten Wochen erhalten. Fünfzig Glasschalen mit Fuß – wie grandios! Er ist längst pleite, die Werkstatt am Ende, aber glaubst du, er kapiert das?«

Sie seufzte laut.

»Diese Schicksalsergebenheit! Wie kann ich ihn nur davon überzeugen, dass man die Dinge selbst in die Hand nehmen muss? Man kann alles erreichen, wenn man nur will! Allerdings sollte man wenigstens wissen, *was* man will ...« Ihre Wut verblasste, und an ihre Stelle trat Nachdenklichkeit. »Ich komme mir vor wie ein Angler, der seine Rute in einen trüben Tümpel wirft, ohne zu wissen, was er eigentlich herausfischen will. Was immer ich meinem Vater vorschlage – er ist dagegen. Das Ganze entwickelt sich schon zu einem richtigen Wettstreit zwischen uns. Zumindest darin sind wir ziemlich gut!«

Sie unterbrach sich.

»Warum habe ich mich nur auf das Ganze eingelassen?«, presste sie schließlich unter Tränen hervor. Und warum kam Richard nicht einfach zu ihr und nahm sie in den Arm und streichelte sie auf seine besondere Art und ...

»Sei mir nicht böse, aber ehrlich gesagt habe ich geglaubt, du würdest ... irgendwie organisierter an die ganze Sache herangehen.« Richard betrachtete sie leicht amüsiert.

»Wie bitte?« Wandas Weinen verebbte. Plötzlich fühlte sie eine unbändige Wut in sich aufwallen. »Hab ich mich etwa hingestellt und getönt, ich hätte die Weisheit mit Löffeln gefressen? *Du* hast mich doch in diese Sache hineingeritten!« Dass sie trotz seiner Dreistigkeit das unsägliche Bedürfnis hatte, ihn an sich zu ziehen und zu küssen, steigerte ihren Ärger noch.

Er grinste. »Dein Vergleich mit dem Angler war gar nicht

schlecht, nur sehe ich die Sache so: Dir als Amerikanerin mit deiner kaufmännischen Ausbildung wird es ganz bestimmt gelingen, einen dicken Fisch an Land zu ziehen. Vielleicht hast du bisher lediglich die falsche Angel benutzt. Oder im falschen Gewässer gefischt. Aber all das lässt sich doch ändern.«

Wandas Gefühl im Bauch wurde noch flauer. Von wegen kaufmännische Ausbildung – hatte sie ahnen können, dass er jedes Wort für bare Münze nehmen würde?

Was würde Steven zu alldem sagen? Die Antwort lag auf der Hand: Er würde Richard Recht geben. »*Ohne Organisation und strategische Planung ist jedes Unternehmen ein sinnloses Unterfangen!*« Wie oft hatten Mutter und sie am Abendbrottisch solche Reden zu hören bekommen! Meistens dann, wenn wieder einmal einer seiner Konkurrenten eine geschäftliche Pleite erlitten hatte. Vielleicht sollte sie sich auch einen Plan zurechtlegen? Mit Punkten, die man einen nach dem anderen abarbeiten konnte? Der Gedanke hatte etwas Tröstliches.

Richard rutschte neben sie auf die schmale Bank. »Hör auf zu grübeln, morgen ist auch noch ein Tag. Das wird schon, glaub mir.« Mehrere Küsse landeten auf ihrem silbernen Schopf und sorgten dafür, dass alle Gedanken erneut durcheinander purzelten.

Ein paar selige Minuten lang gab sich Wanda Richards Zärtlichkeiten hin, doch dann entwand sie sich seiner Umarmung. Sie konnte jetzt nicht einfach abschalten.

Sie nieste einmal, dann fragte sie mit einem Nicken in Richtung seines Bolgs: »Wovon lebst *du* eigentlich?«

Die Worte blieben wie kleine weiße Wölkchen in der kalten Luft stehen.

Richard runzelte angesichts ihrer Sprunghaftigkeit die Stirn.

»Ich blase Gläser nach venezianischer Art, das weißt du doch.«

»Ja schon, aber wer kauft sie dir ab?« Sie wusste, es ziemte sich nicht, so unverblümt über Geschäfte zu sprechen, das war einfach nicht damenhaft. Aber damenhaftes Gebaren half ihr im Augenblick nicht weiter.

»Ich habe Glück gehabt. Vor einiger Zeit habe ich einen Galeristen in Weimar kennen gelernt. Ein ziemlich schräger Vogel, hält sich für den einzigen Menschen mit Kunstverstand, und so redet er auch. Von ihm wirst du nie hören: *Das finde ich schön und das hässlich.* Er spricht die ganze Zeit von irgendwelchen ›-ismen‹. Du weißt schon, Surrealismus, Impressionismus …«

Wanda grinste. »Naturalismus, Symbolismus – oje, davon brauchst du mir nichts zu erzählen! In New Yorker Künstlerkreisen gibt es genug Typen, die mit diesen Begriffen jonglieren wie mit Bällen. Marie konnte sich bei solchen Gesprächen immer richtig ereifern und stundenlang jede Kunstrichtung erörtern. Aber erzähl weiter, was habt ihr beide miteinander zu schaffen?« Sehr lukrativ konnte diese Geschäftsverbindung nicht gerade sein, sonst würde Richard sich nicht um jeden kleinen Auftrag von Johanna reißen, dachte Wanda. Und sonst hätte er auch genügend Brennholz, um wenigstens ein paar Stunden pro Tag einzuheizen …

»Na ja, er kauft mir immer wieder das eine oder andere Stück ab – und das gar nicht mal zu schlechten Preisen. Entweder kommt er nach Lauscha, oder ich fahre nach Weimar, wenn ich etwas Besonderes habe. Bei meinem letzten Besuch hat er mir sogar den Katalog einer Kunstausstellung in Venedig geschenkt. Schau hier!« Richard zerrte den Katalog aus einem Regal und hielt ihn wie eine Trophäe in die Höhe.

»Biennale«, las Wanda auf dem abgegriffenen und dennoch edel wirkenden Einband.

»Gotthilf Täuber sagt, er würde mich gern in meiner künstlerischen Arbeit unterstützen. Wenn es mir gelange, mir die venezianischen Techniken noch stärker zu Eigen zu machen, sähe er gute Chancen, mir eine eigene Ausstellung auszurichten. In seiner Galerie, verstehst du? Nur mit meinen Gläsern!« Leidenschaftlich hatte er die letzten Worte hervorgebracht. Er sprang auf und holte ein Glas von seinem Bolg. »Er sagt, die Leute seien ganz verrückt nach italienischer Mode. Schau, das habe ich vorhin fertig gestellt. *Aurato* nennen die Italiener diese Technik. Dabei kommt Blattgold auf die heiße Glasblase. Weil sich Gold im Gegensatz zum Glas beim Weiterblasen nicht ausdehnt, bekommt es diese Risse da. Genau dieser Effekt ist gewollt. Nicht schlecht, was?«

»Es ist wunderschön!« Andächtig hielt Wanda das Glas an seinem feinen Stiel hoch und drehte es im Licht. Ein bizarres Funkenspiel ging von dem Goldgesprenkel aus, als würden sich Tausende kleine Sonnenstrahlen vom Stielansatz hoch in den Kelch schlängeln.

Richard nahm ihr das Glas ab und gab ihr stattdessen einen hohen Pokal. »Und wie findest du den?«

Er war aus durchsichtigem Glas, sehr dünnwandig geblasen. Farbige gläserne Pinselstriche überzogen seine Oberfläche, das Glas wirkte dadurch wie in ein filigranes Netz eingehüllt. Blautöne in allen Schattierungen gingen in Lila über, helles Grün wechselte mit dunkleren Grüntönen ab, dazwischen immer wieder rosafarbene Strahlen.

»So etwas habe ich noch nie gesehen, nicht einmal bei der Glasausstellung in New York, von der ich dir erzählt habe.« Wanda schüttelte den Kopf. Dass Richard sein Handwerk verstand, hatte sie von Anfang an gewusst. Schon die Gläser, die er ihr bei ihrem ersten Besuch gezeigt hatte, waren etwas Besonderes gewesen. Aber was hier vor ihr auf dem Tisch stand, war einzigartig. Verliebt schaute sie Richard an. Er war ein Künstler! Genau das sagte sie ihm.

Stolz glänzte in seinen Augen. »Für diese Technik, die *Pennelate* heißt, muss das Glas auch noch heiß sein. Um diese feinen Striche zu bekommen, darf man nur ganz kurz mit einem farbigen Rohling darüber wischen.« Richards Miene verdüsterte sich plötzlich. »Mit dem, was sich am heißen Glas machen lässt, bin ich schon ganz zufrieden. Aber bei den Kalttechniken komme ich einfach nicht weiter. Da fehlt es mir nicht nur am Handwerkszeug. Gotthilf Täuber meint, auch Ätztechniken seien stark im Kommen, und ich müsse unbedingt jemanden finden, der sich mit Chemie und solchen Dingen auskennt. Er will mir dabei helfen, hat deswegen sogar schon einem befreundeten Galeristen in Venedig geschrieben. Mal sehen, was daraus wird …«

Wanda nickte. Dieser Täuber schien es mit Richard ja richtig ernst zu meinen. Sie nahm das golden glänzende Glas nochmals in die Hand. »Wenn ich da an die springenden Hirsche auf den Heimerschen Gläsern denke …«

»Unterschätz das Können deines Vaters nicht! Die Technik mit dem Blattgold kennt hier zwar außer mir wahrscheinlich noch keiner, aber ich habe etliche unserer Techniken auch bei den venezianischen Gläsern entdeckt, die Gotthilf Täuber mir gezeigt hat. Überfangtechniken, eingearbeitete Glasfäden, geschnittenes Glas – all das kennen wir hier schon seit Jahrhunderten. So schön Muraner Glas auch ist – der größte Teil davon wird in irgendeinem Neo-Stil hergestellt, ist sozusagen kalter Kaffee nochmals aufgewärmt. Es hat eine Weile gedauert, bis ich das kapierte, aber es hat mich zu der Überzeugung gebracht, dass aus dem Zusammenspiel von Alt und Neu etwas ganz Besonderes, Einzigartiges entsteht.« Richards Augen funkelten. »Und ich bin auch davon überzeugt, dass man damit richtig Geld verdienen kann.«

Angesichts seiner Begeisterung musste Wanda lachen. »Dann hat ja wenigstens einer von uns beiden eine Überzeugung!«, sagte sie trocken und küsste ihn innig auf den Mund.

Obwohl es schon nach acht Uhr abends war, als Wanda sich endlich von Richard trennen konnte, sah sie schon von weitem, dass die Gasflammen in der Werkstatt Steinmann-Maienbaum noch immer flackerten – Johanna hatte schon am Morgen angekündigt, dass es heute viel zu tun geben würde. Wanda begrüßte die Ruhe im Haus, denn sie musste nachdenken. Trotzdem schaute sie erst in der Küche nach, ob es etwas für sie zu tun gab. Als sie jedoch sah, dass schon ein Topf Suppe vor sich hin köchelte und auch das Brot schon geschnitten war, setzte sie sich an den Küchentisch und holte aus der Schublade den Block hervor, auf dem Johanna ihre verschiedenen Listen zusammenstellte. Beherzt nahm sie einen Bleistift und begann zu schreiben:

Geschäftsplan für die Werkstatt Heimer

Zufrieden betrachtete sie die Überschrift. So gehörte sich das! Die nächsten Sätze flossen ihr nur so aus der Hand.

1. *Was kann man tun, um wieder mehr Aufträge zu bekommen?*
   - *Herausfinden, was die Verleger in Sonneberg wünschen, wie Marie in ihrem Brief vorgeschlagen hat. Ein Besuch in Sonneberg ist dringend nötig!*
   - *Vielleicht lassen sich neue Kunden in umliegenden Städten finden? Zum Beispiel in Coburg, Meiningen, Suhl, Bayreuth und Kulmbach? Idee mit Richard besprechen!*
   - *Aufschreiben, welche Techniken Vater beherrscht, und mit ihm überlegen, ob er vielleicht auch etwas Neues aus dem Alten machen kann, wie Richard.*

Mit jedem Punkt auf der Liste wuchs Wandas Zuversicht. »*Ich habe geglaubt, du würdest irgendwie organisierter an die ganze Sache herangehen*« – es war, als ob Richards Vorwurf frische Energie in ihr freigesetzt hätte. Sie hatte zwar keine Ausbildung zur Sekretärin oder Kontoristin oder was man sonst in der Wirtschaft brauchte, aber sie war immerhin in einem Geschäftshaushalt aufgewachsen! Eigentlich konnte man sogar sagen, sie hatte kaufmännisches Denken mit der Muttermilch aufgesogen. Wenn sie nur an den Tag dachte, als Pandora mit Sack und Pack im Hinterhof ihres Mietshauses gesessen hatte – hatte sie da nicht sozusagen einen Rettungsplan aus dem Handgelenk geschüttelt, Pandoras vergrätzten Vermieter beschwichtigt und ihr eine Vorführung im Haus ihrer Mutter organisiert? Man muss nur wollen – plötzlich hatte sie ihre eigenen Worte im Ohr.

Auf einmal war alles ganz klar: Sie allein würde den Karren nicht aus dem Dreck ziehen können. Dazu brauchte sie Mitstreiter. Ihr Bleistift flog über das raue Papier.

2. Wer kann mir bei dem Unternehmen helfen?
- *Was kann Michel machen? Schreibarbeiten? Ich muss unbedingt mit ihm reden.*
- *Was kann Eva machen? Wie bekomme ich sie dazu, mir zu helfen?*
- *Ich muss versuchen, Großvater auf meine Seite zu ziehen.*

Heftig durchfuhr sie der nächste Gedankenblitz. Sie schrieb:

- *Richard! Ist eine Zusammenarbeit zwischen ihm und Vater möglich?*

Richard beklagte sich doch immer über seine schlecht ausgestattete Werkstatt – wenn er sich mit ihrem Vater zusammentun würde, könnte er die Heimerschen Gerätschaften nutzen. Der Gedanke ließ Wanda geradezu euphorisch werden. Mit diesem Argument wollte sie versuchen, Thomas Heimer zu ködern. Warum hatte sie nicht schon viel früher daran gedacht! Ihr Vater wäre dann nicht mehr der einzige Glasbläser im Haus, die Arbeit würde sich wieder auf zwei Paar Schultern verteilen. Und mehr Produktionsvermögen war in den Augen der Verleger sicher ein Vorteil und würde neue Aufträge begünstigen. Vor Wandas geistigem Auge erschienen Bilder, so schön, so verheißungsvoll, dass sie ihr ein wenig Angst einjagten: Richard und Thomas Heimer beim Glasblasen, Eva und Michel beim Einpacken von Glaswaren, sie mit einem Notizblock in der Hand Versandlisten schreibend – die Heimersche Werkstatt mit Leben erfüllt wie zu den alten Zeiten, von denen Marie ihr erzählt hatte. Hoffnung – mehr noch Zuversicht – züngelte in Wanda auf wie die Flamme der Glasbläser.

Als ihre Verwandten eine Stunde später erschöpft und hungrig in die Küche kamen, hatte sie vier ganze Blockseiten vollgeschrieben. Obwohl Anna sie wieder einmal mit feindseligen Blicken bedachte, war Wandas Herz so leicht wie lange nicht mehr. Sie wusste ganz genau, was sie in den nächsten Tagen zu tun hatte!

19

»Das ist wirklich die dümmste Idee, zu der ich mich je habe überreden lassen!«, nuschelte Eva aus den Tiefen des langen Schals, den sie sich gegen die Kälte mehrmals um den Kopf gewickelt hatte. »Zu Fuß nach Sonneberg! Und das mitten im Winter! Nicht einmal Zigeuner tun das, die sitzen wenigstens in ihren Karren und lassen sich die Straße hinunterschaukeln.«

Mit dem Kinn wies Eva auf die kleine Karawane ärmlich aussehender Wagen, die sie gerade überholte, während sie im selben Moment einem struppigen Hund, der den Tross begleitete, einen Tritt verpasste.

»Siehst du, wie gefährlich es heutzutage ist, zu Fuß unterwegs zu sein? Man wird sogar von wilden Tieren angefallen.«

Wanda runzelte die Stirn. »Also wirklich, Eva, der Hund hat dir doch gar nichts getan!«

»Aber nur, weil ich mich gewehrt habe!«

»Jetzt hör auf zu brummeln«, erwiderte Wanda mit nur mühsam aufgebrachter Langmut. »Du weißt genau, warum ich den

Weg zu Fuß bewältigen wollte. Für dich ist diese Gegend hier vielleicht nichts Besonderes, aber denk doch daran, dass ich mein Leben bisher in der Stadt verbracht habe! Ich sehe diese winterliche Pracht zum ersten Mal.« Sie machte eine umfassende Handbewegung in Richtung der Berghänge mit den eingeschneiten Tannen und Fichten. Dann blieb sie stehen und tat so, als ob sie sich die Gegend noch genauer anschauen wollte. Obwohl sie auf der Hauptstraße liefen, wo der Schnee durch die Fuhrwerke platt gewalzt war, war der Marsch doch anstrengender, als sie angenommen hatte. Der Schweiß rann ihr unter den Armen und zwischen den Brüsten hinab. Um einen möglichst erwachsenen und eleganten Eindruck zu machen, hatte Wanda aus einem ihrer im Lagerschuppen deponierten Koffer ein schwarzes Kostüm mit pelzverbrämten Revers und Ärmeln herausgekramt. Wenn sie gewusst hätte, dass an Wegstücken, wo keine Bäume Schatten warfen, die Sonne schon so eine Kraft hatte, wäre ihre Wahl sicher auf etwas Leichteres gefallen. »Und außerdem will ich nachempfinden, was meine Mutter damals auf dem Weg nach Sonneberg gefühlt haben muss, als sie mit Maries Kugeln in der Tasche einen Verleger suchte.«

Eva trat von einem Bein aufs andere. »So ein Quatsch! Wenn ich mich richtig erinnere, war damals Hochsommer. Wenn Ruth also etwas gefühlt hat, dann einen Sonnenbrand! Und im Gegensatz zu ihr haben wir keinen Huckelkorb mit Ware auf dem Rücken. Wie die Bettler kommen wir daher! Dass eines klar ist: Ich bringe dich zwar zu den Verlagshäusern, aber hinein gehe ich nicht. Lieber stehe ich mir die Beine in den Leib und friere mich zu Tode, als dass ich vor diesen Halsabschneidern zu Kreuze krieche.«

Was für eine passende Einstellung! Seufzend ging Wanda weiter. Allmählich zweifelte sie daran, ob es eine gute Idee gewesen war, auf Evas Begleitung zu drängen.

»Du kennst doch jeden Verleger in Sonneberg, damit wärst du mir eine große Hilfe«, hatte sie schmeichelnd gesagt, und als Eva nicht sofort darauf angesprungen war, erwähnte sie dasselbe Wilhelm gegenüber und fügte hinzu: »Wenn wir zu zweit erscheinen, macht das doch einen viel gewichtigeren Eindruck, als wenn ich junges Ding allein auftauche!«

Als Wilhelm Eva schlichtweg befahl, Wanda zu begleiten, gratulierte diese sich zu ihrem brillanten Schachzug: Zum einen hatte Wilhelm gemerkt, dass ihr sein Urteil sehr wichtig war, und zum andern bekam sie so Eva auf ihre Seite …

Eine Zeit lang liefen sie schweigend weiter, jede in Gedanken versunken.

Sowohl Thomas Heimer als auch Wilhelm waren dafür gewesen, dass Wanda die Verleger abklapperte, um herauszufinden, welche Art von Glaswaren derzeit besonders gefragt waren – dass diese Idee ursprünglich auf Maries Mist gewachsen war, hatte Wanda nicht erwähnt.

Marie … Unwillkürlich schweiften Wandas Gedanken ab. Ob ihr wohl die Babysachen gefielen, die Johanna und sie gleich am Tag nach dem Eintreffen von Maries Brief in ein Paket gepackt und nach Genua geschickt hatten? Sie waren für ihre Einkäufe extra nach Sonneberg gefahren, und das, obwohl Johanna wieder einmal ein großer Auftrag im Nacken gesessen hatte! Nur das Beste und Edelste hatten sie ausgewählt: ein Kleidungsstück aus feinster Plauener Spitze, dazu einen silbernen Beißring und eine Babyrassel aus schneeweißem Horn. Eigentlich hatte Wanda erwartet, dass Marie sofort nach Erhalt der Geschenke zu Papier und Feder greifen würde.

Statt nun länger über Maries ausbleibende Reaktion zu grübeln, zwang Wanda ihre Gedanken zurück zu ihrem Geschäftsplan, der sie heute nach Sonneberg führte. Eins-nach-dem-andern, Punkt-für-Punkt, wiederholte sie stumm im Rhythmus ihrer Schritte.

Zum Glück durfte sie inzwischen noch einen weiteren Punkt abhaken: das Gespräch mit Michel.

Es hatte sie einige Überwindung gekostet, den Onkel in seiner schlecht gelüfteten Kammer aufzusuchen – das Mitleid, das sie wegen seiner Behinderung empfand, machte sie stets so gehemmt, dass sie kaum ein Wort herausbrachte. Zuerst hatte sie deshalb ziemlich herumgedruckst, hatte ihn nach seinem gesundheitlichen Befinden gefragt und sich dann sein ellenlanges Lamentieren anhören müssen, bis sie ihn schließlich unterbrach.

»Zugegeben, ein Bein zu verlieren ist ein schlimmer Schicksalsschlag. Und die Schmerzen, die du beschreibst, müssen wirklich furchtbar sein«, sagte sie zu ihm. »Aber trotzdem wirst du dich in der nächsten Zeit zusammenreißen müssen. Ich brauche nämlich deine Hilfe!« Sie fühlte sich keineswegs so resolut, wie sie sich anhörte. *Was soll dieser armselige Mann mir schon helfen können!*, dachte sie, während sie Michel mit festem Blick fixierte. Dass er daraufhin vor lauter Schreck plötzlich einen menschlichen Drang verspürte und nach Eva und einem Nachttopf rief, erleichterte die Situation keineswegs – hastig und mit eingezogenem Genick verließ Wanda sein Zimmer. Wie peinlich! Aus lauter Verlegenheit ging sie erst einmal in die Küche, wo Eva sie mit sauertöpfischer Miene erwartete.

Wanda kämpfte noch mit sich, ob sie überhaupt in Michels Zimmer zurückkehren sollte, als ein Schleifen und Klopfen auf dem Gang hörbar wurde. Als Michel kurze Zeit später auf zwei Krücken im Rahmen der Küchentür erschien, wollten weder Eva noch sie ihren Augen trauen. Eva hatte schon eine – höchstwahrscheinlich spitze – Bemerkung auf den Lippen, als Wanda sie mit einem beschwörenden Blick gerade noch rechtzeitig zum Schweigen brachte.

Mit zittrigen Armen setzte Michel sich ungelenk Wanda gegenüber an den Tisch. Und mit ebenso zittriger Stimme fragte er, wie er als Krüppel ihr denn helfen könne. Und wobei. Gerade diesen Moment suchte sich Thomas aus, um nach einem kurzen Aufenthalt in seiner Werkstatt die Treppe hochzupoltern. Beim Anblick seines Bruders holte er erst einmal die Schnapsflasche aus dem Schrank. Und so stießen sie kurz darauf zu viert mit einer kräuterbitteren Flüssigkeit an, die den ganzen Weg von Wandas Mund die Speiseröhre hinab fürchterlich brannte. Mit einem warmen Gefühl im Bauch erklärte sie Michel dann, dass er ihr bei ihren »Recherchen« helfen könne. Wie erwartet waren die anderen von dem gewichtigen Fremdwort ordentlich beeindruckt. Wanda nutzte diesen Moment, um Michel weiter zu erläutern, dass ihr dabei eine Übersicht aller Techniken vorschwebe, die Thomas beherrschte. Des Weiteren sollten sie alle Musterteile hervorkramen, die im Laufe der Jahrzehnte zusammengekommen waren und die in irgendwelchen Schränken im Haus Schimmel ansetzten – eine Bestandsaufnahme sozusagen. Als Eva anbot, diese Aufgabe zu übernehmen, weil sie am besten wusste, wo alles verstaut war, machte Wandas Herz einen kleinen Hüpfer. Ein erster Erfolg!

Bevor ihr Vater einen seiner pessimistischen Einwände vorbringen konnte, der den aufkeimenden Samen Hoffnung sofort vernichtet hätte, wiederholte Wanda Richards Worte: nämlich dass die Lauschaer Glastechniken es allemal mit denen der venezianischen Glasbläser aufnehmen konnten! Und dass es durchaus Sinn machte, auf altes Kunsthandwerk zurückzugreifen, wenn man Neues schaffen wollte. Noch während ihrer Ausführungen schleppte Eva, die unbemerkt aus der Küche gehuscht war, die ersten Stücke an: einen Kelch aus Milchglas, mit Emailfarben bemalt, entstanden um 1900. Eine tiefe Schale aus durchsichtigem Glas, in das bunte Fäden eingearbeitet waren, aus derselben Zeit. Eine wesentlich ältere Schale mit dicken Warzen wie bei einer Kröte.

Nicht jedes Stück gefiel Wanda, dennoch bemühte sie sich, außerordentlich begeistert zu wirken. Ihr Enthusiasmus war ansteckend: Plötzlich erinnerte sich Thomas an Tischschmuck, den er vor vielen Jahren für ein Hotel in Suhl hergestellt hatte. Er lief in die Werkstatt und erschien wenige Minuten später mit zwei aus verschiedenen Glasteilen aufwändig zusammengesetzten Tafelaufsätzen. Und Wanda war ehrlich fasziniert: Glaskunst auf höchstem Niveau nannte sie die Stücke, und die beiden Brüder strahlten. Plötzlich wollte jeder den andern übertrumpfen mit seinem Wissen, wo noch welche Glaswaren stecken könnten, ständig rannten Eva oder Thomas aus der Küche, um kurze Zeit später mit einem weiteren alten Schatz zurückzukommen, bis der Küchentisch übervoll war mit Gläsern aller Art. Wanda hätte heulen können vor lauter Begeisterung.

»Wenn ich nur wüsste, wo die Flakons sind, die wir damals für den französischen Parfumeur machen mussten!«, grübelte Thomas am Ende und sagte, dass diese einst Wandas Mutter so gut gefallen hatten.

An jenem Abend war Wanda so spät nach Hause gekommen, dass Johanna ihr eine bitterböse Standpauke hielt und drohte, sich bei ihrer Mutter in New York zu beschweren. »Wir sind doch kein Hotel, wo das gnädige Fräulein kommen und gehen kann, wie es will«, hatte sie geschimpft. Als Wanda in die übermüdeten Augen ihrer Tante schaute, die ihretwegen hatte aufbleiben müssen, hatte sie eine heiße Welle schlechten Gewissens überflutet. Und sie hatte sich vorgenommen, zukünftig nicht mehr so rücksichtslos zu sein.

Trotzdem war der Abend im Oberland den Ärger mit Johanna wert gewesen, ging es Wanda nun durch den Kopf, während sich die Straße um eine weitere Kurve wand. Zum ersten Mal hatte sich so etwas wie Aufbruchsstimmung unter den Heimers verbreitet, wozu auch der alte Wilhelm seinen Teil beitrug: »Du tätest gut daran, hin und wieder auf deine Tochter zu hören. Das Mädchen hat nicht nur die Heimersche Schläue geerbt, sondern auch noch den Geschäftssinn von Ruth, dem Luder! Dass Wanda hierher zurückgefunden hat, ist ein Geschenk des Himmels«, hatte er Thomas zwischen zwei Hustenanfällen gepredigt. Wanda, die gerade dabei war, im Hausflur ihre Jacke zuzuknöpfen, hatte leider nicht verstehen können, was ihr Vater daraufhin erwiderte.

Es war richtig, an diesem »familiären« Abend nicht gleich das Thema einer möglichen Zusammenarbeit mit Richard anzusprechen, sinnierte sie, während sie hinter einer der nächsten Kurven Häuser erkannte: Steinach, Gott sei Dank!

»Vielleicht sollten wir den Rest des Weges doch mit der Eisenbahn zurücklegen.« Allein der Gedanke an einen warmen Sitzplatz ließ Wanda trotz zittriger Knie schneller gehen.

Eva lachte kurz auf. »Willst du auf den Zug aufspringen, oder sollen wir ihn in Räubermanier anhalten? Einen Bahnhof hat Steinach nämlich nicht.« Sie senkte den Kopf und überholte Wanda. »Lass uns zügig weitergehen. Ich habe keine Lust, einen von meinen Geschwistern zu treffen und erklären zu müssen, warum wir zu Fuß unterwegs sind. Die würden doch sofort glauben, für eine Zugfahrt hätte das Geld nicht mehr gereicht.« Sie zog ihren Schal noch höher.

Wanda blieb nichts anderes übrig, als stumm hinter Eva herzutrotten, konnte aber nicht umhin, sich unter niedergeschlagenen Lidern Evas Geburtsort genauer anzuschauen. Mehrere Dutzend Häuser schmiegten sich in einer Talebene aneinander. Nicht nur die Dächer waren mit Schieferschindeln gedeckt, vielmehr verkleidete Schiefer in verschiedenen Farbnuancen auch die Hauswände, die in der Sonne silbergrau glitzerten.

»Wie wunderschön!« Wanda zeigte auf ein Haus, dessen

Vorderseite mit einem besonders kunstvollen Schiefermosaik verkleidet war. Als sie hinter einem der Fenster einen Kopf auftauchen sah, schaute sie hastig weg. Doch schon ein paar Meter weiter brach sie in neuerliche Begeisterung aus: Eine Blumenranke, unterbrochen von einem rautenförmigen Muster, zierte eine Hauswand, die natürliche Färbung des Schiefers war dabei so ausgeklügelt eingesetzt worden, dass die Verzierung fast einen dreidimensionalen Charakter hatte.

»Das alles wirkt so … heimelig!« Nicht nur die Lauschaer, sondern auch die Steinacher schienen mit einer künstlerischen Ader gesegnet zu sein. Wanda nahm sich vor, im Frühjahr nach der Schneeschmelze gemeinsam mit Richard Steinach erneut einen Besuch abzustatten.

Kaum hatten sie die letzten Häuser des Dorfes passiert, schien sich Eva wieder aufzurichten. »Wie *heimelig*«, äffte sie Wanda nach. Sie zerrte sich den Schal vom Kopf. »So kann nur eine daherreden, die noch nie in ihrem Leben gehungert und gefroren hat! Glaube mir, wenn du meine Kindheit gehabt hättest, dann …« Der bittere Zug um ihren Mund grub sich noch tiefer ein.

Auf einmal kam sich Wanda töricht vor. Sie hakte sich bei Eva unter, deren Rücken sich sofort in einer Art versteifte, die keinen Zweifel daran ließ, dass ihr die Berührung unangenehm war. Doch Wanda tat so, als habe sie nichts bemerkt. Mit ihrer freien Hand schob sie Evas Schal, der ihr über die Schulter zu rutschen drohte, wieder zurecht.

»Warum erzählst du mir nicht, wie es damals war?«, fragte sie sanft.

»Damit du dich lustig über mich machen kannst?« Eva warf ihr einen misstrauischen Blick zu.

»Das tu ich nicht, ich schwör's.«

Doch Eva presste ihre Lippen nur noch fester aufeinander. Sie gingen schweigend weiter.

Ein paar Minuten später, als Wanda schon nicht mehr daran glaubte, begann Eva doch noch zu erzählen: von ihren sieben Geschwistern und vom Vater, der im Schieferbruch arbeitete wie die meisten Männer im Dorf. Von Tausenden von Griffeln, die Woche für Woche in ihrer kleinen Hütte geschliffen und verpackt werden mussten. »Tag für Tag, bis in die Nacht. Wir waren kaum aus der Schule daheim, schon mussten wir uns an den Tisch setzen. Wie hat mir nach ein paar Stunden der Rücken wehgetan! Aber der Vater wollte davon nichts hören, sondern hat geschimpft, wenn einer von uns vor Schmerzen anfing zu weinen. Noch heute, wenn ich das Geräusch einer Schleifmaschine höre, wird mir ganz anders!« Sie schüttelte sich. »Überall hat sich der Schieferstaub abgesetzt, in den Haaren, auf unserer Haut, in unseren Lumpen – Kleider konnte man die Fetzen ja nicht nennen. Dieser elende Dreck! Gesund war der auch nicht!« Ohne große innere Anteilnahme erzählte Eva von den Geschwistern, die starben, weil der Staub sich in ihre Lungen gefressen hatte. »*Für jedes, das kommt, geht eines – so ist das eben,* hat die Mutter stets gesagt. Aber unser Haus war immer voll, und ich war die Kindsmagd, die die Kinderpopos abwischen musste.« Evas Lachen klang hart. »Und als ich selbst verheiratet war, hat's nicht einmal zu einem eigenen Kind gereicht.«

Wanda schwieg hilflos. Marie hatte ihr erzählt, dass Eva unter ihrer Unfruchtbarkeit sehr gelitten hatte.

»Trotzdem – ich hätte mit keinem von meinen Geschwistern tauschen wollen. Ich habe Glück gehabt, dass mir der Sebastian über den Weg gelaufen ist! Auch wenn nachher alles ganz anders kam.« Eva grinste trotzig. »Wo die Liebe hinfällt, so sagt man in Amerika doch auch, oder?«

Wanda nickte so heftig, dass sie beide zu lachen begannen.

20

Als sie in Sonneberg ankamen, war Wanda so erschöpft, dass sie zuerst auf einer Stärkung in einem Gasthaus bestand. Bei einem Paar Thüringer Bratwürste und einem Bier, zu dem Eva sie überredete, besprachen sie ihre weitere Marschroute: Zuerst würde Eva sie zu den Verlagshäusern führen, mit denen sie schon in der Vergangenheit Geschäfte getätigt hatten. Falls Wanda danach noch Lust hatte, würden sie zu fremden Verlegern gehen. Trotz des neuen Einvernehmens zwischen ihnen war Eva nicht zu überreden, Wanda bei ihren Besuchen zu begleiten. Und so machte sich Wanda mit frisch aufgelegtem Lippenrot und dem festen Willen, etwas Hilfreiches zu erfahren, allein auf.

»Natürlich ist mir bewusst, dass ich mit meiner Meinung ziemlich allein dastehe – in einer Zeit, wo der Gedanke ›Kunst für alle‹ so außerordentlich schick ist. Und Gewinn bringend ...« Karl-Heinz Brauninger faltete die Hände und dehnte seine Arme, als bereite ihm etwas rheumatische Schmerzen. »Trotzdem wehre ich mich dagegen, auf den fahrenden Zug der Massenproduktion aufzuspringen, damit im Wohnzimmer eines jeden Hinz und Kunz Nippes aller Art verstauben kann! Soll Röckchen schwingende Figurinen verkaufen, wer will – in mein Angebot kommen sie nicht!« Angeekelt verzog der Verleger den Mund.

»Aber was findet sich dann in Ihren Musterbüchern?«, fragte Wanda neugierig. Das waren ja ganz neue Töne, die sie hier zu hören bekam!

»Musterbücher – auch so ein Werkzeug der Massenproduktion. Meine Kundschaft würde vor so etwas zurückschrecken wie der Teufel vorm Weihwasser, glauben Sie mir! Meine Glaswaren sind lauter Unikate. Sie sind von zerbrechlicher Poesie, sie spiegeln die Gefühlswelten der

Künstler wider. Jedes Glas wird zu einem Füllhorn an Inspirationen, jede Schale ist ein Ausdruck der immensen Schöpfungskraft der menschlichen Seele! Sie sind Sinnbild für Momente im Leben eines Künstlers – und hat man je einen Moment wiederholen können?«

Wandas Stoßseufzer war so tief wie echt. »Sie glauben gar nicht, wie gut es tut, Ihnen zuzuhören! Meine bisherigen Recherchen haben mich lediglich in solche Verlagshäuser geführt, die billige Produkte zu niedrigsten Preisen einkaufen wollen – genau das, wovon sich unsere Glasbläserei abgrenzen will.«

Wanda bedachte Brauninger mit jenem Lächeln, das ihr früher in Mickeys überfüllter Brooklyn Bar stets ohne die üblichen Wartezeiten zu einem neuen Drink verholfen hatte. Vertraulich rutschte sie auf ihrem Stuhl nach vorn.

»Wissen Sie, was ich gar nicht verstehen kann? Dass genau diese Verleger so tun, als wären ihre Waren die Vollendung des Jugendstils! Dabei handeln sie doch lediglich mit Fabrikware, oder?« Voller heimlicher Freude sah Wanda das anerkennende Aufblitzen in den Augen ihres Gegenübers. War sie womöglich am Ziel?

Wenn es nach Eva gegangen wäre, hätte Wanda Brauninger gar nicht aufgesucht: Nicht an ihn, sondern an seinen Vater hatten die Heimers vor vielen Jahren geliefert, Folgeaufträge waren jedoch ausgeblieben. »Schon der Alte war ein ganz arroganter Kerl, da wird der Sohn nicht besser sein!«, hatte Eva gesagt. Doch Wanda hatte sich nicht von ihrem Plan abbringen lassen – sie wollte nicht mit dem Gefühl nach Hause gehen, irgendetwas unversucht gelassen zu haben. Und siehe da, ihre Zähigkeit schien nicht ganz umsonst gewesen zu sein.

»Genau diese Unehrlichkeit ist mir ja so verhasst, gnädiges Fräulein!«, erwiderte Brauninger. »Diese ›revolutionären Streiter für das Proletariat‹ ziehen dem armen Arbeiter das Geld für wertlosen Tand aus der Tasche! Ich dagegen stehe dazu, dass meine Kunstgegenstände nun einmal nicht für jeden erschwinglich sind!«

Seine Arroganz hätte viele andere höchstwahrscheinlich abgeschreckt, Wanda jedoch spürte, dass darin ihre Chance lag, wenn ... ja wenn sie es richtig anstellte!

Sie legte den Kopf schräg und sagte: »Wissen Sie eigentlich, dass Ihre konsequente Art, Geschäfte zu betreiben, sehr amerikanisch ist? Das ist übrigens als Kompliment gemeint«, fügte sie hastig hinzu.

»Nun ja, das kann ich nicht beurteilen« – dem Geschäftsmann schoss tatsächlich Röte ins Gesicht –, »aber wenn gnädige Frau das sagen ...« Ohne dass Wanda darum gebeten hätte, schenkte er ihr Wasser in ein hohes geschliffenes Glas nach.

Wanda bedankte sich mit einem züchtigen Augenaufschlag. Dabei rasten die Gedanken nur so durch ihren Kopf. Karl-Heinz Brauningers Widerwille gegen Massenware konnte die Chance sein, die ihr von allen anderen Verlegern, die sie zuvor besucht hatte, verwehrt worden war! Die Frage war nur: Wie kam man mit ihm ins Geschäft? Wanda nippte an ihrem Wasser.

Dank ihrer eleganten Erscheinung und der Tatsache, dass sie aus Amerika kam, war sie entgegen ihren Befürchtungen in allen Häusern sehr freundlich aufgenommen worden. Sie sei jedoch nicht als Repräsentantin für Miles Enterprises, sondern für eine im Aufbau befindliche moderne Glasbläserei in Lauscha unterwegs, hatte sie jedes Mal gesagt, kaum dass ihr ein Sitzplatz angeboten worden war. Jeder Verleger hatte sich ihr Anliegen angehört, mehr über zeitgemäße Kundenwünsche erfahren zu wollen. Doch was sie dann tatsächlich herausfand, war alles andere als erbaulich: Ein Großteil der Verleger ließ in Fabriken fertigen, die anderen hatten schon ausreichend Glasbläser unter Vertrag.

»Ich nehme an, dass zu Ihren Kunden vor allem Galerien zählen«, fragte sie nun, als ihr Wasserglas zur Hälfte geleert war.

»Eine Hand voll Galeristen kommt tatsächlich zu mir, doch auch die scheinen inzwischen den Preis vor Originalität und Qualität zu setzen.« Brauninger winkte ab. »Mein Hauptgeschäft mache ich auf großen Kunstausstellungen. Ich weiß, dass meine verehrten Kollegen diesen Umstand belächeln, für sie bin ich nicht mehr als ein gewöhnlicher Marktschreier. Aber was wissen sie schon? Paris, Madrid, Oslo – überall auf der Welt gibt es Kunstfreunde, die bereit sind, für wahren Luxus Geld auszugeben. Indische Maharadschas, Opernsänger, Großbankiers – die Crème de la Crème kauft bei mir ein und …« Brauninger brach ab, als würde er sich plötzlich bewusst, dass er viel mehr gesagt hatte, als er eigentlich vorgehabt hatte.

Wanda schluckte. Maharadschas und Opernsänger – sie konnte sich nicht vorstellen, dass die etwas mit den Warzen- und Hirschgläsern aus der Heimerschen Werkstatt anfangen konnten …

»Verehrter Herr Brauninger, Sie haben mich nicht nur beeindruckt, sondern fast schon … eingeschüchtert«, gab sie mit einem entwaffnenden Lächeln zu. »Die Werkstatt, in deren Namen ich meine Marktstudie betreibe, hat zwar auf künstlerischem Gebiet einiges zu bieten, aber …« Sie machte eine kunstvolle Pause. »Wenn Sie mir die indiskrete Frage erlauben: Von wem beziehen Sie eigentlich Ihre Waren? Oder, um es indirekter zu formulieren: Sind denn überhaupt Lauschaer Glaskünstler darunter?«

»Sie verstehen, dass ich Ihnen keine Namen nennen kann«, beeilte sich Brauninger zu sagen, als bereue er seine vorherige Offenheit. »Ein, zwei Glasbläser aus Lauscha arbeiten allerdings wirklich für mich. Aber die Zusammenarbeit ist … ich will einmal sagen, mühsam«, fügte er dann doch hinzu.

Wanda runzelte die Stirn. »Entspricht das handwerkliche Können nicht Ihren Anforderungen?«

»Ganz im Gegenteil, Glasblasen können die da oben schon!« Er nickte in die ungefähre Richtung von Lauscha. »Aber sie sind so wortkarg! Wenn ich wissen will, was ihnen beim Gestalten eines Stückes durch den Kopf gegangen ist, muss ich ihnen jedes Wort aus der Nase ziehen! Erst kürzlich wieder lieferte der eine von ihnen einen Vierersatz blauer Schalen ab. Künstlerisch sehr hochwertig, versteht sich! Ich erkannte sofort, dass die Schalen, wenn man sie zusammenstellte, wie eine Vergissmeinnicht-Blüte wirkten, die ihre Betrachter anlockt wie einen Bienenschwarm. Dieser Eindruck wurde durch die hellgelben Böden der Schalen noch verstärkt.«

Wanda nickte begeistert. »Ich sehe es genau vor mir: eine allegorische Umsetzung der menschlichen Versuchung im Garten Eden!« Monique Demoines und sämtliche verwöhnten Kunden von Schraft's würden mich für diesen Geistesblitz bewundern, dachte sie spitzbübisch. Dass sie einmal Grund haben würde, der New Yorker Dekadenz dankbar zu sein, hätte sie nicht geglaubt.

Brauninger nickte anerkennend. »Ein würdiger Vergleich, gnädige Frau! Aber was, glauben Sie, bekam ich zur Antwort, als ich den Künstler nach seinem geistigen Entwurf für diese Arbeit fragte? Man könne die vier Schüsseln praktischerweise ineinander stellen, damit sie im Schrank weniger Platz wegnähmen!«

Wanda musste lachen. So etwas hätte auch von ihrem Vater kommen können!

Brauninger stimmte in ihr Lachen ein. Dann sagte er: »Wie viel sinnlicher sind da die französischen Künstler! Dieses Gespür für Emotionen! Vielleicht ist Ihnen der Name Emile Gallé ein Begriff?«

Wanda nickte. »Meine Mutter ist eine leidenschaftliche

Bewunderin der französischen Glaskünstler. Als New Yorkerin schätzt sie natürlich auch Tiffany«, fügte sie noch hinzu, um ein weiteres Zeugnis ihres Kunstverständnisses abzulegen. »Und was halten Sie von venezianischer Glaskunst?«, fragte sie dann so beiläufig wie möglich.

Brauninger verzog den Mund. »Ich weiß, die ganze Welt schielt nach Murano, aber ehrlich gesagt ist mir das Inselglas zu ... unehrlich im Ausdruck.« Er machte eine überhebliche Handbewegung.

Wanda nickte sorgenvoll. »Die Retro-Stile, ich weiß.« Auch sie winkte ab, als habe sie sich selbst ebenfalls schon ausgiebig mit Muraner Glas beschäftigt und wäre zum selben Schluss wie Brauninger gekommen.

Der Verleger räusperte sich. »Ich möchte ja nicht unhöflich erscheinen, gnädige Frau ... Aber ich habe leider in wenigen Minuten einen Termin.« Er blinzelte verlegen. »Und so erquicklich ich unser Gespräch auch fand, ist mir doch nicht klar, wie ich Ihnen behilflich sein kann.«

Umständlich raffte Wanda ihren Rock zusammen. »Sie haben mir schon mehr geholfen, als Sie je ahnen werden, mein lieber Herr Brauninger«, sagte sie im Aufstehen. Und mit einem weiteren Augenaufschlag fuhr sie fort: »Dass es noch Kunsthändler wie Sie gibt, bestärkt mich nur in unserem Bestreben, Lauschaer Glas wieder zu einem Synonym für allerhöchste Glaskunst zu machen. Ja, man kann fast sagen, Sie haben mir den Glauben an die Menschheit wiedergegeben!«

Brauningers Stirnrunzeln sagte ihr, dass sie damit doch ein bisschen zu dick aufgetragen hatte, deshalb bemühte sie sich im nächsten Moment um eine geschäftsmäßige Miene. Sie streckte ihm ihre Hand entgegen und holte noch einmal Luft.

»Gesetzt den Fall, mir gelangt in den nächsten Wochen oder Monaten ein Stück Glaskunst in die Hände, von dem ich glaube, dass es Ihren Ansprüchen eventuell genügen könnte – dürfte ich es Ihnen dann zeigen?«

Karl-Heinz Brauninger strahlte. »Jederzeit, gnädige Frau, jederzeit! Ich freue mich schon auf unser erstes Geschäft.«

Als Wanda wieder auf die Straße trat, hatte es bereits zu dämmern begonnen. Der Schnee glitzerte – ein untrügliches Zeichen dafür, dass die Nacht wieder eisig kalt werden würde.

»Na endlich! Ich hab schon geglaubt, du würdest da drin übernachten!« Evas Schatten löste sich aus dem Türrahmen des Nachbarhauses. »Wenn wir uns nicht beeilen, ist der letzte Zug nach Lauscha weg!«

»Tut mir Leid. Ich habe gar nicht gemerkt, wie die Zeit vergangen ist«, antwortete Wanda schuldbewusst, während sie in Richtung Bahnhof hasteten.

Eva schaute zu ihr hinüber. »Du hast so einen Blick ... Hat es sich etwa gelohnt, dass mein Hintern erfroren ist? Sag, haben wir einen Auftrag bekommen?« Plötzlich hatten Evas Augen einen jugendlichen Glanz.

Wanda hakte sich bei ihr unter, was sie sich dieses Mal widerstandslos gefallen ließ. »Das nicht, aber dafür habe ich etwas so Wichtiges erfahren, dass es unsere ganze Zukunft verändern wird!«

Das Glänzen in Evas Augen erlosch. Dafür strahlte Wanda wie ein hell erleuchteter Weihnachtsbaum. Sie hielt an und wandte sich Eva zu, am ganzen Leib zitternd – ob vor Kälte oder vor Aufregung, hätte sie nicht sagen können.

»Heutzutage reicht es nicht mehr, einfach nur schöne Gläser herzustellen. Das machen schon viel zu viele. Um Erfolg zu haben, muss man etwas ganz anderes tun!«

»Und was sollte das bitte schön sein?« Evas blau gefrorenes Gesicht war voller Skepsis.

Genießerisch schloss Wanda die Augen und ließ sich ihre

nächsten Worte wie Zuckerwatte auf der Zunge zergehen. »Die wahre Kunst liegt darin, Geschichten zu verkaufen!«

21

Die ersten Tage waren die schlimmsten. Das Loch, das plötzlich in Maries Leben klaffte, war so groß, dass sie nicht wusste, wie sie es je wieder schließen sollte.

Franco war in Amerika und sie eine Gefangene – eigentlich war alles ganz einfach. Doch ihr Verstand sträubte sich auch Wochen später immer noch, es zu verstehen. Die meiste Zeit des Tages war ihr Kopf deshalb leer. Nur dann war alles erträglich. Die Stille. Das Alleinsein. Das Eingesperrtsein. Der Dolch im Herzen.

Marie stand an der verriegelten Glastür, ihre Stirn an die Scheibe gepresst. Ein leichter Wind zauste die blühenden Mandelbäume, rosafarbener Schnee rieselte durch die Luft und legte sich wie ein zarter Schleier über den Garten. Allein das und der Stand der Sonne verriet ihr, dass das Frühjahr gekommen war. In Patrizias Garten flossen die Jahreszeiten ineinander wie Tuscheflecken auf nassem Papier.

In Lauscha hatte der Winter die Menschen sicher noch fest im Griff – der Gedanke war da, bevor Marie ihn hätte verscheuchen können. Vielleicht hörten sie hin und wieder morgens schon den Frühlingsvogel, der die Menschen zum Durchhalten anhielt, ansonsten hieß es garantiert wie jeden Tag: Schnee schippen, Asche auf die vereisten Wege streuen und abwarten.

Eine heiße Träne tropfte vor Marie auf den Boden.

Schnee. Würde sie jemals wieder das vertraute Knarzen von verharschtem Schnee unter ihren Füßen spüren?

Sie wischte sich so heftig übers Gesicht, dass es wehtat. Nicht weinen. Nicht das Kind erschrecken. Durchhalten, es konnte nicht mehr lange dauern. Sie rechnete jeden Tag mit Francos Rückkehr. Und dann ...

Keine Minute länger würde sie dann hier bleiben!

Ihr Entschluss stand fest, er war ihre Nabelschnur zu einem nächsten Leben: Sie würde Franco verlassen und ihr Kind mitnehmen.

Keine Diskussionen mehr, kein Warum, auf das es keine Antwort gab. Auch keine Gefühle mehr für Franco. Was noch übrig war, hatte sie in eine Ecke ihres Geistes verbannt, die sie sich aufzusuchen verbot. Hieß es nicht, Zeit heilt alle Wunden?

Es war für sie mittlerweile ohne Bedeutung, ob er wusste, dass man sie einsperrte wie eine Schwerverbrecherin, oder ob er ahnungslos war. Tausend Mal hatte sie seinen Abschiedsbrief gelesen, jedes Wort gedeutet. *Ich flehe dich an: Bitte bleib* – so konnte doch kein Gefängniswärter schreiben, oder? *Ich werde dafür sorgen, dass es dir an nichts fehlt* – so schon. Aus Patrizia war nichts herauszuholen. »Franco ist in Amerika und du bist hier«, lautete ihre gleichbleibende Antwort auf Maries Fragen. Irgendwann hatte sich Marie damit abgefunden. Wie sie sich auch damit abgefunden hatte, dass es keine Möglichkeit gab zu fliehen. Ihr Gefängnis brauchte keine Gitter, versperrte Türen und Fenster und Augen und Ohren überall reichten.

»Bald ist es so weit, bald, bald ...«, betete sie deshalb immer wieder vor sich hin. Wenn Patrizia ihr wenigstens sagen würde, mit welchem Schiff Franco kommen sollte ...

Ihre Hand wanderte hinab zu ihrem geschwollenen Leib. Ohne das Kind darin wäre sie längst verrückt geworden. Es war der Grund dafür, dass Marie die Tage aushielt, die wie Schnecken durch sonnentrockenes Gras krochen und nichts als eine trübe Schleimspur hinterließen.

»Bald ist es so weit, bald, bald ...« Marie verließ ihren Platz an der Glastür und setzte sich an den zierlichen

Sekretär, auf dem nicht viel mehr als ein Bogen Papier Platz hatte.

Sie hatte angefangen, in ein kleines Büchlein zu schreiben. Auch das half. Irgendwann einmal, wenn ihr Kind alt genug war, um alles zu verstehen, wollte sie ihm das Tagebuch zu lesen geben. Anfänglich hatte sie sich mit dem Schreiben gequält. Es war ihr schwer gefallen, sich an damals zu erinnern, an das junge Mädchen, das anfing, in der Dunkelheit der Nacht Glas zu blasen. Aber damals hatte ihre Geschichte nun einmal begonnen. Also musste Marie auch ihr Tagebuch mit jener Zeit beginnen.

Es tat weh, niemanden zu haben, mit dem sie reden konnte, mit dem sie sich an Vergangenes erinnern konnte. An die Zeit, in der sie mit ihren Schwestern zusammen die Glasbläserei aufgebaut hatte. Und an ihre große Reise nach New York. Das Wiedersehen mit Ruth, die so elegant und anders war als sie und die sie dennoch so unendlich liebte. Dann die großen Gefühle, als sie Franco kennen lernte! Das Erinnern ging immer mit dem schmerzlichen Bewusstsein ihrer jetzigen Einsamkeit einher, aber Marie lernte aus diesem Schmerz, dass sie die Fähigkeit, sich selbst zu spüren, auch in ihrem Gefängnis nicht verloren hatte.

Als alle alten Geschichten in dem kleinen Buch festgehalten waren, begnügte sich Marie damit, täglich ein paar Zeilen an ihr ungeborenes Kind zu schreiben. Sie schrieb nicht auf, wie es ihr ging und was sie fühlte. Ihr Kind sollte nicht erfahren, wie unglücklich seine Mutter während der Schwangerschaft gewesen war. Stattdessen schrieb sie von dem neuen Anfang, den sie beide machen würden, sobald Franco zurück war und sie aus ihrem Gefängnis entlassen musste.

Sie und ihr Kind. Ein neuer Anfang, wie ein weißes Blatt Papier. Wo, das würde man sehen. Vielleicht würde sich der Monte Verità als Heimat auf Zeit anbieten. Und dann? Gleichgültig … nur weg von hier, weg, weg.

Marie seufzte und versteckte das Büchlein wie stets hinter der Rückwand ihres Bettes. Dann sah sie auf die Kugeluhr, die an einer goldenen Kette um ihren Hals baumelte. Vier Uhr nachmittags.

Sie ging in die Werkstatt. Noch am Morgen hatte die Glut der Farben auf ihrem Bolg sie für ein paar gnädige Stunden aus ihrem Gefängnis geholt. Wenn ihr Kopf voll war mit bunten Bildern, ging es ihr besser. An den Wänden lehnten die Glasmosaiken, die in den letzten Wochen entstanden waren – bizarre, fast abstrakte Darstellungen, deren Bedeutung Marie manchmal selbst nicht hätte erklären können, weil sie wie aus eigenem Willen aus ihr herausgeflossen waren. Nun ließ sie ihre Finger durch die Schalen mit den bunten Glassteinen gleiten, ohne etwas dabei zu fühlen.

Die Stunden am Nachmittag, wenn die Kraft des Morgens sie verlassen, die Müdigkeit des Abends sie aber noch nicht eingeholt hatte, waren die schlimmsten.

Um nicht ganz untätig dazusitzen, begann sie, Glasstücke in verschiedenen Grüntönen blätterförmig zusammenzulegen.

Im Laufe der Wochen hatte sich etwas wie Normalität eingestellt, eine tägliche Routine, die dem Wahnsinn Struktur gab: aufstehen so gegen neun Uhr morgens, wenn Carla – immer nur sie, nie eins der anderen Dienstmädchen – mit dem Frühstück kam. Zwei Scheiben Weißbrot, dazu Butter und Honig und ein Stück Obst. Dann die Benutzung des Toilettengeschirrs, das Carla zusammen mit dem Frühstückstablett gegen zehn Uhr abholte. Im Palazzo gab es fünf Toiletten mit fließendem Wasser – eine Annehmlichkeit, die Marie sehr bald nach ihrer Ankunft zu schätzen gelernt hatte. Doch nun ließ Patrizia sie nicht einmal für den Gang zur Toilette aus ihrem Zimmer. »Es ist nicht gut, wenn du so viel läufst. Du musst dich schonen für das *bambino*«, rechtfertigte sie sich. Heuchlerische Gefängniswärterin!

Die restliche Zeit des Vormittags verbrachte Marie in ihrer Werkstatt, bis um ein Uhr die Tür erneut aufging. Manchmal brachte ihr Patrizia das Mittagessen und blieb ein paar Minuten. Weil Marie so einsam war, begann sie sich paradoxerweise trotz ihres Hasses auf diese Zeit zu freuen – schließlich war Patrizia ihre einzige Verbindung nach draußen. Meistens kam jedoch Carla, die sie immer anstarrte, als hätte sie Angst vor ihr. Marie hatte keine Ahnung, was Patrizia dem Mädchen erzählt hatte – wahrscheinlich, dass sie, Marie, an einer ansteckenden Krankheit litt. Oder geisteskrank war. Eher Letzteres, denn Carla reagierte auf keine von Maries eindringlichen Bitten, ihr zu helfen, mit mehr als einem irritierten Augenzucken.

Im Anschluss an das Essen kam der Mittagsschlaf. Wie gern hätte Marie dazu das Korbsofa in der Orangerie aufgesucht! Etwas anderes riechen, die Palmenwedel um sich haben, die sich im Windhauch der Belüftungsschlitze wiegten … Doch sie hatte noch so betteln können, Patrizia hatte sich nicht darauf eingelassen, die Tür zur Orangerie für Marie zu öffnen – wahrscheinlich hatte sie Angst, Marie würde eine der Scheiben zertrümmern und auf und davon gehen! Versucht hätte sie es, ohne Zweifel. Die Scheiben im Glashaus waren weniger dick als die in ihrem Schlafzimmer oder in der Werkstatt und auch nicht vergittert. Und dann wäre sie gerannt, gerannt, gerannt. Nur weg aus ihrem gläsernen Gefängnis.

In den ersten Tagen hatte sie nichts anderes getan, als darüber nachzugrübeln, wie sie entkommen konnte. Einmal hatte sie Carla samt Tablett zur Seite gestoßen und war zur Haustür gelaufen, so schnell sie konnte – nur um festzustellen, dass die ebenfalls verschlossen war. Heulend war sie zusammengebrochen. Welche Demütigung, als Patrizia und der Conte sie wie eine Schwerverbrecherin wieder abgeführt hatten! Dabei hatte Patrizia geweint und so getan, als ob Marie sie zutiefst verletzt hätte.

Aufhören zu leben, einfach nichts mehr zu essen wäre eine weitere Möglichkeit gewesen – doch da war das Kind in ihrem Bauch.

Hilfe von außen holen? Vergeblich. Wann immer einer der Gärtner vor ihrem Fenster aufgetaucht war, hatte Marie wie eine Verrückte ans Glas gehämmert und klarzumachen versucht, dass sie gegen ihren Willen festgehalten wurde. Keiner hatte reagiert. Was mochte Patrizia ihnen erzählt haben?

Wütend wischte Marie mit der Hand über den Bolg. Aberhunderte von Glasteilchen spritzten davon, perlten wie bunte Regentropfen auf den Boden. Fast höhnisch schimmerten sie dort, in einer arglosen Schönheit, die Marie vor Schmerz aufschreien ließ. Seit sie denken konnte, war Glas der Werkstoff, mit dem sie hatte arbeiten wollen. Glas offenbarte jede Schwäche, jeden Fehler der menschlichen Hand – gerade diese Tatsache hatte sie so sehr gereizt. Der empfindliche Werkstoff hatte sie mehr als einmal zu einem Wutausbruch verführt, dann wieder zu Geduld und Demut angehalten und stets erneut ihren Ehrgeiz angestachelt. Nie hätte Marie sich eine Situation vorstellen können, in der Glas ihr zum Feind werden konnte.

Pünktlich um fünf Uhr drehte sich der Schlüssel im Schloss. Erstaunt registrierte Marie, die auf dem Bett saß, dass es Patrizia war, die das Tablett mit der Mokkatasse und dem Stück Butterkuchen brachte. *Sie* hätte sie beileibe nicht erwartet: Erst zur Mittagszeit hatte sie ihre Schwiegermutter angefleht, einen Arzt kommen zu lassen, der sie wegen ihrer Rückenschmerzen untersuchen sollte.

»Ich schwöre, dass ich nichts zu ihm sagen werde!«, hatte sie beteuert und es in diesem Moment auch so gemeint. Wo hätte sie denn auch jetzt noch hingehen sollen mit ihrem dicken Bauch? Wäre sie nicht schwanger gewesen, hätte sie jeden Tag auf eine neue Fluchtmöglichkeit gelauert, doch sie musste an ihr ungeborenes Kind denken. So hatte sie gesagt: »Die Schmerzen machen mir Angst! Wenn etwas nicht in Ordnung ist …« Doch wie immer hatte auch diese Diskussion damit geendet, dass Patrizia steif und mit zusammengepressten Lippen aus dem Zimmer gegangen war. Normalerweise bestrafte sie Marie für ein solches »Verhalten« damit, dass sie einige Tage lang gar nicht bei ihr vorbeischaute.

Hatte sie womöglich herausgefunden, dass heute Maries Geburtstag war?

Ohne Marie anzuschauen, stellte Patrizia das Tablett auf dem kleinen Tisch vor dem Bett ab. Ihre Hände zitterten, und ihre Augen waren rot gerändert, als hätte sie geweint.

»Kannst du Carla bitten, mir Wasser für ein Bad warm zu machen?« Marie wies in Richtung der Badewanne, die Patrizia ihr am ersten Tag ins Zimmer hatte bringen lassen. »Vielleicht tut die Wärme meinem Rücken gut«, fügte sie noch hinzu.

Patrizia nickte wortlos. Sie war schon halb zur Tür hinaus, als sie sich nochmals umdrehte und stehen blieb. Umständlich nahm sie das Tablett von einer Hand in die andere. Sie räusperte sich fast unhörbar.

»Was ist? Hat Franco sich endlich gemeldet?« Der Hoffnungsschimmer war da, bevor Marie sich gegen ihn wehren konnte. Seit Wochen warteten sie auf seinen Anruf …

Patrizia schüttelte den Kopf. »In New York hat es ein Problem gegeben …« Ihre steinerne Miene zerbrach, ein Wimmern erklang. Hastig presste sie eine Hand auf den Mund.

Marie hatte das Gefühl, als hätte sie einen Schlag in die Magengrube erhalten. Ohne Rücksicht auf ihre Leibesfülle sprang sie auf. »Und? So rede schon!«

»Einer der Zollbeamten, die Bescheid wussten, hat seinen

Mund nicht gehalten.« Patrizias Unterlippe zitterte. »Sie haben Franco verhaftet.«

22

Von einem Tag auf den anderen begann der Schnee zu schmelzen. Zuerst tauten die Straßen auf, dann rutschte Schnee von den Hausdächern, dann begannen die Bäume an den umliegenden Berghängen nach und nach ihre Äste zu entblößen. Ende März sah die Landschaft so scheckig aus wie ein Hund im Fellwechsel, und Wanda musste sich erst daran gewöhnen, nicht mehr nur Weißes zu sehen. Überall strömten große und kleine Bäche bergab, tiefer liegende Wiesen verwandelten sich in Tümpel, auf den Gassen begann sich das Wasser in Pfützen zu sammeln, die – wollte man keine nassen Füße bekommen – das Vorwärtskommen so beschwerlich machten wie zuvor das Stiefeln durch den Schnee. Doch die Menschen schienen die neuen Erschwernisse nicht nur klaglos hinzunehmen, sondern sie geradezu zu begrüßen, bedeuteten sie doch, dass sich die Landschaft endlich aus ihrem Schneekokon entpuppte und der Frühling nahte.

Obwohl Wandas Kopf randvoll war mit ihren Ideen und Plänen, entging ihr die Unruhe nicht, die die Menschen um sie herum befallen hatte. Plötzlich hatte jeder etwas vor: der Nachbar, der sich auf den Weg nach Neuhaus machte, um von seinem Schwager zwei Ferkel zu holen, oder Anna und Johannes, die Pläne für einen Besuch in Coburg schmiedeten – ohne Wanda zu fragen, ob sie mitkommen wollte. Oder Graziella, die italienische Haushaltshilfe, die von früh bis spät römische Weisen sang und dabei Magnus schmachtende Blicke zuwarf, die dieser nicht bemerkte.

Auch Wanda selbst verspürte bald diese Unruhe – sie manifestierte sich unter anderem in dem Bedürfnis, Richard bei jeder Gelegenheit abzuküssen. Wie sehr sie diesen Mann auch körperlich begehrte, erschreckte sie nicht wenig, und sie war Richard dafür dankbar, dass er einen kühlen Kopf behielt, wenn ihre Umarmungen zu hitzig zu werden drohten.

Auch in geschäftlicher Hinsicht schien Lauscha aus dem Winterschlaf zu erwachen: Mehr Fuhrwerke als in den Monaten zuvor rutschten nun über die letzten Schneereste, und unter die bekannten Gesichter mischten sich verstärkt auch fremde. Richards Galerist und Förderer Gotthilf Täuber kam auf einen Besuch vorbei und kaufte ihm alles ab, was er fertig gestellt hatte. Danach war Richard noch besessener von seiner Arbeit als zuvor: Wann immer Wanda bei ihm vorbeischaute, hatte er entweder ein Stück in Arbeit oder war in den Katalog vertieft, den Täuber dagelassen hatte.

Auch im Hause Steinmann-Maienbaum herrschte Aufbruchsstimmung: Johanna verschickte goldfarben bedruckte Briefe an ihre Kunden, in denen sie zu einer Frühjahrs-Verkaufsausstellung einlud, woraufhin Wanda wieder einmal die Geschäftstüchtigkeit der Tante bewunderte.

Doch in Wandas Augen war das alles nichts gegen das Erwachen, das im Haushalt ihres Vaters stattfand: die Geschäftsbeziehung, die sich zwischen Karl-Heinz Brauninger und der Werkstatt Heimer entwickelte. Eine komplette Glasserie hatte der Kunsthändler ihnen schon abgekauft und sein Interesse an weiteren Geschäften kundgetan.

Kurioserweise war der Samen dieser Erfolg versprechenden Entwicklung in der Faschingszeit gesät worden, in den Tagen, als Wanda und Richard kein Fest, keinen Tanz und keinen Mummenschanz ausgelassen hatten. Die Kostüme, die Masken und die Ausgelassenheit der Menschen – noch nie hatte Wanda Derartiges erlebt und jede Minute genossen. Und dann, am Aschermittwoch, war alles vorbei gewesen. Wie schön müsste es sein, wenn man einen Teil der Fröhlichkeit für den Rest des Jahres konservieren könnte, hatte Wanda mit brummendem Kopf gedacht. Was lag in Lauscha näher, als dafür Glas zu nehmen? Die Idee zu einer Glasserie mit dem wohlklingenden Namen »Karnevale« war geboren worden. Wie nicht anders zu erwarten, war Wanda mit ihren Vorstellungen bei ihrem Vater zuerst auf große Skepsis gestoßen: Zu zeitaufwändig sei die Art der Verzierung, die Wanda vorschwebte, lautete sein Argument dagegen. Doch am Ende hatte er sich darauf eingelassen, und es waren verschieden große Schalen und Trinkgefäße entstanden. Dazu gab es einen Tafelaufsatz und – dies war Wandas Idee gewesen – gläserne Serviettenringe, alle aus farblosen Rohlingen gearbeitet und mit Abertausenden von bunten Glassprenkeln verziert, die wie Konfetti aussahen. Am Ende gab selbst Thomas zu, dass sich die Mühe gelohnt hatte: Jedes Teil strahlte Lebensfreude aus, weckte Visionen von eleganten Festtafeln mit fröhlichem Gläserklirren und heiteren Trinksprüchen. Dieser Ansicht war wohl auch Karl-Heinz Brauninger gewesen, der von sich aus einen höheren Preis bot als den, den Wanda im Kopf gehabt hatte. Nun, da der Anfang gemacht war, hieß es, den Faden weiterzuspinnen!

»Bitte, Tante Johanna, lass uns das Telefonat nach New York noch um eine Woche verschieben! Von mir aus können wir gleich am nächsten Montag nach Sonneberg aufs Postamt gehen, nur nicht heute!« Wandas Flehen hatte fast etwas Komisches an sich. Mit bangem Blick fixierte sie Johanna quer über den Küchentisch.

Heute war ein besonderer Tag.

Die anderen waren längst in der Werkstatt, und auch Wanda wäre eigentlich schon auf dem Weg in die Heimersche Glasbläserei gewesen, doch sie hatte Johanna gebeten, noch für einen Moment zu bleiben.

Johanna schüttelte den Kopf. »Ich weiß wirklich nicht, wie du dir das vorstellst! Bis zu deiner geplanten Abreise sind es nur noch vier Wochen. Du weißt, dass du trotz … trotz allem stets ein gern gesehener Gast bei uns bist. Aber wenn du wirklich vorhast, länger in Lauscha zu bleiben, musst du doch zumindest deine Eltern um Erlaubnis fragen! Oder haben die deiner Ansicht nach kein Wörtchen mehr mitzureden?« Johanna runzelte ärgerlich die Stirn. »Dass du mich mit deinem Verhalten in eine unmögliche Lage bringst, kommt noch dazu.« Sie seufzte. »Bei jedem Telefonat und in jedem Brief fordert mich deine Mutter auf, ich solle mich mehr um dich kümmern, statt zuzulassen, dass du jeden Tag zu deinem Vater rennst.«

»Aber ich habe ihr doch geschrieben, warum ich …«

Johanna unterbrach Wanda mit einer ungeduldigen Handbewegung. »Und dann noch dein Verehrer … Dass du dich täglich mit Richard triffst, dürfte ich eigentlich gar nicht dulden. Auch wenn du mir hoch und heilig geschworen hast, dass zwischen euch alles geziemend vonstatten geht …«

»Ach, Tante Johanna!« Wanda überfiel ein Schwall schlechtes Gewissen. »Ich weiß, dass ich es euch nicht gerade einfach mache. Aber Richard ist so ein Ehrenmann, dass du dir wirklich keine Sorgen um meine … meine Unschuld zu machen brauchst. Und was die Sache mit meinem Vater angeht …« Hilflos warf sie die Hände in die Luft. »Bitte versuche doch, auch mich zu verstehen! Zum ersten Mal in meinem Leben habe ich das Gefühl, etwas wirklich Sinnvolles zu tun! Ich weiß, Mutter will nur mein Bestes, aber was kann ich denn dafür, dass ich für ein Leben zwischen Cocktailempfängen und Tennisspielen offenbar nicht geschaffen bin? Es macht mir so viel Spaß zu sehen, dass sich Dinge wirklich zum Besseren ändern, wenn man etwas dafür tut! Du müsstest das doch gut verstehen. Du und

Mutter und Marie – ihr drei habt euch auch nicht beirren lassen. Ihr seid doch auch euren Weg gegangen!«

Noch während sie sprach, wusste Wanda, dass es ein taktischer Fehler gewesen war, Marie zu erwähnen.

Tatsächlich verfinsterte sich Johannas Miene sofort.

»Komm mir nicht mit Marie! Mit der hab ich auch ein Hühnchen zu rupfen, schwanger hin oder her!«, schnaubte sie. »Ich erwarte weiß Gott keine ellenlangen Briefe, aber hin und wieder eine kurze Nachricht, dass es ihr gut geht – ist das zu viel verlangt?«

Wanda schwieg. Auch sie hatte keine Erklärung für Maries Verhalten. Auf keinen ihrer drei letzten Briefe hatte Marie geantwortet, nicht einmal auf den, in dem sie ihr über ihren Erfolg mit der Glasserie »Karnevale« berichtet hatte, und das musste Marie doch interessieren!

»Vielleicht geht es ihr nicht gut ...«, murmelte sie und rutschte ungeduldig auf der Bank hin und her. Eigentlich hatte sie keine Zeit, jetzt auch noch über Marie zu sprechen.

»Sag doch so was nicht!«, rief Johanna. Ihre Augen waren auf einmal ganz glasig. »Manchmal kann ich nachts nicht schlafen, solche Sorgen mache ich mir inzwischen! Dann sehe ich sie in einem italienischen Krankenhaus liegen, das Kind verloren ...« Sie hob die Schultern. Ihr Ärger war längst der Verzweiflung gewichen. »Womöglich ist sie furchtbar unglücklich in diesem Palazzo.«

Wanda langte über den Tisch und ergriff Johannas Hand. »Das glaube ich nicht, dann hätte sie sich längst gemeldet! Marie weiß doch, was sie will. Wahrscheinlich hat die Schwangerschaft eine solche Schaffenskraft in ihr ausgelöst, dass sie von früh bis spät nur an ihre Arbeit denkt und abends zu müde ist, um zu schreiben.«

Johannas Blick blieb skeptisch.

Wanda sprang auf und umarmte sie überschwänglich. »Jetzt mach dir keine Sorgen, sicher geht es Marie blendend!

Und am Montag rufe ich Mutter an, ich verspreche es hoch und heilig.«

Noch bevor Johanna einen weiteren Einwand machen konnte, war Wanda im Hausflur, wo sie sich Mantel und Schal überwarf.

Kurze Zeit später befand sie sich auf dem Weg ins Oberland.

Ihr Herz klopfte heftig – ob das von ihrem schnellen Schritt kam oder von der Aufregung, die in ihr aufwallte wie überkochende Milch, wusste sie nicht. Heute war ein besonderer Tag – das hatte Johanna natürlich nicht wissen können. Heute würden Thomas und Richard sich zum ersten Mal zusammen an die Arbeit machen. Es hatte sie viel Überredungskunst gekostet, bis es so weit gekommen war. Anfangs hatte Thomas sich schlichtweg geweigert, über eine Zusammenarbeit mit einem anderen Glasbläser auch nur nachzudenken. »So etwas ist zum Scheitern verurteilt«, hatte er geunkt und angeführt: »Schau dir doch an, was aus dem Gewerbeverein geworden ist! Zerstritten haben sie sich, weil jeder eigene Ideen und Ziele hatte und man die nicht unter einen Hut bringen konnte!« Erst als Richard selbst bei ihm vorgesprochen und das Argument gebracht hatte, dass vier Hände sich an viel aufwändigere Arbeiten wagen konnten als zwei, hatte Thomas schließlich einem Versuch zugestimmt. Und Richard hatte ein *sehr* aufwändiges Projekt ausgesucht!

Hoffentlich geht alles gut, dachte Wanda bang. Sie hatte den Berg noch nicht zur Hälfte erklommen, als sie plötzlich erschrocken aufschrie: Wasser quoll in ihre Schuhe und durchnässte ihre Strümpfe. Zu spät hob sie den Rocksaum an, der ebenfalls schon durch die Pfütze schleifte.

»Na, junges Fräulein, nicht aufgepasst? So eine Schneeschmelze gibt's in Amerika wahrscheinlich nicht.«

Wanda drehte sich um und erkannte die Frau des Apothekers.

»In Amerika gibt es so etwas schon, aber nicht in New York«, seufzte sie, während sie auf ihre ruinierten Schuhe schaute. »Ausgerechnet heute, wo Richard und mein Vater auf das Material warten, das ich bei Ihrem Mann bestellt habe! Da kann ich nicht nochmals zurückgehen, um trockene Schuhe anzuziehen. Die Sachen sind doch sicher inzwischen da?« Sie vermochte die Ungeduld nicht ganz aus ihrer Stimme zu verbannen – eigentlich hätten das Blattsilber und die chemische Lösung, deren Namen sie sich nicht merken konnte, schon letzte Woche ankommen sollen.

»Der Bote hat Ihre Bestellung gestern gebracht«, bestätigte die Frau. »Ihre nassen Füße sollten Sie dennoch nicht zu leicht nehmen. Krank sind Sie Ihrem Vater nämlich keine Hilfe«, tadelte sie milde, während sie gemeinsam weitergingen.

»Das lassen Sie ihn mal hören!« Wanda grinste. »Seiner Ansicht nach mache ich nämlich mehr Arbeit, als dass ich ihm eine Hilfe bin. Ich würde so viel Staub aufwirbeln wie eine durchgehende Herde Rindviecher, hat er erst gestern wieder zu mir gesagt«, gab sie freimütig zu. Sie hatte sich allerdings inzwischen angewöhnt, nicht jedes Wort von Thomas Heimer auf die Goldwaage zu legen.

Die Frau des Apothekers schnalzte tadelnd mit der Zunge. »Dieser dumme Kerl. Froh sollte er sein, dass er Sie hat! Froh sollte er sein!«

Wanda lachte nur.

23

In der Werkstatt war nur das Summen von Thomas' Gasflamme zu hören, in deren Hitze er ein Stückchen einer Glasröhre erwärmte.

»Noch ein bisschen mehr«, murmelte Richard neben Thomas, das Aventurin, das wie echtes Blattgold wirkte, griffbereit zur Hand. Im nächsten Moment rief er: »Halt! Jetzt reicht's!«

Thomas hielt ihm die Vase hin.

Richard schmolz kleine, golden schimmernde Körnchen von Aventurin auf das erwärmte Glasröhrenstück, das Thomas nach seinen Anweisungen drehte und wendete.

Nachdem Thomas ein Ende der Röhre zusammengeschmolzen hatte, setzte er das noch offene Ende an seine Lippen und blies wie in eine Flöte hinein.

Gebannt schaute Wanda zu, wie sich die schlichte Glasröhre in einen dickbauchigen Hohlkörper verwandelte. Als sie schon glaubte, das Glas würde zerspringen, hörte Thomas auf zu blasen und drehte es mit einem Greifwerkzeug um. Dann erwärmte er das geschlossene Ende und schmolz einen gläsernen Fuß an. Sobald dieser festsaß, drehte er das Glasteil erneut um, hielt die Öffnung ins Feuer und nahm gleichzeitig eine Zange zur Hand.

Mit gekonnten Kniffen arbeitete er Wellen in den Rand, und langsam verwandelte sich das Teil in eine Vase.

Eva, die auf dem Weg in die Küche eigentlich nur einen kurzen Blick in die Werkstatt hatte werfen wollen, trippelte auf Zehenspitzen an den Balg. Als sie sah, womit die Männer beschäftigt waren, umklammerte sie Wandas Ärmel, als hätte sie noch nie eine Glasbläserarbeit miterlebt.

»Jetzt gilt's!«

Nachdem Thomas die Vase erneut in die Flamme gehalten hatte, formte er mit Hilfe der Zange die Wellen noch weiter aus. Das Aventurin begann in hauchdünnen Rissen aufzubrechen.

Lieber Gott, mach, dass alles gut geht!, betete Wanda stumm und mit angehaltenem Atem, während das Aventurin an manchen Stellen heller wurde und an anderen Stellen fast wie echtes Gold aussah.

Mit schweißbedeckter Stirn legte Thomas die Zange aus der Hand und begann, die Vase zum Abkühlen ein wenig hin und her zu schwenken. Zum ersten Mal, seit er sich an den Bolg gesetzt hatte, schaute er auf. »Das hätten wir geschafft!«

Erst in dem Moment gestattete sich Wanda das Ausatmen.

»Gott sei Dank!«, rief Eva. »Dann ist das teure Zeug wenigstens nicht umsonst gekauft!« Mit einem Schnaufer hob sie das Tablett mit Wilhelms Essensresten, das sie beim Eintreten neben der Tür abgestellt hatte, wieder auf und verließ die Werkstatt.

»Na, was haltet ihr davon? Für einen ersten Versuch nicht schlecht, oder?« Der Stolz in Thomas' Stimme war nicht zu überhören.

Wanda hatte einen Knoten im Hals, den sie erst hinunterschlucken musste.

»Sie ist wunderschön geworden!«, sagte sie mit belegter Stimme. »Dieses Glitzern ... als ob Tausende von Tautropfen auf einer weißen Lilienblüte gleichzeitig den ersten Strahl Morgensonne einfangen!« Mit glänzenden Augen schaute sie von Richard zu ihrem Vater.

Sie hatte es gewusst!

Sie hatte von Anfang an gewusst, dass etwas Gutes dabei herauskommen würde, wenn die beiden sich zusammentaten!

Richard nahm die Vase hoch und hielt sie mit zusammengekniffenen Augen gegen das schwache Licht der Ölfunzel.

»Das Verhältnis Glas zu Aventurin könnte noch etwas ausgewogener sein. Bei der nächsten Vase versuche ich, die Auflage noch ein wenig tiefer anzusetzen. Das hatte ich eigentlich hier auch schon vor, aber ich hatte Angst, dass ich in die tiefen Rillen nicht vollständig hineingelange. Und dann wäre alles verdorben gewesen.«

»Alter Nörgler!«, frotzelte Wanda.

Doch Thomas nickte. »Die Gefahr besteht.« Er biss sich auf die Unterlippe. »Und du bist dir sicher, dass wir darauf jetzt die Säure geben sollten? Eigentlich ist die Vase doch auch so schön, oder?«

Richard lachte. »Hat dich der Mut schon wieder verlassen? Ich bitte um ein wenig mehr Experimentierfreude! Das war doch der Sinn der Übung! Oder warum haben wir das teure Zeug sonst bestellt?«

»Jetzt wartet doch einen Moment!« Wanda ergriff ihren Notizblock und drängte sich zwischen die beiden Männer. »Bevor ihr mit der Säure anfangt, möchte ich zuerst wissen, was ihr gerade eben gefühlt habt.« Mit gezücktem Bleistift schaute sie von einem zum andern. Ihre Notizen würden wichtig werden, wenn sie Karl-Heinz Brauninger die neue Serie beschreiben sollte. Bei der »Karnevale«-Serie war es einfach gewesen, da hatte sie aus ihren eigenen Empfindungen schöpfen können. Diesmal war es anders.

Die beiden Männer starrten sich an. Richard kratzte sich verlegen am Hinterkopf. »Das solltest du eigentlich nur den Glasbläser fragen ...«

Thomas gab ein unwilliges Geräusch von sich. »Wenn du's genau wissen willst: einen Druck auf der Blase. Ich muss nämlich schon die ganze Zeit pinkeln.«

Die beiden Männer lachten. Dann ging Thomas nach draußen.

Wanda schaute ihm nach. Sie fühlte sich, als hätte ihr jemand einen Eimer Wasser über den Kopf gegossen.

»Dieser ...« Vor lauter Erregung hatte sie auf einmal zu viel Spucke im Mund und musste erst schlucken, bevor sie weitersprechen konnte. »Dieser Unhold!«

Nachdem Richard etwas von »darf man nicht so ernst nehmen« und »wir werden die Säure morgen auftragen« gefaselt hatte, drückte er Wanda einen hastigen Kuss auf die Lippen und war fort.

Dumpf starrte sie auf die Glasvase, während sie darauf wartete, dass Thomas von seinem Gang hinters Haus zurückkam.

»Du bist ja immer noch da«, begrüßte Thomas sie beim Eintreten. »Ich habe gedacht, du würdest mit Richard gehen.«

»Und ich habe gedacht, wir beide würden zusammenarbeiten. Aber scheinbar habe ich mich getäuscht!«, antwortete sie bitter.

Thomas stöhnte. »Was willst du denn jetzt schon wieder? Du kannst einen Mann wirklich um seinen Verstand bringen. Wie deine Mutter damals!«, fuhr er sie mit verschränkten Armen an.

»Und du kannst nichts als jammern!«, schrie Wanda und sprang auf. Du lieber Himmel, er war ihr *Vater* – wie konnte er sie nur so verletzen? Lag ihm denn nicht das Geringste an ihr? »Kein Wunder, dass meine Mutter dich damals verlassen hat! Und kein Wunder, dass du es zu nichts bringst!«, spie sie ihm entgegen. Dann trat sie so nahe an ihn heran, dass ihr Gesicht nur noch eine Handbreit von seinem entfernt war. »Was habe ich denn von dir verlangt? Nichts, als dass du deine Empfindungen mit mir teilst!« Zu ihrem Entsetzen stiegen ihr während der letzten Worte Tränen in die Augen. Sie wandte sich dem Fenster zu, bevor Thomas sie sehen konnte.

Für einen langen Moment herrschte Schweigen. Thomas hatte wieder an seinem Bolg Platz genommen.

»Wie ich mich fühle …, das hat noch keiner von mir wissen wollen«, sagte er schließlich. Er starrte auf die hölzerne Arbeitsplatte, die vom Feuer vieler Jahre geschwärzt war. Die Falte zwischen seinen tief liegenden Augen war noch ausgeprägter als sonst. »Seit ich denken kann, sitz ich hier in dieser Werkstatt, an diesem Bolg. Jeden Tag. Früher, als wir noch zu dritt waren und Vater die Aufträge herangeschafft hat, da hieß es von früh bis spät ackern – ob es tausend Schalen waren, die man zu blasen hatte, oder Hunderte von Parfümflaschen. Manches Mal habe ich gedacht, wenn ich noch eine weitere Schale blasen muss, werde ich verrückt. Immer das Gleiche, keine Abwechslung! Aber das hat keinen interessiert. Ich hätte schon meine eigenen Ideen gehabt, so ist das nicht! Einen ganzen Block voller Ideen hatte ich im Laufe der Zeit zusammenbekommen.«

Er schaute auf, doch Wanda starrte noch immer aus dem Fenster.

»Aber davon hat Vater nichts hören wollen. Er hat sich meine Sachen nicht einmal angeschaut, sondern gesagt, ich solle meine Zeit nicht verschwenden, wo wir mit der Arbeit kaum nachkämen. Bei anderen Jungen im Dorf war das nicht so: Die haben irgendwann ihre eigenen Sachen gemacht, nicht so wie meine Brüder und ich. Und dann kam Marie mit ihren Entwürfen daher, und auf einmal war der Alte Feuer und Flamme!« Thomas hörte sich an, als könne er das immer noch nicht glauben. »Damals bin ich fast geplatzt vor Neid – das sag ich ganz ehrlich. Aber wen hat's interessiert?« Er lachte freudlos. »Na ja, lange hat seine Begeisterung für ihre ausgefallenen Stücke auch nicht angehalten, der alte Trott war bald wieder da. *Wir* haben uns das gefallen lassen, aber Marie nicht. Sie hat's zu was gebracht! Im Gegensatz zu uns.«

Wanda tat das Zuhören weh. So hatte sie ihren Vater noch nie erlebt. Sie wagte es nicht, sich umzudrehen, aus Angst, er würde dann im Sprechen innehalten. Gleichzeitig fuhr ihr bei Maries Namen abermals ein ungutes Gefühl durch den Bauch. Wenn ich doch nur wüsste, ob wir uns umsonst Sorgen machen, dachte sie kurz.

»... und dann, als Sebastian fortging, hatten Michel und ich die Arbeit von drei Glasbläsern zu erledigen. Auch damals hat mich niemand gefragt, wie ich mich fühlte, wenn ich nach vierzehn Stunden Arbeit endlich vom Bolg aufstehen konnte! Nach Michels Unfall war ich schließlich ganz allein, aber die Arbeit musste gemacht werden, sonst war kein Brot auf dem Tisch. In all den Jahren hab ich eines gelernt: Es ist das Beste, wenn man nicht nachdenkt und nicht in sich hineinhört, sondern das tut, was man tun muss.«

Er erhob sich von seinem Schemel, trat zu Wanda ans Fenster und schaute ebenfalls hinaus. Auf einmal hatte sie das Gefühl, ihm nicht nur körperlich sehr nahe zu sein.

»Und dann kommst du daher und stellst mir solch eine Frage!«, sagte er leise.

»Die Zeiten ändern sich. Und ob du es glaubst oder nicht, manchmal auch zum Guten«, murmelte sie heiser.

»Es war ein ... schönes Gefühl«, ertönte es so leise neben ihr, dass Wanda im ersten Moment glaubte, sich die Worte nur einzubilden. Ihr Herz begann wie wild zu pochen. Weiter. Bitte weiter.

»Ich hatte schon beinahe vergessen, wie dehnbar Glas ist. Aber heute – da hab ich es wieder gespürt: dass Glas eigentlich keine Grenzen hat, dass nur wir Glasbläser unsere Grenzen haben.« Er lachte verlegen. »Was ist das für ein Schwachsinn, den ich hier verzapfe!«

»Nein!«, rief Wanda, wandte sich ihm zu und erzählte ihm von ihren Ängsten, das Glas würde durch zu viel Blasen platzen.

Sein Lächeln war fast zärtlich. »Das ist halt die Kunst bei der Geschichte: zu wissen, wann's genug ist.« In einer unbe-

holfenen Geste strich er über ihren Arm und verließ die
Werkstatt.

24

»Bei deiner Mutter hat sie sich also auch nicht gemeldet«,
sagte Johanna zu Wanda, kaum dass sie das Postamt verlassen hatten. Sie schüttelte den Kopf. »Ich verstehe sie einfach
nicht! Davon, dass ich schon seit Monaten keine neuen Entwürfe mehr von ihr bekommen habe, will ich ja gar nicht reden, aber sie muss doch wissen, dass wir uns Sorgen machen. Das ist wirklich typisch Marie!«

Unvermittelt blieb Johanna stehen.

»Und dieser Franco scheint mir keinen Deut besser zu
sein! Das ist doch alles keine Art! Was ist, hörst du mir überhaupt zu?« Im Gehen zupfte sie an Wandas Arm.

»Was hast du gesagt?« Wanda schreckte auf. Sie versuchte,
einen Tränenschleier fortzublinzeln.

»Jetzt sieh dich an!«, rief Johanna stirnrunzelnd. »Was
gibt es denn da zu heulen?« Doch die Geste, mit der sie
Wanda um die Schultern fasste, nahm ihren Worten etwas
die Schärfe.

Nun brach Wanda erst recht in Tränen aus. »Wie kann sie
mir das antun? Mutter ist so gemein!«

Mit welcher Sorgfalt hatte sie ihre Worte gewählt, als sie
ihrer Mutter eröffnete, dass sie für immer in Lauscha zu
bleiben gedachte! Nächtelang hatte sie über jede Formulierung gegrübelt, aber am Ende war außer dem Knacken der
Leitung nur Ruths Schweigen zu hören gewesen. Mit allem
schien sie gerechnet zu haben, nur damit nicht. Noch nie
hatte Wanda ihre Mutter derart hilflos stammeln hören,
doch nach ein paar Minuten hatte sie sich wieder gefasst.
Und dann half kein Bitten und kein Betteln. Ruth hatte sich

nicht erweichen lassen: Um vier Wochen durfte Wanda ihren Aufenthalt verlängern, doch dann sollte sie umgehend wieder nach New York kommen. Schließlich könne sie Johanna doch nicht noch länger zur Last fallen!

Wanda hatte daraufhin Johanna, die neben ihr stand, ein wenig den Rücken zugekehrt und mit gesenkter Stimme geantwortet, dass Thomas Heimer sicher nichts dagegen hätte, wenn sie zu ihm zöge. So weit werde es nicht kommen, war Ruths eisige Antwort gewesen. Sollte Wanda wirklich in Erwägung ziehen, zukünftig in Thüringen zu leben – wogegen Ruth starke Einwände hatte –, dann mussten dafür wenigstens entsprechende Arrangements getroffen werden. Und zwar von New York aus. In aller Ruhe und Ausführlichkeit – und in Anwesenheit von Wanda.

Wahrscheinlich war das nur ein fauler Trick, um sie wieder nach Hause zu beordern, dachte Wanda. Vermutlich glaubte Mutter, wenn sie, Wanda, erst wieder zu Hause war, würde ihre Euphorie für Lauscha wie Rauch durch einen Kamin verfliegen. Aber da lag sie falsch. Zugegeben, früher hatte sie sich hin und wieder vom Weg abbringen lassen. Aber diesmal würde nichts und niemand sie beirren können! Der Gedanke tröstete sie ein wenig.

»Gerade jetzt, wo sich die Dinge so gut entwickeln«, sagte sie schniefend und musste einen Satz zur Seite machen, sonst wäre sie von einem Fuhrwerk gestreift worden.

»Wenn du unter die Räder kommst, ist es mit der guten Entwicklung auch vorbei«, erwiderte Johanna. Dann zog sie Wanda ungefragt ins nächste Kaffeehaus. Nachdem sie für jeden eine Tasse Kaffee und ein Stück Nusstorte bestellt hatte, wandte sie sich ihrer noch immer verzagten Nichte zu.

»Jetzt lach doch wieder! Wenn ich es vorhin richtig mitbekommen habe, ist deine Mutter doch gar nicht grundsätzlich dagegen, dass du in Thüringen leben willst. Aber so etwas muss geplant werden, da bin ich ganz Ruths Meinung. Was ist zum Beispiel mit diesem Harold, den deine Mutter deinen Verlobten nennt? Hat er nicht auch ein Recht darauf zu erfahren, was du mit deinem Leben anfangen willst?« Der vorwurfsvolle Ton in Johannas Stimme war nicht zu überhören.

»Harold!«, sagte Wanda verächtlich. »Das war nie etwas Offizielles, diese *Verlobung* war mehr eine Art Spaß zwischen uns beiden. Ganze zwei Briefe habe ich von ihm bekommen, seit er der gnädige Herr Bankdirektor geworden ist! Dabei habe ich ihm anfänglich noch wöchentlich geschrieben! Aus den Augen, aus dem Sinn – so heißt das doch in Deutschland, oder?« Sie seufzte. »Aber eines hast du ganz richtig formuliert: Was *ich* mit *meinem* Leben anfangen will! Ich bin Harold keine Rechenschaft schuldig, und Mutter braucht sich nicht einzubilden, dass sie mir seinetwegen ein schlechtes Gewissen einreden kann.«

Johanna holte Luft und wollte etwas erwidern, schwieg dann aber, als sie die Bedienung näher kommen sah. Der Duft nach frisch gerösteten Kaffeebohnen wehte ihnen entgegen, und Wanda musste nach dem ersten Schluck feststellen, dass Johanna Recht hatte, wenn sie den Kaffee als Lebenselixier bezeichnete. Ein klein wenig fühlte sie sich schon besser …

Johanna schaute von ihrer Nusstorte auf. »Um noch einmal darauf zurückzukommen … Offiziell verlobt oder inoffiziell, ich finde, du solltest ihm klipp und klar sagen, wie die Dinge stehen. Oder willst du dich so aus der Sache herausschleichen, wie Marie es bei Magnus getan hat?«

Nein, das wollte sie nicht, gestand sich Wanda im Stillen ein. Magnus' stilles Leiden, sein Blick, der besagte, dass er noch immer nicht verstand, wie die Liebe seines Lebens so einfach hatte verschwinden können, rührte auch sie an. Nicht, dass sie glaubte, Harold würde ebenso leiden! Er schien schon jetzt sehr gut über ihren Verlust hinweggekommen zu sein. Dennoch würde sie ihrerseits einen sauberen Schlussstrich ziehen. Aber das bedeutete doch nicht zwangsläufig, dass sie dazu nach Amerika reisen musste, oder?

»Und dann sind da noch die finanziellen Fragen. Auch so banale Dinge wie die eines eigenen Hausstandes wollen geklärt werden. Verstehe mich bitte nicht falsch, du bist bei uns so lange willkommen, wie es dir gefällt«, fuhr Johanna fort. »Aber ewig wirst auch du nicht aus dem Koffer leben wollen. Und bestimmt gibt es Dinge von zu Hause, die du jetzt schon vermisst.«

»Ich habe alles, was ich brauche«, antwortete Wanda muffig. Von ihr aus konnte Mutter all ihre Sachen an die Armen verschenken – was sollte sie hier mit ihren Ballkleidern und den mit Perlen bestickten Sandaletten? »Mutter hat sich damals auch nur mit einem Koffer in der Hand davongemacht, ohne euch Bescheid zu sagen. Und Marie hat ebenfalls alles zurückgelassen, als sie beschloss, mit Franco in Genua zu leben. Nur mir muss immer jeder dreinreden!«

Trotzig schob sie ihre Unterlippe nach vorn. Und was, wenn sie einfach hier blieb?

»Ach Wanda ... Warum willst du denn unbedingt die Fehler von uns Alten wiederholen?«, seufzte Johanna und sah auf einmal müde aus. »Wäre es nicht sinnvoll, wenigstens *zu versuchen*, es besser zu machen?«

»Und warum hast du deiner Mutter nicht gesagt, dass wir heiraten werden?«, fragte Richard mit gerunzelter Stirn. »Das hätte sie doch sicher umgestimmt.«

»Heiraten?«, rief Wanda schrill. »Davon war doch noch gar nicht die Rede ...«

»Was guckst du denn wie ein erschrockenes Reh? Dass wir zusammenbleiben, war doch vom ersten Tag an klar. Also ist es genauso klar, dass wir eines Tages heiraten. Eigentlich wollte ich noch damit warten, bis ... nun ja, bis ich dir etwas mehr bieten kann.« Er machte eine unbestimmte Handbewegung in die Runde. »Aber wenn's sein muss, geh ich gleich heute Abend hoch zu deinem Vater und halte um deine Hand an. Früher oder später – was soll's?« Er zuckte mit den Schultern, als wäre schon alles beschlossene Sache. »Wie wäre es, wenn die zukünftige Frau Stämme ihrem Bräutigam einen Kuss gäbe?« Augenzwinkernd streckte er die Hand nach Wanda aus.

Frau Stämme ... Die Versuchung war groß, sich in seine Arme zu kuscheln und das wohlige Gefühl, das seine Worte in ihr ausgelöst hatten, zu genießen. Stattdessen rückte Wanda von ihm ab. Anstelle von Herzklopfen und romantischen Gefühlen verspürte sie auf einmal so etwas wie Wut.

»Eigentlich habe ich mir einen Heiratsantrag ein wenig anders vorgestellt ...«, sagte sie spröde.

Da redete er stundenlang über eine neue Glastechnik oder über das, was Gotthilf Täuber bei seinem letzten Besuch alles gesagt hatte, aber eine so wichtige Angelegenheit wie eine Heirat handelte er in einem Satz ab! Und auch noch *ohne* sie zu fragen. Wanda glaubte im Übrigen nicht, dass ihre Mutter von ihren neuen Heiratsplänen begeistert sein würde. Im Gegenteil: Wahrscheinlich würde sie alles daransetzen zu verhindern, dass gerade *ihre* Tochter einen Glasbläser heiratete! Genau das sagte sie Richard.

Für einen langen Moment schwiegen beide. Zögerlich fing Richard schließlich als Erster wieder an zu sprechen.

»Dass deine Eltern vielleicht etwas gegen ... mich einzuwenden haben, ist mir auch klar. Es ist ja auch nicht so, dass ich mir meiner Sache ganz sicher bin. Also ... ich meine ...« Er fuhr sich ungestüm durch die Haare, sodass sie in alle Himmelsrichtungen abstanden. »Dass ich dich liebe, da bin ich mir natürlich sicher. Aber alles andere –« Er machte eine ratlose Handbewegung. »Vielleicht rede ich so forsch daher, weil mir sonst vor lauter Grübeln noch der Kopf zerspringt. Kann so etwas wie unsere Beziehung gut gehen? Ob mitten in der Nacht oder früh am Morgen und sogar manchmal bei der Arbeit steht diese Frage plötzlich wie ein großes schwarzes Ungeheuer vor mir, und ich habe Mühe, es niederzuringen. Ein so ... gebildetes Mädchen wie du! So weltgewandt. Eine aus New York für immer hier bei uns in Lauscha ...«

»Aber ich ...«, fiel Wanda ihm ins Wort, doch Richard unterbrach sie sofort wieder: »Jetzt, wo noch alles neu für dich ist, gefällt es dir natürlich bei uns. Aber der nächste Winter kommt bestimmt. Und danach kommt wieder ein Winter. Wie wirst du damit zurechtkommen, dass Lauscha manchmal durch den vielen Schnee regelrecht von der Welt abgeschnitten ist? Wirst du vor lauter Langeweile beginnen, mich zu hassen? Und wie wird es dir gefallen, tagein, tagaus in einer Glaswerkstatt beschäftigt zu sein? Darf ich dir das überhaupt zumuten?« Er seufzte. »Manchmal ist das Ungeheuer stärker als ich, und dann glaube ich, wir beide dürfen nie zusammenkommen. Aber jetzt habe ich dir doch einen Antrag gemacht, und ich bin froh darüber! Wanda, Liebste – wir können es schaffen! Ich weiß es und ich werde alles tun, um dich glücklich zu machen!«

Der trotzige Unterton in seiner Stimme stand im krassen Gegensatz zu der Unsicherheit in seinem Blick. So verletzlich hatte Wanda ihn noch nie gesehen. Ihr Herz begann überzulaufen vor Liebe zu diesem Mann, der offenbar immer tat, was er tun musste, und stets sagte, was er sagen musste, ganz gleich, ob die Dinge ihn beunruhigten oder nicht. Sie nahm seine Hand und schaute ihn ernst an.

»Mir macht das alles auch ein bisschen Angst. Aber wie du gesagt hast: Wir müssen das schwarze Ungeheuer mit dem Namen Zweifel niederringen! Macht Liebe nicht unbesiegbar?«, fügte sie voller Pathos hinzu.

Er blinzelte skeptisch. »Heißt das nun Ja oder Nein?«

Wanda grinste. »Ja natürlich, du Ochse! Ja, ja, ja!«

Diesmal ließ sie es zu, dass er sie in seine Arme nahm. Als wäre sie federleicht, wirbelte er sie durch den Raum, während er vor Freude laut juchzte. »Sie wird meine Frau! Hurra!«

Wanda lachte glücklich. Sie küsste Richards Lippen, seine Ohrläppchen, seinen Nacken unter den Haarfransen.

Irgendwann löste er sich sanft von ihr und zog eine entschuldigende Grimasse.

»Es gibt da – jenseits der ausstehenden Zustimmung deiner Eltern – nur noch ein kleines organisatorisches Problem. Nichts, was man nicht in den Griff bekommen kann.« Er ging zum Schrank. Als er zurückkam, hatte er einen Brief in der Hand. »Von Täuber«, erklärte er. »Die Hochzeit kann frühestens im Juni stattfinden. Die zweite und die dritte Maiwoche ...«

»Wir haben doch noch gar nicht über einen Termin gesprochen«, unterbrach Wanda ihn, und ihre Augen funkelten streitlustig. Sie hatte zwar Ja gesagt, aber das schloss doch nicht aus, dass sie ein Wörtchen mitzureden hatte! Und die Frage ihrer Reise nach New York war auch noch nicht vom Tisch.

»... bin ich nämlich in Venedig. Du erinnerst dich doch noch an die Kunstausstellung, von der ich dir erzählt habe? Das hier ist meine Einladung. Gotthilf Täuber will mich dort in einigen Glasmanufakturen vorstellen. Und er zahlt mir außerdem die Reise. Er sagt, ich könne die Gelegenheit nutzen, um so viel wie möglich von den Italienern zu lernen und –«

»Du gehst fort?« Wandas Stimme klang hohl. »Und warum sagst du mir das nicht?«

»Ich sage es dir doch gerade«, erwiderte Richard. »Außerdem ist es nur für zwei Wochen. Täuber sagt, ich müsse ...«

»Zwei Wochen! Dann bleibt uns ja noch weniger Zeit, als

ich dachte!«, murrte Wanda. Wenn sie tatsächlich noch einmal nach New York musste, würde sie Lauscha verlassen, bevor er zurückkam. Was, wenn er sich auf seiner Reise in eine schöne Italienerin verliebte? So wie Marie sich in diesen Italiener verliebt hatte? Dann würde sie allein in New York sitzen und ...

Sie drängte sich in Richards Arme und umklammerte ihn. »Bitte geh nicht!«

Die Furcht, Richard zu verlieren, war auf einmal viel stärker als alles andere. Vielleicht sollte sie sich doch über die Wünsche ihrer Eltern hinwegsetzen und einfach in Lauscha bleiben? Nun, ganz wohl war ihr bei dem Gedanken nicht.

Einen Moment lang war nur das eintönige Tropfen von schmelzendem Schnee zu hören, der in eine übervolle Regentonne hinter dem Haus platschte.

»Warum kommst du nicht einfach mit nach Italien?«, murmelte Richard plötzlich in Wandas Haar. »Die Ausstellung könnte auch für die Glasbläserei Heimer interessant sein. Man sagt, dort werden viele geschäftliche Kontakte geknüpft. Das ist ein weiterer Grund für mich, dorthin zu fahren, auch wenn ich das Täuber nicht gerade auf die Nase binden werde. Aber ich möchte eines Tages viele solcher Kunden wie ihn haben und nicht nur auf einen angewiesen sein, verstehst du?«

Den Kopf immer noch an seiner Brust, nickte Wanda. Und ob sie verstand! Dass es ihr bisher nur gelungen war, Karl-Heinz Brauninger für die Gläser ihres Vaters zu interessieren, machte ihr im Stillen Sorgen. Weitere Kunden zu finden stand auf ihrer Liste ganz oben. Nur, wie sollte sie es anstellen? Das war bisher die große Frage gewesen.

»Wir beide in Venedig ...« Wanda seufzte aus tiefstem Herzen. Doch bevor sie sich in die Bilder verlieben konnte, die sich vor ihrem inneren Auge formten, rückte sie von ihm ab. »Aber das würde Johanna mir nie und nimmer erlauben!

Und meine Eltern ebenfalls nicht!«, sagte sie, wobei sie offen ließ, ob sie damit Ruth und Steven oder Ruth und Thomas Heimer meinte.

Richard nagte an seiner Unterlippe. »Und ich kann sie sogar verstehen. Immerhin bist du noch nicht einmal volljährig. Und verheiratet sind wir auch noch nicht, sonst sähe die Sache natürlich anders aus ...«

Die Gondeln in fahl glänzendem Sonnenlicht begannen zu verschwimmen, weil Wanda plötzlich ein anderer Gedanke kam. »Wie weit liegen eigentlich Venedig und Genua voneinander entfernt?«

Richard zuckte mit den Schultern. »Keine Ahnung. Warum?«

»Hast du vielleicht einen Atlas, in dem wir nachschauen könnten?«, fragte Wanda wider besseres Wissen.

»Einen Atlas – ich? Wie soll ich denn zu dem kommen? Aber deine Tante hat einen, Anna hat ihn einmal mitgebracht. Wir wollten wissen, wie weit es bis zum Bayerischen Wald und zum Schwarzwald ist, wo es ja auch viele Glasbläser gibt. Die hätten wir gern einmal besucht ...« Er machte eine wegwerfende Handbewegung. »Was man halt so fantasiert, wenn der Winter lang ist. Aber jetzt sag, was soll deine Frage?«

Wanda verdrängte rasch den Anflug von Eifersucht, der sie bei Richards Worten überfallen hatte.

»Nun, wenn ich es richtig in Erinnerung habe, soll Maries Niederkunft irgendwann im Mai stattfinden. Und da frage ich mich ... was wäre, wenn ich sie in meiner noch verbleibenden Zeit besuchen wollte? Dass ihr ein Familienmitglied beisteht – dagegen dürfte doch keiner etwas einzuwenden haben, oder?«

Tatsächlich hatten sowohl Johanna als auch Ruth und Steven eine Menge dagegen einzuwenden. Sogar Thomas Heimer schaute noch mürrischer drein als sonst, als Wanda ihm von ihrem Plan erzählte. Alle führten an, dass es sich für ein junges, unverheiratetes Mädchen nicht ziemte, in Gesellschaft eines Mannes zu reisen, auch wenn sich ihre Wege schon kurz nach der italienischen Grenze trennen würden. Dass Wanda vorhatte, Richard nach ihrem Besuch bei Marie nach Venedig zu folgen, erwähnte sie wohlweislich erst gar nicht. Bei dem Gedanken, dass sie sich mutterseelenallein eine Zugverbindung von Genua nach Venedig suchen sollte, war ihr selbst nicht ganz wohl. Und auch ihre Heiratspläne verschwiegen die beiden noch. Wanda hatte Richard davon überzeugt, dass es der falsche Zeitpunkt war, sie zu verkünden. Ihre Eltern würden umso mehr um die Unschuld ihrer Tochter bangen, wenn sie von den Zukunftsplänen wüssten, dessen war Wanda sicher. Sie konzentrierte sich deshalb darauf zu wiederholen, dass sie vor lauter Sorgen um Marie fast verging. Es tröstete sie, dass dies nur ein bisschen gelogen war.

Mehrfach liefen die Drähte zwischen dem Postamt von Sonneberg und Ruths Wohnung in New York heiß. Da sie bei ihrer Mutter nicht weiterkam, rief Wanda sogar Steven in seinem Büro an. Als sie seine Stimme hörte, brach sie erst einmal in Tränen aus. Dann versicherte sie ihm in aller Ausführlichkeit, wie Leid es ihr tat, ihn vor ihrer Abreise durch ihr kindisches Auftreten verletzt zu haben. Steven hatte Mühe, sie zu beruhigen. Schließlich gelang es ihm so weit, dass Wanda ihr Anliegen vorbringen konnte: Ob er denn nicht ein gutes Wort für sie einlegen könne? Es liege ihr nichts mehr am Herzen, als Marie wieder zu sehen. Stevens Antwort lautete, er könne Wandas Sorge um die Tante zwar verstehen, er wäre sich jedoch nicht sicher, ob er in ihrem Sinn handelte, wenn er ihr die Erlaubnis zur Reise gab.

Und Wanda heulte erneut los.

Ein paar Tage später erschien ein Postbote in der Glasbläserei Steinmann-Maienbaum. In seiner Tasche hatte er ein Telegramm, für dessen Erhalt Wanda eigenhändig unterzeichnen sollte. Weil er sie nicht antraf, trat er fluchend den steilen Weg zur Heimerschen Glasbläserei an.

Mit zitternden Händen nahm Wanda schließlich das Schriftstück entgegen. Sie hielt die Luft an, während sie es auseinander faltete. Hastig überflog sie die Zeilen, erst dann gestattete sie es sich auszuatmen.

Ihr Jubelschrei gellte durchs ganze Haus.

Trotz bleibender Bedenken hatten Ruth und Steven Wandas Italienreise zugestimmt. »... Marie zuliebe«. Sie hatten außerdem eine Postanweisung für einen stattlichen Geldbetrag geschickt.

25

»Der Arzt sagt, bei deinen Rückenschmerzen könne es sich um frühzeitige Wehen handeln.« Patrizia zog das Laken über Maries Leib glatt, dann stopfte sie das Tuch seitlich so fest unter die Matratze, dass Marie sich kaum noch bewegen konnte. Obwohl Patrizia die Vorhänge zugezogen hatte, war es hell und sehr warm im Zimmer.

Marie blinzelte erschrocken. Frühzeitige Wehen?!

»Und was bedeutet das?« Besorgt schaute sie erst ihre Schwiegermutter und dann den schnurrbärtigen Arzt an, der sich in sicherem Abstand zu ihrem Bett aufgestellt hatte. Seine Untersuchung hatte darin bestanden, dass er erst Maries Bauch und dann ihren Rücken durch ihr Nachthemd hindurch abtastete. Beides war nach zwei Minuten beendet gewesen. Danach hatte er so schnell auf Italienisch auf Patrizia eingeredet, dass Marie nicht folgen konnte. Lediglich das Wort *complicazione* hatte sie herausgehört.

»Von welchen Komplikationen hat er gesprochen?«, fragte Marie, als Patrizia nicht gleich antwortete.

»Von gar keinen, du hast dich verhört«, antwortete Patrizia. Sie verschwieg ihr, dass der Arzt auf Maries Alter angespielt hatte.

»Dottore di Tempesta empfiehlt allerdings ab jetzt strenge Bettruhe. Sonst besteht tatsächlich die Gefahr, dass das Kind vor der Zeit kommt.«

»Aber ich …«

»Kein Aber!«, unterbrach Patrizia sie rigoros und deutete dem Arzt mit einem Nicken an, dass sein Besuch beendet war.

Hilflos schaute Marie zu, wie der Mann den Verschluss seiner Tasche zuschnappen ließ und im Begriff war, das Zimmer zu verlassen. Sie hatte noch so viele Fragen! Wenn sie richtig gerechnet hatte, musste das Kind gegen Ende Mai kommen. Was, wenn es früher käme? Würde es dann Schaden nehmen? Und wäre es nicht angeraten, zur Geburt einen Arzt hinzuzuziehen? Wo er doch selbst von … Komplikationen gesprochen hatte?

Obwohl Francos Mutter in den letzten Wochen ein wenig zugänglicher geworden war, hatte sie diesen Wunsch bislang immer abgewehrt. »Seit Jahrhunderten haben die Frauen der de Luccas ihre Kinder allein bekommen, bei schweren Geburten wurde höchstens einmal eine Hebamme hinzugezogen«, bekam Marie zu hören, wann immer sie ihre Unsicherheit äußerte. Es war offensichtlich, dass Patrizia Marie für äußerst zimperlich hielt. Trotzdem hatte sie Maries Drängen schließlich nachgegeben und für eine Konsultation einen Arzt kommen lassen. Marie hatte ihr zuvor allerdings auf das Grab ihrer Mutter schwören müssen, in Anwesenheit des Mannes nichts »Unvernünftiges« zu sagen. Vor lauter Dankbarkeit hätte Marie in jenem Moment alles geschworen. Doch nun war ihre Sorge darüber, dass etwas nicht in Ordnung war, größer als jeder Schwur. Sie zerrte das Laken fort und setzte sich abrupt im Bett auf.

»*Dottore, uno momento!*«, rief sie, als der Arzt schon halb zur Tür hinaus war.

Sofort warf Patrizia ihr einen warnenden Blick zu.

Der Arzt wandte sich um. »*Si …?*«

»Geht es meinem Kind gut?«, fragte Marie mit leiser Stimme.

Er zögerte nur einen Wimpernschlag lang. Dann nickte er energisch und verschwand in dem dunklen Gang vor ihrem Zimmer.

Marie schaute ihm nach. *Gott sei Dank!*

Mehr wollte sie nicht wissen. Nur das.

»War das unbedingt nötig?«, fragte Patrizia, kaum dass sie das Zimmer wieder betreten hatte. »Hatten wir nicht abgemacht, dass du still bist?« Sie stellte einen Krug mit Milch und ein Glas auf Maries Nachttisch ab.

Angewidert schaute Marie weg. »Du weißt doch, dass ich Milch seit ein paar Tagen nicht mehr vertrage. Mir stünde eher der Sinn nach einer kalten Limonade.« Sie seufzte. »Und nach einem Spaziergang. Die Luft hier drinnen ist zum Schneiden dick. Wenn die Hitze jetzt schon so unerträglich ist, möchte ich nicht wissen, wie es in den Sommermonaten wird.«

Patrizia tat, als hätte sie Maries letzte Bemerkung nicht gehört. »Milch hat noch keiner Frau geschadet. Es täte dem *bambino* sicher gut, wenn du sie trinkst. In ein paar Wochen musst du schließlich selbst Milch produzieren.« Auffordernd hielt sie Marie das halb gefüllte Glas hin.

Diese zwang sich schließlich doch zu einem Schluck und versuchte, den aufsteigenden Ekel zu unterdrücken. Von Patrizias Wohlwollen hing schließlich ab, wie erträglich sich der Aufenthalt in ihrem Gefängnis gestaltete.

»Und? Gibt es Neuigkeiten?« An Patrizias hochgezogenen Brauen erkannte sie, dass sie einen Milchbart haben musste. Hastig wischte sie sich mit dem Handrücken über den Mund.

Patrizia schüttelte den Kopf. »Nichts. Gar nichts. Ich warte täglich auf Dottore Lorenzos Anruf, ob seine Bemühungen erfolgreich waren. Aber bisher ... nichts!« Ihre Stimme versagte. Sie zog ein steifes Taschentuch aus ihrem Ärmel und tupfte sich damit unsichtbare Schweißperlen von der Stirn. Als sie sich wieder gefasst hatte, klang ihre Stimme bitter.

»Seit Jahrzehnten kassiert Lorenzo fürstliche Honorare von uns, aber wehe, wenn man einen Advokaten einmal wirklich braucht!«

»Ich verstehe das nicht! Wie kann man Franco einsperren, wenn es doch scheinbar gar keine Beweise dafür gibt, dass er in die Angelegenheit verwickelt ist?« Maries Verzweiflung war echt. Solange sich Franco in einem New Yorker Gefängnis befand, war auch sie im Palazzo gefangen! Die Hoffnung, die sie geschöpft hatte, als Patrizia ihr kurz nach Francos Verhaftung mitteilte, dass die Familie einen der besten Anwälte Italiens nach Amerika geschickt hatte, war längst verflogen. Entweder konnte dieser Dottore Lorenzo in Amerika nichts ausrichten, oder die dortigen Behörden hatten in der Zwischenzeit mehr gegen Franco in der Hand als die Aussage eines korrupten Hafenarbeiters.

Oder ... beides traf zu.

»Wenn Franco nicht bald zurückkommt ...«, flüsterte Marie mit tränenerstickter Stimme. Obwohl sie sich längst wieder zurückgelegt hatte, begannen die Rückenschmerzen aufs Neue. Sie stöhnte leise auf.

Patrizia deutete Maries Verzweiflung auf ihre Art.

»Er wird zur Geburt seines Kindes zurück sein!« Als sie Maries Skepsis sah, nahm sie ihre Hand und drückte sie.

»Wir müssen nur zusammenhalten. *Una famiglia, si?* Wie ich es schon immer gesagt habe.«

Marie schwieg.

Patrizia flüsterte: »Lass uns beten. Für unseren geliebten Sohn und deinen Mann.«

26

Nach hektischen vierzehn Tagen, die durch die Reisevorbereitungen nur so dahinflogen, war es schließlich so weit: Unter vielen Ermahnungen, guten Wünschen für die Fahrt und auch ein paar Tränen wurden Richard und Wanda in Lauscha verabschiedet. Während Johannes seiner Cousine unverhohlen neidische Blicke zuwarf – er hatte ihr heimlich gestanden, dass er sich nichts mehr wünschte, als auch einmal in fremde Länder reisen zu können –, reichte Anna Wanda nur kurz die Hand, um gleich darauf etwas von dringender Arbeit zu murmeln und zu verschwinden. Von Richard verabschiedete sie sich gar nicht, was jedoch im Trubel unterging.

Johanna war anzusehen, dass sie bis zum Schluss an der Richtigkeit dieser Unternehmung zweifelte, dennoch zwang sie sich zu einem Lächeln. Peter umarmte erst Wanda und dann Richard, anschließend steckte er Richard einen Geldschein zu und sagte, sie sollten sich am Abend ein Glas bayrisches Bier auf seine Kosten schmecken lassen. »Aber nur eines!«, fügte er mit gespielt drohendem Zeigefinger an.

Thomas Heimer hatte es sich ebenfalls nicht nehmen lassen, zum vereinbarten Treffpunkt – dem Haus vom Marzen-Paul, der die beiden jungen Leute mit seinem Wagen nach Coburg fahren sollte – zu kommen. Fast übertrieben schüttelte er Wanda zum Abschied die Hand und übergab ihr ein Paket mit Reiseproviant, das Eva für sie geschnürt hatte.

Obwohl schon von dem Brotpapier der muffige Geruch der Heimerschen Küche ausging, hätte Wanda vor Rührung heulen können. Und als Thomas dann auch noch zu Johanna sagte: »Wer hätte gedacht, dass wir uns einmal gemeinsam Sorgen machen werden?«, konnte Wanda ihre Tränen nicht mehr zurückhalten. Ihr einziger Trost war, dass Heimer während ihrer Abwesenheit mit einem großen Auftrag von Brauninger beschäftigt sein würde: Ein kunstverrückter Amerikaner hatte dem Händler einen Besuch abgestattet und mehrere Dutzend Vasen geordert, von denen jede einzelne eine spezielle Technik aufweisen sollte. »Ein Querschnitt thüringischer Glasbläserkunst« – so hatte Brauninger den Auftrag genannt. Genau das Richtige für ihren Vater!, hatte Wanda frohlockt. Zuerst hatte Thomas das Ganze gar nicht glauben wollen, hatte unterstellt, Wanda würde sich einen schlechten Scherz erlauben. Dann aber machte er sich mit einem solchen Feuereifer an die Arbeit, dass Wanda ihn kaum wieder erkannte: Wie ein junger Mann kam er dieser Tage daher.

Nach ihrer Rückkehr wollte sich Wanda um weitere Käufer kümmern. Im Stillen hoffte sie natürlich, vielleicht schon in Venedig neue Kontakte für die Glasbläserei Heimer knüpfen zu können.

Ach, auf einmal war es so schwer, von Lauscha Abschied zu nehmen!

»He, Wanda, willst du hier Wurzeln schlagen?« Ungeduldig hielt Richard ihr die Hand hin.

Mit einem Seufzen ließ sich Wanda von ihm auf die harte Holzbank der Kutsche ziehen.

»Es ist doch nur für zwei Wochen«, raunte Richard ihr zu, als er ihre deprimierte Miene sah. Sie nickte.

Dann ging es los.

Als sie am Coburger Bahnhof eintrafen, stand ihr Zug schon auf dem Abfahrtgleis. Bei seinem Anblick fing Richard an zu laufen, vor lauter Angst, nicht rechtzeitig hineinzukommen. Kichernd machte Wanda ihn darauf aufmerksam, dass vorn in die Zugmaschine erst Kohlen geschaufelt wurden – die Abfahrt konnte also noch gar nicht stattfinden!

Von Coburg aus sollte die Zugfahrt über Nürnberg nach München gehen, wo sie in einem Hotel in Bahnhofsnähe übernachten wollten. Der zweite Tag ihrer Reise würde sie über die italienische Grenze bis nach Bozen führen, wo sich am Tag darauf ihre Wege trennen sollten.

Während Wanda ihr Billett am Lauschaer Bahnhof gekauft hatte, war Richards in Weimar ausgestellt worden – Gotthilf Täuber hatte es ihm zusammen mit Unterlagen über eine Pension in Venedig und einer Eintrittskarte für die Kunstausstellung zugeschickt. Ein Billett aus Weimar? Mit hochgezogenen buschigen Augenbrauen prüfte der Herr Schaffner das Reisedokument eingehend auf seine Richtigkeit, ohne sich um die Schlange von murrenden Reisenden zu kümmern, die sich hinter Richard und Wanda bildete. Als sie schließlich einsteigen durften, hatten sie Glück: Das Zugabteil war nur zur Hälfte besetzt, sodass die Bank ihnen gegenüber frei blieb. Wanda nutzte den Platz, um einen Teil ihres Gepäcks, das eigentlich in den Gepäckwagen gehörte, dort abzustellen. Ein ganzer Koffer mit Sachen für Maries Kind war dabei, außerdem Mitbringsel aller Art für Marie selbst. Auch Richard hatte seinen Koffer mit ins Abteil genommen. Neben Wandas elegantem Gepäck wirkte er geradezu Mitleid erregend. Dies schien auch Richard aufzufallen, denn er drapierte seine Jacke in einer Art über den Koffer, als wolle er ihn verstecken.

Es war ein strahlend sonniger Tag, und durch die Luken der Zugfenster wehte verheißungsvolle Frühlingsluft in das Abteil. Draußen schien die ganze Welt aufzublühen. Wohin man schaute, strahlte das Weiß der Apfel- und Kirschbaumblüten.

Anfangs hatte Wanda verstohlen Richards Hand gehalten und sich in dem Bewusstsein gesonnt, dass mit dieser Reise ein Traum wahr wurde, den sie vor ein paar Wochen noch nicht einmal zu träumen gewagt hätte. Doch mit jeder Kurve, die der Zug hinter sich brachte, wurde die Realität aufregender als jeder Traum. Alle paar Minuten bot sich ein neues Panorama, und Wanda konnte nicht länger still sitzen. Aufgeregt gestikulierte sie nach draußen, zeigte mal auf dunkle Wälder, dann wieder auf weite Obstbaumwiesen, dazwischen auf kleine Dörfer mit ziegelgedeckten Häusern – Schiefer hatte Wanda nicht mehr gesehen, seit sie Thüringen verlassen hatten. Dafür waren sie gerade eben an mehreren Seen vorbeigekommen, deren Wasserspiegel in dunklem Safirblau glänzte.

Es dauerte eine Weile, bis Wanda bemerkte, dass Richard ihr nicht in ihren glückseligen Rausch gefolgt war, sondern eher teilnahmslos vor sich hin starrte. Als sie ihn fragte, was los sei, antwortete er:

»Hast du gemerkt, dass der Schaffner nur mein Billett geprüft hat? Das von den anderen Reisenden wollte er gar nicht sehen.«

Zunächst verstand Wanda überhaupt nicht, wovon Richard sprach. Die kleine Verzögerung beim Einsteigen hatte sie längst vergessen.

»Aber das ist typisch«, fuhr Richard fort. »Mit uns Wäldlern kann man's ja machen! Wenn das so weitergeht, dann gute Nacht!«

Zumindest den letzten Satz konnte Wanda bald unterstreichen: Mit jedem Kilometer, den sie sich weiter von Lauscha entfernten, wurde Richard brummiger. Wanda wusste, dass Richards schlechte Laune nichts mit ihr zu tun hatte, sondern der Ausdruck seiner Unsicherheit war. Im Stillen amüsierte sie sich sogar ein wenig darüber, dass ihr selbstbewusster Richard, kaum dass er Lauscha verlassen hatte, sich seiner Sache gar nicht mehr so sicher war … Doch sie beschloss, ihn in Ruhe zu lassen, und vertiefte sich in einen Reiseführer über Italien, den sie sich vor kurzem bei Maries altem Freund Alois Sawatzky in dessen Buchhandlung gekauft hatte.

Es dauerte bis zum Nachmittag, ehe sich Richard etwas entspannte und von sich aus ein Gespräch begann. Und als ihr Zug gegen Abend in München eintraf, war er fast schon wieder der Alte.

Die Pension neben dem Münchner Bahnhof war schlicht, aber sauber. Nachdem Wanda und Richard ihr Gepäck in ihre Zimmer gebracht hatten, hätte Richard sich damit zufrieden gegeben, im Speisesaal der Pension das Tagesgericht – Linsensuppe mit Würstel – zu sich zu nehmen. Wanda verdrehte innerlich die Augen. Noch immer schien die Sonne golden, und die Straßen waren voller Menschen, denen man die gute Laune ansah. Deshalb überredete sie Richard, mit ihr über die berühmte Maximilianstraße, von der sie schon in New York gehört hatte, zu flanieren. Die Geschäfte waren zwar längst geschlossen, nichtsdestotrotz gingen sie von Schaufenster zu Schaufenster. Wandas Hand lag auf Richards Arm. Ihm würde nur noch ein Spazierstock und ihr ein Sonnenschirm fehlen, dann kämen sie daher wie ein altes Ehepaar, sagte Wanda lachend, als sie in einem der Fenster ihres Spiegelbildes gewahr wurde. Erst als die Straßenlaternen angesteckt wurden und Richard und Wanda die Füße wie Feuer brannten, hatten sie genug.

Statt im Speisesaal ihrer Pension landeten sie schließlich in einem Schwabinger Etablissement, in dem zwei Zigeuner feurige Weisen spielten. Die anderen Gäste wirkten auf Richard, als kämen sie von einem fremden Stern. Verstohlen zeigte er auf einen Mann, der im schwarzen Frack mit einem feuerroten Schal an ihrem Nebentisch saß, dann auf einen, der seinen Schädel rasiert und einen Rauschebart bis zur Brust hatte, dann auf zwei junge Frauen, die sich vor den Augen aller auf den Mund küssten. Aus lauter Verlegenheit wusste er bald nicht mehr, wohin er schauen sollte.

Wanda dagegen fühlte sich sofort wohl. Die Atmosphäre erinnerte sie an viele Abende, die sie zusammen mit Marie und Pandora in Greenwich Village verbracht hatte.

»Das sind Künstler«, raunte sie Richard zu und riet ihm, sich am besten gleich an solche etwas exzentrischen Persönlichkeiten zu gewöhnen, denn die würden ihm in Venedig bestimmt ständig über den Weg laufen. Als sie sah, dass ein Gast am Nebentisch einen Teller Spagetti serviert bekam, schlug sie vor, als Einstimmung auf Italien dasselbe zu bestellen.

»Frauen, die sich küssen, Männer, die ihr Haupthaar als Bart tragen, und Spagetti in der Stadt der Weißwürste – warum nicht?«, war Richards trockener Kommentar, und Wanda küsste ihn dafür spontan auf den Mund.

Der Abend wurde lang und die Stimmung unter den Gästen immer ausgelassener. Es war schwer, bei der lauten Musik ein Gespräch zu beginnen, und so begnügten sich Wanda und Richard damit, sich verliebte Blicke zuzuwerfen und sich im Takt der Melodien zu wiegen.

Erst als sich die Musiker selbst bei einem Krug Wein niederließen, wurde es ruhiger – von einigen hitzigen Diskussionen, in denen es um Politik ging, einmal abgesehen.

Wanda und Richard konnten ein Gespräch beginnen, und wie immer kamen sie vom Hundertsten ins Tausendste. Es gab so unendlich viel, was sie sich zu sagen hatten!

Irgendwann erzählte sie ihm von dem Abend, an dem sie durch Marie erfahren hatte, dass Steven gar nicht ihr leiblicher Vater war.

»Meine ganze Jugend über habe ich mich irgendwie ...
nicht richtig zugehörig gefühlt. Nicht Fisch und nicht
Fleisch, verstehst du? Das hat sich erst in den letzten Wochen geändert. Heute weiß ich, dass sowohl Steven als auch
mein leiblicher Vater zu meinem Leben gehören. Es fühlt
sich so an, als ob ich ganz allmählich in meine Haut hinein-
wachsen würde.« Sie schaute Richard an. Sein Blick war aufmerksam und offen.

Wanda fuhr fort: »Ein Teil von mir wird wohl amerikanisch bleiben, und trotzdem werde ich immer mehr zur
Tochter eines Glasbläsers! So etwas Verrücktes, nicht
wahr?« Plötzlich waren die Zweifel, die Unsicherheiten von
damals wieder so nah, dass Wanda ein Schauer durchlief.
Wie oft schon hatten Unternehmungen in ihrem Leben
hoffnungsvoll begonnen, nur um kurze Zeit später kläglich
zu scheitern! Sie nahm einen großen Schluck von ihrem
Wein.

Richard schaute sie nachdenklich an. »Bei mir war alles
viel einfacher. Ich wusste von klein auf, dass ich der Sohn eines Glasbläsers bin. Mein Vater war einer der besten. Meine
Eltern haben mir von Anfang an klargemacht, dass sie von
mir erwarten, dass ich in seine Fußstapfen trete. Oder besser: dass ich es einmal zu mehr bringen werde. Schade, dass
sie nun nicht erleben können, wie ihr Wunsch wahr wird.
Vater würde es zwar bestimmt nicht gefallen, dass ich nach
Murano schiele, aber sonst ...« Er langte über den Tisch
nach Wandas Hand. »Sie wären so stolz gewesen, dass ich
die Tochter vom Heimer heirate!«

Und Wanda, die seine Bemerkung im ersten Moment ei-
gentümlich fand, verstand kurz darauf, dass sie in Richards
Augen vor allem *das* war: die Tochter eines Glasbläsers. Den
Zwiespalt ihrer Jugend konnte oder wollte er nicht nach-
empfinden. Für ihn war sie nicht *the little rich girl* aus der
Fifth Avenue, das Mädchen mit den vielen Flausen im Kopf,

die man ihm austreiben musste. Richard sah in ihr eine Frau, die anpacken konnte und mit der er auch seine Zukunft anpacken wollte. Eine warme Welle des Glücks durchlief sie.

Ihre Augen funkelten vor Liebe, als sie ihr Glas erhob und ihm mit dem letzten Schluck Wein zuprostete.

»Und ich bin stolz darauf, einen Glasbläser zu heiraten. Wie sagt man doch so schön? Wer einen Glasbläser heiratet, dessen Ehe steht auf einem goldenen Fuß!« So oder so ähnlich hatte es zumindest Marie einmal gesagt.

Richard runzelte die Stirn. »Ich glaube zwar, dass dieses Sprichwort ein wenig anders lautet, aber so gefällt es mir auch ganz gut!«

27

Der zweite Tag ihrer Reise verlief so golden wie der erste. Mit jeder Meile, die sie hinter sich brachten, erinnerte die Landschaft Wanda mehr und mehr an die Bilderbücher, die Johanna ihr seinerzeit nach Amerika geschickt hatte: die schneebedeckten alpenländischen Berggipfel, der tiefblaue Himmel, verziert mit Zuckerwattewölkchen, die hellbraunen Kühe mit ihren großen, milden Augen. Links und rechts entlang der Zugstrecke fielen immer wieder riesige Wasserfälle die steilen Hänge hinab. Das Gefühl, dem Himmel auf dem Weg zum Brenner immer näher zu kommen, ließ Wanda jubeln. Zum Amüsement ihrer Mitreisenden vergingen keine fünf Minuten, in denen sie nicht ihre Begeisterung kundtat.

Richard erlebte die beeindruckende Landschaft auf seine Weise. Sein Blick wanderte unaufhörlich vom Zeichenblock aus dem Fenster und wieder zurück. Dass schon die Reise zu einem Füllhorn an Inspirationen werden würde, hätte er nicht gedacht, gestand er Wanda später. Wenn dem so sei, sollten sie das Reisen zukünftig zu einem festen Bestandteil ihres Lebens machen, erwiderte sie darauf.

Die anderen Reisenden, die sie für Frischvermählte hielten, lächelten ihnen wohlwollend und sehnsüchtig zu. So jung und verliebt zu sein …

Das Hotel in Bozen war eleganter als das vom Vorabend und besaß einen großen Speisesaal, in dem fast alle Tische besetzt waren. Doch dieses Mal bestand Richard darauf, die Stadt zu erkunden. Nachdem die beiden jungen Leute ihre Zimmer bezogen und sich ein wenig frisch gemacht hatten, schlenderten sie Hand in Hand durch die Gassen mit den schmalen Häusern. Es war ein lauer Abend und es schien, als ob sämtliche Bewohner von Bozen ihn draußen verbringen würden: spielende Kinder, Frauen in Schürzen, die zusammensaßen und Gemüse putzten, Männer, die Reden schwangen und deren Zigarettenrauch die Luft schwängerte – an manchen Ecken hatten Wanda und Richard Mühe, sich einen Weg durch die Leute zu bahnen. Während in Lauscha der Winter gerade erst vorbei war, hatte hier schon der Frühsommer Einzug gehalten.

»Genauso habe ich mir Italien vorgestellt!« Wanda zeigte auf eine lange Reihe von Blumentöpfen mit blutroten Geranien, vor denen eine schwarze Katze saß und sich hingebungsvoll putzte. »Dieser Duft nach Süden und Sommer und tiefblauem Meer!«

Richard lachte. »Das Meer sehe ich hier aber nicht.«

»Spielverderber!« Wanda knuffte ihn in die Seite. »Du hast eben keine Fantasie!«

Im nächsten Moment gelangten sie auf eine Piazza, und Richard kam nicht mehr dazu, auf Wandas Frotzelei zu antworten. Vor ihnen stand der schönste Brunnen, den sie je gesehen hatten. Er besaß ein ausladendes Becken aus Sandstein, in dem unzählige Engel in verschiedenen Posen tollten und Füllhörner hielten, aus denen fontänenartig das Wasser schoss.

»Hast du jemals etwas Schöneres gesehen?« Ergriffen schlug Wanda die Hand vor den Mund. »Der muss doch sicher schon viele hundert Jahre alt sein, oder?«

»Ich schätze, er ist aus der Zeit der Renaissance«, antwortete Richard und klang ebenfalls sehr ehrfurchtsvoll.

Als sie näher kamen, sahen sie, dass auf dem Boden des Wasserbeckens kleine Münzen lagen.

»Das ist ein italienischer Brauch, von dem ich schon einmal gehört habe. Man wirft eine Münze ins Wasser, schließt die Augen und wünscht sich etwas. Der Wunsch geht dann in Erfüllung. Verflixt, irgendwo muss ich doch etwas Kleingeld haben ...« Aufgeregt kramte Wanda in ihrer Börse.

Richard griff nach ihrer Hand und zog sie zu sich heran. »Mein Herzenswunsch ist schon längst in Erfüllung gegangen«, murmelte er und küsste die Innenseite ihrer Hand.

Später aßen sie in einer kleinen Trattoria gebratene Taubenbrüstchen und kleine, mit viel Knoblauch angebratene Kartoffeln. Dazu tranken sie einen Chiantiwein, dessen Glut sich mit jedem Schluck auf sie übertrug: Ihr Lachen, ihre Gespräche, die Art, wie sich ihre Hände auf dem Tisch berührten – alles war von einer noch nie da gewesenen Intimität, in der jedes Augenzwinkern eine besondere Bedeutung bekam, jede Geste nur für den anderen deutbar war und den Rest der Welt ausschloss.

Er ist *mein Mann*, dachte Wanda die ganze Zeit und wäre vor Stolz und Glück und Lebenslust beinahe geplatzt.

Nachdem sie die Trattoria zusammen mit den letzten Gästen verlassen hatten, standen sie schließlich vor ihren Zimmern, jeder mit seinem Schlüssel in der Hand. Als Richard Wanda zum Abschied küsste, drängte sich ihr Körper mit aller Kraft an ihn. Nicht weggehen! Nicht allein lassen – sondern den anderen spüren wie noch nie zuvor.

Es hätte nicht viel gefehlt, und die Luft zwischen ihnen hätte Funken gesprüht. Wie einfach war es, die Stunden des Zusammenseins zu verlängern! Aber da waren einerseits die Versprechen, die sie zu Hause in Lauscha hatten geben müssen. Und da war andererseits die frühe Abreise am nächsten Tag: Sowohl Richards Zug nach Venedig als auch Wandas Zug nach Mailand sollten kurz nach sieben am nächsten Morgen abfahren. Es wurde also höchste Zeit, ein paar Stunden zu schlafen. Noch ein paar Umarmungen und Küsse folgten, ehe sich Wanda und Richard schweren Herzens trennten.

Nur in ihrem Unterkleid saß Wanda vor dem altmodischen Schminktisch, der fast die ganze Wand ihrer kleinen Kammer einnahm. Verloren starrte sie auf ihr Spiegelbild. Sie war nicht in der Lage, ihren Koffer nach dem Nachthemd zu durchwühlen. Verflixt, sie vermisste Richard schon jetzt! Obwohl er nur durch eine Wand von ihr getrennt war.

Seit er ihr in der Silvesternacht seine Gefühle gestanden und sie sozusagen vor vollendete Tatsachen gestellt hatte, waren sie keinen Tag getrennt gewesen. Ihre Sorgen, ihre Zweifel, sein Zutrauen in ihre Fähigkeiten, sein Humor und seine Zärtlichkeiten – wie leer würden die Tage in der nächsten Zeit sein! Gedankenverloren strich sie mit der Hand über ihre Brust. Sie spürte nichts. Wenn Richard sie da berührte, erschauerte sie am ganzen Körper. Wann würde sie seine Liebkosungen wieder genießen dürfen? Richard …

Vielleicht würde die Sehnsucht dank der Vorfreude auf Marie nachlassen, aber in diesem Augenblick war die Vorstellung, auch nur ein paar Tage ohne ihn auskommen zu müssen, mehr, als Wanda ertragen konnte.

Sie stand so ruckartig auf, dass der mit Schellack überzogene Schemel umfiel. Reflexartig zog sie den Kopf ein, wohl wissend, dass solcher Lärm zu später Stunde den Unmut der anderen Hotelgäste auf sich zog. Dann ging sie zu der Glastür, die auf den Balkon führte, und öffnete sie. Noch ein bisschen Luft schnappen. Auf andere Gedanken kommen.

Nur das.

Am Ende verwunderte es sie nicht, auf dem Nachbarbalkon Richard stehen zu sehen. Trotzdem riss sie bei seinem Anblick erstaunt die Augen auf.

»Du rauchst?!« Verwirrt wies sie auf die glühende Zigarette in seiner Hand. Er war einer der ganz wenigen Lauschaer Glasbläser, die nicht rauchten. Er mache sich nichts aus dem Zeug, antwortete er jedes Mal, wenn ihm einer seiner Kumpel eine Zigarette anbot.

Er grinste verlegen. »Andere Länder, andere Sitten.« Er nahm einen letzten Zug, dann trat er den Stummel mit dem Fuß aus.

Wanda nickte stumm.

Einen Moment lang standen sie schweigend da, jeder an seinen Teil der Brüstung gelehnt, die Blicke angestrengt auf die gegenüberliegenden Häuser gerichtet. Ein herber Duft hing in der Luft, vielleicht war es auch alter Essensgeruch aus der Hotelküche, der zu den Balkonen hinaufzog, während die Spannung zwischen Wanda und Richard immer unerträglicher wurde.

Wanda schluckte. Dann wiederholte sie gedehnt: »Andere Länder, andere Sitten …« Ihr Herz klopfte wie verrückt, und kurz darauf hörte sie sich sagen: »Ob das auch für … andere Dinge gelten kann?«

Danach war alles wie selbstverständlich. Ohne noch einmal darüber nachzudenken, öffnete sie Richard die Tür. Sie wollte in dieser Nacht seine Frau werden. Das und nichts anderes.

Als sie sich gegenüberstanden, hob sie die Arme und streifte ihr Unterkleid über den Kopf. Wie ein weißes Segel fiel es auf den Boden. Dann griff sie hinter ihren Rücken. Es dauerte eine Weile, bis sie mit ihren zittrigen Händen alle Haken ihres Bustiers geöffnet hatte. Es landete neben dem Unterkleid. Danach konnte Wanda unmöglich die Unterhosen als einziges Kleidungsstück anlassen, und so streifte sie sie ebenfalls ab. All dies tat sie ohne jede Eile oder Scham. Wie erregend die Spannung war! Wie süß die Erwartung!

Sie wusste, dass sie schön war. Seit ihre Weiblichkeit vor ein paar Jahren erwacht war, hatten die bewundernden Blicke der Männer – und die neidischen Blicke ihrer Geschlechtsgenossinnen – ihr dies immer wieder bestätigt. Aber noch nie hatte sie sich so schön gefühlt wie in dem Moment, als Richard sie zum ersten Mal nackt sah.

Mit einer Andächtigkeit, wie er sie nicht einmal seinen geliebten Gläsern widmete, wanderte sein Blick Wandas schlanken Leib hinab. Ohne dass er es von ihr verlangt hätte, drehte sie sich wie die Figur auf einer Spieluhr vor ihm. Im gleichen Maße, wie er sich an ihrer Nacktheit labte, wurde sie trunken von seiner Bewunderung. Nun konnte sie es kaum erwarten, von ihm berührt zu werden. Unter seinen liebkosenden Blicken erwärmte sich ihre Haut mehr und mehr, begann zu prickeln. Wanda drängte sich an Richard, nestelte an seinem Hemd, doch er wehrte sie ebenso sanft wie bestimmt ab. Sie nicht aus den Augen lassend, begann er sich auszuziehen. Unwillkürlich fragte sie sich, ob sie wohl die erste Frau war, in deren Anwesenheit er dies tat. Einmal, ziemlich am Anfang, hatte sie ihn gefragt, ob er – Cousine Anna ausgenommen – vor ihr schon einer anderen den Hof gemacht habe, doch Richard war ihr die Antwort schuldig geblieben. Dass er im Gegensatz zu ihr schon Erfahrungen in Liebesdingen gemacht hatte, daran zweifelte sie nicht: Zu beherrscht waren seine Liebkosungen stets gewesen, als dass sie von einem unerfahrenen Mann hätten stammen können. Und er küsste gut.

Erwartungsvoll befeuchtete Wanda ihre Lippen, während Richard sich an seinen Schuhen zu schaffen machte. Das Zittern in Wandas Schenkeln wurde immer stärker, und sie musste sich auf den Rand des Bettes setzen. Mit einer kraftvollen Bewegung öffnete Richard seinen Gürtel. Seine Hose fiel zu Boden.

Ein unfreiwilliger Seufzer kroch aus Wandas Kehle. Durfte man einem Mann sagen, dass man ihn schön fand? Sie wagte es nicht. Er war so muskulös, wie sie es sich vorgestellt hatte, ohne dabei massig zu wirken. Seine breite Brust ging in eine schlanke Taille über, wie bei einem Tänzer des New Yorker Balletts. Wandas Blick huschte ein Stück weiter nach unten. Seine Beine waren ohne Hosen kräftiger, als sie geglaubt hatte.

Als er schließlich ganz nackt war, erschrak sie doch ein bisschen. Doch ihr Erschrecken galt nicht dem ungewohnten Anblick, sondern ihrer Gier nach Richard, die sie wie eine Riesenkrake beinahe erdrückte. Sie wollte ihn an sich ziehen, seine Hände an ihre Brüste legen, sie wollte … Heftig blinzelnd kämpfte sie gegen die erregenden Visionen an.

»Du bist so … männlich«, flüsterte sie mit rauer Stimme.

Richard, der ihrem Blick gefolgt war, sagte grinsend: »Die Muskeln kommen von der harten Arbeit am Bolg.«

»Und woher kommt … das?« Mit halb niedergeschlagenen Lidern wies Wanda auf sein Glied, das kraftstrotzend in die Höhe stand. Ihre Frivolität trieb ihr die Röte ins Gesicht. Was für einen Eindruck musste Richard von ihr bekommen!

»Daran bist du schuld. Du ganz allein!«, murmelte Richard mit erstickter Stimme.

Im nächsten Moment waren seine Arme um sie, seine Lippen auf ihren Lippen. Von dort wanderten sie zu ihren

Ohren, dann zu ihrem Nacken. Seine Zunge streifte die samtige Höhlung zwischen ihren Schultern, wanderte wieder zurück in ihren Nacken, wo sein warmer Atem die feinen Härchen aufplusterte wie Kükenflaum.

Wandas Atem ging mit jedem Kuss von Richard schneller. Auch sie konnte sich nicht länger zurückhalten, musste streicheln, mit ihren Lippen berühren, das Salz seiner Haut schmecken, seinen Duft einatmen. Inzwischen lagen sie längst auf dem schmalen Bett. Es ächzte vorwurfsvoll unter ihrem Gewicht, und Wanda und Richard lachten.

Mit jedem Kuss, mit jedem Streicheln spannen sie sich weiter ein in einen Kokon der Leidenschaft. Nichts, was außerhalb dieses Kokons lag, war noch von Bedeutung. Atem ganz nah, samtene Haut, leises Stöhnen, Herzschlag im Gleichtakt, weiche Rundungen in männlicher Umarmung, glückseliger Schmerz ...

Hingabe durchflutete Wandas Bewusstsein, trieb sie auf immer höhere Wellen der Leidenschaft, die den Schmerz auffraßen und wohlige Gier zurückließen.

Wanda dachte längst nicht mehr an die anderen Hotelgäste, als sie aus tiefster Seele schrie: »Halt mich fest! Für immer ...«

*

»Hilf mir ... Ich kann nicht mehr!«

Maries Schrei gellte durch das Zimmer. Ihr Oberkörper bäumte sich auf, das Zerren in ihrem Unterleib wurde noch heftiger. Das, was hier geschah, konnte nicht rechtens sein. Es tat zu weh. Sie wurde entzweigerissen. Sie ...

»Du musst stillhalten! Eleonore hilft dir doch! Gleich, gleich ist das *bambino* da!« Schweiß lief Patrizia übers Gesicht, ihre Miene war so angestrengt, als würde sie einen Teil von Maries Qualen selbst erleiden. Ungeduldig schaute sie auf die Hebamme, die zwischen Maries Beinen stand. Warum dauerte das so lange?

Die rechte Hand der Hebamme war in Marie versunken, konzentriert tastete sie nach dem Kind, das nicht kommen wollte.

»Sie soll weggehen! Ich will das nicht. Es tut so weh …« Heiße Tränen liefen Marie übers Gesicht. Eine Flutwelle des Schmerzes riss sie davon, noch bevor sie sich von der letzten erholt hatte. Sie heulte auf.

Die junge Hebamme, die erst vier Geburten begleitet hatte, zog ihre blutige Hand zurück, worauf Maries Stöhnen ein wenig nachließ. Ratlosigkeit stand in Eleonores Miene geschrieben, während sie mit einem nassen Tuch Maries Stirn abtupfte.

Theoretisch wusste sie ganz genau, welchen Griff man anwenden musste, wenn der Kopf des Kindes nicht da lag, wo er sein sollte. Aber in ihrem Lehrbuch hatte nichts darüber gestanden, was man tun sollte, wenn die Gebärende sich aufführte wie eine verrückt gewordene Kuh! Wann immer sie das runde Köpfchen zu fassen bekam, bäumte sich die junge Contessa auf, und das Köpfchen war wieder weg. Bei der Matrona, bei der sie gelernt hatte, waren die Frauen immer ruhig geblieben und hatten getan, was die alte Hebamme ihnen sagte. »Lass sie schreien, so viel sie wollen«, hatte die Matrona ihr immer wieder erklärt. »Schreien hilft.« Nun, die Deutsche schrie sich zwar die Kehle aus dem Leib, es schien ihr die Geburt jedoch keinen Deut zu erleichtern.

Wenn es wenigstens nicht so heiß wäre! Eleonore versuchte, ihr schweißgetränktes Oberteil ein wenig zu lockern. Dabei fiel ihr Blick auf die Uhr an der Wand gegenüber. Sie erschrak. Schon so spät!

Ganze sechs Stunden waren vergangen, ohne dass sich die Lage des Kindes wesentlich verändert hatte.

Zum ersten Mal verspürte Eleonore einen Anflug von Panik. Sie musste etwas tun, sonst war nicht nur das Leben des Kindes in Gefahr.

»Was ist, wie lange willst du noch mit dem nassen Tuch in Maries Gesicht herumwedeln?«, fuhr die Contessa das junge Mädchen an. »Siehst du denn nicht, dass sie kaum mehr bei Sinnen ist? Der Puls wird immer schwächer ...« Sie ließ Maries Handgelenk los. Sofort fiel ihr Arm leblos wie der einer Puppe aufs Bett.

Eleonore atmete einmal tief durch.

»Solange sie nicht ruhig liegen bleibt, kann ich den Kopf nicht zu fassen bekommen.« Sie versuchte, so viel Autorität wie möglich in ihre Stimme zu legen. Was sie als Nächstes zu sagen hatte, würde weder der Alten noch der Jungen gefallen, aber es blieb ihnen keine Wahl. »Wir müssen die Signora festbinden.«

28

Am nächsten Morgen musste alles so schnell gehen, dass gar keine Zeit für großen Abschiedsschmerz blieb. Richard war furchtbar aufgeregt, was er auf die Tatsache schob, dass bei der Kunstausstellung schließlich einiges für ihn auf dem Spiel stand. Doch Wanda wusste, dass ihm auch nicht ganz wohl war bei dem Gedanken, das letzte Stück der Reise allein anzutreten.

Ein letzter, verstohlener Abschiedskuss am Bahngleis und das Versprechen, dass man sich am Sonntag in einer Woche in Richards Hotel treffen würde – dann blieb Wanda nichts anderes übrig, als Richard nachzuwinken.

Die Fahrt von Bozen nach Mailand und weiter nach Genua erlebte sie nicht annähernd so bewusst wie den ersten Teil ihrer Reise. Obstbaumplantagen wurden rarer und dann von weit reichenden Getreidefeldern abgelöst, auf denen so früh im Jahr nur ein Hauch von jungfräulichem Grün stand. Die meiste Zeit ging die Fahrt durch ebenes Land. Obwohl Wandas Blick aus dem Fenster gerichtet war, nahm sie nichts von den Veränderungen der Landschaft wahr. Der Glanz in ihren Augen rührte nicht von den Naturschönheiten Italiens her, sondern von der Leidenschaft der letzten Nacht, die lodernd ihr Innerstes erfüllte.

»Jetzt bist du meine Frau«, hatte Richard zu ihr gesagt, als sie befriedigt nebeneinander gelegen hatten. Und er hatte hinzugefügt: »Lass uns heiraten, sobald wir aus Italien zurück sind.«

Sie hatte nur stumm genickt, weil heiße Tränen ihr die Kehle zuschnürten. Aber das war gleichgültig gewesen. Sie hätte ohnehin nicht die richtigen Worte für die Innigkeit dieses Augenblicks gefunden.

Doch sie wusste eines: Nicht eine Sekunde lang bereute sie die letzte Nacht, auch wenn sie damit sämtliche Versprechungen, die sie Johanna und ihren Eltern gegeben hatte, gebrochen hatte.

Richard ... ihr Mann ... Was er wohl in diesem Augenblick tat?

Plötzlich war sie unendlich müde. Bald ... bald würde sie Marie alles von Frau zu Frau erzählen können. Dies war Wandas letzter Gedanke, bevor sie, ans Fenster gelehnt, in einen Schlaf tiefster Erschöpfung fiel.

Entgegen ihrer Befürchtung konnte Wanda sich in Genua auf Anhieb vom Bahnhof zum Palazzo der Familie de Lucca durchfragen. Als sie einem der Droschkenfahrer vor dem Bahnhof die Adresse nannte und einsteigen wollte, schüttelte der unwillig den Kopf. Aus seinen Äußerungen und Handzeichen entnahm sie, dass Maries neues Zuhause gerade einmal zwei Straßen weiter lag und sich eine so kurze

Fahrt für ihn nicht lohnte. Marie bestand wegen ihres Gepäcks dennoch darauf, dass er sie einsteigen ließ. Mürrisch setzte der Fahrer das Gefährt in Gang, und kurz darauf hielten sie vor einem riesigen viereckigen Kasten, an dessen Portal ein diskretes Messingschild mit der Aufschrift »Palazzo Delizioso« hing.

Das also war ein Bauwerk des berühmten italienischen Architekten Palladio! Nach Maries seitenlangen Schwärmereien über den Künstler, der vor allem in Venezien Dutzende von Villen erbaut hatte, hatte Wanda ein etwas schmuckvolleres Exterieur erwartet. Tatsächlich wirkte der Palazzo zwar recht grandios, aber gleichzeitig außerordentlich streng. Doch schließlich war sie nicht hier, um italienische Kunststile zu studieren! Wanda zog kräftig an dem Klingelzug zur Rechten des Portals.

»*Scusi*, Signorina, aber Contessa Marie ... ist heute leider nicht ... zu sprechen!« Carla, das Dienstmädchen, deutete einen Knicks an, ohne jedoch einen Schritt zur Seite zu treten.

Nicht zu sprechen? Was sollte denn das bedeuten? Wanda runzelte die Stirn. Hatte das Mädchen verstanden, dass sie eigens aus Deutschland angereist war, um Marie zu besuchen? Ihr Blick wanderte über die riesige Front des Palazzos, als erwarte sie, hinter einem der unzähligen Fenster Maries Kopf auftauchen zu sehen.

Wanda versuchte es erneut in sehr langsamem und einfachem Deutsch: »Bitte ... sagen ... Sie ... meiner Tante, dass ... Wanda hier ist. Wanda! Sagen Sie ihr das, ja?« Vielleicht wollte Marie in ihrer fortgeschrittenen Schwangerschaft keine fremden Besucher empfangen, aber das galt doch nicht für ihre Nichte!

Verlegen zwirbelte Carla an ihrer gestärkten Schürze.

»Das geht ... nicht ...«, antwortete sie in gebrochenem Deutsch.

Mit einem Plumps ließ Wanda ihr Gepäck, das sie bis jetzt in den Händen gehalten hatte, auf den Boden fallen.

»Was soll das heißen? Ist Marie vielleicht außer Haus? Wenn ja, dann muss sie doch irgendwann wiederkommen?«, fragte sie ungehalten. War das die italienische Art von Gastfreundlichkeit, einen weit Gereisten einfach vor der Tür stehen zu lassen? Sie machte einen Schritt zur Seite, um der Sonne zu entrinnen, die auf ihren Rücken brannte. Etwas Kühlung und ein Glas Limonade nach der langen Reise wären nicht unangemessen gewesen! Ihr schoss der Gedanke durch den Kopf, dass womöglich das Telegramm, mit dem sie ihren Besuch angekündigt hatte, verloren gegangen war. Wusste Marie etwa gar nicht, dass sie auf dem Weg zu ihr war?

Carla schaute über ihre Schulter, als hoffe sie in ihrem Kampf, Wanda abzuwehren, auf Verstärkung. Als diese ausblieb, machte sie einen kleinen Schritt auf Wanda zu.

»Die junge Contessa ist … sehr schwach nach der Geburt ihrer Tochter gestern«, flüsterte sie, während sie erneut einen Blick ins Innere des Palazzos warf. Sie machte keine Anstalten, das Portal für Wanda freizugeben.

»Marie hat eine Tochter? Das Kind ist schon da?«, fragte Wanda ungläubig. Das Dienstmädchen nickte vage.

Gestern … Während sie im Zug gesessen hatte, hatte Marie ein kleines Mädchen zur Welt gebracht! Es dauerte einen Moment, bis Wanda diese Neuigkeit verdaut hatte. Dann aber lief ihr Herz über vor lauter Glück. Marie hatte eine Tochter! Am liebsten hätte sie die Hausangestellte zur Seite gestoßen und wäre ins Haus gestürmt. Schnell einen Blick auf Marie werfen! Und auf das Kind.

Stattdessen atmete sie einmal tief durch, bevor sie sagte: »Natürlich braucht meine Tante heute ihre Ruhe, das ist doch selbstverständlich!« Sie lächelte das Dienstmädchen an, das daraufhin sehr erleichtert schien.

»Wo ist denn eigentlich Franco?« Erst jetzt fiel es Wanda ein, nach ihm zu fragen. Warum war sie nicht gleich darauf gekommen! Es ziemte sich doch zumindest, dem Kindsvater zur Geburt seiner Tochter zu gratulieren. Außerdem würde Franco bestimmt darauf bestehen, dass sie im Palazzo übernachtete, statt sich ein Hotel zu suchen, während sie darauf wartete, dass sich Marie von den Strapazen der Geburt erholte. Sie würde einen Blick auf die Kleine werfen, Marie ein kurzes Hallo sagen und dann –

»Conte Franco … nicht da. Und seine Mutter, Contessa Patrizia, auch nicht. Sie morgen wiederkommen!«, erwiderte Carla steif. Sie schlug die Tür zu, bevor Wanda reagieren konnte.

Wanda starrte fassungslos auf das eichene Portal mit den aufwändigen Schnitzereien. Es war ja schön und gut, dass die Hausangestellten des Palazzos die junge Mutter behüteten, aber was zu weit ging, ging zu weit! Wanda hatte nur eine Erklärung für diesen Vorfall: Das Hauspersonal war nicht von ihrer bevorstehenden Ankunft unterrichtet worden. Was wiederum zwei Schlüsse zuließ: Entweder hatte man dies im Trubel um die Geburt versäumt, oder ihr Telegramm war tatsächlich verloren gegangen.

Konsterniert schulterte sie ihr Gepäck und machte auf dem Absatz kehrt. Der Marmorkies knirschte unter ihren Füßen, die von der langen Zugfahrt geschwollen waren und wehtaten. Am Ende der Hofeinfahrt drehte Wanda sich noch einmal um. So groß und prächtig der Palazzo auch war – seine Bewohner schienen ein seltsames Benehmen zu haben!

Dass Franco unterwegs war, um in irgendeiner Bar die Geburt seiner Tochter mit Freunden zu begießen, mochte ja angehen, aber dass seine Mutter ebenfalls das Haus verlassen hatte … Wenn Marie von der Geburt derart mitgenommen war, konnte man doch erwarten, dass die Schwiegermutter in ihrer Nähe blieb, oder? Wenn sie das Johanna erzählte! In Wandas Empörung mischte sich ein dumpfes, ungutes Gefühl, doch sie war zu aufgeregt, als dass sie es hätte benennen können.

An einer Kreuzung angekommen, blieb sie stehen, um sich zu orientieren. Für die meisterlichen Bauwerke und Schönheiten der Stadt hatte sie keinen Blick übrig. Sie beschloss, in Richtung Hafen zu gehen, wo sie die meisten Hotels der Stadt vermutete.

Mit jedem Schritt wurden ihre Gepäckstücke schwerer, und sie ärgerte sich, dass sie nicht daran gedacht hatte, den Koffer mit den Geschenken für Marie im Palazzo abzugeben, statt ihn mit sich herumzuschleppen.

Morgen würde sie für den Weg vom Hotel zum Palazzo eine Droschke mieten, nahm sie sich vor.

29

Die Sonne scheint tief unter den Bäumen hindurch, die lange Schatten werfen, wie Finger, die greifen wollen, die …

Lasst mich los!

Marie duckt sich unter den Bäumen. Weg von dem Dunkel! Doch die Schatten sind schneller als sie und huschen immer genau dorthin, wo ihr Fuß beim nächsten Schritt aufsetzt. Bin schon da, kein Entrinnen …

Ein Spiel, das Johannas Zwillinge gespielt hatten. Bilder tauchen vor ihrem inneren Auge auf … Kreidefelder auf Pflastersteinen, schwingende Röcke, dazu kindliche Lieder … Eins, zwei – hüpf!, der Schatten frisst die Worte auf, bevor sie sich an mehr erinnern kann.

»Marie, zieh dich endlich aus! Ein Sonnenbad will mit nackter Haut genossen werden.« Sherlains Stimme, tadelnd wie immer, wenn Marie sich nicht haargenau nach den Regeln

auf dem Monte richtet. Hände beginnen an ihren Kleidern zu zerren, Stoff klatscht ihr ins Gesicht, sie schnappt nach Luft und bekommt keine. Alles eng. So eng, dass ihr angst wird, aber …

»Nicht ausziehen, nein …! Der Mann mit dem Wallebart! Er will mich holen …« Der Gedanke verschwimmt wie Tinte auf einem nassen Blatt. Was für ein Mann?

»*Piano*, Marie! Niemand will dich ausziehen.« Eine Hand drückte sie zurück ins Bett. »Lass mich das Tuch auf deine Stirn legen. Wir müssen das Fieber senken.«

Schweißnass schreckte Marie auf. »Fieber …«

Einen Moment lang wusste sie nicht, wer die Frau war, die ein weißes Tuch in eine Porzellanschüssel tauchte und auswrang. Dann kehrte die Erinnerung langsam zurück: die Geburt, die Höllenqualen, schließlich von einem Moment auf den nächsten gnadenvolle Leere, kein Gefühl mehr, keine Schmerzen …

Der Mann mit dem Wallebart … da ist er wieder, er versteckt sich in einem Wald aus Grün und Blau und … Er winkt ihr zu, sie kann ihn deutlich sehen …

Ihr fiel etwas ein. Etwas so Wichtiges, dass sie sich aufzurappeln versuchte, um besser denken zu können. Mit aller Macht drückte sie den Schwindel weg, der sie sogleich überfallen wollte. Die wachen Momente waren rar, sie musste jeden davon nutzen.

»Mein Kind. Wo ist mein Kind?«

Wie hatte sie nur ihre Tochter vergessen können? Sie musste sich doch um sie kümmern. Um Sylvie.

Besänftigende Worte drangen wie durch Watte an ihr Ohr, wischten die Panik weg, die in ihr aufsteigen wollte.

Dem … Kind … geht … es gut … geht es …

Maries Augen fielen zu, ohne dass sie etwas dagegen tun konnte.

Sylvie wie Marie. Ein kurzer Name. Mehr brauchte ihr Kind nicht. Ein guter Name. Sylvie Steinmann ... Der Schwindel wurde stärker, ihr Kopf so schwer ...

Hinter ihren Lidern beginnt es zu glitzern wie Tautropfen nach einem Frühlingsregen. Aber es sind keine Wassertropfen, sondern geschliffene Glasprismen, die Sonnenlicht einfangen und es in einem bunten Reigen widerspiegeln.

Gorgi an Maries Bett. Sie hält ihr eine gläserne Perlenkette vors Gesicht. »Siehst du, der Schatten ist weg!« Sie lacht, und ihre Haut glänzt regenbogenfarben.

»Jetzt können wir Spaß haben ...« Sie wedelt mit der Kette, die Prismen verschmelzen ineinander, werden runder und runder, werden zur Kugel.

»Das ist das gläserne Paradies ...«, murmelte Marie.

*

»Glauben Sie mir, Signorina Miles, es ist ein denkbar schlechter Zeitpunkt, Ihre Tante zu besuchen! Die Geburt war ungewöhnlich anstrengend für sie, was damit zusammenhängt, dass das Kind falsch lag. Es waren ... gewisse Vorkehrungen nötig, um das Leben von Mutter und Kind zu retten.«

Welche Vorkehrungen? Wandas Stirn kräuselte sich sorgenvoll. Sie konnte sich darunter nichts vorstellen, aber es hörte sich schrecklich an. Oder hatte die Contessa in ihrem gebrochenen Englisch versehentlich das falsche Wort gewählt?

»Und wie geht es Mutter und Kind jetzt?«, fragte sie mit bangem Herzen. Warum ließ sich die Contessa die Worte wie Würmer aus der Nase ziehen? Wie konnte sie so ruhig auf ihrem Empire-Sesselchen sitzen, während Wanda noch nicht einmal wusste, wie Maries Tochter hieß?

Patrizia hob in einer nichts sagenden Geste die Schultern.

»Der Arzt war heute Morgen da und hat nach Marie und dem *bambino* geschaut. Der Kleinen geht es gut, eine Amme kümmert sich um sie. Dem Himmel sei Dank, dass wir ein paar Häuser weiter eine Frau gefunden haben, die bereit ist, außer ihrem Kind auch Sylvie zu stillen.«

Sylvie. So hieß Maries Tochter also. »Und was ist mit Marie?«, drängte Wanda.

Patrizia seufzte tief. »Sie hat eine Infektion und hohes Fieber. Sie fantasiert im Schlaf, es hat den Anschein, als habe sie Alpträume. Dabei sagt der Arzt, dass Ruhe jetzt am wichtigsten für sie wäre.«

»Fieber im Wochenbett? Aber das kann doch lebensgefährlich werden, oder?« Jedes Wort wurde von Wandas bangem Herzschlag begleitet. Wie oft hatte ihr die Mutter nach ihren Besuchen im Armenkrankenhaus von New York von Frauen erzählt, die unter kümmerlichen sanitären Bedingungen ihre Babys zur Welt brachten und kurze Zeit später an Kindbettfieber starben!

Ein Schauer kroch über Wandas Rücken. »Ich muss sie unbedingt sehen, nur ganz kurz!«

Patrizias kühle Finger legten sich auf Wandas Hand. »Glauben Sie mir, es wird alles für Marie getan. Nur sollten wir sie jetzt nicht unnötig durch Besucher aufregen. Ruhe, sagt der Arzt, sonst …«

Wanda zog ihre Hand zurück. Selten war ihr eine Berührung so unangenehm gewesen. *Sonst – was?*

Im nächsten Moment stand die Contessa auf. Ihre Haltung sagte unmissverständlich, dass sie das Gespräch für beendet hielt. Kein Wort, wann Wanda wiederkommen sollte. Und schon gar keine Einladung, im Palazzo zu wohnen, bis es Marie besser ging.

Was nun? Wanda kam sich vor wie ein Schauspieler in einem schlecht inszenierten Bühnenstück. Die Absurdität ihrer Situation machte ihr Angst: Da reiste sie aus Deutschland an, um Marie zu besuchen, und kam nicht weiter als bis in dieses grässlich dekorierte Besucherzimmer. Und nun wollte Maries Schwiegermutter sie mit vagen Ausflüchten abfertigen. Franco sei in dringenden geschäftlichen Angelegenheiten verreist – mehr hatte sie über die Abwesenheit ihres Sohnes nicht gesagt.

Irgendetwas stimmte hier nicht. Stimmte ganz und gar nicht.

Um Zeit zu gewinnen, nestelte Wanda umständlich ein Taschentuch aus ihrer Tasche, während sie unter niedergeschlagenen Lidern Maries Schwiegermutter beobachtete, die bereits an der Tür stand. Der steife Rücken, der ins Leere gehende Blick und das aufgesetzte Lächeln der Contessa erinnerten Wanda an ihre Mutter, die eine solche Haltung immer dann einnahm, wenn sie mit Leuten gesellschaftlich verkehren musste, für die sie nichts übrig hatte. Eine Maske, hinter der man alles verbergen konnte.

Was hat die Contessa zu verbergen?, fragte sich Wanda, während sie sich mit ihrem Taschentuch nicht vorhandene Schweißtropfen abtupfte. Sie versuchte krampfhaft, Ordnung in ihre Gedanken zu bringen und sich von dieser Frau mit den kalten Augen nicht noch mehr einschüchtern zu lassen.

War etwas mit dem Kind nicht in Ordnung? Die Vorstellung war so ungeheuerlich, dass Wanda gar nicht weiterdenken konnte. Oder ging es Marie schlechter, als die Contessa es ihr gegenüber zugab? Wenn ja, wäre es dann nicht besonders dringend, dass Wanda sie besuchte?

In diesem Moment wünschte sie sich nichts mehr, als Johanna neben sich zu haben. Oder ihre Mutter.

Aber sie war allein, und Marie brauchte sie. Und zwar dringend.

Endlich stand sie auf und ging zur Tür, bis sie Patrizia Aug in Auge gegenüberstand. Wie streng sie dreinschaute!

Wanda konnte sich sehr gut vorstellen, dass die meisten Bittsteller bei Patrizias Anblick den Kopf einzogen und den Rücken rund machten, um unverrichteter Dinge wieder abzuziehen. Aber nicht sie, nicht Wanda Miles! Wer den Spießrutenlauf bei den Sonneberger Verlegern überstanden hatte, ließ sich nicht von einer italienischen Gräfin einschüchtern! Nicht die geringste Unsicherheit lag in ihrer Stimme, als sie sagte:»Ich möchte jetzt auf der Stelle zu Marie geführt werden. Wenn nicht, dann ...«

Sie hoffte, dass die Andeutung einer Drohung ausreichte. Denn dummerweise hätte sie nicht gewusst, womit sie sie erfüllen sollte.

*

Das Summen der Flamme wird stärker. Gleich wird sie die richtige Hitze haben, damit eine Kugel geblasen werden kann. Eine große Kugel. Eine schillernde Kugel. Wie Seifenblasen irisierend. Wie die Seifenblasen, die Papa früher mit ihr ...

»Tante Marie, bist du wach?«

Marie stöhnte. *Nicht rütteln! Die Seifenblasen gehen sonst kaputt.*

»Tante Marie, hörst du mich? Ich ... warte auch, bis du ausgeschlafen hast.«

Puff! Puff! Puff platzt eine nach der andern weg.

»Wanda?« Maries Arme zitterten, als sie sich aufstützen wollte. Sie blinzelte in den abgedunkelten Raum. »Bist du es wirklich?«

»Ja, ich bin's«, antwortete Wanda.

Die Stimme so ungewohnt sanft ... wie ein Engel ... nicht wie Wanda, so lebhaft und aufbrausend ...

Krampfhaft versuchte Marie, sich darüber klar zu werden, ob Wanda tatsächlich vor ihrem Bett stand oder nur in ihrem Kopf existierte wie die vielen anderen auch. Doch da! Die

Hand auf ihrer Hand, so weich und warm. Es musste tatsächlich Wanda sein.

»Du … bist gekommen. Den weiten Weg. Woher weißt du …« Auf einmal wusste Marie nicht, was sie zuerst fragen sollte. Sie begann zu weinen. Wie kommst du hierher? Geht es dir gut? Und wie geht es Johanna? So viele Dinge in ihrem Kopf. Ein Knäuel, das sie nicht in wichtige und unwichtige Fäden entwirren konnte.

»Ich muss dir etwas sagen …«, begann sie leise. »Ich –«

»Psst, sei still. Wir reden später. Wir haben ganz viel Zeit …«, murmelte Wanda. Sie schlang ihre Arme um Marie und wiegte sie wie ein Kind hin und her.

Marie wollte diese zärtliche Umarmung nie mehr verlassen. Obwohl sie so glücklich war, musste sie noch mehr weinen. Bald war Wandas Schulter nass von Tränen.

»Sehen Sie, schon regt sie sich auf!«, zischte Patrizia von der Tür her.

»Das sind doch nur Freudentränen!«, antwortete Wanda. Dann lockerte sie ihre Umarmung und drückte Marie mit sanfter Bestimmtheit zurück auf ihr Kissen. »Du musst dich ausruhen, sagt deine Schwiegermutter. Ich darf dich nicht überanstrengen, sonst wirft sie mich hinaus!« Sie zwinkerte verschwörerisch.

Sofort kam Patrizia einen Schritt näher. Sie hatte zwar nicht verstanden, was Wanda auf Deutsch zu Marie gesagt hatte, aber dass es um sie ging, hatte sie sehr wohl mitbekommen.

Wanda hier – ein Geschenk des Himmels. Lieber Gott, danke! Ich muss die Zeit nutzen, der Schwindel kann jederzeit wiederkommen. Die vielen Stimmen im Kopf, die … Marie blinzelte ihre Tränen weg.

»Ich … mir geht es gut. Ich bin nur noch ein wenig schwach.« Sie probierte ein Lächeln. Es tat gut, den Kopf so frei zu haben. Die Hoffnung, dass alles gut werden würde, erfüllte sie. »Hast du meine Tochter gesehen? Sylvie? Ist sie nicht wunderschön?«

»Und so kräftig! Die Amme sagt, sie sei so groß wie ein Junge. Kein Wunder, dass die Geburt dich ein wenig mitgenommen hat.«

Sorge dafür, dass Patrizia uns allein lässt, flehte Marie Wanda im Stillen an. *Da ist so viel, was ich dir sagen muss. Aber ich kann nicht, wenn sie mich mit ihren strengen Augen durchbohrt.*

»Sylvie de Lucca – was für ein schöner Name! Warte ab, bis du all die Sachen siehst, die Johanna mir für dein Kind mitgegeben hat!« Wanda lachte eine Spur zu fröhlich auf. »Da gibt es Kleidchen für den Fall, dass es ein Mädchen werden sollte. Und Hosen für den Fall, dass es ein Junge …«

Nicht de Lucca, sondern Steinmann, schrie es in Marie. Wie sollte sie Wanda das alles erklären, solange Patrizia im Zimmer war? Sie schloss die Augen. Nur kurz ausruhen, dann …

Nicht de Lucca. Nie mehr. Sylvie Steinmann soll das Kind heißen.

Als Marie erwachte, saß Wanda noch immer an ihrem Bett. Sie hatte Sylvie auf dem Arm. Das Bild war so schön, dass Marie abermals weinen musste.

»Sieht sie nicht aus wie eine Steinmann?«, flüsterte sie unter Tränen. »Sie hat die gleichen blonden Haare wie meine Mutter. Und wie du als Baby …«

»Meinst du?«, fragte Wanda lächelnd. »Franco wird nicht begeistert sein, wenn du behauptest, euer Kind würde ganz nach unserer Familie kommen …« Sie deutete vage in Richtung Tür, wo Patrizia Wache stand.

Marie lachte auf, was ihr jedoch nicht bekam. Sie musste sich an der Bettkante festhalten, so schwindlig war ihr auf einmal. Sie stöhnte leise auf.

Nicht ohnmächtig werden. Ich muss Wanda alles erklären. Sylvie in Sicherheit bringen …

»Sehen Sie nicht, dass Ihr Besuch der Kranken schadet?«, zischte Patrizia. »Es tut mir Leid, Signorina Miles, aber wenn Sie nicht von allein wissen, was richtig ist, muss ich meinen Gatten holen.«

»Nein! Wanda soll bleiben. Ich will nicht allein sein!« Marie umklammerte Wandas Hand. »Du kannst sie nicht hinauswerfen! Das ist auch mein Zuhause!«, schrie sie hysterisch in Richtung Tür.

Erschrocken schaute Wanda in Maries vor Angst geweitete Augen. Sie machte ein paar beruhigende Geräusche, wie bei einem verängstigten Kind.

»Hab keine Angst, ich bleibe hier, bis du wieder ganz gesund bist. Und niemand wird mich hinauswerfen!«, sagte sie mit einem Blick zur Tür.

Marie schloss erneut die Augen. O doch, sie hatte Angst. Angst, dass ihr die Zeit nicht mehr reichen würde.

30

Die nächsten Tage wurden für Wanda zu den schlimmsten ihres Lebens. Dieses Kaleidoskop aus Hoffnung, Angst und tiefster Verzweiflung würde sich bei dem Gedanken an Marie für immer vor ihrem inneren Auge zu drehen beginnen.

Nachdem sie gesehen hatte, wie schlecht es um Marie bestellt war, weigerte sie sich, das Zimmer außer für den Gang zur Toilette zu verlassen. Sie spielte mit dem Gedanken, ein Telegramm an Johanna zu schicken und sie über Maries schlechten Gesundheitszustand zu informieren. Aber dafür hätte sie den Palazzo verlassen müssen. Wanda entschied sich dagegen. Was würde es Marie nutzen, wenn Johanna vor lauter Sorge fast umkam? Es war besser, sich erst mit guten Nachrichten in Lauscha zu melden.

Tag und Nacht saß sie an Maries Bett. Nur wenn Marie schlief, gönnte auch sie sich etwas Schlaf in einem Sessel, den sie neben das Bett rückte. Wenn Marie aber in eine der fiebrigen Ohnmachten fiel, zwang Wanda sich, wach zu bleiben. Es war beängstigend, Marie in diesen Momenten zu erleben. Dann redete sie mit Menschen, die nicht da waren, manchmal schrie sie auch, doch außer ein paar Namen und bruchstückhaften Worten verstand Wanda nicht viel. In diesen Stunden an Maries Bett wurde ihr zum ersten Mal bewusst, wie viele Arten von Lachen es gab: Manchmal kicherte Marie wie ein junges Mädchen, dann wieder lachte sie aus vollster Kehle, oder sie gackerte vor sich hin wie ein altes Weib, das den Verstand verloren hat. Sie befand sich dann in einer Welt, zu der nur sie Zutritt hatte. Besonders schlimm war es, wenn sie ihr verlorenes Lächeln auf dem Gesicht trug. Dann sah sie so einsam aus, dass Wanda sie umarmen und streicheln musste, immer wieder, und sie nicht loslassen konnte.

Es gelang Wanda, die Contessa zu überreden, Sylvies Wiege in Maries Zimmer stellen zu lassen. Zuerst protestierte Patrizia heftig: Das Schreien des Kindes würde die Kranke stören. Und der Milchfluss der Amme würde neben einem Krankenbett womöglich versiegen. Und wenn die Frau gar nicht mehr in den Palazzo käme, was dann? Das wollte Wanda natürlich auch nicht riskieren. Trotzdem blieb sie beharrlich, weil sie hoffte, Sylvies Nähe könne Maries Genesung irgendwie beschleunigen.

Es stellte sich heraus, dass alle mit der neuen Lösung zufrieden waren: Der Amme machte es nichts aus, das Kind im Zimmer der kranken Mutter aufzusuchen, ihre Milch floss nach wie vor. Der Säugling schlief die meiste Zeit, und Marie konnte ihr Kind in den Arm nehmen, wenn sie wach war und sich stark genug fühlte. Das waren die schönen Momente, in denen Wanda Kraft tankte und die Hoffnung hegte, dass alles gut werden würde.

Anfänglich stand Patrizia die ganze Zeit wie ein Wachhund an der Tür und beobachtete mit Argusaugen das Krankenbett. Erst als Wanda ihr klipp und klar sagte, dass sie nicht eher gehen würde, bevor Marie wieder wohlauf war, ließ Patrizia sie wenigstens in den Zeiten allein, in denen Marie schlief oder fantasierte. Jedes Mal hatte Wanda das Gefühl, sofort freier durchatmen zu können.

Patrizias Verhalten war in höchstem Maße seltsam. Auf den ersten Blick machte sie den Eindruck einer beunruhigten Schwiegermutter, die sich Sorgen um die Mutter ihrer Enkelin machte. Doch auf Wanda wirkte es, als wolle die Contessa jeden wachen Moment von Marie kontrollieren: Wann immer ihre Schwiegertochter die Augen aufschlug und sie sich unterhalten wollten, kam Patrizia ins Zimmer, als hätte sie vor der Tür gelauscht oder eine Hausangestellte damit beauftragt. Immer brachte sie etwas für Marie mit: einen Krug Limonade oder frisches Wasser und Tücher für kalte Umschläge oder frische Wäsche. Nie etwas für Wanda. Es war, als wollte sie sie geradezu zwingen, für einen Imbiss in die Küche zu gehen. Was Wanda nur selten tat, denn die Angst um Marie füllte ihren Magen vollkommen aus.

Mehr als einmal hatte sie das Gefühl, dass Marie ihr dringend etwas mitteilen wollte. Doch der Eindruck verflüchtigte sich, sobald Patrizia den Raum betrat. Lediglich eine gewisse … Dringlichkeit blieb dann in Maries Blick zurück. Aber sie konnte Patrizia schließlich nicht in ihrem eigenen Haus aus dem Zimmer werfen! So blieb Wanda nichts anderes übrig, als auf eine Möglichkeit zu einem Gespräch unter vier Augen zu warten und die vielen Fragen, die ihr selbst auf der Zunge brannten, auf später zu verschieben:

Warum hast du mir seit Monaten nicht mehr geschrieben? Ist unser erstes Paket mit den Babysachen überhaupt angekommen? Warum schaut dein Schwiegervater bei jedem Besuch im Krankenzimmer drein wie die Schlange, die das Kaninchen verschlingen will? Und warum in aller Welt meldet sich der Kindsvater nicht? Deine Schwiegermutter hat mir nur gesagt, dass Franco in New York ist. In New York? Während du dein erstes Kind bekommst?

Doch immer wenn Marie sich in den wenigen wachen Momenten unterhalten wollte, fiel Patrizia ihr ins Wort.

»Das Sprechen strengt dich viel zu sehr an, denk daran, was der Dottore gesagt hat!« Und zu Wanda sagte sie: »Es ist unverantwortlich, Marie in ihrem Fieberwahn Fragen zu stellen! Sehen Sie nicht, dass sie nur fantasiert?«

Den Eindruck hatte Wanda eigentlich nicht, sie konnte sehr wohl unterscheiden zwischen den Zeiten, in denen Marie in fiebrige Welten entrückt war, und den Momenten, in denen sie klar denken konnte. Im Stillen nannte sie Patrizia den Drachen, der die Höhle bewachte, in der Marie gefangen war. Wie nahe sie mit ihrem Sinnbild der Wahrheit kam, sollte sie erst noch erfahren.

Mit jeder Stunde wuchs ihre Abneigung gegen Maries Schwiegermutter. Wenn der Drache Marie schlecht oder nachlässig behandelt hätte, hätte sie, Wanda, ihre Aversion vielleicht genauer benennen können. Doch jeden Morgen gab es frische Bettwäsche, das hatte sie nun schon zweimal beobachten können. Leichte, vitaminreiche Speisen wurden serviert, die Kanne mit Tee an Maries Bett war stets frisch gefüllt – Patrizia war nicht das Geringste vorzuwerfen. Sie sorgte außerdem dafür, dass der Arzt zweimal täglich kam. Dann musste Wanda das Zimmer verlassen. Sie hätte gern mit dem Mann geredet, doch er sprach weder Deutsch noch Englisch und sie nur wenige Worte Italienisch. Aber sein ernster Blick beim Verlassen des Zimmers sagte Wanda auch so, dass es schlecht um ihre Tante stand. Das Fieber sei die größte Sorge, antwortete Patrizia jedes Mal, wenn Wanda sie fragte, was der Arzt gesagt habe. Der Riss, der bei der Geburt entstanden war und den man hatte nähen müssen, war entzündet und hatte nun trotz Wundversorgung auch noch zu eitern begonnen. Das durch die Infektion entstandene Fieber wollte nicht sinken.

In diesen Momenten auf dem Flur vor Maries Zimmer vereinte die Sorge um Marie die junge und die ältere Frau.

*

Eine Flamme, hellgelb und lodernd, direkt vor ihren Augen. Etwas verschleiert, wie durch ein Fenster in einer nebligen Nacht in Lauscha. Sie tritt näher an die Flamme heran. Oder kommt die Flamme näher zu ihr? Gleichgültig ... Seltsam, die Flamme ist gar nicht so heiß, wie sie ausgesehen hat ... Ihr Kern ist blässlich. Maries Lippen spitzen sich, sie will Luft hineinblasen. »Du musst kräftig blasen, damit die Flamme singt!« Das ist Vaters Stimme! Marie lächelt. Sie kann ihn hören, aber wo ist er? In ihrer Freude vergisst sie die Flamme und das Blasen. Die Flamme erlischt. Und Papa sagt: »Siehst du, jetzt ist sie aus. Für immer.«

Als Marie aufwachte, war ihr Nachthemd von Schweiß getränkt. Sie hatte geträumt, wie so oft während ihrer Krankheit. Sie versuchte sich zu erinnern. Sie *musste* sich erinnern, es war wichtig!

Marie nahm einen Schluck Tee, doch er schmeckte schal.

Aus dem Nebenzimmer war Wandas Stimme zu hören. Sie schien mit Sylvie zu sprechen oder mit der Amme. Nicht mit Patrizia. Mit der sprach sie nicht in so freundlichem Ton. Unwillkürlich musste Marie lächeln. Treue Wanda.

Liebe Wanda. Blut war eben doch dicker als Wasser. Plötzlich erinnerte sie sich.

Es war keiner der Träume gewesen, in denen so viele Menschen durch ihren Kopf tanzten, dass er am Ende bei jeder Drehung schmerzte. Nein. Diesmal war ihr Traum ganz einfach gewesen: Sie hatte ihren Vater gesehen. Und eine Flamme, die erlosch. Keine x-beliebige Glasbläserflamme, sondern die Flamme ihres Lebens – die Erkenntnis traf sie mit aller Wucht und nahm ihr die Luft.

Warum ich? Ich will noch nicht sterben!

Sie erstickte ihr Jammern unter der Bettdecke, bevor es jemand hören konnte. Tränen liefen ihre Wangen hinab.

Sie hatte doch noch so viel vor in ihrem Leben! Es war wie eines ihrer Glasbilder, bei denen die wichtigsten Teile noch fehlten.

Johanna und Ruth ... nie mehr wiedersehen? Immer hatten sie zusammengehalten. Die drei Steinmänner wurden sie von den andern im Dorf genannt ..., und dann war sie einfach weggegangen, ohne sich noch einmal umzudrehen. Verzeih mir, Johanna, verzeih!

Was soll aus meinem Kind werden, wenn ich sterbe? Wer soll sich um Sylvie kümmern? Ihr sagen, dass alles möglich ist im Leben? Dass man auch als Frau seinen Weg gehen kann? Aber dass alles seinen Preis hat. Ihr Vater vielleicht?

Der Gedanke, Sylvie allein lassen zu müssen, war mehr, als Marie ertragen konnte. Sie wand sich wie ein verwundetes Tier, und kleine, jämmerliche Laute kamen aus ihrem Mund.

Nicht sterben ... zu jung ... so viele Aufgaben ... wer soll sie übernehmen?

In einer hilflosen Geste faltete sie die Hände zum Gebet, überlegte, was man in solch einem Moment sagte.

Weder sie noch ihre Schwestern waren besonders religiös gewesen. Natürlich glaubten sie an Gott im Himmel, aber er

hatte in ihrem Leben einfach keine besonders große Rolle
gespielt.

»Lieber Gott, ich flehe dich an, mach mich wieder gesund. Sylvie zuliebe.« Maries Stimme war belegt und klang
sehr fremd, wie auch das ganze Gebet ihr fremd war. Trotzdem setzte sie erneut an: »Aber wenn du mich schon holen
willst, dann sag mir wenigstens, was ich für mein Kind noch
tun kann!«

*

Es war der dritte Tag nach Wandas Ankunft. Sie kam gerade
aus dem nächstgelegenen Badezimmer, wo sie sich nach einer weiteren Nacht an Maries Bett notdürftig zurechtge-
macht hatte. Am Vorabend hatte sie das Hausmädchen, das
sie bei ihrem ersten Besuch an der Tür abgewiesen hatte,
mit Patrizias Duldung in ihr Hotel geschickt, um einen Teil
von Wandas Gepäck abzuholen. Vielleicht wäre es sinnvoll
gewesen, sich gleich alle Gepäckstücke bringen zu lassen,
sinnierte Wanda, während sie die Klinke von Maries Zimmertür hinunterdrückte. Da Patrizia jedoch immer noch
keine offizielle Einladung ausgesprochen hatte, hatte
Wanda darauf verzichtet und sich mit ihrer kleinen Reisetasche begnügt, in der sich das Nötigste für die Zwischenauf-
enthalte während der Reise befand.

»Marie! Du bist schon wach!«

Der Anblick von Marie, die aufrecht im Bett saß, durchflutete Wanda wie warme Sonnenstrahlen. Vielleicht
brachte ja der heutige Tag die Wende im Krankheitsverlauf,
auf die sie alle so sehr warteten …

Marie legte einen Finger an die Lippen. Ihre Augen waren
weit aufgerissen, aber klar.

»Hier ist etwas, was ich dir geben will, bevor sie wieder-
kommt. Schnell, nimm das und steck es weg.« Sie hatte ein

kleines, zerfleddertes Büchlein in der Hand. Ihr Blick huschte angstvoll zur Tür, als hätte sie das gesammelte Tafelsilber des Palazzos gestohlen und würde es hiermit Wanda übergeben.

»Was ist das?«, flüsterte Wanda. Bevor sie das Buch genauer untersuchen konnte, drängte Marie sie erneut, es zu verstecken. Erst nachdem Wanda die Kladde zwischen ihr Mieder und das Oberteil ihres Kleides geschoben hatte, beruhigte sich Marie ein wenig. Ihre Unruhe war ansteckend, denn nun warf auch Wanda immer wieder Blicke zur Tür. Jeden Moment konnte der Drachen mit einem Frühstückstablett hereinkommen. Es war fast ein Wunder, dass er noch nicht aufgetaucht war.

»Das ist mein Tagebuch«, flüsterte Marie. »Ich habe es seit Anfang des Jahres geschrieben. Seit ich hier eingesperrt bin.«

»*Eingesperrt?*« Wanda runzelte die Stirn. Fantasierte Marie etwa schon wieder?

Marie hob abwehrend die Hand, als wolle sie weiteren Fragen entgegenwirken. »Ich weiß, dass sich das verrückt anhört. Doch was du zu lesen bekommst, ist noch schlimmer. Aber es ist die Wahrheit.« Sie sprach schnell und atemlos. »Es drängt mich so sehr, dir alles selbst zu erklären! Aber ich rede derzeit wohl so viel dummes Zeug, dass es dir wahrscheinlich schwer fallen würde, mir zu glauben. Vielleicht ist es besser, wenn du alles erst einmal liest. Danach kannst du mir ja noch Fragen stellen. Was da drinsteht, ist die Wahrheit, nichts als die Wahrheit!« Während der letzten Worte war Marie lauter geworden, und ihre Brust bebte wie nach einem schnellen Lauf.

Wieder einmal fühlte sich Wanda überfordert. Es war nicht gut, dass Marie sich so aufregte, so würde das Fieber gewiss nicht sinken. Sie wies warnend in Richtung Tür.

»Denk an den Drachen!« Wo um alles in der Welt sollte

sie das Tagebuch lesen? Wenn sie nicht bis heute Nacht warten wollte, würde ihr nichts anderes übrig bleiben, als sich in die Toilette einzusperren.

Marie lächelte müde. »Mir ist schon wieder so schwindlig ...« Ihr Blick flog durchs Zimmer, es kostete sie Mühe, sich wieder auf Wanda zu konzentrieren. »Wenn du gelesen hast, was hier los ist, wirst du meine Bitte verstehen.« Bei den letzten Worten begann ihre Unterlippe zu zittern.

»Was für eine Bitte?« Mit jedem Satz aus Maries Mund war es Wanda flauer im Magen geworden. Ein Alptraum. Sie war in einen Alptraum geraten. *Dieses Wasser ist zu tief für mich!*, schrie alles in ihr. *So gut kann ich nicht schwimmen!*

»Was für eine Bitte?«, wiederholte sie. Der Anblick von Marie, die sich so quälte, war fast mehr, als sie ertragen konnte.

»Du musst Sylvie mitnehmen. Nach Lauscha. Sie darf unter keinen Umständen hier bleiben. Hörst du? Unter keinen Umständen! Lass dich von nichts und niemandem aufhalten!«

Hatte sie richtig gehört? »Aber wie ...«, hob Wanda an.

Im nächsten Moment wurde die Tür aufgestoßen. Als Patrizia sah, wie aufgeregt Marie war, wurde sie sehr wütend und überschüttete Wanda mit Vorwürfen. Doch weder sie noch Marie kümmerten sich um den Drachen, jede versuchte in den Augen der anderen zu lesen.

»Versprichst du mir das?«, fragte Marie erneut eindringlich.

Wanda nickte. Wie hätte sie es ablehnen können?

Als Marie das nächste Mal eingeschlafen war und Patrizia den Raum verlassen hatte, nestelte Wanda das Tagebuch aus ihrem Leibchen. Durch die Körpernähe war es ganz warm geworden, und sie hatte einen Moment lang Angst, die Tinte könnte gelitten haben. Doch als sie die erste Seite aufschlug, sah sie Maries unverkennbare Schrift mit den tiefen, geschwungenen Bögen und den etwas zu groß geratenen Anfangsbuchstaben.

Mittwoch, den 14. Januar. Heute vor einer Woche verließ ich das Paradies. Heute vor einer Woche habe ich erfahren, dass mein Mann, mein »geliebter Gatte«, kein Ehrenmann, sondern ein Mörder ist.

Wanda erstarrte.

Es folgte eine ausführliche Schilderung dessen, was Marie in jener Schicksalsnacht an der Bürotür mitbekommen hatte. Dann, ein paar Seiten weiter, hieß es:

Noch immer kann ich es nicht fassen. Alles in mir wehrt sich gegen dieses Wissen. Nacht für Nacht habe ich neben einem Mörder gelegen, habe seine Liebkosungen genossen. Vielleicht war er schon schuldig am Tod von Menschen, als ich mich in ihn verliebte? Die Vorstellung bringt mich fast um den Verstand.

Wie konnte ich mich so sehr in ihm täuschen? Immer und immer wieder rufe ich mir unsere Zeit in New York ins Gedächtnis. Was hat er wann gesagt? Und was habe ich ihm geantwortet? Ich komme mir vor wie ein Chirurg, der mit äußerster Präzision sein Skalpell anlegt und …

Dieser Schmerz! Wanda konnte ihn kaum ertragen. Sie ließ das Buch sinken und schaute ein paar Minuten lang auf Maries schlafende Gestalt. Welche Dämonen bekämpfte sie, wenn sie so wild zuckte und stöhnte? Wanda vermochte es sich nicht vorzustellen. Keine Sekunde lang zweifelte sie am Wahrheitsgehalt von Maries Aufzeichnungen. Trotzdem gelang es ihr nicht, das, was sie las, mit den Menschen in Verbindung zu bringen, die sie kannte. Sie nahm das Buch wieder auf.

Vielleicht …, wenn ich damals hellhöriger gewesen wäre, hätte ich erkannt, dass bei Franco Licht und Schatten sehr nahe beieinander liegen. Aber in meiner Verliebtheit habe ich

nicht sehen und nicht hören wollen! Sonst hätte ich doch er-
kennen müssen, dass das Verhalten der italienischen Restau-
rantbesitzer Franco gegenüber von Angst und Verachtung ge-
prägt war. Doch ich dumme Kuh glaubte, sie huldigten mit
ihrer Unterwürfigkeit seinem Adelstitel! Und weshalb habe
ich mich nie gefragt, warum er mich bei seinen Besuchen im
Hafen nicht dabeihaben wollte? Wo er doch sonst auf jede Mi-
nute eifersüchtig war, die ich mit anderen Leuten verbrachte.

Weitere Selbstvorwürfe folgten. Zu Wandas Fassungslo-
sigkeit gesellten sich Wut und Trauer. Was hatte sich Marie
in den Wochen ihres Eingesperrtseins nur angetan? Sie war
doch nicht schuld an dem Drama! Keiner hatte Franco
durchschaut, viel zu raffiniert waren er und seine Familie
vorgegangen, als dass jemand irgendwelche üblen Machenschaften hinter der feinen Fassade vermutet hätte!

Als sie von Maries Fluchtversuch las, brach es ihr fast das
Herz. Was für Barbaren waren der Conte und die Contessa!

… ein paar Tage lang hat sich Patrizia danach gar nicht se-
hen lassen. Die schreckliche Carla hat sie mir geschickt. Es ist
wirklich verrückt, aber inzwischen habe ich ein richtig
schlechtes Gewissen, weil ich versucht habe zu fliehen.

Die alte Hexe! Nicht genug, dass sie Marie einsperrte, sie
musste auch noch psychischen Druck auf sie ausüben!
Hasserfüllt schaute Wanda zur Tür. Patrizia sollte sich nur
blicken lassen! Stirnrunzelnd las sie weiter.

Und wenn ich noch so schreie und tobe – Patrizia sieht in
ihrem Handeln nichts Schlechtes. Sie ist der Überzeugung,
einzig im Sinne der Familie zu handeln. Dafür muss ich ihrer
Ansicht nach eben einige »Unannehmlichkeiten« in Kauf neh-
men. Was für eine elegante Umschreibung für Kerkerhaft und
Freiheitsberaubung! Una famiglia – wie oft muss ich mir das
noch anhören! Trotzdem: Wenn sich mir eine Gelegenheit bie-
tet, versuche ich es wieder. Aber nur, wenn ich das Kind dabei
nicht gefährde. Patrizia mag die Familie über alles stellen –

für mich ist mein Kind das Wichtigste. *Sie können mir vielleicht im Augenblick die Freiheit nehmen, aber nicht die Kleine!*«

Wanda lächelte traurig angesichts des nutzlosen Aufbegehrens.

Montag, den 14. Februar. Heute habe ich mich dabei ertappt, fast den ganzen Vormittag auf einen winzigen Riss in der Tapete zu starren. Ich muss aufpassen, dass ich nicht wahnsinnig werde. Wenn ich mich nur aufraffen könnte, mich an den Bolg zu setzen! Patrizia hat mir angeboten, neues Glasmaterial zu besorgen. Wahrscheinlich glaubt sie, mich dadurch ruhig stellen zu können ...

»Und ...? Hast du schon alles gelesen?«

Wanda zuckte zusammen. Sie hatte nicht bemerkt, dass Marie wach geworden war.

»Nein«, presste sie hervor. »Aber was ich gelesen habe, reicht mir schon! Gut, dass du alles aufgeschrieben hast. Was glaubst du, wird die Polizei sagen, wenn ich ihnen das bringe?«

Marie schüttelte schwach den Kopf. »Nein, keine Polizei.«

»Aber warum denn nicht? Die können doch nicht Menschen umbringen und dich hier einsperren und –«

Wanda brach ab, als sie Maries kalte Hand an ihrem Arm spürte.

»Bitte nicht, ich flehe dich an! Du musst an Sylvie denken. Du musst dein Wissen in ihrem Sinne einsetzen ...«

»Wie meinst du das? Wenn dies hier alles aufgeklärt wird, wäre das doch in Sylvies Sinne, oder?«, fragte Wanda stirnrunzelnd. Im nächsten Moment schlossen sich Maries Augen wieder. Ihre wachen Phasen wurden immer kürzer – diese Erkenntnis traf Wanda wie ein Schlag. Sie musste der Wahrheit ins Auge sehen, dass sie sich in Bezug auf Maries Genesung etwas vormachte.

Marie schlief. Ihr Atem stockte immer wieder, sie bewegte sich unruhig hin und her.

Die Miene des Arztes war nach seiner letzten Visite noch sorgenvoller gewesen. Mit eindringlichen Worten hatte er auf dem Flur auf Patrizia eingeredet. Kurz darauf hatte Patrizia eigenhändig Sylvies Wiege aus dem Zimmer geschoben. Dann stellte sie neben Maries Bett auf dem Nachttisch eine Kerze auf. Wenig später erschien ein schwarz gewandeter, sehr alter Priester. Auf Lateinisch las er Marie aus der Heiligen Schrift vor. Weihrauchdunst füllte bald den stickigen Raum.

Zusammen mit dem Conte und Patrizia stand Wanda am Fußende von Maries Bett. Obwohl sie einer solchen Zeremonie noch nie beigewohnt hatte, wusste sie, was sie bedeutete: Es war die Letzte Ölung. Durch das Totenöl sollte der Sterbenden Gott nahe gebracht werden, durch das Gebet sollte sie Trost erfahren. Die Sterbende ... alles in Wanda wehrte sich gegen diese Gewissheit.

»Marie, liebste Marie, du darfst nicht sterben«, flüsterte sie, als der Priester zusammen mit Patrizia das Zimmer verlassen hatte, und ihr Herz krampfte sich angstvoll zusammen. »Bleib bei uns, bitte. Wir lieben dich. Und wir brauchen dich. Ich ... weiß nicht, ob ich so stark bin, wie du glaubst.«

Sie streichelte Maries Wange. Als sie sich nach vorn beugte, drückte das Tagebuch, das sie wieder in ihrem Leibchen versteckt hatte, gegen ihren Bauch. Das Wissen, welches Unrecht Marie angetan worden war, hatte sich nur kurz verdrängen lassen.

Wie scheinheilig Patrizia neben dem Pfarrer gestanden hatte ... Mit größter Anstrengung war es Wanda gelungen, ruhig zu bleiben. Sie musste an Marie denken. Und an das, was sie zu ihr gesagt hatte: Sie solle ihr Wissen im Sinne von Sylvie einsetzen. Wanda ahnte inzwischen, was sie damit gemeint hatte, auch wenn sich alles in ihr gegen diese Ahnung sträubte.

Marie schlug die Augen auf. Sie hatten einen seltsamen Glanz, den Wanda noch nie gesehen hatte. Es war, als glühten sie von innen.

»Wanda, Liebes ... Ich möchte dir noch so viel sagen. Aber ... zu schwach. Du ... musst Sylvie nach Lauscha bringen. Hast es mir versprochen. Meine Tochter soll unter Glasbläsern aufwachsen und nicht ... unter Mördern.«

»Sie soll mit dir aufwachsen!«, rief Wanda verzweifelt. »Bald bist du wieder gesund, nur das Fieber muss noch weggehen.«

Marie schüttelte fast unmerklich den Kopf. »Nicht das Fieber geht. Ich gehe.«

Und sie schloss zum letzten Mal die Augen.

31

Die Beerdigung fand bereits am nächsten Tag statt. Das war in Italien so üblich, erklärte die Contessa einer erschütterten, tränenüberströmten Wanda.

Keine Zeit, um in Lauscha Bescheid zu geben. Keine Zeit, um Johanna und Peter und Magnus zu Maries Beerdigung kommen zu lassen. Keine Zeit, sich an den Gedanken zu gewöhnen, dass Marie tot war. Schöne Marie. Marie mit dem Glitzerstaub im Gesicht.

Es war nur eine kleine Gruppe von Menschen, die der Beisetzung beiwohnte: der Conte und seine Frau, Carla und noch eines der Zimmermädchen und Wanda. Sylvie war in der Obhut der Amme, Franco in Amerika im Gefängnis, wo ihn bisher niemand vom Tod seiner Frau hatte unterrichten können.

Der Friedhof war anders als die, die Wanda aus New York

kannte. Und anders als der in Lauscha. Mit starrem Blick sah Wanda zu, wie Maries Sarg in ein Fach in einer riesigen steinernen Wand geschoben wurde. In ein Fach von vielen, mit einer eilig eingemeißelten Inschrift. Daneben gab es in Reih und Glied zahllose weitere Fächer mit Toten. Keine Blumen, keine Kreuze, kein »Asche zu Asche, Staub zu Staub«, kein Zurückkehren in den Schoß der Mutter Erde. Der Boden war zu steinig, als dass man ihm die Toten hätte übergeben können.

Es war nicht gut, dass Marie hier beerdigt wurde – ihr Zuhause war Lauscha. Dieser Gedanke tauchte irgendwo in Wandas Hinterkopf auf, doch angesichts der Eile, die an den Tag gelegt wurde, schaffte er es nicht, bis in ihr Bewusstsein vorzudringen. Vielleicht ... wenn Mutter an ihrer Seite gewesen wäre oder Johanna – die beiden hätten bestimmt nicht zugelassen, dass Marie ... Doch es war niemand da, und Maries Leichnam ruhte nun in der steinernen Wand.

Der Abschied war knapp und undramatisch. Die Contessa und ihr Mann reichten Wanda steif die Hand. Zu Wandas Erstaunen hatte der Conte eine Kutsche kommen lassen, die sie samt Kind und Gepäck zum Bahnhof brachte – so viel »Hilfsbereitschaft« hätte sie ihm gar nicht zugetraut. Er begleitete sie sogar. Am Bahnhof suchte er den richtigen Zug aus. Im Abteil, in dem der Conte zwei Plätze für sie hatte reservieren lassen, richtete sich Wanda mit Sylvie ein.

Mit leerem Blick starrte sie aus dem Fenster des Zuges. Obwohl er sehr langsam fuhr, nahm sie nichts von der monumentalen Bergwelt der Alpen wahr. Nach den Anstrengungen der letzten Tage war sie erschöpft wie nie zuvor in ihrem Leben. Jeder Gedanke bereitete ihr Anstrengung, und dennoch wollte das quälende Gefühl, alles falsch zu machen, nicht schwinden.

Wie hatte sie zulassen können, dass Marie in Genua beerdigt wurde? Hätte sie nicht darauf bestehen müssen, dass Marie verbrannt und ihre Asche nach Lauscha überführt wurde? So etwas von Deutschland aus zu regeln würde sicherlich sehr kompliziert werden. Noch größere Vorwürfe erwartete Wanda allerdings angesichts der Tatsache, dass sie die Daheimgebliebenen nicht in einem Telegramm über Maries Tod informiert hatte. Doch wie hätte sie dieses schreckliche Ereignis in zwei knappe Sätze fassen sollen?

Und da war noch eine ganz andere, eine sehr akute Sorge.

Vor ein paar Minuten war der Schaffner da gewesen, um die Reisenden auf die bevorstehende Passkontrolle an der italienisch-österreichischen Grenze vorzubereiten.

Was, wenn die Grenzbeamten etwas an Sylvies Papieren auszusetzen hatten? Was, wenn alles, was sie in den letzten Tagen auf sich genommen hatte, an einem sturen Beamten scheiterte, der beim Anblick eines jungen Mädchens mit einem Säugling Argwohn schöpfte?

Wanda warf einen Blick auf das schlafende Kind in dem Tragekorb, der auf dem Sitz neben ihr stand. Wie sie die Hände zu kleinen Fäusten ballte, als wolle sie sich gegen die böse Welt zur Wehr setzen! Dabei gab es keine Kraft der Welt, die etwas gegen das Schicksal ausrichten konnte …

Die eigenwillige, schöne Marie war tot.

Wanda schloss die Augen und wartete, bis der Schmerz verebbte. Wenn sie jetzt um Marie trauerte, würde sie nicht mehr aufhören können zu weinen. Sie musste sich zusammenreißen, ihre Trauer verschieben, es zumindest versuchen. Sie holte tief Luft. Bisher war alles gut gegangen, und sie musste dafür Sorge tragen, dass es so blieb.

Sollte sie Sylvie in dem Moment wecken, wenn die Beamten das Abteil betraten? Männer mochten kein Kindergeschrei, vielleicht würde die Passkontrolle dann umso schneller beendet sein? Womöglich aber wurden die Beamten so erst recht auf die junge Mutter mit ihrem Kind aufmerksam. Wanda versuchte, im Fenster ihr Spiegelbild zu erhaschen, doch das blasse Morgenlicht verhinderte dies. Aber sie wusste auch so, dass keine Schminke und kein noch so strenges Kostüm sie über Nacht zehn Jahre älter aussehen ließen. Eine ältere Frau mit Kind wäre vielleicht nicht so aufgefallen. Sie jedoch …

Die Blicke der Leute auf dem Bahnsteig hätten kaum abfälliger sein können. Wie sie alle geglotzt hatten! Keiner der Männer hatte ihr geholfen, den schweren Korb mit dem Baby, ihren Koffer und die Reisetasche in den Zug zu hieven, und die wenigen Frauen, die auf dem Bahnhof gewesen waren, hatten sie auch nur mit schrägen Blicken gestreift. Was wussten sie denn schon, die Leute?

Alle paar Minuten beugte sich Wanda über den Babykorb. Die Kleine schlief. Alles schien in Ordnung zu sein: Ihre Wangen waren rosig, aber nicht zu sehr gerötet. Die kleinen halbrunden Schatten unter ihren Augen schienen von dem Wimpernkranz herzurühren, der für einen Säugling erstaunlich dicht war – Maries Tochter war ein außergewöhnlich schönes Kind.

Bisher war sie eine vorbildliche Reisebegleitung gewesen: Kaum hatte der Zug zu ruckeln begonnen, war sie eingeschlafen. Wachte sie auf, gab Wanda ihr eines der Fläschchen, die die Amme mit Milch gefüllt hatte. Auch das Windelnwechseln funktionierte so, wie die Amme es Wanda gezeigt hatte. Sie wusste allerdings nicht, ob sie das Kind zur Ruhe bringen konnte, wenn es erst einmal richtig zu schreien begann.

Nicht so viel denken. Eins nach dem anderen. Bisher war alles gut gegangen.

Mit zitternder Hand holte sie ihren Pass und Sylvies Papiere aus der Tasche. Wie viele Drohungen waren notwendig gewesen, um an die Ausweise zu kommen!

Und dabei hatte Wanda nach der Beerdigung nichts anderes gewollt, als sich in eine Ecke zu setzen und nicht mehr aufzuhören zu heulen. Stattdessen hatte sie dem Conte so lange damit gedroht, Maries Aufzeichnungen der Öffentlichkeit und den Behörden zugänglich zu machen, bis er ihrer Forderung nachgab. Insgeheim hatte sie sich darüber gewundert. Warum versuchte er nicht, in den Besitz des Büchleins zu gelangen? Warum versuchte er nicht ernsthaft, Wanda zum Schweigen zu bringen? Auf welche Art, darüber mochte sie gar nicht nachdenken ... Schließlich kam ihr der Verdacht, dass es dem Conte gar nicht recht sein konnte, in seiner verzwickten Lage auch noch mit einem neugeborenen, mutterlosen Mädchen belastet zu sein.

Sollte sie Sylvie doch mitnehmen, zum Teufel noch mal, hatte er gemurrt und ihr einen Handel vorgeschlagen: Sylvie gegen Maries Tagebuch. Wanda hatte rasch zugestimmt, und der Conte war losgezogen, um wegen der Papiere im Genueser Rathaus einen Beamten unter Druck zu setzen. Vielleicht war gar nicht allzu viel Druck nötig gewesen – laut Maries Unterlagen gab es schließlich genug bestechliche Beamte. Kurz darauf hielt Wanda jedenfalls einen Geburtsschein in der Hand, der besagte, dass Sylvie ihre Tochter war, geboren während ihres Aufenthalts bei der Familie de Lucca. Mit dieser Art Übergangslegitimation würde Wanda ins Lauschaer Amt gehen müssen. Oder war Coburg zuständig? Sie wusste es nicht. Und dann? Unter welchem Namen sollte Sylvie aufwachsen? Wer sollte ... Unwillig schüttelte sie den Kopf, als wolle sie sich von einer lästigen Fliege befreien. Nicht zu viel denken.

Ob und wie viel der Arzt, der Priester und die Hausangestellten von dieser Täuschung wussten und ob der Alte ihnen ebenfalls Schweigegeld hatte zahlen müssen, interessierte Wanda ebenfalls nicht. Die de Luccas lebten in ihrem Netz aus Lügen, und sie würden sich immer weiter darin einspinnen – *sie* hatte lediglich das getan, was getan werden musste.

Ein Schritt nach dem anderen. Erst einmal musste sie das Kind nach Lauscha bringen. Und es gab niemanden, der ihr helfen konnte.

Sosehr Wanda sich nach Richard sehnte, nach seinen breiten Schultern, an die sie sich hätte lehnen können – sie durfte jetzt nicht an ihn denken. Er würde sich wahrscheinlich Sorgen machen, wenn sie nicht wie vereinbart in Venedig erschien. Aber auch daran durfte sie jetzt nicht denken. Sie würde Richard alles erklären, wenn er wieder in Lauscha war.

Die Einreisebeamten waren inzwischen im Nachbarabteil angelangt. Wanda glaubte, sie an ihrer gestelzten Redensart zu erkennen. Ihr Herz klopfte heftig. Ruhig bleiben, an etwas anderes denken.

Hätte der Conte ihren Drohungen auch dann nachgegeben, wenn das Kind ein Junge gewesen wäre? Einen kleinen Grafen hätte er vielleicht doch nicht gehen lassen. So hatte er lediglich darauf bestanden, dass Wanda eine Erklärung unterschrieb, mit der Sylvie auf sämtliche Ansprüche gegenüber den de Luccas verzichtete. Wanda hatte unterzeichnet. Erst als die Tinte zu trocknen begann, kam ihr der Gedanke, dass sie womöglich leichtfertig gehandelt hatte. Mit ihrer Unterschrift hatte sie Sylvie jedes Recht auf einen Erbteil des De-Lucca-Vermögens genommen. Unruhig fragte sich Wanda, was die in Lauscha dazu sagen würden. Wahrscheinlich würde es heißen, sie, Wanda, hätte sich von Francos Vater über den Tisch ziehen lassen. Aber nun war es eben geschehen. Und die anderen waren nicht dabei gewesen, als Marie sie anflehte, rechtfertigte sich Wanda stumm. Marie hatte ganz klar gesagt, dass sie nicht wollte, dass ihre Tochter unter dem Einfluss von Francos Familie aufwuchs. Dazu zählte doch auch die finanzielle Seite, oder?

Von Patrizia war mehr Widerstand gekommen als erwartet. Immer wieder hatte sie Wanda angefleht, Sylvie bei ihnen zu lassen. Wie sollte sie Franco nach seiner Rückkehr erklären, dass seine Tochter in einem fremden Land aufwachsen würde? Er, den man noch nicht einmal von Maries Tod hatte unterrichten können, würde ihr das nie verzeihen.

Was für eine schreckliche Frau! Nicht einmal nach Maries Tod hatte sie ein schlechtes Gewissen gehabt.

»Hätte Marie zu ihrem Mann gestanden, wie es sich für eine Ehefrau gehört, wären diese drastischen Maßnahmen gar nicht nötig gewesen. Doch als Franco ihre Unterstützung am meisten benötigt hätte, wollte sie ihn verlassen«, hatte die Contessa mit bebender Stimme festgestellt und Wanda das Gefühl vermittelt, dass sie Marie das noch immer nicht verziehen hatte.

Franco tut mir Leid, dachte Wanda, während sie ihren Pass aufschlug. Franco war ein Opfer des Lügengeflechts. Nun, natürlich war er auch Täter, daran ging kein Weg vorbei. Wie konnte man sich so in einem Menschen täuschen! Ihren schönen Italiener, hatte Marie ihn genannt.

»Guten Tag, gnädiges Fräulein. Die Papiere, bitte schön!« Ein uniformierter Beamter stand vor Wanda und streckte die Hand aus. Als sein Blick auf den Korb mit dem Kind fiel, runzelte er die Stirn.

»Guten Tag.« Wanda reichte ihm mit einem Lächeln die Papiere. Nicht zittern, nonchalant gucken, aber nicht herablassend, atmen, aber nicht so laut, betete sie sich im Stillen vor, als wäre sie in einem Benimmkurs für feine Damen.

Zwei Mal blätterte der Mann Wandas amerikanischen Pass durch, und dabei schien er sich besonders für die Einreisestempel zu interessieren.

Die Ader an Wandas linker Halsseite pochte immer heftiger. Er *konnte* nichts finden – mit diesem Gedanken versuchte sie die aufsteigende Panik zu bekämpfen. Wie abfällig er sie ansah! Sie räusperte sich. Für ihn war sie ein in Schande gefallenes Mädchen, das – woher auch immer – genug Geld hatte, um mit seinem unehelichen Säugling Europa zu bereisen. Vielleicht vermutete er auch, dass ihre Familie sie verstoßen hatte. Dass sie auf der Flucht sei – und damit würde der Mann der Wahrheit ziemlich nahe kommen. Fast hätte der Gedanke Wanda erheitert.

Endlich reichte der Beamte ihr die Unterlagen zurück. »Wissen Sie eigentlich, dass die Herren Kollegen aus Deutschland ihre Stempel auf die Seite drei gemacht haben?«

»Die Seite drei?«

»Na hier, sehen Sie das denn nicht?« Mit einer abrupten Handbewegung riss der Mann ihr den Pass nochmals aus der Hand und schlug ihn auf. »Das ist doch die Seite für die amerikanischen Ausreisestempel!« Voller Ungeduld fuchtelte er mit dem Papier vor Wandas Gesicht herum. »Wenn das alle so machten, dann würden wir uns in den Pässen bald nicht mehr auskennen!«

»Ja … jetzt sehe ich es auch. Wirklich eine Schlamperei …«

Tausend Dank, lieber Gott.

Als der Grenzbeamte fort war, setzte das Zittern ein. Erst war es nur Wandas rechte Hand, die zu zittern begann. Dann ihre linke. Als sie an sich hinabschaute, sah sie, dass auch ihre Knie sich unruhig auf und ab bewegten. Ihr Blick ging durchs Abteil. Ob jemand etwas merkte? Doch niemand schenkte ihr einen Blick, so wie sich auch niemand neben sie gesetzt hatte. Als ob sie unter einer ansteckenden Krankheit litte!

Plötzlich war alles zu viel für Wanda. Die letzten Tage an Maries Krankenbett, kein Schlaf, die Beerdigung auf dem staubigen, felsigen Friedhof, der Kampf um Sylvie … Unkontrollierte Tränen flossen ihr übers Gesicht, und sie schluchzte laut auf. Ihre Nase schwoll zu, und sie bekam kaum noch Luft.

Marie war tot. Eingeschlossen, wo kein Lichtstrahl hinkam, kein Silberglanz und kein gläsernes Glitzern.

Es war so unfair! Marie hatte keiner Menschenseele je etwas angetan. Ihr Leben lang hatte sie nichts als Arbeit gekannt und es auch nicht anders gewollt. Und dann, als sie ein einziges Mal ausbrechen wollte aus diesem Leben, hatte es das Schicksal nicht zugelassen.

Warum?

Sosehr Wanda sich bemühte, sie konnte keinen Sinn in Maries Tod erkennen. Sie presste ihre Strickjacke vors Gesicht.

Wie konnte jemand mit einem so großen Hunger auf das Leben einfach sterben? Wie konnte das sein?

Alte Leute starben – oder auch nicht, so wie Wilhelm Heimer, der sich mit jeder Faser seines ausgemergelten Körpers ans Leben klammerte. Warum hatte Maries Kraft nicht gereicht?

Fieber ... verdammtes Fieber. Warum war es nicht gesunken? Jeden Tag ein bisschen mehr, und Marie wäre wieder gesund geworden. Aber einfach die Augen zu schließen und zu sagen: »Nicht das Fieber geht, ich gehe«? Es war nicht zu verstehen.

Mit zitternden Fingern putzte sich Wanda die Nase, als sie aus dem Augenwinkel heraus eine Bewegung wahrnahm. Sylvie ruderte mit ihren kleinen Ärmchen, als wolle sie ihr winken. Ihre blauen Babyaugen unter den langen Wimpern schauten orientierungslos von einer Seite zur anderen.

»Na, komm her, du kleines Ding!« Vorsichtig hob Wanda das Kind aus dem Korb. Zum Glück hatte das Zittern aufgehört, und sie konnte ihre Arme fest um den warmen kleinen Leib schlingen.

Kein Traum, sondern Wahrheit. Sie legte Sylvies Kopf an ihre Schulter. Das Baby, das ohne Mutter aufwachsen würde.

»Deine Mama wird uns allen so schrecklich fehlen ...«

32

Am frühen Abend war Wanda in Bozen angekommen. Die Sonne hatte sich im Laufe des Tages hinter einem Berg Wolken versteckt, und die Schwüle war immer unerträglicher geworden. Die Vögel hatten aufgehört zu zwitschern – ein untrügliches Zeichen dafür, dass sich etwas zusammenbraute.

Besorgt schaute Wanda nach oben. Ein Gewitter war das Letzte, was sie jetzt gebrauchen konnte. Mit klammen Fingern wechselte sie den Babykorb von der rechten in die linke Hand, dann schulterte sie ihre Reisetasche und nahm ihren Koffer wieder auf. Doch schon nach ein paar Schritten spürte sie, wie die Kraft in ihren Händen nachließ. So ging es nicht weiter, sie musste sich ausruhen. Auf der gegenüberliegenden Straßenseite entdeckte sie ein Fleckchen Gras, das von ein paar riesigen Kastanienbäumen überschattet wurde. Wanda schaffte es gerade noch, die kleine Grünfläche anzusteuern, in deren Mitte ein marmornes Denkmal und davor eine Bank standen, dann ließ sie Koffer und Tasche einfach fallen. Das Babykörbchen stellte sie auf der Bank ab. Wanda setzte sich daneben. Mit leerem Blick starrte sie vor sich hin.

Vor genau einer Woche war sie mit Richard durch dieselben Straßen geschlendert, mit Zeit und Muße und über alle Maßen glücklich. Sie hatten in der Nähe des Walther-Platzes zu Abend gegessen, sich vor dem Brunnen mit den dicken Putten geküsst. Und dann, später in der Nacht ...

Wandas Füße brannten, als wäre sie über heiße Kohlen gelaufen. Ihr Mund und ihre Lippen waren ausgetrocknet, und das Loch in ihrem Bauch war so groß, dass ihr vor lauter Hunger schwindlig wurde. Zudem war es nur noch eine Frage der Zeit, wie lange sich Sylvie damit zufrieden gab, in der stickigen Luft durch die Gegend getragen zu werden. Aber all das war nicht ihr größtes Problem.

Seit mehr als zwei Stunden irrte sie nun schon auf der Suche nach einem Nachtquartier in der Stadt herum. In drei Hotels und zwei kleineren Pensionen war sie gewesen, und überall war sie abgewiesen worden. Lag es an ihrem Alter oder an ihrem etwas derangierten Aussehen nach der langen, heißen Zugfahrt? Schätzte man Damen ohne männliche oder elterliche Begleitung nicht, oder war der Babykorb der Grund? Sie wusste es nicht. Sie wusste nur, dass sie stets die gleiche Antwort bekommen hatte: Kein Zimmer frei.

Und nun? Noch nie in ihrem Leben hatte sie sich so sehr nach ihrer Mutter gesehnt. Und nach Tante Johanna. Beide waren sich ihrer Sache immer so sicher! Probleme schienen sich bei ihnen wie von selbst zu lösen. Sie würden wahrscheinlich nicht wie ein heulendes Häufchen Elend hier sitzen, sondern … Was würden sie tun? Wanda wusste es nicht. Dabei hätte sie sich so gern nach einem Vorbild gerichtet.

Mit müden Armen hob sie Sylvie aus dem Korb und gab ihr das letzte Fläschchen, das sie dabeihatte. Gierig begann das Kind an dem Gumminuckel zu saugen. Seine roten Backen bewegten sich heftig, und eine kleine Falte der Konzentration hatte sich auf seiner Stirn gebildet. Wanda lächelte. Schien es ihr nur so, oder war Maries Tochter tatsächlich in den letzten zwei Tagen schon ein wenig gewachsen? Bei dem Anblick des hungrigen Säuglings verspürte sie auf einmal neue Kraft.

Lange konnte sie hier nicht sitzen bleiben! Sie musste eine

Apotheke suchen und Milchpulver für Sylvie besorgen. Und endlich ein Zimmer für die Nacht finden.

Während sie Sylvie fütterte, ging sie im Geist den Inhalt ihres Gepäcks durch. In der Reisetasche befanden sich inzwischen größtenteils die Geschenke – vor allem die Babysachen –, die sie aus Lauscha mitgebracht hatte. Auf einen Teil davon würde sie gut verzichten können, die meisten Kleidungsstücke waren ohnehin noch zu groß. Lediglich die Windeln würde sie alle benötigen.

Als Sylvie wieder satt in ihrem Korb lag, machte sich Wanda an die Arbeit. Ohne sich um die Blicke der Passanten zu kümmern, sortierte sie methodisch all jene Teile aus ihrem Gepäck aus, die sie nicht unbedingt auf der Reise brauchte. Als sie damit fertig war, war ihre Tasche zwar prall gefüllt, ihr Koffer jedoch überflüssig geworden. Sie würde ihn einfach auf der Parkbank stehen lassen. Vielleicht führte der Zufall ja einen bedürftigen Menschen hierher. Mit leichtem Gepäck und einigermaßen erholten Füßen machte sie sich erneut auf den Weg.

Als sie schon nach fünf Minuten eine Apotheke gefunden hatte, hätte sie vor Erleichterung heulen können. Mit wackliger Stimme trug sie halb deutsch, halb italienisch ihren Wunsch nach Babynahrung vor.

»Da muss ich erst in mein Lager gehen. Wenn die gnädige Frau kurz warten möchten ...«, antwortete der Apotheker in melodischem Österreichisch. Dann verschwand er durch eine Tür.

Welch ein Segen, dass der Mann zu den deutsch sprechenden Italienern gehörte!

Mit drei Dosen, verschiedenen Glasbechern mit weißen Markierungen und Nuckelflaschen kehrte er zurück. Sorgfältig baute er alles auf dem Tresen auf und erklärte Wanda dann die Zubereitung der Säuglingsnahrung.

Wanda fiel ein Stein vom Herzen. Sie hatte schon befürchtet, dass es in einer kleinen Stadt wie Bozen solche Babynahrung gar nicht zu kaufen gab. Seit sie in Genua in den Zug gestiegen war, hatte sie sich vorgeworfen, nicht schon vor ihrer Abreise Milchpulver besorgt zu haben. Als der Apotheker sie fragte, womit er noch dienen könne, verspürte Wanda einen erneuten Anfall von Panik. Was brauchte so ein kleines Wesen noch? Der Apotheker war zwar der erste Mensch auf ihrer Reise, der sich ihr gegenüber freundlich verhielt, aber das konnte sie ihn schlecht fragen. So kaufte sie lediglich noch eine kleine runde Dose mit Pfefferminzbonbons, bedankte sich für die gute Beratung und verabschiedete sich.

Die Ladenglocke klang noch in ihrem Ohr, als sie die Bonbondose aufdrehte und sich gierig eine der weißen Pastillen in den Mund schob. Sofort vertrieb der kühle Minzgeschmack ihren ärgsten Durst. Was für eine Wohltat!

Im nächsten Moment war die Idee da.

Eine Idee – so simpel und doch so großartig.

Genau das hätte ihre Mutter getan, statt sich wie eine Bettlerin die Hacken abzulaufen. Wandas Schritt wurde schneller. Warum war sie nicht schon früher darauf gekommen!

Sie erreichte den Eingang des Grand Hotels Park gerade noch rechtzeitig vor den ersten Regentropfen. Während sie an der Rezeption den Schlüssel für ein sündhaft teures Zimmer ausgehändigt bekam, dankte sie ihren Eltern im Stillen für deren Großzügigkeit, die es ihr ermöglichte, in einem derart noblen Etablissement zu übernachten. Hier, wo mondäne Gäste jeder Art ein und aus gingen, war der Herr an der Rezeption viel zu diskret, als dass er sich nach den näheren Umständen ihres Status als allein reisende Frau mit Kind erkundigt hätte. Vielmehr war es Politik des Hauses, jeden Gast willkommen zu heißen, solange er willens und fähig war, die horrenden Übernachtungskosten zu zahlen.

Ein Page nahm Wandas Koffer und begleitete sie zu ihrem Zimmer. Nachdem er für sie aufgeschlossen hatte, bat Wanda ihn, eine Karaffe mit Zitronenlimonade zu bringen. Als er fragte, ob er ihr auch einen Imbiss servieren dürfe oder ob es ihr lieber sei, im hoteleigenen Restaurant »Belle Epoque« zu speisen, begann ihr Bauch undamenhaft zu grummeln. Sie bestellte ein Tagesessen und winkte ab, als der Page ihr erklären wollte, was der Küchenchef zusammengestellt hatte.

Kaum war die Tür hinter dem jungen Mann zugefallen, befreite Wanda Sylvie aus dem Tragekorb. Sofort begann das Kind zu strampeln. Leise auf die Kleine einredend, ging Wanda ins Badezimmer. Erfreut stellte sie fest, dass es sowohl fließendes kaltes als auch warmes Wasser gab. Während lauwarmes Wasser in das elegante Waschbecken lief, schüttete sie eine kleine Prise rosafarbenes Badesalz dazu. Was für mondäne Damen gedacht war, war für ihre kleine Prinzessin gerade gut genug!

»Ich glaube, du weißt jetzt schon, was dir gefällt, nicht wahr?«, sagte Wanda, als sie die Kleine etwas unbeholfen wusch. »Wir werden im Winter täglich einheizen müssen, damit die kleine Prinzessin baden kann! Du meine Güte, das viele Holz! Da muss der Richard halt ein paar Gläser mehr verkaufen ...«

Richard ... Der Gedanke an ihn bohrte sich wie ein Pfeil in ihr Herz. Heute war der Tag, an dem sie ihn im Hotel Riviera hätte treffen sollen. Im Geist sah sie ihn unruhig auf und ab gehen und immer wieder auf eine Uhr an der Wand schauen.

Ein dezentes Klopfen an der Tür riss sie aus ihren Überlegungen. Sie wickelte Sylvie in ein dickes Handtuch und öffnete.

»Gnädige Frau, Ihr Abendessen! Kalbsschnitzel in Zitronensoße, dazu Butternudeln mit …«

Beim Anblick des Pagen durchzuckte Wanda die rettende Idee. Hastig zog sie ihn mitsamt dem Tablett ins Zimmer. Dann stellte sie sich so vor die Tür, dass sie ihm den Weg versperrte.

»So köstlich das auch duftet – ich habe plötzlich gar keinen Hunger mehr. Wie schade um das wundervolle Essen …« Entschuldigend zuckte sie mit den Schultern. »Vielleicht sollten Sie es essen, damit es nicht verkommt?«

»Ich?! Aber …« Verwirrt schaute der junge Mann sie an.

»Kein Aber! Sie setzen sich jetzt hier an den Tisch und essen in aller Ruhe! In der Zwischenzeit muss ich etwas ganz Wichtiges erledigen. Es geht sozusagen um Leben und Tod«, beschwor Wanda ihn. »Und ich brauche Ihre Hilfe, sonst … bin ich verloren!«

»Aber …«

Resolut schob sie den Pagen ins Zimmer. Während sie in ihrer Tasche nach Geld kramte, sagte sie: »Außer uns braucht das natürlich niemand zu wissen, das versteht sich. Wenn Ihr Chef Sie rügen will, weil Sie länger weggeblieben sind als erwartet, dann schieben Sie es ruhig auf mich! Sagen Sie …, ach, sagen Sie einfach irgendetwas! Und während Sie essen, werfen Sie bitte einen Blick auf meine Tochter, ja? Sie ist gerade erst eingeschlafen und wird bestimmt keine Probleme bereiten. Und außerdem bin ich bald wieder zurück.«

»Aber …«

»Bitte! Sie bleiben hier und passen auf mein Kind auf, in Ordnung?« Ohne einen weiteren Einwand abzuwarten, drückte Wanda dem Mann einen stattlichen Geldbetrag in die Hand. Dann nahm sie ihre Handtasche und rannte aus dem Zimmer.

»Es ist ein Notfall, ich schwöre es!«, drängte sie wenige Minuten später den Mann an der Rezeption des Hotels. »Ich brauche unbedingt eine Verbindung zum Hotel Riviera in Venedig, gleichgültig, was es kostet!«

»Das ist keine Frage des Geldes, gnädige Frau, sondern ein technisches Problem«, erklärte der Mann ihr zum zweiten Mal. »Selbst wenn Sie die Telefonnummer des Hotels wüssten, was offensichtlich nicht der Fall ist, könnte ich nicht direkt diese Nummer anwählen. Dazu bedarf es eines öffentlichen Amtes. Und diese sind sonntags in den seltensten Fällen besetzt.«

Wanda rang flehentlich ihre Hände. »Aber können Sie es denn nicht wenigstens probieren? Vielleicht …, mit ein bisschen Glück … bitte!«

Sie setzte mit letzter Kraft ihr charmantes Lächeln aus einem vergangenen Leben auf.

Mit resigniertem Schulterzucken nahm der Mann den Hörer auf und begann zu wählen.

33

»Wanda! Ich warte schon seit Stunden auf dich! Den ganzen Nachmittag habe ich mich nicht aus dem Hotel getraut, weil ich dachte, vielleicht kommst du früher als ausgemacht … Wo bist du? Am Bahnhof? Soll ich dich abholen? Das wäre kein Problem, ich kenne Venedig inzwischen wie meine Westentasche, auch wenn die vielen Kanäle …«

Es tat so gut, seine Stimme zu hören! Wandas Hand mit dem Telefonhörer begann zu zittern. Es hätte nicht viel gefehlt, und sie hätte losgeheult.

»Richard, sei einen Moment still und hör mir zu! Ich bin nicht in Venedig und ich komme auch nicht. Ich bin in Bozen.«

»Wo bist du? Die Leitung ... Ich glaube, ich habe dich nicht richtig verstanden.«

Wanda lächelte traurig.

»Ich bin in Bozen«, wiederholte sie. »Auf dem Weg nach Lauscha.« Und bevor er etwas erwidern konnte, platzte sie mit dem Wesentlichen heraus. Dass Marie tot war. Dass sie, Wanda, mit einem Neugeborenen nach Lauscha reiste. Die Sache mit Franco und Maries Eingesperrtsein hielt sie so vage wie möglich. Wie sehr drängte es sie, ihm ausführlich von all den schrecklichen Dingen zu erzählen! Aber sie war schließlich nicht allein in der riesigen Hotelhalle, in der jedes Wort deutlich zu hören war. Zwischendurch musste sie sich die Nase putzen, weil sie vor lauter Weinen keine Luft mehr bekam. Der Mann an der Rezeption sah schon ständig zu ihr hinüber, aber Wanda scherte sich nicht um ihn.

»Ich ... ich weiß nicht ..., was ich sagen soll.« Einen Moment lang war nur das Knistern der Telefondrähte zu hören. »Wanda, meine liebe Wanda, was hast du durchmachen müssen! Ich kann gar nicht glauben, dass Marie ... Es tut mir so furchtbar Leid –«

Richard verstummte. Doch sein ehrliches Mitgefühl war tröstlicher als tausend Worte.

Dann schien er sich gefasst zu haben. Er wollte wissen, wie es Wanda ging. Und Sylvie. Er hatte sich sofort Sylvies Namen gemerkt, registrierte sie dankbar.

»Ich packe heute noch zusammen. Gleich morgen früh lasse ich mir eine Zugverbindung nach Bozen heraussuchen. Bleib einfach, wo du bist, wir fahren gemeinsam zurück nach Lauscha. Von jetzt an kümmere ich mich um alles, du brauchst keine Angst zu haben, ja? Wir beide schaffen das.«

Welche Verführung! So erleichternd, so einfach. Wanda holte einmal Luft.

»Nein, Richard. Ich will, dass du in Venedig bleibst. Das

ist wichtig für dich. Ich habe es bis hierher geschafft, und den Rest des Weges werde ich auch noch schaffen«, antwortete sie mit mehr Zuversicht, als sie verspürte.

»Vergiss die Ausstellung! Ich habe schon jetzt ein paar wichtige Leute kennen gelernt. Und in zwei Jahren findet der ganze Zirkus wieder statt. Aber du brauchst mich *jetzt*! Du meine Güte, wenn ich daran denke, dass du allein mit Sylvie …« Er brach abrupt ab, dann hob er zögerlich wieder an: »Es … könnte höchstens sein, dass ich es morgen noch nicht schaffe. Aber spätestens übermorgen bin ich bei euch, und wir –«

»Nein!«, unterbrach ihn Wanda. »Bitte sprich nicht weiter. Natürlich sehne ich mich nach dir! Aber im Augenblick will ich vor allem auf dem schnellsten Weg nach Lauscha. Dort sind Johanna und Eva, die beiden werden mir helfen, verstehst du? Ganz wohl ist mir mit der Kleinen nicht. Was weiß ich denn schon von Babys?« Sie lachte unbeholfen auf.

Richard schien das Gesagte erst einmal verdauen zu müssen. Dann folgte ein tiefer Seufzer.

»Wenn du meinst … Ehrlich gesagt, sind für die nächsten Tage noch ein paar wichtige Begegnungen mit Leuten vorgesehen, die sich meine Sachen anschauen wollen. Und jetzt, wo wir zu dritt sind, können wir schließlich jede Mark gebrauchen, nicht wahr?«

»Und ob!«, presste Wanda zwischen Tränen hervor.

»Aber bis nächsten Sonntag bleibe ich trotzdem nicht hier. So bald wie möglich reise ich ab. Ich … du fehlst mir so! Arme Wanda … Ich möchte bei dir sein und dich ganz fest halten. Für immer.«

Das wollte sie auch. »Ich liebe dich«, flüsterte sie in den Telefonhörer.

»Und ich liebe dich«, kam es knackend zurück.

Am nächsten Morgen waren Wandas Augen rot gerändert und brannten. Das Gespräch mit Richard hatte erneut alle Tränenschleusen geöffnet. Doch dieses Mal hatte ihr Weinkrampf etwas Reinigendes gehabt, und die darauf folgende Erschöpfung wirkte auf seltsame Art sogar wohltuend. Es war, als ob dem Schmerz um Marie die schärfsten Spitzen genommen worden waren.

Richard würde für sie da sein. Seine Liebe würde ihren Schmerz heilen, das wusste sie nun. Daran gab es nicht den geringsten Zweifel. Während die Tiroler Landschaft an ihr vorbeiraste, dankte sie ihrem Schicksal dafür, dass die Telefonverbindung am Vorabend zustande gekommen war. Trotzdem graute es ihr davor, Johanna und den anderen die schrecklichen Nachrichten übermitteln zu müssen. *Sie* hatte wenigstens die Gelegenheit gehabt, sich von Marie zu verabschieden – und wie schwer war es ihr trotzdem gefallen! Würde es für die anderen nicht fast unmöglich sein, den Verlust zu akzeptieren? Trotzdem – sie mussten Bescheid wissen, je früher, desto besser. Dasselbe galt für ihre Mutter. Vielleicht, wenn sich die Gelegenheit ergab, würde sie schon heute Abend von München aus in New York anrufen.

Wie Vater und Mutter würden sie für Sylvie sorgen, hatte Richard gesagt. Vater und Mutter – aus seinem Mund hatte das noch ziemlich fremd geklungen. Würde jeder Mann derart rasch einwilligen, das Kind von »Fremden« aufzunehmen?, fragte sich Wanda. Wie hätte Harold reagiert? Zögernd, mit tausend Fragen und Zweifeln. Doch was hatte Richard in seiner praktischen Art gesagt? »Jetzt, wo wir zu dritt sind, können wir jede Mark gebrauchen.« Wanda lächelte. Wie gut, dass er so praktisch veranlagt war. Mit ihm konnte sie voll Zuversicht in die Zukunft schauen.

Zuversicht … Vorsichtig dachte Wanda über das Wort nach. Doch, so konnte man diese kleine, warme Flamme in ihrem Innersten nennen, die gestern noch nicht da gewesen war.

Nachdem sich Wanda vergewissert hatte, dass Sylvie ruhig und zufrieden in ihrem Tragekorb schlief, schloss auch sie die Augen. Das gleichmäßige Tuckern des Zuges lullte sie ein, und sie fiel in eine Art Halbschlaf, aus dem sie jedoch kurze Zeit später schon wieder erwachte. Als Erstes fiel ihr Blick auf den Babykorb. Alles in Ordnung.

In München angekommen, ließ Wanda sich von einer Droschke zum besten Hotel der Stadt fahren. Für eine Nacht in einer der luxuriösen Suiten reichte ihre Reisekasse gerade noch. Die letzte Nacht unterwegs, frohlockte Wanda, während sie dem Pagen ins Zimmer folgte. Aus dem Augenwinkel registrierte sie die königsblauen schweren Seidenvorhänge, das riesige Bett, in dem eine ganze Familie hätte nächtigen können, und die edlen Perserteppiche, die auf dem glänzenden Parkettboden verteilt waren. Doch viel Zeit, um den Luxus ihrer Unterkunft zu genießen, hatte sie nicht. Eilig sortierte sie ihr geschrumpftes Gepäck und zählte ihr Geld nach. Dann wusch sie Sylvie. Nachdem diese satt und zufrieden, nur mit einem dünnen Tuch zugedeckt, in der Mitte des Bettes lag, klingelte Wanda nach der Hausdame. Überrascht stellte sie fest, dass es sich dabei um eine erstaunlich junge Frau handelte. Sie trug ihr Anliegen vor, und schon wenige Minuten später öffnete sie einem älteren Zimmermädchen die Tür. Mit dem beruhigenden Gefühl, Sylvie in guten Händen zu wissen, statt in der Obhut eines überforderten Pagen, machte sich Wanda auf die Suche nach dem nächstgelegenen Postamt. Während sie sich einen Weg durch die belebten Straßen bahnte, rechnete sie kurz nach: In New York war es jetzt neun Uhr morgens. Mit etwas Glück würde ihre Mutter noch bei ihrer zweiten Tasse Kaffee sitzen.

Es war nicht besonders schwierig, eine Verbindung nach Amerika zu bekommen. Der Beamte bestand lediglich auf einer Bezahlung für fünf Minuten im Voraus. Sollte die Verbindung nicht zustande kommen, würde sie ihr Geld selbstverständlich zurückerhalten, erklärte er ihr.

Fünf Minuten … Was um alles in der Welt sollte sie ihrer Mutter in dieser kurzen Zeit sagen?, fragte sich Wanda, während der Beamte mit Kabeln hantierte, Knöpfe drückte und immer wieder per Telefonhörer die Leitung prüfte. Wo sollte sie anfangen zu erzählen?

»Gnädiges Fräulein, ihr Amt.«

Zitternd übernahm Wanda den Hörer. Knacken. Rauschen, dann hörte sie: »Hello, it's Mrs. Steven Miles here.« Die kühle, altvertraute Stimme!

»Mutter!« Wanda blinzelte heftig. Jetzt nicht weinen. Fünf Minuten waren so kurz …

»Wanda?«, kam es ungläubig zurück. »Bist du schon aus Italien zurück? Ich dachte, heute ist doch erst …«

»Mutter, es ist etwas ganz Furchtbares geschehen!«, begann Wanda atemlos. Ihr Herz schlug bis zum Hals. Und bevor Ruth etwas erwidern konnte, sagte sie: »Marie ist tot. Sie ist nach der Geburt ihrer Tochter gestorben. Ich habe ihre Hand gehalten. Sie war nicht allein, verstehst du? Vor zwei Tagen ist sie beerdigt worden, es war ganz schrecklich.« Am anderen Ende der Leitung hörte sie ihre Mutter tief Luft holen. Dann ertönte ein leises Jammern. Wanda wollte sich nicht vorstellen, welchen Schlag sie Ruth mit einem Satz verpasst hatte.

»Sylvie, ihre Tochter, ist wohlauf. Maries letzter Wille war, dass ich sie mit nach Lauscha nehme. Und das tue ich jetzt auch. Ich bin in München …«

Auf einmal wusste sie nicht, was sie noch sagen sollte.

»Mutter?«, flüsterte sie, als Ruths Schweigen andauerte. »Bist du noch da?«

»Ja. Ich … entschuldige bitte, ich …« Ein Geräusch, als ob Ruth die Nase putzte, folgte, dann sagte sie: »Ich kann es nicht fassen. Es ist … hat … sie sehr leiden müssen?«

Wanda biss sich auf die Lippen. Die Wahrheit – oder ...

»Nein. Sie hatte keine Schmerzen«, antwortete sie. »Es war das Fieber, weißt du?«

»Das Fieber ... Weiß Johanna schon ...?«

Wanda schüttelte den Kopf. Dann fiel ihr ein, dass ihre Mutter sie ja nicht sehen konnte. »Nein, wie hätte ich ihr Bescheid sagen sollen? Das wird ein ziemlicher Schock werden, wenn ich morgen mit dem Babykorb ankomme ...«

»Habe ich das richtig verstanden? Du hast Maries Tochter bei dir? Du allein mit einem Säugling eine so weite Reise ... Wie ... wie kommt es, dass Franco eingewilligt hat, dass du seine Tochter mitnimmst?«

»Franco! Den habe ich gar nicht gesehen, aber das ist eine lange Geschichte. Mutter, mach dir um mich keine Sorgen, ich schaffe das schon. Wenn ich wieder in Lauscha bin, rufe ich noch mal an. Und schreiben werde ich auch!« Ein Gefühl von Liebe und inniger Zuneigung durchströmte Wanda. Was hätte sie darum gegeben, ihrer Mutter den Schmerz erleichtern zu können!

Endlich fand auch Ruth ihre Stimme wieder.

»Ob du es glaubst oder nicht, ich hatte schon die ganzen letzten Wochen so ein ... komisches Gefühl, wenn ich an Marie dachte. Als Johanna mir sagte, dass sie sich so lange nicht gemeldet hat ... Meine Marie ... Trotzdem ... nach der Geburt ..., es fällt mir schwer zu glauben, dass sie ...«, schluchzte sie. »Ich bin froh, dass sie am Ende nicht allein war. Du an ihrer Seite, das war bestimmt ein Trost«, flüsterte Ruth.

»Ach Mutter, in Genua sind Dinge geschehen, die ... ich kann dir jetzt nicht davon erzählen! Aber ich habe alles so gut geregelt, wie es ging, und ich –«

Wanda holte Luft. Keine Zeit, sich zu verzetteln.

»Aber was ich dir jetzt sagen will – ich habe Marie versprochen, mich um ihre Tochter zu kümmern. Richard und ich werden das gemeinsam tun. Sylvie braucht mich. Sie ist ein so süßes kleines Ding! Marie sagte, sie sieht eurer Mutter ähnlich … Mutter, verstehst du, ich kann jetzt nicht mehr nach New York zurückkommen!« Wanda hielt den Atem an.

»Ja, das – verstehe – ich«, ertönte Ruths Stimme blechern. Im nächsten Moment wurde die Leitung von einem Rauschen erfüllt.»… alles … anders …«

Verflixt! Gerade jetzt! »Was hast du gesagt, Mutter? Die Verbindung … Mutter, ich muss jetzt gleich auflegen«, schrie Wanda in den Hörer.

»Ich habe gesagt, wenn *du* nicht kommen kannst, dann muss *ich* mich halt auf den Weg machen!«

Die Verbindung war nun wieder in Ordnung. Trotzdem traute Wanda ihren Ohren nicht. Mutter wollte Lauscha besuchen – nach so vielen Jahren?

»Gleich nachher werde ich mich um eine freie Kabine auf einem der nächsten Dampfer bemühen. Vielleicht … kommt Steven ja mit. Wenn nicht, reise ich alleine«, ertönte Ruths Stimme schon wieder viel fester als zuvor. »Wir Steinmänner müssen doch zusammenhalten, oder?«

34

Am einzigen Bahnsteig des Provinzbahnhofes war kein Mensch mehr zu sehen. Warum fuhren sie trotzdem nicht weiter? Wandas Blick fiel auf die runde Bahnhofsuhr, die zwischen den beiden Gleisen angebracht war. Schon zwei Uhr Mittag! Wenn das so weiterging, würde sie erst in der Nacht zu Hause ankommen.

Endlich setzte sich der Zug unter Schnaufen und Beben wieder in Bewegung. Es hätte nicht viel gefehlt, und Wanda hätte eigenhändig geholfen, den schweren Koloss anzustoßen.

Seit Nürnberg hatten sie mindestens fünf Mal Halt gemacht. Jedes Mal war Sylvie durch das schrille Kreischen der Bremsen wach geworden und hatte angefangen zu weinen. Wanda hatte Mühe gehabt, sie wieder zu beruhigen. Jedes Mal zog der Geruch nach verbrannter Kohle ins Abteil und kratzte in der Nase und in den Augen. Wandas Taschentuch war schon ganz schmutzig, und auch sie selbst fühlte sich, als hätte sie in einem Kohlelager übernachtet.

Mit Erleichterung sah sie den Bahnhof kleiner werden und schließlich ganz aus ihrem Blickfeld verschwinden.

Endlich. Sie wollte nach Hause.

Bald darauf wurde die offene Landschaft von dichter werdenden Wäldern abgelöst. Nun sah man keine blühenden Rosen und Lilien mehr, dafür jedoch bizarre Gräser, die sich graziös im Wind neigten. Gedankenverloren schaute Wanda aus dem Fenster, als sie plötzlich zu ihrem Erstaunen zwei riesige Fichten sah, die ineinander verwachsen waren.

Die siamesischen Zwillinge!

Auf diese beiden Bäume hatte Richard sie hingewiesen, nicht lange, nachdem sie in Coburg losgefahren waren! So tief verwurzelt wie diese Bäume, so ineinander verschlungen wie ihre Äste, so soll auch unsere Liebe sein, hatte er zu ihr gesagt. Ein Lächeln überzog ihr Gesicht.

Was ihre Mutter wohl zu Richard sagen würde? Wenn sie ihn erst einmal näher kannte, würde sie ihm bestimmt verzeihen, dass er Glasbläser war …

Mutter in Lauscha. Wanda konnte es sich noch immer nicht richtig vorstellen. Vielleicht hatte Ruth es im ersten Schock nur so dahingesagt? Vielleicht hatte sie es sich schon wieder anders überlegt? Ihre Stimme hatte allerdings sehr entschlossen geklungen.

Sylvie begann leise zu jammern. Wanda legte sich eine Decke über den Arm, dann hob sie das Mädchen aus dem

Korb. Zärtlich streichelte sie die verschwitzten feinen Härchen in Sylvies Nacken glatt.

»Liebe, liebe Sylvie«, murmelte Wanda. »Bald sind wir zu Hause, bald ...« Die Kleine beruhigte sich und wandte ihr Köpfchen Wanda zu.

Wanda versank wieder in Gedanken. Wie Mutter mit ihr geredet hatte! Wie mit einer Erwachsenen. Gar nicht mehr wie früher. »Ich bin stolz auf dich«, hatte sie zu ihr gesagt. Wie gut diese Worte taten!

»Armes kleines Baby, noch weißt du nichts von deiner Mama, und das ist gut so ...«

Die Erkenntnis traf Wanda so plötzlich, dass sie zusammenzuckte. Befand sie sich nicht beinahe in derselben Lage wie einst ihre Mutter? Da reiste sie durch halb Europa, mit Maries Kind auf dem Arm, das eine de Lucca war, aber in Lauscha aufwachsen sollte. Damals hatte Steven gefälschte Papiere für Ruth und sie besorgt, in ihrem Fall war es Francos Vater gewesen. Damals hatte ihre Mutter beschlossen, dass es das Beste sei, wenn Wanda nichts von ihrer Herkunft erfuhr. Und nun lag es in *ihrer* Hand zu verhindern, dass Sylvie je von den dunklen Machenschaften ihres Vaters Kenntnis bekam.

Wanda schluchzte auf.

»Alles wird gut, meine kleine Prinzessin«, flüsterte sie mit erstickter Stimme.

Wie aus dem Nichts drangen Johannas Worte zu ihr: »*Warum willst du unbedingt die Fehler der Alten wiederholen?*« Und: »*Wäre es nicht sinnvoll, wenigstens zu versuchen, es besser zu machen?*«

Wanda konnte sich nicht erinnern, in welchem Zusammenhang ihre Tante das zu ihr gesagt hatte. Alles schien schon so lange zurückzuliegen.

Bald würde sie zu Hause sein. Bei Johanna.

Und bald würde auch ihre Mutter da sein. Ein schreckli-

473

ches Unglück hatte geschehen müssen, um Ruth wieder in ihren Geburtsort zu bringen – welche Ironie des Schicksals! Wanda schüttelte den Kopf. Gemeinsam würden sie um Marie trauern. Die Steinmänner. Und sie war eine davon.

Plötzlich fühlte sie die Flamme mit dem Namen Zuversicht in sich größer werden. Sie wuchs mit jedem Kilometer, den der Zug sich durch die von Fichten gesäumten Täler bahnte.

Alles würde gut werden.

Bis zur Hochzeit würde sie mit Sylvie ins Haus ihres Vaters ziehen. Dann konnte Mutter bei Johanna wohnen. Eine gute Idee! Eva würde sich bestimmt freuen, ein Baby im Haus zu haben, und sie konnte Wanda mit Sylvie helfen, sie hatte schließlich mit ihren Geschwistern genug Erfahrungen gesammelt. Ein Grinsen, das erste seit langem, huschte über Wandas Gesicht. Und wehe, Eva und Ruth würden in ihre alten Zänkereien verfallen! Dann würde sie ihnen gehörig die Meinung sagen.

Seltsam würde es sicher auch sein, wenn sich ihre Mutter und ihr leiblicher Vater zum ersten Mal wieder gegenüberstanden. Trotzdem – irgendwie glaubte Wanda fest daran, dass Ruths Besuch gut verlaufen würde.

Die Kleine in ihrem Arm regte sich.

Sie würde Sylvie alle Liebe dieser Welt geben. Jeden Abend würde sie ihr von ihrer schönen, stolzen Mutter erzählen, die die Glasbläser in Lauscha das Fürchten gelehrt hatte! Geschichten von Glitzerstaub und Glaskugeln ... Und Richard würde Sylvie auf den Schoß nehmen, sodass sie ihm bei der Arbeit zuschauen konnte. Vielleicht hatte sie ja sogar Maries Begabung geerbt?

Und wenn die Zeit reif war, würde Wanda Sylvie von ihrem Vater erzählen.

Ein paar persönliche Anmerkungen zum Schluss

Herzlichen Dank möchte ich allen sagen, die ihr Wissen mit mir geteilt haben, vor allem natürlich den Glasbläsern und Bürgern von Lauscha, von denen ich stellvertretend nur einige nennen möchte: Lothar Birth, Michael und Angelika Haberland, Sabine Wagner, Peter Müller-Schmoß und Thomas Müller-Litz. Sollte ich trotz aller Hilfestellung noch Fehler bei der Beschreibung der Glasverarbeitung gemacht haben, so liegen diese einzig und allein in meiner Verantwortung.

Bedanken möchte ich mich auch bei meiner Lektorin und Freundin Gisela. Sie hat meinem Manuskript wie immer mit viel Engagement und Liebe zum Text den letzten Feinschliff gegeben.

Ein weiteres Dankeschön geht an all diejenigen Leser, die mich immer wieder gefragt haben, wann sie endlich die Geschichte der drei Steinmann-Schwestern weiterlesen könnten – ihre Ungeduld war für mich eine große Quelle der Motivation!

Wenn auch Sie einmal die Gastfreundschaft der Lauschaer erleben möchten, wenden Sie sich am besten an die Touristik-Information, zum Einstieg eignet sich außerdem ein virtueller Besuch bei *www.lauscha.de.* Ob Glasmuseum, Kugelmarkt oder Adressen von Glasbläsern, denen Sie bei der Arbeit über die Schulter schauen können – hier werden Sie bestimmt fündig.

Auch ein Besuch auf dem Monte Verità ist heute noch möglich: Einige der Licht-Luft-Hütten, in denen Marie und Pandora während ihres Aufenthalts wohnten, stehen noch heute. Es gibt außerdem ein Museum, das sehr eindrucksvoll die Geschichte dieses mystischen Ortes dokumentiert, wo schon vor mehr als hundert Jahren Blumenkinder und Lichtgestalten die freie Liebe probten.

Wer sich darüber hinaus in das Thema Glas und Glasverarbeitung einlesen möchte, kann unter *www.lesung@durst-benning.de* eine Bücherliste mit weiterführender Literatur anfordern.

Die Lebensgeschichte der Glasbläserin Marie – eine Familiensaga aus Thüringen

496 Seiten
ISBN 3-89834-020-1

Die junge Marie, Tochter eines thüringischen Glasbläsers, verstößt nach dem Tod ihres Vaters gegen alle Traditionen. Um sich und ihre Schwestern aus dem Elend zu befreien, beginnt sie im Jahre 1890 als erste Frau in ihrem Heimatdorf Lauscha kunstvolle Christbaumkugeln aus Glas zu kreieren. Ein Roman über den Lebensweg und die künstlerische Entwicklung einer ungewöhnlich starken Frau, über Liebe und männliche Gewalt und über einen Ort, der durch gläsernen Weihnachtsschmuck Weltruhm erlangte.

ULLSTEIN
BERLIN

Weitere historische Romane von Petra Durst-Benning

383 Seiten
ISBN 3-548-60057-3

400 Seiten
ISBN 3-548-60173-1

464 Seiten
ISBN 3-548-25122-6

384 Seiten
ISBN 3-548-60061-1